FR/

Né en 1973 à Annecy, Franck Thilliez, ancien ingénieur en nouvelles technologies, vit actuellement dans le Pas-de-Calais. Il est l'auteur de *Train d'enfer pour Ange rouge* (2003), *La Chambre des morts* (2005), *Deuils de miel* (2006), *La Forêt des ombres* (2006), *La Mémoire fantôme* (2007), *L'Anneau de Moebius* (2008), *Fractures* (2009), *Vertige* (2011), *Puzzle* (2013) et *REVERSE* (2016). *La Chambre des morts*, adapté au cinéma en 2007, a reçu le prix des lecteurs Quais du Polar 2006 et le prix SNCF du polar français 2007.
Franck Thilliez a publié *Le Syndrome [E]* (2010), une enquête réunissant pour la première fois ses personnages fétiches Franck Sharko et Lucie Henebelle que l'on retrouve dans *[Gataca]* (2011), *Atom[ka]* (2012), *[Angor]* (2014) – prix Étoiles du *Parisien-Aujourd'hui en France* pour le meilleur polar 2014 –, *Pandemia* (2015) et *Sharko* (2017).
Son dernier roman, *Le Manuscrit inachevé* a paru chez Fleuve Éditions en 2018. Ses titres ont été salués par la critique, traduits dans le monde entier et se sont classés à leur sortie en tête des meilleures ventes.

Retrouvez l'auteur sur sa page Facebook :
https://fr-fr.facebook.com/Franck.Thilliez.Officiel

SHARKO

DU MÊME AUTEUR
CHEZ POCKET

TRAIN D'ENFER POUR ANGE ROUGE
DEUILS DE MIEL
LA CHAMBRE DES MORTS
LA FORÊT DES OMBRES
LA MÉMOIRE FANTÔME
L'ANNEAU DE MOEBIUS
FRACTURES
LE SYNDROME [E]
[GATACA]
VERTIGE
ATOM[KA]
PUZZLE
[ANGOR]
PANDEMIA
RÊVER
SHARKO

TRAIN D'ENFER POUR ANGE ROUGE / DEUILS DE MIEL
(en un seul volume)

LA CHAMBRE DES MORTS / LA MÉMOIRE FANTÔME
(en un seul volume)

LE SYNDROME [E] / [GATACA] / ATOM[KA]
(en un seul volume)

L'ENCRE ET LE SANG
avec Laurent Scalese

FRANCK THILLIEZ

SHARKO

Pocket, une marque d'Univers Poche,
est un éditeur qui s'engage pour la préservation
de son environnement et qui utilise du papier fabriqué
à partir de bois provenant de forêts gérées
de manière responsable.

ISBN : 978-2-266-28645-9
Dépôt légal : mai 2018

PROLOGUE

Océanopolis de Brest, mars 2015

L'homme avait trouvé son maître sur l'échelle des prédateurs : le requin, fruit de millions d'années du travail de la nature, remarquable conclusion d'une évolution sans faille. Une machine aux multiples rangées de dents, à la silhouette aérodynamique parfaite, capable de sentir une goutte de sang diluée dans une piscine olympique. Un générateur de peur.

La peur… Elle aussi, rescapée du fond des âges, gardienne de la survie des espèces. En ce moment même, elle saisissait à la gorge le jeune Lucas, ridicule petit bonhomme sous les grands ventres blanc et gris qui glissaient au-dessus de sa tête. Cette peur, c'était la première fois qu'il la ressentait avec une telle intensité, comme si de minuscules archers tendaient chacun de ses muscles pour qu'il prenne ses jambes à son cou. Même protégé par des vitres en méthacrylate de plus de vingt centimètres d'épaisseur, l'enfant se serrait contre la cuisse de son père, chez qui les terreurs de jeunesse avaient laissé place à la fascination depuis longtemps.

Tout comme les visiteurs à ses côtés, Philippe aimait défier les monstres, en sécurité dans l'une des attractions principales de l'aquarium Océanopolis. De ce fait, il approchait son visage au plus près de la vitre, ses yeux enfoncés dans ceux glacés des requins-zèbres, taureaux, marteaux et tigres. Ces derniers étaient les plus impressionnants de tous. Certes, l'animal n'était pas le grand blanc créé par Spielberg, mais il n'avait rien à lui envier : quatre mètres, cinq cents kilos, des centaines de dents recourbées pouvant déchiqueter un être de la constitution de Lucas en trois coups de mâchoires.

Une clameur s'éleva dans la foule lorsqu'un chapelet de bulles perturba l'apparente quiétude du colossal aquarium. C'était pour *ça* qu'ils se réunissaient tous ici : vivre la peur par procuration. Un saut infernal dans la grande émotion du danger.

La silhouette d'un plongeur se dessina au fond du bassin, slalomant entre les rochers à renforts de lents battements de palmes. Il s'approcha de la vitre, adressa un signe d'amitié au public et appuya sur un bouton du cadran fixé à son poignet. Philippe reconnut un appareil utilisé pour mesurer le rythme cardiaque. L'homme-grenouille alla collecter des dents dispersées au sol, sous l'œil attentif d'un collègue dont on devinait à peine l'ombre à la surface du bassin, six mètres plus haut. Présent pour la sécurité. Au cas où.

Lucas renforça son étreinte autour de la jambe de son père.

— Il est fou ! Ils vont le manger !

Philippe ne releva pas – ce faux suspense qui terrifiait son fils l'amusait. Il savait que les prédateurs naviguaient repus, qu'ils ne développeraient aucune forme d'agressivité envers le soigneur. Pourquoi trembler ? Triste spectacle, en définitive, que ce plongeur nageant avec des requins gavés et dont la plupart ne présentaient aucun danger.

Il observa d'un œil discret les visiteurs à proximité. Pourquoi s'agglutinaient-ils tous là, si nombreux, à observer cet homme en tenue ridicule ramasser de stupides morceaux d'émail ? N'entretenaient-ils pas l'espoir, comme lui, qu'il se passe *quelque chose* ? À bien y regarder, les prédateurs ne paradaient pas qu'à l'intérieur de l'aquarium.

Traversé par un bref courant de honte, Philippe prit son fils par la main.

— On y va. On va aller manger une glace.

Lucas apprécia la proposition. À 7 ans, il préférait sans commune mesure les boules vanille aux requins. Ils avaient à peine fait trois pas qu'une nouvelle clameur agita la foule.

— Le couteau !

Philippe se retourna. Une femme ventousée à la paroi translucide avait crié. Dès lors, on se mit sur la pointe des pieds pour mieux voir. Que se passait-il ? Le jeune homme et son fils se frayèrent un chemin vers leur place déjà occupée. Debout au fond du bassin, le plongeur avait sorti un couteau à lame crantée du fourreau accroché à sa cuisse. Un geste anormal qui provoqua des mouvements chez son collègue, en hauteur, bien au sec de l'autre côté d'un jeu de vitres.

S'agissait-il là d'un numéro ? Le professionnel restait sur place, l'œil rivé sur les chiffres affichés sur sa montre, son couteau dans la main, tandis que les squales imperturbables ne montraient pas d'agressivité.

Les nuages de bulles jaillis du détendeur, réguliers, témoignaient d'une absence de panique. Lucas tirait sur le bras de son père pour partir, mais Philippe résistait. Les yeux bleus du plongeur, grossis par le verre du masque et les vitres, le subjuguaient : ils reflétaient une grande paix intérieure.

Puis, toujours avec cette même exquise lenteur, le soigneur ôta le gant de sa main gauche et s'entailla la paume avec générosité. Des arabesques pourpres ondulèrent dans l'eau. Alors que les vrais cris d'alerte et les propos incrédules se multipliaient (« C'est un spectacle ? » ou « Il s'est vraiment blessé ? »), la pression augmenta autour de Philippe et de son fils, désormais écrasés contre la vitre. L'enfant pleurait. Les gens s'amoncelaient, les nouveaux arrivants – ceux qui provenaient de la pièce adjacente – voulaient leur part du gâteau. Une femme oppressée se sentit mal et invectiva tous ceux qui piétinaient dans son dos. On s'écarta pour la laisser sortir.

Un signal, dans la tête de Philippe, lui ordonnait de fuir avant le point de non-retour, mais une autre force, un faisceau d'instincts primitifs plus forts, le paralysait. Un homme avec la main en sang, des requins autour : il devait connaître la suite. Le plongeur les rassura tous d'un signe clair, pouce et index joints en un cercle. Tout allait bien, il savait ce qu'il faisait, et il n'y avait aucun danger.

Les requins s'agitèrent manifestement. Leurs ombres noires se découpèrent avec plus de précision dans la lumière du dessus de l'aquarium. Philippe fut surpris par leur nombre : il en avait compté cinq ou six depuis son arrivée, mais plus d'une douzaine nageaient désormais dans un espace restreint à la verticale du plongeur, comme si les parois du bassin s'étaient rapprochées.

Un adolescent, à la droite de Lucas, immortalisait l'instant avec son téléphone. Deux, trois perches à selfies s'élevèrent dans la foule, en prolongement des cerveaux curieux, afin que tout le monde puisse jouir de l'étrange spectacle. Cette manie de tout filmer. D'ici une heure, à l'évidence, les vidéos ou photos circuleraient sur Internet et seraient largement visionnées.

— Reculez ! Reculez !

Un homme en short et tongs, un talkie-walkie dans une main, perça la nuée humaine. Il portait un badge au logo de l'aquarium sur son tee-shirt blanc, marqué du dessin d'un dauphin. Le visage grave, il entama une série de gestes techniques devant la paroi. Il ne fallait pas être spécialiste pour comprendre qu'il ordonnait au soigneur de remonter dans les plus brefs délais.

Mais ce dernier secoua la tête, bien décidé à ne pas bouger. Encore une fois, il signifia sa maîtrise de la situation et déporta son regard vers son cardiofréquencemètre.

Ce fut un requin-zèbre qui vint le premier explorer l'origine du sang. L'onde provoquée par son passage si rapide déséquilibra le plongeur, qui ôta ses palmes et s'ancra au sol sur les deux genoux. Le sang continuait à s'épancher de sa plaie. Les déplacements des squales se faisaient de plus en plus saccadés, leurs silhouettes se vrillaient, leurs yeux ronds et blancs presque aveugles s'agitaient de droite à gauche.

Les « Qu'on le sorte de là ! » et les « Faites quelque chose, ils vont le dévorer ! » se multipliaient, mais personne ne quittait son poste. La pièce était saturée, jusqu'aux entrées et sorties latérales, bouchées elles aussi. Philippe prit son fils dans ses bras et le plaqua contre lui, le visage tourné vers la foule. S'il devait survenir un drame, il ne fallait surtout pas que Lucas le voie.

Le responsable à leurs côtés dictait des ordres dans son talkie-walkie. Il leva les yeux. Une pluie de têtes de poissons, de calmars et d'abats se déversa depuis la surface de l'eau. Tout là-haut, le personnel jetait des seaux de nourriture dans l'espoir de détourner l'attention des requins, d'étourdir leur odorat surdéveloppé. L'œil vitreux d'une ex-dorade coula le long de la paroi. La foule se tut. Les visiteurs commençaient *vraiment* à prendre la mesure de ce qui se déroulait devant leurs yeux : un homme devenu fou risquait bien de se faire déchiqueter.

La nourriture n'y changea rien : une folie tout animale régnait dans le bassin, comme une contamination au sang humain, chaud et à l'odeur enivrante. Les bêtes avaient conservé leurs instincts de chasse, de survie, ces mêmes instincts primitifs qui poussaient les requins-taureaux à s'entre-dévorer dans l'utérus maternel, pour que seul le plus fort naisse.

Et le plus fort régnait là, dans ce bassin, avec ce souvenir de cannibalisme enfoui dans les abysses de son cerveau reptilien. Manger pour survivre. Manger pour se reproduire et perpétuer l'espèce. Manger, parce que c'était inscrit dans les gènes de tous les êtres vivants.

Un requin-tigre lança la première attaque. Il effleura sa proie et bifurqua soudain pour arracher net la main entaillée. Le masque du plongeur disparut derrière des bulles de douleur et, dès lors, il essaya de regagner la surface en mouvements confus, comme s'il réalisait tout juste l'imminence de sa mort. Il parcourut trois mètres à la verticale, puis fut tiré vers la gauche par une mâchoire accrochée à son mollet.

Le reste ne fut que boucherie.

La hargne sanguinaire des requins ébranla la masse de curieux agglutinés. Cris, pleurs, évanouissements. Ceux aux premières loges voulaient fuir, comme si les squales allaient briser les vitres pour les dévorer eux aussi, mais ceux du fond, qui ne voyaient rien, faisaient barrière. Embarqués par une vague de spectateurs, Philippe et Lucas se retrouvèrent comprimés là, incapables de s'échapper. Le gamin vit un chausson en néoprène couler juste devant lui, un pied arraché encore à l'intérieur.

Quand la salle put enfin être évacuée, seules demeuraient la bouteille d'oxygène jaune du plongeur enfoncée dans le lit de sable, pas loin de sa tête, et une farandole de lambeaux de matière en suspension dans l'eau à peine trouble. Les six litres de sang de ce qui avait été un corps de soixante-douze kilos, dilués dans la masse liquide de l'aquarium, ne se voyaient même plus. Un escadron de requins avaient repris leur danse tranquille, leurs congénères les plus rassasiés s'étaient réfugiés dans un coin, à l'abri, derrière des rochers. Une journée ordinaire pour eux, pimentée par un petit extra.

En dépit des traumatismes psychologiques qu'affronteraient Philippe et Lucas dans les semaines à venir, une image resterait gravée à tout jamais dans la mémoire du père : le regard du plongeur juste avant l'attaque des dents de la mer.

Celui du défi.

1

Athis-Mons, banlieue sud de Paris
Environ six mois plus tard, septembre 2015

— Il faut savoir que ton oncle s'était aménagé un bureau sous les combles, c'était son territoire et je n'y allais presque jamais. Il y avait tellement de maquettes d'avions là-haut que tu ne pouvais pas circuler sans en écraser une. Pas grand-chose d'autre ne comptait en dehors de son métier et de ses avions.

Les avions… Lucie Henebelle se rappelait bien ces petits morceaux de souvenirs. Quand elle était toute jeune déjà, Anatole en fabriquait avec du papier, du carton ou même du contreplaqué. Il emportait ces merveilles sur les plages du Nord et les projetait depuis le sommet des dunes de Malo-les-Bains, devant sa nièce à couettes blondes, folle de joie. Le temps avait passé. Trente ans plus tard, Anatole était mort, terrassé en pleine nuit par une crise cardiaque.

Régine lui tendit une pochette à élastiques. Alors que son mari avait été du genre compact et enrobé, elle était tout en verticalité, avec un front haut et des cheveux aux amples boucles irrégulières. Elle claudiquait et se déplaçait alourdie d'une canne depuis une dizaine d'années, ce qui ne l'empêchait pas de conduire ou de vadrouiller partout dans le quartier. Ici, tout le monde la connaissait.

— Ce que tu as entre les mains était caché au fond d'un tiroir verrouillé, dans les combles. Ça concerne sa dernière affaire, la disparition de Laëtitia Charlent, une jeune femme de 20 ans.

Lucie n'en avait jamais entendu parler. Elle vivait à une demi-heure de la petite cité résidentielle d'Athis, mais venait rarement rendre visite à cette partie de la famille. Ses jumeaux, son rythme de fou à la police criminelle du Quai des Orfèvres, les soucis quotidiens à gérer. Elle fit claquer les élastiques de la pochette.

À l'intérieur s'accumulaient une vingtaine de photocopies de procès-verbaux, des imprimés de casier judiciaire, des pages extraites d'un dossier de procédure pénale, une multitude de clichés en vrac. Sur les premiers d'entre eux, on distinguait une jeune métisse aux allures de garçon manqué, visage lumineux, cheveux noirs en frisettes de mouton, un piercing agrémenté d'un diamant au nez.

— C'est elle, la disparue. Laëtitia Charlent. Elle est belle, hein ? Et lui, la sale gueule sur les autres photos, là-derrière, c'est Julien Ramirez.

Lucie scruta les traits de l'individu d'une trentaine d'années, cheveux bruns ondulés, visage de silex aux arêtes tranchantes. En effet, il avait une sale gueule, avec son menton en galoche, ses joues crevassées qui arrondissaient une bouche en cul de poule, sans oublier ses yeux de loutre noirs et luisants. Son casier judiciaire mentionnait une peine de prison à Fleury, de 2008 à 2012, pour agression, détention d'arme illégale et tentative de viol. Une copie du dossier saisi par le greffier lors du procès était jointe.

— Il habite entre Longjumeau et La Ville-du-Bois, dans une maison isolée en retrait de la RN20, proche du bois, poursuivit la tante. Tu sais, pas très loin de l'antenne-relais téléphonique qui borde la nationale. C'est à tout juste quinze kilomètres d'ici.

Régine lui tendit un bloc de silicone bleu, qui était posé sur la table où fumaient deux tasses de café.

— Environ une semaine avant que ton oncle décède, ce kit de silicone est arrivé à son nom par la poste. Anatole m'a expliqué l'avoir commandé sur Internet, et que c'était pour ses maquettes d'avions. Mais il a menti.

Lucie constata, en effet, l'empreinte d'une clé sur l'une des faces du bloc. Sa tante sortit de sa poche la pièce métallique qu'elle fit coïncider avec l'empreinte.

— Ce bloc, il l'a utilisé pour mouler cette clé. Son bon de retrait au Carrefour de La Ville-du-Bois était dans la pochette à élastiques. Je suis allée dans la galerie marchande du magasin, avant-hier, avec le papier, en échange duquel le technicien m'a donné cette clé et rendu le silicone. D'après ce qu'il m'a raconté, Anatole avait déposé le moule trois jours avant son infarctus, le… 7 juillet, exactement.

— Il y a deux mois et demi.

— Déjà, oui. Anatole n'a pas eu le temps d'aller récupérer la clé. J'avais peur qu'après tout ce temps ce soit cuit, mais, Dieu soit béni, le gars l'avait mise de côté. Il est quasi certain qu'il s'agit du double d'une clé d'entrée. Et moi je confirme : c'est chez Ramirez que ton oncle voulait pénétrer. Je ne sais pas comment il a réussi à mouler la clé de ce type. Peut-être en fouillant dans son fourgon, ou en se faisant passer pour quelqu'un qu'il n'était pas. Après tout, Ramirez n'a jamais su qu'Anatole enquêtait sur lui.

— Comment tu sais que ce double est bien celui de ce… Ramirez ?

— À cause des autres photos, là-dessous. Regarde.

Tous les clichés, pris de nuit, étaient de mauvaise définition. Anatole avait mitraillé sans flash, embusqué semblait-il derrière des arbres. Sur le papier glacé, on distinguait une camionnette disposée de telle façon que ses portières arrière ouvertes se trouvaient à un mètre à peine de l'entrée d'une habitation. De toute évidence, le dénommé Ramirez transférait des sacs ou des objets lourds de l'intérieur de la maison vers le véhicule.

— Ce sont la maison et la camionnette de chantier de Ramirez. La date à l'arrière des photos indique qu'elles ont été tirées une semaine avant que ton oncle fasse la demande de moulage. À cette période, Anatole me faisait croire qu'il passait ses soirées au club de billard. Il rentrait deux fois par semaine aux alentours de 1 heure du matin. Mais j'ai réalisé hier, en découvrant tout ça, qu'il m'avait menti. Il surveillait Ramirez, la nuit.

Lucie but une gorgée de café, chahutée par les différentes révélations de Régine, qui l'avait appelée la veille et lui avait demandé de passer pour évoquer des découvertes faites au sujet d'Anatole. De là à imaginer que cela la mènerait à une affaire criminelle…

— Il faut que tu m'expliques plus précisément, ma tante, parce que je ne comprends pas grand-chose à ton histoire. Visiblement, il s'agit d'une disparition. Une victime, Laëtitia Charlent. Un suspect, Julien Ramirez. Mais ce dossier caché, ces photos, cette clé : mon oncle menait une enquête officielle, ou pas ?

— Officielle au tout début, mais avec cette pochette, cette clé, je me rends compte qu'il ne m'a pas tout dit et est allé beaucoup plus loin. Je vais te la faire courte. Il y a environ quatre mois, mi-mai, Laëtitia Charlent, placée depuis dix ans chez les Verger, une famille d'accueil, ne rentre pas du centre pour jeunes où elle passait ses après-midi. Ce centre se trouve à trois ou quatre kilomètres d'ici. Le commissariat d'Athis est averti, ton oncle mène les premières recherches de proximité avec ses collègues. Laëtitia est instable, elle a menacé à plusieurs reprises les Verger de ficher le camp. Alors, peut-être qu'elle est chez une amie, une connaissance, un foyer des environs ? Mais au bout de trois jours de recherches infructueuses, une procédure est ouverte pour disparition inquiétante et est confiée au truc pour les disparitions, là, à Paris.

— L'office central chargé des disparitions inquiétantes de personnes. L'OCDIP.

— Oui, c'est ça, l'OCDIP. Tu sais mieux que moi combien ils gèrent de disparitions par an, tes collègues. Des milliers. Le dossier s'empile avec les autres, ils ne se bougent pas les fesses pour retrouver Laëtitia. Elle est majeure. Une gamine d'origine réunionnaise qui se retrouve abandonnée dès sa prime enfance, qu'on balade de foyer en foyer avant de la placer, qui menace à plusieurs reprises de disparaître… Comment ne pas privilégier la piste de la fugue ?

Régine but une gorgée de café.

— Tout ça, ça le mettait en rogne, Anatole. Il venait de prendre sa retraite mais on connaissait cette famille, ils font partie de l'association pour le Téléthon, où je les vois encore plusieurs fois par semaine. Des gens bien qui se sentent toujours responsables de ce qui est arrivé. Et puis moi, je l'aimais bien, Laëtitia, c'était vraiment une bonne gamine. Enfin bref, tu connais ton oncle, il avait quarante ans de métier derrière lui et il détestait les échecs. Et puis, il disait toujours qu'on ne passe pas instantanément de « flic » à « non-flic » parce qu'on prend sa retraite. Flic un jour, flic toujours…

À 42 ans, Lucie n'avait *que* dix-huit ans d'ancienneté mais déjà l'impression que son job avait contaminé l'ensemble des cellules de son organisme et colonisé tous les espaces de sa vie privée. Pour sûr, son cerveau devait avoir la forme d'un flingue. Et vivre avec Franck Sharko, vingt-sept ans de Criminelle au compteur, n'arrangeait rien.

— Alors, mon oncle a continué à fouiner de son côté. Il a mené sa propre enquête.

— Exactement. Il gâchait ses journées à interroger les voisins, tout seul. À la longue, je n'ai plus supporté son entêtement, on se disputait souvent. C'était sa retraite, et il l'avait méritée ! Il n'en a même pas profité.

Elle tira un mouchoir d'une boîte et versa quelques larmes. Lucie ne se rappelait plus l'année de leur mariage, mais elle les avait toujours connus à deux, depuis sa prime jeunesse.

— Mais son acharnement a fini par payer. Au bout de trois semaines, deux témoignages différents se sont recoupés et ont mis en évidence la présence d'une camionnette de chantier grise. Quelques jours avant la disparition de Laëtitia, elle se trouvait tantôt dans une rue adjacente à celle de la famille d'accueil, tantôt à deux pas du centre pour jeunes. Un gros sigle sur la carrosserie annonçait « BÂTIMAT ». Anatole n'a pas eu de mal à retrouver l'entreprise : c'était celle de Julien Ramirez, un artisan auto-entrepreneur spécialisé dans la rénovation d'habitations.

Elle écrasa son index sur la face en papier glacé de Ramirez.

— C'était lui au volant ces fois-là, Lucie. Ton oncle, bien qu'à la retraite, a demandé à un collègue du commissariat de lancer une recherche et il a découvert que Ramirez avait déjà été condamné à de la prison pour agression et tentative de viol de 2008 à 2012. Dès lors, il a tout de suite signalé ça aux Parisiens chargés de l'enquête. Tu penses bien qu'ils n'ont pas apprécié sa démarche de cow-boy… Peu importe : le fait est que Ramirez a été interrogé en tant que témoin. Mais ils n'avaient rien contre lui, il n'a pas été inquiété.

— Comment il a justifié sa présence à proximité des lieux de vie de Laëtitia ?

— À cette période, il faisait du porte-à-porte pour faire la pub de son entreprise, il distribuait ses coordonnées. Les voisins ont pu confirmer. Ramirez n'avait aucun lien avec Laëtitia, personne ne les avait jamais vus ensemble. Et surtout, un client a été formel : au moment de l'enlèvement, il repeignait une façade à trente kilomètres de là. De ce fait, tes collègues parisiens n'ont même pas déclenché de perquisition, et Ramirez n'a jamais été placé en garde à vue. Tout ça, ça lui a mis un sacré coup, à Anatole.

Dans un soupir, elle remplit la tasse de café de Lucie, qui la remercia d'un geste.

— Je pensais qu'il avait tout abandonné, qu'il s'était résigné, jusqu'à ce que je trouve cette pochette et cette clé. Tu verras, il y a même une copie d'un morceau de dossier de procédure pénale du procès de 2008. Des expertises psychiatriques et tout. J'ai jeté un œil, ce Ramirez était un malade de la pire espèce.

Lucie repéra l'épais document.

— Le tribunal de grande instance de Bobigny... Comment il l'a obtenu, ce dossier ?

— J'en sais rien, je le découvre en même temps que toi. Par des contacts, sans doute, il connaissait du monde. Tu vois, il s'est acharné dans son coin, pour Laëtitia. Il a aussi surveillé Ramirez pour essayer de comprendre. Il me disait que ce type n'avait pas agi seul... Qu'il avait peut-être surveillé la gamine, mais pas procédé à son enlèvement. Qu'il avait forcément un complice.

Régine lui attrapa la main droite et la serra dans les siennes.

— Je sais bien que ça fait quatre mois que Laëtitia a disparu, mais peut-être qu'elle est encore en vie, Lucie. Peut-être que ce salopard la retient dans une cache au fond de sa cave ou ailleurs pour lui faire subir je ne sais quelles horreurs. On ne te voyait plus beaucoup, mais ton oncle a toujours eu de l'affection pour toi. T'es la fille de sa sœur, il s'est bien occupé de toi et de ta mère quand ton père est mort. Et puis, il était fier que tu sois flic au 36.

Elle fixa Lucie sans plus rien dire.

— Ma tante… Qu'est-ce que tu veux que je fasse, exactement ?

— Que tu jettes un œil à ses recherches, que tu te forges ta propre opinion. Et que, si tu sens que ça peut aller plus loin, alors… je ne sais pas, relancer une enquête sérieuse au 36 ?

— C'est plus compliqué que ça, tu sais bien.

— Oui, oui, mais si je te confie cette histoire, c'est parce que j'ai confiance en toi. On ne peut pas laisser sciemment quelqu'un comme Ramirez en liberté. Tes collègues du service des disparitions ne se bougent pas et, crois-moi, si j'étais encore en mesure de botter les fesses de cette ordure de Ramirez, je le ferais.

Lucie réfléchit quelques secondes.

— Personne n'est au courant ? Pas même ma mère ?

— Il n'y a que nous deux.

— Bien certaine ? Tu n'en as pas parlé dans le quartier ? Ni à tes amis des associations ?

— Je te dis que non.

Lucie sonda sa tante au fond des yeux. Elle vida sa tasse de café, prit la pochette et se leva.

— Très bien, je veux bien jeter un coup d'œil. Mais tu ne dois en parler à personne. Pas à maman, et surtout pas à Franck, je ne veux pas l'impliquer là-dedans pour le moment, il est sur un gros dossier. Ça nous concerne, toi et moi. Tu sauras tenir ta langue ?

Sa tante passa ses doigts sur sa bouche, comme pour se coudre les lèvres. Puis elle se leva à l'aide de sa canne et vint se serrer contre elle.

— Merci, Lucie. Tu n'as pas changé. Je savais bien que je pouvais compter sur toi.

2

Lucie termina de raconter *Les Trois Petits Cochons* avec tellement de cœur – et sans doute un peu trop de véracité policière – que deux paires d'yeux ronds comme des soucoupes la fixaient sans ciller, le nez au ras des draps. Elle referma le livre de contes, appliqua le rituel du coucher : câlins, bisous, mots doux, nouvelle rafale de bisous.

— Allez, mes minets. À demain.

Jules insista pour qu'elle laisse la lumière allumée. C'était le plus froussard des jumeaux. D'ailleurs, si son frère, Adrien, abordait plutôt bien ses premiers jours de maternelle, Jules, lui, versait encore des torrents de larmes chaque matin et transformait la séparation en scène d'adieux déchirante. Il avait beaucoup de mal à se décrocher de sa mère, et l'inverse était aussi vrai.

Lucie rejoignit Franck Sharko dans la cuisine. Il se préparait une Thermos de café bien fort et se beurrait une demi-baguette tout en sifflotant. Il portait sa tenue des grandes occasions : costume gris anthracite et cravate rayée. La veille, au terme d'une enquête de plusieurs mois, leur équipe du 36 avait interpellé le suspect d'un double homicide. Pour les policiers, c'était comme le feu d'artifice du 14 Juillet.

— Manien vient de me passer un coup de fil. Dulac n'a pas encore craqué, mais avec le paquet de preuves qu'on lui met sous le nez, il est bientôt mûr. C'est l'histoire de trois, quatre heures.

Lucie ajouta des cornichons dans son sandwich – il adorait, mais oubliait toujours – et le lui emballa dans du papier d'aluminium.

— Coince-moi ce monstre, Franck. Qu'on n'ait pas bossé pour rien.

— Je lui réserve la plus belle nuit de sa vie. Du cinq étoiles sur mesure.

L'excitation pétillait toujours, même après toutes ces années à traquer la Bête. À 54 ans, Franck Sharko continuait à racler le pavé, malgré ses os vieillissants, l'âpreté des scènes de crime, cette confrontation perpétuelle à une misère et une violence croissantes. Bien sûr, il y avait des hauts et des bas, et il ne comptait plus les fois où, la nuit, il décidait de raccrocher les gants, mais à chaque regard posé sur ses fils, chaque fois qu'un type se faisait exploser avec une ceinture, le flic de la Criminelle repartait de l'avant, avec la hargne rouge vif de ses 20 ans.

Il prit ses deux portables – le personnel et le professionnel, hors de question de mélanger travail et famille. Lucie l'accompagna jusqu'à la porte d'entrée de leur petite maison de Sceaux, au sud de Paris. Un endroit douillet, agréable, conçu pour une vie à quatre la plus équilibrée possible. Le 36 n'était pas tout près, mais cet éloignement se révélait nécessaire – une précaution supplémentaire pour écarter la crasse de leur foyer.

Elle l'embrassa et réajusta le col de son imperméable. Ils n'avaient pas annoncé de pluie, mais Sharko se comportait en joueur d'échecs : il voulait toujours avoir un coup d'avance.

— Je ne vais pas dormir de sitôt, dit Lucie. Un film, puis un peu de lecture. Envoie-moi un message quand Dulac crachera le morceau. Même à 2 heures du matin. J'ouvrirai le champagne.

Sharko lui adressa un signe de tête et enfonça sa large carrure dans la voiture. Une fois seule, Lucie se rua sur son téléphone et, comme convenu plus tôt dans la journée, appela Jaya, leur nounou d'origine philippine. Vers 21 h 45, la jeune femme débarquait. Lucie courut chercher ses papiers et ses clés de voiture.

— Ils dorment. J'ai mon téléphone avec moi, appelez au moindre souci. J'ignore quand je rentrerai, peut-être minuit, ou plus tard. Et n'oubliez pas : mon compagnon ne devra pas être au courant, d'accord ? Si le téléphone fixe sonne, vous ne répondez pas.

— Comptez sur moi.

Jaya avait répliqué sur le ton du pacte. Lucie enfila son holster alourdi de son Sig Sauer 9 mm devant elle, histoire de désamorcer les fausses idées : quelqu'un qui s'apprêterait à tromper son conjoint n'embarquerait pas son arme, à moins d'être sacrément pervers. Elle mit son fin blouson et fila.

En route, elle visualisa le film de ces dernières journées. Elle avait passé cinq jours, en toute discrétion, à étudier l'ensemble des documents rassemblés par Anatole avant sa mort. D'après les notes manuscrites de son oncle, Julien Ramirez était un papillon de nuit qui rentrait souvent très tard au guidon de sa moto ou avec sa camionnette. D'où ? Cela n'était pas précisé. Anatole faisait aussi mention d'une jeune femme aux allures gothiques qui venait de temps en temps passer la nuit chez lui. Une petite amie ?

Le type cumulait toutes les caractéristiques de l'individu instable. Expulsé à de multiples reprises des établissements scolaires pour avoir envoyé des élèves de son âge à l'hôpital, profanations de tombes dans son adolescence, appartenance à des groupes satanistes, cruauté envers les animaux… Sa condamnation à cinq ans de réclusion avait fait suite à la plainte d'une fille rencontrée lors d'une soirée. Lucie avait lu la copie du dossier de procédure pénale : Ramirez l'avait raccompagnée chez elle juste pour boire un dernier verre. Tentative de rapport physique. La fille s'était montrée réticente, il l'avait menacée avec un pistolet, attachée sur une chaise et entaillée à l'épaule avec un couteau, « afin de lécher son sang », lisait-on en toutes lettres sur une photocopie. La victime avait réussi à s'échapper, évitant qu'il ne la viole et, peut-être, ne la tue.

Toujours d'après le dossier et les experts psychiatriques qui s'étaient succédé à la barre du procès, Ramirez avait séjourné à l'HP de Palaiseau, voilà dix ans, pour un trouble peu commun appelé syndrome de Renfield : une vraie montée en puissancc dans lc rapport que le malade entretenait avec le sang. Le tourbillon de la perversion avait embarqué Ramirez suite à une blessure à l'adolescence. Il s'était alors rendu compte d'une forme d'excitation à l'absorption de son propre sang. Ce travers l'avait d'abord mené à l'autovampirisme, sous forme de blessures volontaires, puis à la zoophagie – il ingurgitait le sang d'animaux, souvent des chiens et des chats. En 2006, à peine sorti de l'HP et deux ans avant l'affaire de la tentative de viol, le prévenu avait été interpellé dans une boucherie en pleine nuit, la main dans les congélateurs.

Un beau spécimen.

Parmi tous ces éléments s'accumulaient d'autres faits troublants issus des écrits de son oncle, des pattes de mouche au bas de photocopies et de photos : « *Que charge-t-il dans sa camionnette ?* », « *Il se passe quelque chose à la cave* », « *On dirait qu'il y a des bruits dans la maison* ».

Qu'entendait-il par « des bruits » ? La graine de l'obsession avait germé dans l'esprit de Lucie : elle voulait aller se rendre compte par elle-même, peut-être entendre elle aussi ces bruits, prendre la température du lieu où Ramirez habitait. Si elle se convainquait que l'individu était impliqué dans quelque chose de grave, elle irait voir l'OCDIP et leur collerait tous les éléments entre les mains. Sans preuve, elle savait qu'ils risquaient de ne pas bouger le petit doigt.

Au bout d'une demi-heure de route, Lucie quitta la RN20 et, guidée par son GPS, bifurqua en direction de Saulx-les-Chartreux. Elle avait déjà repéré les lieux en journée, l'avant-veille. Plus loin, l'antenne-relais téléphonique, une route minuscule, les champs à droite, la grande main noire du bois à gauche et une poignée de maisons essaimées dans l'éclat de ses phares, la plupart mal entretenues et taguées. Elle passa une première fois au ralenti devant sa cible, située en retrait de la route. Un bloc de béton sans âme, au toit en tôle plat. Pas de lumière et, à première vue, pas de moto sous le carport où, d'après les photos, l'individu remisait son engin.

La camionnette de chantier ainsi que son Audi TT, en revanche, dormaient sur place.

Lucie ne voulait prendre aucun risque et devait s'assurer de l'absence du propriétaire. Aussi déroula-t-elle la première phase de son plan : elle dégonfla sa roue avant gauche, fit demi-tour et se gara sur le bas-côté, devant l'habitation. Elle s'avança à pied dans l'allée au bitume craquelé. À gauche comme à droite, dans le jardin, des mauvaises herbes et des orties poussaient en pagaille.

Elle sonna plusieurs fois, frappa à la porte. Une fraction de seconde, elle s'imagina face à Ramirez. Il faudrait lui annoncer sa crevaison et quémander de l'aide. Il l'enverrait paître mais, au moins, elle saurait qu'il était là, chez lui.

L'attente, l'angoisse. Pas une seule lumière qui s'allume. Personne.

Elle fit discrètement le tour de la maison. Pas un bruit. Son oncle avait enquêté plus de deux mois auparavant, peut-être n'y avait-il plus rien à entendre, à découvrir, mais Lucie ne voulait pas en rester là. Pas avec la clé dans sa poche…

Elle récupéra la bombe anticrevaison cachée sous son siège, regonfla le pneu et dissimula sa voiture plus loin, en bordure du bois, à une centaine de mètres de là. Elle enfila des gants en cuir, sortit un bonnet noir de son blouson et couvrit sa longue chevelure blonde. Embusquée, elle attendit le passage d'une voiture et fila vers l'entrée.

À l'aide de la clé moulée, elle se réfugia à l'intérieur, avec cette même pointe dans le ventre que peut nous faire ressentir la trop grande proximité d'un précipice :

elle se trouvait en infraction totale avec la loi, mettait en danger sa carrière, peut-être même sa propre vie. Mais c'était plus fort qu'elle : elle devait savoir.

Le fait de verrouiller derrière elle ne la rassura pas, au contraire : il lui donna l'impression de s'être elle-même piégée dans une souricière.

3

Elle alluma sa lampe stylo qui révéla une vieille tapisserie des années 1970, un carrelage d'un autre siècle. Des ampoules nues pendaient en guise d'éclairage. Deux, trois photos de Ramirez en pose devant sa puissante GSX-R 750 constituaient l'unique décoration.

Lucie n'arrivait pas à faire retomber la pression ni le rythme de son cœur. Elle aimait cette tension, d'ordinaire, ce reflux de peur qui maintenait en vie n'importe quel flic, mais pas cette fois. Que se passerait-il si Ramirez déboulait par surprise et qu'elle se retrouvait face à lui ? Elle jeta un œil rapide dans le salon. Fauteuils usés jusqu'à la corde mais télé neuve, du bon matériel hi-fi. Des canettes de bière vides, sur la table, quelques dessins : des lézards, des salamandres, des bestioles visqueuses… Si Ramirez en était l'auteur, on ne pouvait pas lui nier un certain talent.

Pas le temps de tout fouiller. Elle se dirigea vers la cuisine, où les poubelles étaient pleines à craquer, les casseroles sales entassées, le tout imprégné d'une odeur de nourriture rance.

Son téléphone émit un petit son et lui provoqua un sursaut. Un SMS de Sharko :

Pas drôle : Dulac a lâché le morceau avant même que j'arrive ! On boit un coup avec Nicolas. Serai de retour dans une heure. Ouvre quand même le champ'.

Elle se sentit prise à la gorge. Elle imaginait déjà Franck de retour au domicile et devant Jaya. Une heure, ça lui laissait maximum une dizaine de minutes ici. Bien trop peu à son goût.

Elle s'avança dans le couloir. En face, l'escalier s'élançait vers l'étage. À gauche, les toilettes, à droite, une porte fermée par un verrou qu'elle tourna. Une bouffée glacée la frappa en pleine figure. La fameuse cave. Briques humides, plafond bas : il fallait se courber pour descendre dans cette gorge et faire preuve d'une sacrée dose de courage. Lucie avait beau avoir vu des horreurs dans sa vie, la peur enfantine de s'aventurer sous terre en pleine nuit demeurait une épreuve à surmonter.

Elle s'engagea, un pas devant l'autre. Au troisième, une longue lamentation lui vrilla les tympans.

Un infernal et inimaginable cri de bébé.

Là-dessous, dans le noir et le froid.

4

Lucie resta figée, incapable de réaliser ce qu'elle venait d'entendre. Elle dut s'y prendre à plusieurs reprises pour brandir son Sig Sauer. Du pouce, elle ôta la sécurité et fit remonter une balle dans la chambre. Le poids de l'arme entre ses mains ne la rassura pas assez. Sans doute avait-elle commis la pire des absurdités en pénétrant seule chez ce malade. Personne ne savait où elle se trouvait. Pas même Franck.

Un nouveau pas, et son pied gauche chassa soudain droit devant, dérapant sur une marche. Lucie bascula à la renverse et dévala cinq marches sur les fesses sans lâcher son pistolet. Elle gémit, se redressa dans une grimace. Dieu merci, rien de cassé, juste une douleur au coude gauche, qui avait amorti le choc. Ses gants et son pantalon luisaient de cire. Comme les marches. Ce taré de Ramirez avait dû y brûler des bougies en quantité, pas possible autrement.

Lucie descendit les quatre dernières marches, sa torche de fortune à l'affût. Une première pièce devant elle, comme un sas, qu'encombraient une grosse chaudière, diverses cages à oiseaux vides et un ballon d'eau.

Le hurlement se renouvela, mi-humain, mi-animal. Il provenait du fond de la cave. L'imagination de Lucie tournait à plein régime. Elle serra son Sig à deux mains, lampe collée au canon. Garder une concentration maximale.

L'autre pièce. Immense. Les balayages lumineux saccadés révélèrent au sol un capharnaüm inimaginable. Des outils, du mobilier, des bouteilles vides par centaines, des bâches bleues transparentes, du grillage, des palettes de bois, des boîtes de conserve éventrées. Posé contre un mur, un miroir fendu sur toute sa longueur, comme frappé par la foudre. S'entassaient également de gros sacs de matériaux de construction. Le soupirail, qui donnait vraisemblablement sur l'extérieur, avait été occulté par du tissu cloué au mur. Ramirez avait tout fait pour chasser la lumière.

Pour atteindre le drap noir qui pendait du plafond et séparait la pièce en deux, elle progressa sur la mer d'objets du mieux qu'elle put, en équilibre instable. Du verre, du plastique, du bois craquaient sous ses semelles. Elle écarta le tissu et poussa un cri. À dix centimètres de son visage pendait une cage, maintenue au plafond par une chaîne. Entre les barreaux, un animal gisait – il fallut plusieurs secondes à Lucie pour reconnaître un chat. La bête, intégralement rasée, tremblait, recroquevillée dans un coin de la cage. Ses grands yeux translucides brillaient comme des lucioles en réponse au faisceau lumineux. De gros aplats noirs et luisants semblaient se mouvoir sur sa peau. Lucie s'approcha.

Des sangsues, plus longues qu'une main pour la plupart. Vrillées dans la chair. Le chat succombait sous leur poids. Il émit de nouveau ce long cri semblable à celui d'un nourrisson.

La lieutenant de police réprima un haut-le-cœur. Chez quel fichu taré avait-elle mis les pieds ? Elle essaya de se contrôler. Les cris du chat étaient-ils les bruits dont son oncle parlait dans ses notes ? Elle brûlait d'envie de prendre l'animal et de l'emporter. Impossible, tout devait rester intact. Elle chassa ses sentiments. Laëtitia, il fallait penser à Laëtitia. Dénicher les traces de sa présence pour agir en conséquence.

Elle progressa encore, scrutant les recoins encombrés. Des dizaines d'autres sangsues grouillaient dans un aquarium aménagé sur un établi. Ramirez avait reproduit un environnement naturel – l'eau, les rochers, la vase – pour permettre à ces bestioles de prospérer. À côté de l'aquarium, des scalpels, des pinces, des éprouvettes, des poches en plastique vides. À quelles sordides expériences se livrait Ramirez ? Des meubles s'adossaient contre les murs, peut-être existait-il une cache secrète où il pouvait maintenir une personne enfermée ?

— Il y a quelqu'un ? Je suis de la police. Répondez !

Pas de réponse. Elle insista, car elle savait combien une fille terrorisée, dominée par son kidnappeur, se noierait en pleurs dans le silence. Elle longea les murs, tapa du poing contre les parois, chercha des failles dans les briques, mais le temps filait. Dans moins de quarante minutes, Sharko serait à la maison. Il fallait déjà déguerpir. Elle convaincrait ses collègues, en parlerait à Franck, reviendrait ici de façon légale, cette fois. Vu ses connaissances sur le bagage psychiatrique de Ramirez – son rapport au sang, le satanisme –, vu aussi la présence du chat torturé, des scalpels, du matériel chirurgical, il fallait fouiller la maison de fond en comble.

L'animal se lamenta encore, ses yeux éteints imploraient Lucie de lui venir en aide. Sur son dos, sur son ventre, l'abdomen des sangsues était gonflé, au point qu'elles paraissaient près d'exploser. Ces saletés vidaient le chat de sa substance.

— Je reviendrai, je te le promets.

Faire demi-tour lui arracha le cœur. Elle emprunta le même chemin que quelques minutes plus tôt afin de déranger le moins de choses possible. Si Ramirez était maniaque, s'il connaissait avec précision l'emplacement des objets, facile de deviner une visite.

Lucie regagnait à peine le sas qu'un coup violent au plexus lui coupa le souffle. Deux bras agressifs la propulsèrent vers l'arrière. Dans un cri, elle finit sa chute sur des bâches, tandis que sa lampe torche disparaissait plus loin.

Noir.

Elle voulut se redresser, mais Ramirez la percuta de nouveau, replia une des bâches au-dessus d'elle et l'écrasa sur son visage. Lucie expulsa un long souffle rauque. Elle puisa du bout des lèvres les derniers centilitres d'air avant d'être incapable de respirer. Le faisceau réapparut, dans le fourbi, orienté vers le plafond. À califourchon au-dessus d'elle, l'homme appliquait fermement d'une main le plastique pour l'étouffer. De l'autre, il serrait le canon d'une arme contre son front.

— Je vais te finir, salope !

Il posa l'arme sur le côté et préféra accentuer son emprise avec la bâche. Plus jouissif. Lucie vit la bouche tordue de l'individu presque collée à la sienne, et les tendons affleurant sous la peau de son cou, tant il pressait. Elle se débattit comme un insecte englué dans une toile d'araignée. Le nuage de buée qu'elle expira lui brouilla la vue.

Les forces commençaient à lui manquer, et les visages se mettaient à défiler sous ses paupières comprimées. Franck, Jules, Adrien, sa mère…

Elle allait crever, ici, au fond de cette cave sordide.

Quitter ce monde de la plus absurde et de la pire des façons.

5

L'agonie.

Dans un ultime geste de désespoir, la main de Lucie frôla le métal froid de son arme, non loin d'elle sur la droite. Ses doigts se resserrèrent sur la crosse. Bras plaqué au sol, elle opéra un mouvement de poignet douloureux, posa son index sur la queue de détente et tira au jugé.

Du sang gicla sur la bâche. La pression se relâcha, la masse qui l'écrasait bascula sur le côté. Lucie se débattit, chassa le plastique de son visage et eut l'impression d'aspirer l'atmosphère tout entière. Elle s'étouffa dans ses sécrétions, cracha, récupéra, puis finit par retrouver sa torche.

Ramirez gisait contre le mur, en position assise, pieds nus, vêtu d'un simple pantalon de survêtement et d'un tee-shirt. Ses yeux étaient fixes. Une grosse fleur sombre s'ouvrait au niveau du cou, juste au-dessus de la pomme d'Adam.

Lucie se pencha : plus de pouls.

Elle fit trois pas en titubant, abasourdie, incapable de saisir les dernières secondes du film. Tout s'était déroulé à une telle vitesse. Elle baissa les paupières, attendit un instant. Et si tout cela n'était qu'un cauchemar ? Elle attendit encore… Le réveil, le retour de Sharko, la trouvant ensommeillée à la maison. Mais non. Elle avait pénétré chez quelqu'un en pleine nuit et tué avec son arme de service. En dehors de toute enquête, de toute procédure. Flic ou pas, aux yeux de la loi, elle avait commis un homicide.

La tête entre les mains, elle resta là, immobile, absente. Ses pensées s'envolèrent vers ses jumeaux, ses deux fils à l'aube de leur vie. Allait-elle les perdre, eux aussi ? Tout allait-il se terminer de cette façon : elle, Lucie Henebelle, dans une cellule de neuf mètres carrés ?

La sonnerie de son téléphone carillonna entre les murs de brique. Wagner, *La Chevauchée des Walkyries*, manqua de la faire crever d'une crise cardiaque.

Elle décrocha sans force, les yeux rougis de larmes.

— Lucie ? Qu'est-ce qui se passe ? Je viens de renvoyer Jaya chez elle, elle m'a dit que tu l'avais appelée et que tu étais partie sans donner plus d'explications. Où est-ce que tu es ? Rien de grave, j'espère ?

Lucie se ressaisit et lâcha d'une voix d'outre-tombe :

— Je viens de tuer un homme.

6

Franck Sharko roulait pied au plancher dans un état second. Son esprit refusait encore d'intégrer les six mots prononcés par Lucie.

En une fraction de seconde, tout ce qu'il avait construit, l'ensemble de ces épreuves surmontées pour arriver à mener une vie à peu près normale avaient volé en éclats. La femme qu'il aimait se trouvait au fond de la cave d'une maison anonyme, un pistolet à la main et un cadavre à ses pieds. Les images défilaient dans sa tête. Lucie derrière les barreaux. Lucie se faisant briser les os un à un dans la cour d'une prison, payant aux détenues le prix de ses années dans la police. Adrien et Jules, mains plaquées contre le Plexiglas du parloir, pleurant leur mère qui disparaissait dans le couloir, entre les claquements de porte et les raclements de serrure.

Dans l'habitacle de sa voiture, il hurla. Un long cri rauque. Non, il ne laisserait pas leur bonheur se briser. Ils avaient déjà trop souffert par le passé, chacun de leur côté. Lucie avec la mort dramatique de ses jumelles, au début de leur relation. Lui avec la disparition de sa femme et de sa fille, dix ans plus tôt. Le destin s'était déjà suffisamment acharné sur eux.

Pas cette fois. Hors de question.

Aussi, malgré l'incompréhension, la surprise, la gravité de la situation, il avait gardé son sang-froid et ses réflexes de flic. Difficile de comprendre quoi que ce soit à l'histoire de Lucie – ses mots avaient été hachés de sanglots –, mais il lui avait ordonné de ne plus bouger et de ne plus rien faire avant son arrivée, surtout. Après avoir raccroché, il avait rappelé Jaya avec son téléphone personnel, avait expliqué avoir oublié de régler un détail au bureau et lui avait fourré un billet entre les mains.

Il atteignit enfin la maison. Scanna l'environnement de son œil de lieutenant de police, ex-commissaire déchu à la tête de plus d'une trentaine d'hommes par le passé. Une maison isolée, les bois, les champs, aucun vis-à-vis. Voiture de Lucie invisible. Il engagea son véhicule dans l'allée, phares éteints, et le gara sur le côté de manière à le dissimuler au mieux de la rue. Il enfila une paire de gants en cuir, enfonça une casquette sur son crâne garni de courts cheveux poivre et sel, et descendit en toute hâte dans la nuit.

Gros coups sur la porte. Bruits de serrure. Lucie lui ouvrit et fondit dans ses bras.

— Franck ! Qu'est-ce que j'ai fait ?

Sharko la serra fort.

— Tu n'as rien ?

Elle secoua la tête. Il la considéra avec gravité, dans le mince faisceau de la torche posée au sol. Des coulées de maquillage marbraient son visage. Sharko frotta ses joues du dos de son gant, puis repoussa la porte du bout de ses doigts.

— Montre-moi.

Lampe en main, Lucie se dirigea vers la cave. Les deux ombres courbées glissèrent contre les murs. Elle lui indiqua d'un geste la présence de la cire. Devant eux, le brûleur de la chaudière crachait une grosse flamme bleue dans un grondement : le chauffage fonctionnait sans doute.

Lorsque le long miaulement déchira le silence, Sharko eut un frisson.

— Qu'est-ce que c'était ?

— Un chat.

Une fois dans la pièce, il constata le carnage : le type en survêtement, pieds nus, à la gorge en sang, assis dans un capharnaüm inimaginable… L'arme à ses côtés – Sharko reconnut un HK P30, un pistolet américain. L'impression qu'une tornade avait apporté le contenu de dix maisons dans ce sous-sol. Il analysa la situation et regarda l'heure : 23 h 40.

— Où est ta voiture ?

— Garée pas loin d'ici.

— Invisible des passants ?

Lucie acquiesça. Sharko s'enfonça plus en profondeur, fit tomber le drap noir, fixa la cage suspendue à hauteur d'homme : le chat, dévoré par les grosses bestioles luisantes.

— Explique-moi clairement comment tu t'es retrouvée chez le type avec la clé d'entrée de sa maison.

Lucie lui raconta. La visite chez sa tante, l'enlèvement de Laëtitia Charlent, les soupçons de son oncle, les photos, le moulage de clé. Sharko ferma les yeux et fit le vide dans sa tête. Chasser les sentiments, les émotions. Il était un flic sur une scène de crime, qui devait réfléchir, analyser et mettre le reste de côté. Lorsqu'il rouvrit les yeux, Lucie constata un changement dans son regard. Plus rien ne brillait, juste deux grands disques noirs ouverts sur les ténèbres.

— Des preuves que cette gamine, Laëtitia, est bien passée entre ses mains ?

— Je n'ai rien trouvé. Il m'est tombé dessus, il était armé, il a essayé de me tuer. Il doit bien y avoir une raison.

— Comment tu réagirais, toi, si tu découvrais quelqu'un chez toi en pleine nuit ?

Il serra le visage de Lucie entre ses mains, en ausculta chaque centimètre carré.

— Il ne t'a pas griffée ? Pas de contact physique ?

— Il y avait la bâche entre nous deux. D'où il sort ? Je n'ai pas entendu sa moto, je…

— Il n'y a pas de moto dehors. T'as vu sa tenue ? Ce type devait être déjà dans la maison.

Sharko revint vers le corps et s'accroupit. Il vérifia l'absence de peau sous les ongles ensanglantés de Ramirez, puis bascula le cadavre avec précaution. Le trou à l'arrière signifiait que le projectile était ressorti. Pourtant, Franck savait que les balles fournies à la police étaient particulières : marque Speer Gold Dot calibre 9 mm, produite par ATK, et à tête creuse, ce qui leur permettait de « champignonner » dans leur cible – la tête creuse s'écrasait au moindre obstacle – et de ne pas en ressortir, en théorie. Mais pour un tir à bout portant au niveau de la gorge…

Il scruta les alentours avec la torche, à la recherche de la balle.

— T'étais dans quelle position quand t'as tiré ?

Lucie ne répondit pas, elle fixait son compagnon avec effroi. Avec le peu de lumière, le faciès de Sharko se découpait en figures géométriques démentes. Un kaléidoscope de chair qui lui provoqua un nouveau tremblement. Ses yeux disparaissaient dans l'obscurité, comme aspirés par deux trous noirs. Il se redressa, la prit par les épaules et la secoua avec vigueur.

— Ressaisis-toi ! Dans quelle position ?

— Franck… Qu'est-ce que tu fais ?

— Ce que je fais ? J'essaie d'empêcher que notre famille ne coule.

— Non, Franck. J'ai tué ce type, je… suis la seule responsable. Hors de question que tu sois impliqué !

— Je suis impliqué à partir du moment où t'as ramené ton cul dans cette baraque sans me le dire, et que t'es la mère de mes enfants. Tu coules, on coule tous.

Sharko ouvrit son portefeuille et lui brandit la photo de ses fils devant le nez.

— Pense à eux. Rien qu'à eux. Nous, on ne compte pas.

Lucie fut touchée en plein cœur. Sa tête lui tournait. Elle aurait dû vérifier toutes les pièces avant de descendre. Ramirez avait peut-être revendu sa moto. Il n'avait pas ouvert parce qu'il n'avait pas eu envie, pas entendu, ou qu'il avait eu peur d'une mauvaise visite ? Comment avait-elle pu être aussi stupide ? Elle fouilla dans sa mémoire, pointa un index approximatif.

— Je ne sais plus… J'étais au sol, dans ce coin-là. Il se tenait au-dessus de moi, il voulait m'étouffer. J'ai incliné mon arme et j'ai tiré. Il s'est traîné jusqu'au mur, il est mort…

Sharko n'y voyait pas grand-chose. Il remarqua qu'une ampoule pendait, remonta pour allumer, mais la lumière à économie d'énergie – vingt watts à peine – agonisait. Il scruta le plafond au-dessus du corps, en cercles croissants, jusqu'à ce que son regard accroche un impact. Premier soulagement. Le projectile avait en partie pénétré la brique, mais pas en totalité à cause de la tête creuse. Il le cueillit comme une cerise et le glissa dans sa poche. Cette balle, c'était une partie de l'empreinte digitale de l'arme de Lucie.

— La douille, maintenant.

L'autre partie de l'empreinte digitale. À genoux, il commença à remuer les bâches, bouger les bouteilles… Plus il déplaçait d'objets, plus il en découvrait d'autres, dessous.

— T'avais tes gants avant d'entrer dans la maison ?

— Je les ai enfilés dehors. Comme le bonnet.

Vu l'incroyable capharnaüm, Sharko savait que la police scientifique serait incapable de mener correctement des analyses ADN, il pouvait donc fouiner sans craindre d'abandonner par mégarde une goutte de sueur ou un poil de sourcil. En revanche, il fallait se méfier des empreintes digitales sur les poignées de porte, les meubles…

— Bien. T'as consulté des fichiers nationaux sur Ramirez ? T'as contacté des personnes à son sujet, t'as passé des coups de fil ?

— Non, je suis restée prudente. Seule ma tante est au courant.

— D'après ce que tu m'as raconté, Ramirez n'a été interrogé que comme témoin pour cette histoire d'enlèvement, c'est bien ça ?

— Oui.

— Donc, aucun lien ne sera fait entre la disparition de Laëtitia, gérée par l'OCDIP, et la mort de Ramirez, qui va être diligentée par un groupe Crim. Personne ne devrait aller déranger ta tante pour l'interroger sur d'éventuelles activités de ton oncle, mais il faudra quand même qu'on aille la voir. C'est une pipelette incapable de tenir sa langue.

Le cerveau de Lucie surchauffait, Franck gardait la tête froide.

— Et maintenant, réfléchis, Lucie, réfléchis aux erreurs que t'aurais pu commettre. Visualise chaque minute de cette nuit depuis ton départ de la maison. Et aide-moi à retrouver cette douille, bon sang !

Elle s'agenouilla à ses côtés, les mains à plat sur une palette de bois, les yeux rivés sur ceux vides et voilés de Ramirez. La mort l'enveloppait déjà avec délicatesse.

— Tu crois que… qu'il est coupable ? Qu'il a fait du mal à Laëtitia ?

— Comment veux-tu que je le sache ?

Lucie ne savait plus quoi penser, les pires idées se bousculaient en elle. Et s'il était innocent ? Et s'il n'avait jamais touché à cette gamine ? Les tortures sur le chat ne prouvaient rien, peut-être étaient-elles juste l'œuvre d'un pervers qui prenait du plaisir à torturer les animaux. Ça ne faisait pas de lui un kidnappeur ou un assassin, même avec un casier chargé. Ce type avait purgé sa peine et, aux yeux de la loi, il était libre et redevenu un citoyen comme un autre.

Elle fixa Sharko en train de racler le sol des deux mains, qui se battait pour elle, qui risquait sa peau. Il prendrait cher, lui aussi. Complicité de meurtre, dissimulation de preuves. À combien ça montait ? Cinq ? Dix ans ? Devaient-ils finir ainsi, eux qui s'étaient battus sur tous les fronts ? Combien d'ordures jetées derrière les barreaux ? Combien de vies sauvées ? Mais pouvait-on mesurer la vie d'un homme au kilo d'assassins qu'il était en mesure de coller en prison ? Elle tenta de le rassurer du mieux qu'elle put.

— Je ne crois pas avoir commis d'erreurs. Je portais les gants... Je n'ai croisé personne sur la petite route, et personne ne m'a vue entrer ici.

Elle s'activa et attaqua la fouille, entre ombre et lumière. Le chat gémissait sans arrêt. Un cri insupportable de nourrisson en pleurs qui déchirait les tympans, vrillait les nerfs. Sharko demanda à Lucie de rejouer le film de l'attaque, d'essayer d'imaginer la direction suivie par la douille éjectée. Peut-être avait-elle percuté un obstacle et rebondi ? Ou parcouru plusieurs mètres dans les airs avant d'atterrir n'importe où dans ce chaos ? En stand de tir, on retrouvait parfois des douilles à proximité des cibles.

Après vingt minutes de recherches infructueuses, Franck longeait à présent les murs, en déséquilibre constant sur les monceaux d'objets.

— Il nous la faut. On est fichus si on ne la trouve pas. Avec le numéro de lot inscrit dessus, ils interrogeront le fournisseur, remonteront à l'armurerie police d'origine et découvriront la destination : 36, quai des Orfèvres. Ils ne sauront pas de qui il s'agit, mais s'ils veulent vraiment le savoir, ils feront des analyses balistiques sur les armes de tout le personnel. Ils établiront le lien entre la douille et ton Sig Sauer.

Sharko connaissait les règles : chaque contact entre les parties d'une arme – chargeur, chambre à cartouche, canon, extracteur, percuteur… – et une douille produisait des traces caractéristiques, différentes d'un pistolet à l'autre. Seul le Sig Sauer de Lucie pouvait correspondre à la douille recherchée, le couple était unique et identifiable par les experts de la balistique.

Après une heure et demie de recherches vaines, les yeux gonflés et le costume en vrac, Sharko n'en pouvait plus. Il se redressa, perclus de douleurs. Incapable de voir où il avait déjà fouillé ou pas. L'impression de tourner en rond. La seule chose certaine : les techniciens de la police scientifique la trouveraient, cette douille.

Lucie lui attrapa le poignet.

— C'est cuit. Rentre à la maison, je t'en prie. J'appellerai la police ensuite et…

— Ne fais pas l'idiote. Trop tard. Tu tombes, je tombe, nos enfants tombent. T'en fais deux orphelins.

Sharko savait que chacune de ses phrases tailladait Lucie au plus profond de sa chair, mais ces scarifications s'imposaient. Il n'arrivait pas encore à croire ce que ses yeux voyaient : deux flics de la Criminelle, à quatre pattes sur le sol d'une cave, en train de chercher un tube en étain de 19 mm de haut et de 9 mm de diamètre pour cacher un crime. Dans un dernier sursaut d'espoir, il entama une nouvelle recherche.

Cinq minutes plus tard, résigné, il plongea dans une longue réflexion, les yeux rivés sur le P30 de Ramirez.

— Ça ne sert à rien, on ne la trouvera pas. Je vois trois solutions. La moins bonne, on se débarrasse du corps. Mais, dans tous les cas, les flics viendront ici. L'absence de Ramirez va être signalée par je ne sais qui. Des enquêteurs vont finir par fouiller cette maison. Ce qui ne résout aucunement notre problème de douille, et je ne pourrai jamais vivre tranquille en sachant qu'elle est dans cette pièce et qu'un jour quelqu'un la retrouvera. La deuxième, le feu. Il ne restera plus grand-chose du corps ni de cette maison, sauf cette satanée douille. Les gars du département incendie et explosion mettront la main dessus, c'est sûr.

Sharko jeta un œil vers le cadavre.

— Je ne vois plus que la dernière option… On récupère l'affaire. On enquête sur ton propre meurtre.

7

Lucie se prit la tête entre les mains.

— On ne peut pas faire une chose pareille.

— Pourquoi pas ? On vient de boucler une affaire de double homicide, le timing est bon. Notre équipe est libre et récupère logiquement cette nouvelle enquête, à condition qu'on trouve le cadavre très vite, c'est-à-dire demain. Levallois est le procédurier qui sera chargé d'analyser la scène de crime et de collecter les indices avec les techniciens, mais je m'arrange pour prendre sa place cette fois-ci. C'est moi qui rédigerai le PV de constatation et qui m'occuperai des scellés. Avant de les déposer à la Scientifique, j'échangerai ta douille, que les techniciens m'auront remise, avec une autre. Au moins, on contrôlera de l'intérieur.

— Ça ne marchera pas. On est en dehors de Paris, le 36 ne sera pas saisi. Et quand bien même le corps serait entre les murs de la capitale, ce n'est qu'une mort par balle parmi d'autres. L'affaire serait diligentée par un commissariat d'arrondissement.

— Tu as raison, il faudrait un caractère exceptionnel, un meurtre peu commun et particulièrement sordide pour qu'on soit sûrs d'être sur le coup et qu'on se déplace jusqu'ici. Mais regarde cet endroit, le chat criblé de sangsues. Il y a tout ce qu'il faut pour rendre ce crime plus spectaculaire. Pour que les autorités judiciaires n'aient d'autre choix que de saisir le 36.

À la manière dont il fixa le cadavre, Lucie comprit où il voulait en venir.

— Bon Dieu, Franck. Non, on ne peut pas faire une…

Sharko lui posa son index sur les lèvres.

— Dans notre malheur, on a de la chance, ça aurait pu être dix fois pire. Je sais déjà où je vais récupérer la douille à échanger. Son flingue…

Il ramassa le P30 de Ramirez, ôta le chargeur d'un geste.

— Du 9 mm, le plus commun, comme nos armes. Un excellent point.

Du chargeur, il tira une cartouche, la retourna. Gravé en demi-cercle, à l'arrière de la douille, « *Luger* ».

— Pas la même marque. Merde !

Leurs douilles à eux, comme toutes celles fournies aux forces de l'ordre françaises, étaient de la marque Speer, inscrite elle aussi au cul de la douille, pas loin du numéro de lot. Il posa ses grosses mains sur les épaules de Lucie, chercha la lueur d'espoir dans l'orage de ses yeux.

— Notre plan fonctionnera quand même. Écoute-moi bien : c'est sûrement Guy Demortier qui sera chargé de réaliser les analyses balistiques. Il est brillant, mais il se basera sur le scellé que je lui donnerai. J'aurai fait l'échange avant, il analysera une douille Luger, et le tour sera joué. Qui fait gaffe aux marques, hormis lui ? Personne. T'as déjà fait attention, toi, sur les rapports ?

— Luger, Speer… Je ne savais même pas… Mais le technicien de police scientifique qui prélèvera la douille dans la cave saura.

— À condition qu'il fasse attention, et quand bien même, c'est moi qui rédige le PV, n'oublie pas. Il prélève ta douille Speer, je note Luger, je donne la Luger au labo et me débarrasse de ta Speer. Ce PV, le technicien ne l'aura jamais entre les mains. Les techniciens ne croisent jamais les balisticiens. Deux corps de métier différents.

Sharko lorgna partout autour de lui, puis revint vers Lucie.

— Écoute : il y a cinq pour cent de ces salopards qu'on n'arrive pas à attraper parce qu'ils ne paniquent pas, parce qu'ils gardent leur sang-froid. Alors nous aussi, on va faire partie de ces cinq pour cent, Lucie. On a de la bouteille, on connaît les règles, c'est nous qui les faisons. On ne nous coincera jamais. Demain, toi et moi, on sera au bureau, pile à l'heure, et on fera notre job comme chaque jour. À un moment de la journée, on nous appellera, parce que des flics du coin auront retrouvé l'Audi de Ramirez que je vais déplacer pour qu'elle gêne la circulation sur la petite route. Les flics locaux seront venus dans cette baraque à la porte laissée ouverte et seront descendus à la cave.

— Ça ne marchera pas. C'est trop compliqué. Il y a trop de paramètres, trop de…

— Ça marchera, fais-moi confiance. Maintenant, tu vas aller discrètement récupérer ta voiture et rentrer à la maison. Ôte ton blouson avant de voir Jaya, t'es toute dégueulasse. Et puis verse-toi un grand whisky, sers-m'en un, j'en aurai besoin. Je vais arranger un peu les choses, me charger de l'Audi, me débarrasser de tout ce qu'il faut, et je te rejoins. Prépare aussi le dossier de ton oncle pour mon retour : on doit tout brûler.

Lucie ne croyait pas ce qu'elle entendait de la bouche de ce flic juste et droit qu'avait toujours été Sharko. Elle comprit qu'il était inutile d'essayer de le faire changer d'avis.

— Il faut qu'il soit coupable… Il faut qu'il ait fait du mal à Laëtitia, sinon, je crois que j'arriverai pas à m'en remettre. Ce type a purgé sa peine, aujourd'hui il était peut-être innocent.

Et elle disparut. Sharko réajusta ses gants en cuir devant le miroir brisé. Jamais il n'avait eu le regard aussi noir et déterminé. La tâche serait ardue, mais il connaissait le chemin à suivre : de toute sa carrière, ce n'était pas la première fois qu'il arrangeait une scène de crime.

D'abord, cette histoire de balle et de douille. Il réfléchit et finit par trouver la solution. Il tira le corps de Ramirez dans le coin au fond de la cave, pour l'éloigner du véritable lieu du meurtre et ainsi de l'impact de balle au plafond. Il l'assit contre le mur, exactement dans la même position. Cette précision était nécessaire : dès les premières minutes de la mort, le sang traversait les vaisseaux et, par effet de gravité, s'accumulait sur les zones de contact entre le corps et le sol pour former des lividités. Elles permettaient au légiste de savoir si le corps avait été déplacé après la mort. Mais cette fois, le praticien n'y verrait que du feu. Il effaça les traces de sang sur l'emplacement d'origine.

Puis, de sa main gantée, il saisit le P30 et l'approcha de la gorge. Sans trembler, il aligna son canon avec la plaie et, de l'autre main, positionna l'intérieur de sa casquette côté fenêtre d'éjection de l'arme, à droite. Il ouvrit le feu. Une grosse onde de choc lui vrilla les tympans, à le rendre sourd. Il cria de douleur.

La douille brûlante, de marque Luger, finit dans le creux de sa casquette. Quand elle fut refroidie, il essuya les empreintes éventuelles qu'aurait pu laisser Ramirez en la plaçant dans le chargeur – même si la chaleur avait tout détruit – et la rangea avec précaution au fond de sa poche. Ses oreilles sifflaient encore, comme un son discordant jailli d'un violon. Puis il bascula la tête du cadavre : la balle s'était enfoncée en profondeur dans le mur sans « champignonner », elle devait être à tête pleine. Parfait. Il n'y toucha pas et déshabilla le corps, constatant la présence de piercings, nombreux tatouages et scarifications : des traits, alignés comme des barreaux de prison sur sa poitrine. Il le remit comme auparavant. L'impression d'être un artiste, un sculpteur du macabre arrangeant le moindre détail de son œuvre. Dans la poche du pantalon de survêtement, il piocha un téléphone portable. Il le détruisit d'un gros coup de talon et en ôta la carte SIM avant de l'embarquer.

Il pouvait passer à la seconde étape. La pire.

Il s'approcha de l'établi où se trouvait l'aquarium et s'empara du scalpel.

8

Une heure plus tard, il fourra au fond de son coffre un gros sac-poubelle contenant le scalpel, la bâche comprimée sur le visage de Lucie, le portable brisé, le pistolet P30, les vêtements de Ramirez dans lesquels il avait enroulé le chat qu'il avait dû achever par étouffement, seul moyen d'abréger ses souffrances. Il avait débarrassé l'animal de la plupart de ses sangsues, dont il s'était servi pour sa mise en scène.

Le ciel se gorgeait de nuages, l'air était humide et électrique, presque orageux, mais il ne pleuvrait pas. Tant mieux. Protégé par l'obscurité, Sharko avança avec prudence au bord de la petite route qui longeait la maison. Pas âme qui vive. Il observa les alentours. Les champs frissonnaient, la forêt promenait ses ombres inquiétantes sur les reliefs. Tout là-bas, au loin, la nationale 20, sordide ruban d'asphalte, éventrait la nuit. Deux, trois véhicules s'élançaient à sa conquête. L'isolement de l'habitation de Ramirez, l'absence de voisins ou de passants : le flic prit cela comme un nouveau signe d'encouragement.

Il récupéra les clés de l'Audi dans la maison, défit le frein à main et la poussa vers l'arrière. Hors de question de se mettre au volant et de semer des traces biologiques faciles à repérer dans un espace clos et propre. Il suffisait de perdre un cil, une squame de peau, un cheveu… La sportive mordit la moitié de la route. Les voitures ne pourraient circuler qu'en se décalant sur le bas-côté. Nul doute que, dès le lendemain matin, à l'heure de pointe, les automobilistes gênés avertiraient la police.

Que faire des clés de voiture ? Les abandonner sur le contact ? Les remettre dans la maison ? Sharko essayait d'imaginer la réaction des collègues qui découvriraient la scène, et dont il ferait partie si tout se déroulait comme prévu. Il décida de les glisser dans sa poche.

Après avoir laissé la porte d'entrée entrouverte, il grimpa dans son véhicule, observa une dernière fois la maison dans le rétroviseur – n'avait-il rien oublié ? – et démarra, l'imperméable boutonné, pour dissimuler les traces de sang sur sa chemise et son pantalon : un assassin emportait toujours un peu de sa victime sur lui, et Sharko n'avait pas dérogé à la règle.

Il privilégia les petits axes routiers, opéra un sérieux détour par la forêt de Verrières, se gara dans un recoin, continua à pied à travers les arbres, le sac-poubelle dans une main, un bidon d'essence trouvé à la cave dans l'autre. Au milieu des bois, il fit un tas avec le contenu du sac et le chat. Arrosa le tout. Face aux flammes, il s'efforça de garder en tête le sourire de ses jumeaux – il les voyait tourner dans le sable, jouer au bord de la mer en criant – pour supporter chacun de ses gestes. Là, immobile une poignée de minutes, il prit le temps de souffler et de réaliser que rien ne serait jamais plus comme avant. Avec Lucie, ils passeraient désormais le reste de leur vie à marcher en équilibre sur un filin tendu au-dessus d'un gouffre. Au moindre coup de vent, la chute les aspirerait.

Le chat ne brûla pas en totalité, alors Franck enfouit ses restes calcinés sous les feuilles de la fin de l'été. Il reprit la route, stoppa cinq kilomètres plus loin, lança la clé de l'Audi et le scalpel dans un égout. Bon Dieu, tout cela lui paraissait interminable. Il appela Lucie pour lui signaler qu'il rentrerait bientôt. Quand il raccrocha, il se rendit compte à quel point ses mains tremblaient : elles négociaient, en ce moment même, le poids de leur avenir à tous les quatre.

Nerveusement épuisé, il poursuivit sa course sanglante à pied, le long de la Seine, au niveau de Choisy-le-Roi. Longea une volée de lampadaires, dont la lueur bleutée éclaboussa son imperméable. Devant lui, la Seine bruissait, charriant des eaux noires comme des fonds d'obus. Sharko pensa au Styx, ce fleuve mythologique qui séparait le monde terrestre des Enfers, il avait l'impression d'errer sur ses eaux, sans possibilité de marche arrière. Désormais protégé par l'obscurité quasi totale, il se débarrassa du P30 de Ramirez et, le pas vif, égrena les neuf balles restantes du chargeur tous les cinquante mètres environ, avec une curieuse sensation ancrée en lui : il avait peut-être omis un détail ?

Il prit de nouveau la route dans un frisson : le doute insinué en lui devait être normal. Non, il n'avait rien manqué, il le savait. Avec autant d'années de métier, ces centaines de scènes de crime vues et analysées, comment aurait-il pu se tromper ?

Le calvaire se termina au fond de son garage. Il se déshabilla, se vêtit d'une blouse bleue qu'il utilisait pour les menus travaux de peinture ou de tapisserie, forma un tas avec ses vêtements maculés et y mit le feu à même le béton. Les flammes dansèrent bien vite devant ses yeux. Il observa la combustion de sa cravate rayée et de son costume anthracite, celui des grandes victoires. Un cadeau de Suzanne, sa première femme décédée des années plus tôt. Tout partait en fumée, comme la fin d'une histoire, et Sharko y vit un sombre présage.

Lucie lui apporta le dossier d'Anatole. Il jeta les feuilles une à une dans la gueule du feu, fixa le visage lumineux de la jeune Laëtitia. Il l'abandonnait à son terrible sort, sans doute, mais avait-il le choix ? Les flammes la dévorèrent, à la même vitesse que la rancœur et le dégoût consumaient le cœur de Sharko. *Coupables*.

Puis il considéra la balle issue de l'arme de Lucie au creux de sa main, ce morceau de plomb chemisé de cuivre et arracheur de vie. Il saisit une masse et frappa, frappa, frappa, dans un grognement animal, le front trempé, jusqu'à réduire le projectile en miettes.

Lorsqu'il se retourna, haletant, Lucie se tenait pétrifiée derrière lui, fixant les yeux fous de son homme.

9

Au 36, le lendemain matin, calé derrière l'écran de son ordinateur, Franck se sentait incapable de faire quoi que ce soit. Devoir mettre les pieds dans leur open space, serrer des mains comme si de rien n'était, plaisanter dans les couloirs, recevoir les félicitations des collègues pour l'arrestation de Dulac… Et cette douille Luger, enroulée dans son mouchoir au fond de la poche de son pantalon, quatre grammes capables de les envoyer vingt ans en prison, qu'il devrait à tout prix échanger avec celle perdue au fond de la cave, porteuse de l'abomination de tous ses actes…

Même s'il ne le montrait pas, la peur le clouait à son siège. Une frousse épidermique comme il n'en avait pas ressenti depuis fort longtemps. Et il voyait que Lucie, dans sa diagonale, n'allait pas bien non plus, prostrée sur sa chaise. Elle avait tremblé dans le lit toute la nuit, en proie au pire des scénarios. La prison, lieu de mort, d'angoisses, de brutalité et de désespoir, la terrorisait, elle était son ogre, son croque-mitaine, le carburant de ses cauchemars. Elle avait supporté beaucoup dans sa vie, mais la privation de liberté l'anéantirait.

Alors Franck n'avait eu de cesse de la rassurer : ils allaient s'en tirer, voir grandir leurs enfants ensemble, vieillir à l'ombre d'un parasol dans leur jardin, et leur conscience finirait par occulter toute cette histoire en l'écrasant de milliers d'autres souvenirs. Au fond de lui-même, il doutait. Une sensation le tenaillait depuis la veille. Il fallait qu'il se débarrasse coûte que coûte de cette mauvaise aura.

Après le repas du midi, une fois tout le monde revenu à son poste, il se leva.

— C'est ma tournée.

Le numéro 1 du groupe revint avec cinq cafés : un sucré, un au lait pour Robillard et trois noirs. Caché derrière son écran, il observa Jacques Levallois boire le sien. Une demi-heure plus tard, le procédurier de l'équipe commençait à s'agiter sur son siège, les lèvres pincées : le laxatif lui tordait les boyaux. Dès lors, il multiplia les allers-retours vers les sanitaires avec la démarche d'un cow-boy descendu de son cheval. Sharko remarqua la façon dont Lucie le fixait : elle avait compris. À bout, Levallois enfila sa veste et éteignit son ordinateur.

— Je rentre, je ne sais pas ce qui se passe, j'ai un mal de chien au bide. Un truc que je n'ai pas dû digérer à la cantine.

Il les salua sans vigueur, mains sur le ventre. Franck déplaça son écran pour faire barrage entre ses yeux et ceux de sa compagne. Il se maudissait.

Et il attendit, attendit, incapable de travailler, cliquant dans le vide sur son écran pour faire croire qu'il s'activait. Plus les aiguilles tournaient – 15 heures, 16 heures, 17 heures –, plus les claquements des portes de prison résonnaient avec fracas dans sa tête. Que se passait-il ? Les flics locaux avaient dû être appelés dans la matinée par des riverains pour l'Audi. En tenant compte de toutes les procédures, l'alerte aurait dû être donnée au 36 au début de l'après-midi.

Et si, à cause d'un dysfonctionnement, l'affaire ne remontait pas jusqu'à la Criminelle ? Et si le dossier se voyait confié à une autre équipe que la leur ? Lucie avait raison : les risques que l'opération échoue étaient nombreux. Une envie le tenaillait : celle de prendre sa voiture et de foncer là-bas, juste pour voir. À ce moment-là, il frissonna, parce qu'il n'était pas différent de l'assassin qui cherche à tout prix à retourner sur les lieux du crime.

Après le départ agité de Levallois, l'ambiance, dans leur espace de travail, cet endroit où ils avaient partagé leurs victoires, leurs coups de gueule, leurs échecs aussi, était d'un calme olympien, comme à chaque lendemain de grosse affaire résolue. Suite à l'interpellation de Dulac, les hommes de l'équipe Manien éprouvaient le besoin de reprendre leur souffle, de répondre aux mails en retard, de décompresser un peu.

D'un regard, Sharko indiqua à Lucie qu'elle devait décoller sur-le-champ et récupérer les jumeaux à la garderie. Elle aussi attendait le fameux coup de fil avec une angoisse manifeste et n'avait pas envie de partir sans savoir. Elle finit par prendre ses affaires à contrecœur, se lever et se contenter d'un simple « À demain » lancé à la cantonade, avant de disparaître. Le lieutenant Pascal Robillard lui emboîta le pas, sac de sport à l'épaule, en route pour une nouvelle séance de musculation. Le colosse s'entraînait plus de quatre fois par semaine et n'était pas du genre à traîner tard dans les bureaux, surtout au terme d'une affaire gourmande en énergie.

Ils n'étaient plus que deux dans l'espace.

— Ça n'a pas l'air d'être la grande joie entre vous deux, fit le capitaine Bellanger entre deux clics de souris. Vous n'arrêtiez pas de vous bouffer des yeux.

— Lucie est un peu stressée avec la rentrée des classes. Adrien, ça va, mais c'est Jules qui pose problème. Il est grognon, il pleure. On dort mal en ce moment.

— On dort tous mal. On ne serait pas flics, sinon.

Ce furent les seuls mots de Nicolas Bellanger. Il retourna à son écran, une main sur la tempe, qu'il s'empressa de poser à plat sur son bureau. Ses tremblements étaient quasi invisibles, et Sharko ne les aurait sans doute jamais remarqués si Nicolas n'avait pas pris ce réflexe de dissimuler ses mains. Un jour, il lui avait demandé s'il buvait ou prenait des substances. Bellanger avait manqué de lui envoyer son poing dans la figure. Peut-être Sharko se trompait-il, mais son agressivité, son allure certains matins, lui qui avait toujours soigné son apparence…

Après l'affaire « *Pandemia* » et à la suite de la mort de sa compagne, deux ans plus tôt, « on » avait jugé préférable de lui ôter les rênes de l'équipe et de le replacer en arpenteur de rue, en numéro 2 du groupe, derrière Sharko. Une cascade de malheurs qu'il peinait à surmonter et qui avait profité à leur nouveau chef d'équipe, Grégory Manien, ressorti du placard pour l'occasion.

Depuis, Nicolas s'isolait, se donnait corps et âme à chaque enquête, preuve qu'il n'était pas mort, moyen surtout d'éviter de rentrer chez lui. Sa vie personnelle se résumait à des miettes de pain à jeter aux pigeons.

Sharko dut aller chercher loin pour se rappeler la belle époque. Bientôt, leur bureau serait un repaire de bras cassés, entre Robillard, qui se contenterait de son poste de lieutenant jusqu'à la retraite, Sharko, ex-commissaire, ex-chef, ex-tout, redevenu un écumeur de trottoirs, Bellanger, loup solitaire à la carrière brisée en plein vol et Lucie, qui ne retrouverait peut-être jamais ses capacités à mener une enquête sans penser à la nuit du 20 septembre 2015. À condition qu'ils ne finissent pas derrière les barreaux, tous les deux. En définitive, seul Jacques Levallois avait pris du galon et tirait à peu près son épingle du jeu. Sauf qu'en ce moment, il devait avoir les deux fesses sur le trône et le visage aussi rouge qu'une écrevisse.

Sharko se rongeait les ongles jusqu'au sang, ressassant encore et encore le film de ces dernières heures. Songeant à cette douille perdue qui revenait, ni plus ni moins, à avoir abandonné un Polaroid de Lucie sur le cadavre, avec le mot suivant : « *C'est moi, Lucie Henebelle, qui l'ai tué. Vous me trouverez au troisième étage du 36, quai des Orfèvres.* » Se remémorant les actes innommables à accomplir après le départ de la mère de ses enfants… Le médicament glissé dans le café de l'un de ses collègues… L'être humain était une espèce comme les autres : il luttait pour sa survie, et Sharko ne faisait pas exception.

À 18 h 20, le capitaine Grégory Manien entra dans la pièce, cigarette éteinte aux lèvres. Sharko ne l'aimait pas beaucoup, Nicolas le détestait – les deux hommes se livraient une vieille guerre, et Manien jouissait à chaque seconde de pouvoir lui donner des ordres ou de le plomber dès que l'occasion se présentait. Mais la retraite attendait ce vieux con aux portes du printemps 2016, elle le bâillonnerait définitivement.

Leur responsable lorgna les places vides avec un air de chien battu et fit jaillir la flamme d'un briquet à gaz pour embraser sa clope, une Gitane sans filtre. Il s'asseyait depuis des lustres sur les interdictions en tout genre. Derrière un voile de fumée, il leva les yeux vers Sharko.

— On m'a dit que t'avais fait une petite séance de tir tôt ce matin ? Toi, dans un stand de tir ? Ça devait valoir son pesant de cacahuètes. C'était comment ?

Franck avait voulu remplacer le plus vite possible la munition manquante dans le chargeur dix coups du Sig de Lucie et profité d'une séance de tir matinale pour dérober une cartouche. Les instructeurs flics étaient moins rigoureux que ceux de la gendarmerie et ne comptaient pas les munitions utilisées lors des entraînements.

— Mes performances balistiques t'intéressent tant que ça ?

— On va dire que tout ce qui concerne mon équipe m'intéresse. Alors ?

— Je pourrais tuer un cheval blanc en visant un cheval noir.

— C'est plus pour les vieux comme nous, ces conneries. Bon, l'amusement aura été de courte durée, une affaire en appelle une autre. On a un corps du côté de Longjumeau. L'IJ[1] est en route.

1. Identité judiciaire, comprenant les techniciens de scène de crime.

— Longjumeau ? C'est pas chez nous, ça.

— Oui, mais visiblement, ce qui s'est passé là-bas, c'est pas Oui-Oui au pays des Bisounours et le proc a jugé bon de nous saisir. Levallois, il est où ?

— Rentré. Mal au ventre.

— Ben voyons.

Sharko se leva de son siège et enfila une vieille veste noire, dans un calme maîtrisé de bout en bout.

— Te bile pas, je vais le remplacer pour la procédure et me coller au PV de constatation.

Sourire de Manien, empreint de cynisme.

— Tu ne vas pas le regretter, crois-moi, il paraît que c'est un bordel sans nom, là-bas. Je vous accompagne. C'est peut-être ma dernière affaire. Alors celle-là, on va se la plier en beauté.

10

Les grosses turbines du paquebot judiciaire s'étaient mises à tourner, impossibles à arrêter. D'ordinaire, Sharko ne faisait plus attention à ces membres d'équipage qui allaient et venaient à proximité d'une scène de crime. Des techniciens, des policiers, des substituts ou juges d'instruction, parfois des pompiers, des médecins… Mais aujourd'hui, il observait chaque visage avec une attention décuplée, écoutait la moindre réflexion, guettait les premières réactions. Ces hommes, brillants pour la plupart, allaient liguer leurs forces, croiser leurs compétences et faire tout leur possible pour retrouver l'auteur du crime.

Il faudrait être plus fort qu'eux tous réunis.

Après les présentations, les saluts, les échanges de poignes coutumiers, Manien partit discuter avec le substitut, tandis que le capitaine de police du commissariat de Longjumeau, Jean-Luc Semet, dressa un rapide bilan au reste de l'équipe, devant l'habitation où circulaient des silhouettes en tenue de lapin blanc. Sharko les observait du coin de l'œil.

— Ce matin, plusieurs automobilistes nous ont appelés pour signaler la présence d'un véhicule gênant sur la route, expliqua Semet. Deux de mes gars sont venus constater, aux alentours de 9 h 30.

Il désigna l'Audi TT, en retrait, toujours à la même place et à la merci d'un technicien d'investigation. Cette portion de route avait été fermée à la circulation.

— Ils sont naturellement venus s'adresser ici, mais la porte était ouverte. Alors, ils sont entrés. Ce qui leur a mis la puce à l'oreille, c'est la présence d'espèces de grosses limaces noires qui avaient l'air de remonter de la cave. Ces trucs sont des sangsues.

Sharko mima l'étonnement.

— Des sangsues ?

— Et pas qu'un peu. Alors, mes gars sont descendus pour essayer de comprendre d'où venaient ces machins répugnants. Et c'est là qu'ils ont découvert le corps. J'ai pu constater moi aussi. Je vous préviens, c'est à gerber.

Sharko hocha le menton vers le fourgon. Nicolas, lui, restait en retrait, seul, l'oreille attentive, les lèvres pincées sur une cigarette. Il faisait le tour de la camionnette et observait les alentours.

— Qu'est-ce qu'on sait de la victime ?

— Julien Ramirez, 31 ans. Après un rapide coup d'œil au STIC[1], on a appris que le garçon a un casier pour, notamment, tentative de viol, mais avec tout ça, on n'a pas eu le temps de creuser et…

— On s'en chargera. Et là-dedans, il se passe quoi ?

1. Système de traitement des infractions constatées. Regroupe les informations concernant les auteurs d'infractions interpellés par les services de la police nationale, ainsi que les données relatives aux victimes de ces infractions.

Olivier Fortran, le chef de l'IJ, prit part à la discussion. Un bloc de granit décroché des Alpes, ce type, au crâne chauve et aux rangers qui devaient faire du 48.

— Rarement vu une scène de crime aussi bordélique. J'ai fait venir une équipe supplémentaire, faut aussi s'occuper de la chambre.

Sharko essaya de garder le ton le plus neutre possible.

— La chambre ?

— Oui, tu verras. C'est toi, le procédurier ?

— Levallois est malade.

— T'as pas de bol alors, ça va nous prendre trois plombes rien que pour vider la cave de son merdier. Plus tôt on attaquera, plus tôt on aura terminé mais, au mieux, on en prend pour une bonne partie de la nuit. Tu t'amènes ? Comme dit le capitaine Semet, c'est gratiné, tu vas voir. Et tu peux te passer des surchaussures, c'est pas la peine.

Sharko se dirigea vers le camion de la Scientifique, où une combinaison, une charlotte et un masque l'attendaient. Pourquoi Fortran avait-il parlé de la chambre ?

— Je peux aller jeter un œil dans la maison ? demanda Nicolas.

Fortran lui tendit une paire de gants.

— Pas de souci. Fais juste gaffe de ne pas piétiner les bestioles. À mon avis, ça doit exploser comme du pop-corn si tu marches dessus.

Sharko entra, armé de ses feuillets destinés à accueillir le PV de constatation : description de la scène de crime, notification des indices relevés par les techniciens, énumération et photographies des scellés, date et heures à l'appui. L'officier de police judiciaire – lui en l'occurrence – devrait se charger d'apporter ou d'envoyer ces indices dans les laboratoires adéquats. Tout son plan reposait sur ce dernier point.

À l'entrée du couloir, Nicolas s'agenouillait devant une sangsue. Des bandes jaune et noir balisaient le chemin de sang des parasites. Avant de descendre, Sharko scruta les yeux étrangement vides de son collègue.

— Ça va aller ?

Nicolas ne répondit pas et se frotta les mains l'une contre l'autre. Une fois seul, il essaya de réfléchir. Ces sangsues n'étaient pas remontées d'elles-mêmes. On voulait qu'eux, les flics, se rendent à la cave. La porte d'entrée n'avait-elle pas été laissée ouverte ? Tout était orchestré pour les amener à l'intérieur de la maison. Une invitation.

Il se dirigea vers le salon. De ses mains gantées, il ouvrit des tiroirs, survola la paperasse. Dans un meuble, des centaines de DVD rangés dans des boîtes transparentes, sans nom. Des copies pirates, vu qu'il s'agissait de disques à graver. Nicolas en prit un et le glissa dans le lecteur. Il assista d'emblée à une scène sadomasochiste à base de latex, de coups de fouet et de couinements. Le policier fut perturbé par la profondeur des blessures. Sur les pixels, le corps meurtri avait éclos en pétales de sang.

Il en essaya d'autres au hasard. Même cinéma, mêmes productions américaines. Il éteignit le téléviseur et remit les disques en place. Un technicien remonta avec une cage vide. D'autres de ses collègues suivirent. Ils commençaient à vider la cave pour essayer d'y voir un peu plus clair, les bras chargés de bouteilles, de planches, d'outils…

Nicolas s'éloigna, il recherchait le calme. Il grimpa à l'étage, en fit le tour. Une bande « POLICE SCIENTIFIQUE » barrait l'entrée de la chambre à coucher qui se résumait au strict minimum : un lit aux draps maculés de mouchettes de sang, une table de nuit, des murs tapissés et froids. La fenêtre, qui donnait sur l'arrière de la maison et les bois, était grande ouverte. Au sol avaient été jetés un soutien-gorge en vrac, des bas résille. Aux montants du lit, proche d'une table de nuit, une paire de menottes, une clé dans la serrure. Et dans le cerclage des deux cerceaux métalliques, de minuscules pointes d'acier ensanglantées, comme des rangées de dents de piranhas. Le flic devinait la douleur provoquée par de telles menottes : au moindre geste, les pointes d'acier vous entaillaient la chair.

Qu'est-ce que cela signifiait ? Ramirez avait-il été interrompu en pleins ébats sexuels par l'assassin ? À qui était ce sang sur les draps ? Provenait-il de tortures, comme sur les films ? Et où se cachait la fille ? Avait-elle fui en catastrophe par la fenêtre, à moitié dénudée ?

Il sortit. Juste en face de la chambre, une pièce presque vide, avec un pan complet de mur recouvert d'une tapisserie blanche et traversée de tags de belles motos, de voitures, réalisées aux feutres colorés. Une sorte de salle d'art avec pour meuble unique une étagère encombrée de matériel de dessin : feutres, crayons, gommes. Pas de ruban de police ici, alors Nicolas s'assit sur le plancher à côté du radiateur, la tête entre les mains, soudain en proie à une grande fatigue. Il avait l'estomac serré et redoutait ce qu'il découvrirait à la cave.

La cave… Un espace clos et noir, comme dans les carrières souterraines. Flashes dans son crâne. Sa compagne Camille crucifiée, la poitrine ouverte. Son visage tordu comme un masque de cire fondu… Nicolas se raidit dans un frisson. Jamais il n'avait pu chasser ces images de son esprit. Même après deux ans, impossible de dormir une seule nuit sans penser à Camille ni revoir son corps supplicié.

Il fouilla dans ses poches avant, n'y dénicha qu'une plaquette de Dafalgan. Rien dans les poches arrière. Il allait falloir se contenter d'un cachet, qu'il avala sans eau. Puis il prit son courage à deux mains et descendit à la cave.

— Faites gaffe aux marches, elles glissent, annonça un technicien qui remontait.

Les halogènes apportaient une clarté comme en plein jour. Tout au fond de la cave, il découvrit, à proximité d'un aquarium, un cadavre en position assise, dans un coin, nu, les jambes écartées, les mains attachées avec du fil de fer devant lui. Lorsqu'il vit ce qu'on lui avait fait, il dut s'appuyer contre un mur, avec la sensation que le monde tournait autour de lui.

Camille…

La mollesse dans les jambes… Les mouches derrière les paupières… Puis le noir…

11

Nicolas retrouva ses esprits, allongé à l'arrière d'une voiture de police, portière ouverte, vent frais sur le visage. Il était plus de 23 heures. Sharko lui apporta un sandwich et un gobelet d'eau.

— Jambon-beurre.

— Qu'est-ce qui s'est passé ?

— On va dire que c'est un petit coup de mou, ça nous arrive à tous. T'as beaucoup bourlingué ces derniers jours à cause de Dulac. Allez, avale ça.

La brise lui fit du bien. Il s'était évanoui sur une scène de crime. Lui, un capitaine de police avec plus de dix ans de métier. Il claqua la portière derrière lui.

— Manien n'est pas au courant, j'espère ?

— Non.

— Le corps…

— Parti pour l'IML. Autopsie demain matin à 9 heures, Manien veut que tu t'y colles avec Lucie. Je peux lui demander de…

— Ne lui fais pas ce plaisir. J'irai.

— Tu iras, d'accord. Tout le monde a rembarqué, sauf moi et l'IJ. Et je te conseille de faire pareil. Il n'y a plus grand-chose à faire ici cette nuit, et t'as largement besoin de sommeil.

Nicolas déballa le sandwich.

— Je viens de dormir trois heures, c'est plus qu'il n'en faut. Vous en avez encore pour longtemps ?

— Au moins quatre heures. On doit finir de vider la cave pour être certains de ne rien rater. On tient la balle qui l'a tué, du 9 mm. Elle était fichée dans le mur derrière le corps. On cherche encore la douille.

Nicolas s'approcha des objets sortis, une moitié postée sous le carport et l'autre dans un coin du salon. Il fixa l'aquarium vidé de son eau, où gesticulaient encore une grappe de sangsues immondes.

Un technicien apporta un gros sac-poubelle.

— Il était derrière la chaudière.

— Et il contient ?

— Quatre tableaux... Vous notez ?

Le technicien en sortit deux. Il s'agissait de peintures brutes, aux coups de pinceau rouge sombre et noirs : un indigène, face à un félin genre guépard en position d'attaque, ou encore une femme, qui approchait ses deux mains de la gueule ouverte d'un crocodile. En arrière-plan de chaque tableau, des têtes humaines, suspendues à des branches d'arbre par des lianes. À voir ces têtes, Sharko pensa à un mobile pour gamins, version horrifique.

— Non. On ne va pas alourdir le PV de conneries, multiplier le travail des techniciens et plomber à nous seuls le budget de la police nationale en analyses. Mettez-les dans le salon. On se croirait aux puces de Saint-Ouen, bordel !

Nicolas croqua dans son sandwich.

— J'avale ça et je descends. Je reste.

— C'est pas la peine, je t'ai dit. On est déjà suffisamment nombreux et…

— Vaut mieux pas que je rentre. Pas cette nuit. T'as vu à l'étage ? Dans la chambre ? La victime n'était pas seule, il y avait une femme, ici.

— J'ai vu, oui. La fenêtre ouverte donne sur le toit d'une véranda. La fille a dû se tirer par là en catastrophe, on a même trouvé une chaussure à semelle de cosmonaute sur le toit. Les techniciens ont fait quelques prélèvements. Le Crimescope a mis en évidence la présence de fluides corporels sur les draps et de longs cheveux noirs. Ceux de la fille, je suppose. Ça va partir pour l'ADN. Vu la présence de sang et la forme des menottes, les rapports sexuels ont dû être assez violents.

— Va falloir qu'on la retrouve, cette femme.

Sharko acquiesça et redescendit à la cave, sur les nerfs. Cette histoire de chambre le déstabilisait. Pourquoi n'avait-il pas pris la peine de monter à l'étage, la nuit dernière ? Et si Ramirez n'avait pas été seul dans la maison au moment de sa mort ? Il imaginait une fille menottée au lit avec ces curieuses entraves dentées. Ramirez entend frapper mais ne répond pas. Lucie entre et descend à la cave. Il la surprend, elle le tue. Et la femme est toujours en haut, silencieuse.

Quand avait-elle quitté la maison par la fenêtre ? Qu'avait-elle vu ou entendu ?

Il restait d'innombrables allers-retours à effectuer pour remonter ce qui traînait encore – des sacs de matériaux, des outils… Nicolas mit la main à la pâte. Après une demi-heure, une technicienne leur demanda de s'approcher. Elle était accroupie au fond de la cave, à deux mètres environ du lieu du crime, devant un empilement de briques. Sharko comprit qu'elle avait trouvé la douille.

Arrivait le moment où il ne fallait surtout pas se louper. Il prit un sac à scellés de la mallette de procédurier et se précipita. Olivier Fortran et Nicolas se joignirent à lui. À l'aide d'une pince, la technicienne extirpa une pièce de métal de l'un des alvéoles.

— Une douille.

— Du 9 mm, comme la balle ? demanda Fortran.

La jeune femme l'orienta vers la lumière.

— Oui.

— On a la deuxième pièce de notre puzzle, enfin. Une bonne chose de faite.

Sharko bloqua le passage entre elle et les autres. Elle n'avait pas prononcé la marque. Il ouvrit son sac à scellés pour que la jeune femme y lâche la douille. Il le scratcha ensuite devant témoins, le rendant inviolable, et retourna vers sa mallette, où il nota le calibre à l'endroit prévu. Il omit sciemment la marque – hors de question de noter « *Luger* » pour l'instant alors que la douille était de marque Speer. Trop risqué. Il leva un œil vers ses collègues proches des briques. Il reporta ces informations sur son PV – sans y inscrire la marque non plus – et prit plusieurs photos du scellé sur fond neutre. Son front perlait. Il l'essuya de la manche de sa combinaison et retourna auprès du petit groupe.

Nicolas semblait perturbé.

— J'ai vu la position du corps tout à l'heure, c'est curieux qu'on retrouve la douille à cet endroit, deux mètres devant le cadavre. Quasiment toutes les fenêtres d'éjection de balles sont situées à droite de l'arme, la douille aurait donc dû être chassée sur la droite au moment du tir. Elle aurait dû atterrir par là-bas, vers le milieu de la cave.

— Tu l'as dit, « quasiment » toutes les fenêtres d'éjection, répliqua Sharko. Mais certaines armes sont pour les gauchers. En partant sur la gauche, la douille a pu rebondir sur ce mur et être chassée vers l'arrière. Dès qu'elles rencontrent un obstacle, les douilles ont des trajectoires aléatoires.

Sharko remarqua bien que Nicolas restait sceptique, mais il l'ignora et on reprit l'évacuation des objets. Une demi-heure plus tard, un technicien leur demandait de remonter. Il tenait un vaporisateur de Bluestar. Une large bande fluorescente imprégnait le carrelage au niveau de l'entrée de la cave, comme une barrière invisible.

— J'ai cherché des traces de sang dans la maison. Et c'est comme ça un peu partout.

Ils explorèrent les différentes pièces, les lumières éteintes pour amplifier la phosphorescence. Hormis le trajet jaune fluo marqué par les sangsues, Franck et Nicolas découvrirent des traces qui constituaient un ruban unique, comme un fil d'Ariane. Il en apparut au sol, sur les meubles, autour du canapé, dans l'escalier, même à l'étage. Chambres, salle de bains : un trait de sang chaque fois, sauf au niveau de la pièce aux murs criblés de dessins, la seule épargnée.

— Ce trait de sang, une idée de ce que ça représente ?

— Absolument pas. Tout ce qu'on peut dire, c'est qu'il en a mis partout mais de manière contrôlée, comme un pâtissier qui promène sa douille de chantilly sur un gâteau. Il a lavé derrière pour effacer. Combien de temps après, avec quoi, impossible de le dire.

Sharko pénétra dans la pièce et observa les tags de véhicules, ainsi que l'étagère avec son matériel de dessin. Pourquoi Ramirez n'avait-il pas dressé de « barrière de sang » sur le seuil de cette pièce ?

Ils redescendirent à la cave en silence, dubitatifs. Olivier Fortran se tenait accroupi devant de gros sacs de matériaux.

— Ces sacs-là se trouvaient sous les sacs de béton.

Sharko et Nicolas observèrent les six sacs de chaux vive empilés. Un produit que croisaient les flics chez les assassins désireux de se débarrasser des cadavres. Saupoudrée en forte quantité sur un corps, la chaux vive l'asséchait et évitait la putréfaction, donc les mauvaises odeurs.

— De l'industriel, vu les caractéristiques. Six sacs, c'est énorme.

Nicolas éventra l'un d'eux avec son couteau suisse. Et préleva un peu de poudre sur le bout de ses gants, renifla.

— Vous avez remarqué la gueule du jardin ? Ça m'étonnerait fort qu'il utilise cette chaux pour éliminer les mauvaises herbes.

Fortran se redressa dans un craquement de genoux.

— Tu penses qu'il y aurait des choses enterrées ?

— La chaux vive, les traces de sang invisibles... J'ai l'impression qu'il va falloir vérifier.

— Eh merde, on n'en a pas fini. Un café, ça vous branche ? Il devrait être encore chaud.

Gobelet plein à la main, les trois hommes évoluèrent dans le jardin, le nez rivé au sol. Fortran se baissait, armé d'une grosse lampe torche.

— Il y a des orties partout, difficile de dire si la victime a donné des coups de pelle. Je passerai quand même un coup de fil demain matin pour avoir un bulldozer. On va vérifier.

Sharko, lui, s'abîmait dans d'autres réflexions : le corps de Laëtitia Charlent reposait-il six pieds sous terre ? Ramirez l'avait-il vraiment kidnappée, tuée et enterrée dans son jardin ?

À 3 heures du matin, les derniers techniciens, éprouvés, en finirent avec une pile de parpaings entassés dans un coin. On rangeait en même temps le matériel, on démontait les halogènes. Sharko verrouilla sa mallette, ferma la maison à clé. Des scellés furent posés. Il jeta un coup d'œil discret vers l'étage. Des yeux avaient-ils vu, cette nuit-là ?

Seul réconfort : il possédait la douille, et personne n'avait prêté attention à la marque. En définitive, ça aurait pu bien se passer sans cette histoire de menottes et de soutien-gorge.

Une femme dans la nature pouvait tout foutre en l'air et les conduire, Lucie et lui, sans ménagement jusqu'à la case prison.

12

Lucie était assise sur le canapé du salon, le sac à scellés contenant la douille Speer crachée par son arme entre ses mains.

— Alors ça y est, tu l'as fait ?

Sur le fauteuil, en face, Sharko rajoutait avec soin la marque Luger dans son procès-verbal de constatation, là où il avait laissé un espace. D'ici à quelques heures, il ferait rédiger ce rapport à l'ordinateur et le validerait avec sa signature et le tampon Marianne à numéro unique, propre à chaque procédurier. Ce PV, ce serait la pierre fondatrice de toute leur enquête, le document de confiance, établi par un officier de police judiciaire assermenté. La Bible, en quelque sorte, qu'on pourrait même ressortir dans dix ou vingt ans.

Un vrai mensonge sur papier.

— Ni vu ni connu. J'ai déjà déposé les scellés quai de l'Horloge. Les différents éléments vont se répartir entre les services, comme d'habitude. Ça s'est passé encore mieux que prévu à la cave. La douille Luger et la balle du pistolet de Ramirez sont entre les mains d'un balisticien, qui va définir que ces deux parties sont issues de la même arme que personne ne retrouvera jamais, puisque le P30 repose au fond de la Seine. Tout ce qu'on pourra déduire, c'est que l'assassin a tué Ramirez avec un 9 mm qui peut être de n'importe quel modèle.

— Et les photos du scellé tirées à la cave ? Elles montrent bien la marque Speer de ma douille, non ? Comment tu as fait ?

— Je les ai supprimées puis, dans notre garage, j'ai changé l'heure de l'appareil photo de façon à la faire coïncider avec celle indiquée sur le PV, et j'ai photographié la douille Luger sur fond neutre comme je l'avais fait à la cave. C'est aussi simple que ça.

Franck vint s'asseoir à côté de sa compagne. Il la sentait sur le fil, à voir ses grands yeux bleus fixer le sachet comme s'il contenait le pire virus de la planète.

— Tout est verrouillé, Lucie. Le fait que cette douille photographiée et scellée ne soit pas une Speer nous blanchit complètement. Ton chargeur contient dix munitions, il n'en manque pas une. Chez Ramirez, les techniciens ont relevé des empreintes digitales qui ne peuvent être les nôtres, puisqu'on portait des gants. Avec le bordel, ils n'ont rien pu prélever d'intéressant autour du corps. Il n'y aura pas de recherche d'ADN étranger.

Lucie déchira le sac plastique et récupéra sa douille, qu'elle poussa à plusieurs reprises de l'index droit au milieu de sa paume gauche, comme une souris jouant avec un morceau de fromage.

— On a trouvé des choses bizarres chez Ramirez. Des sacs de chaux vive, des traces de sang partout au rez-de-chaussée et à l'étage. Mais pas comme sur une scène de crime, c'était plus… contrôlé, comme si on avait volontairement répandu ce sang à la plupart des issues. Dans la matinée, on va ratisser son jardin. J'ai la quasi-certitude qu'on va y trouver quelque chose. J'ignore ce que Ramirez fichait dans sa cave, mais c'est pas clair. Tu n'as pas tué un saint.

Lucie voyait encore la fureur de Ramirez penché sur elle pour l'étouffer. Elle se tourna vers son compagnon et le serra dans ses bras.

— Il avait le visage froid, pas même surpris ou apeuré. Il n'a pas cherché à me questionner. Non, il a juste voulu me regarder mourir. T'aurais vu ses yeux, Franck !

— C'est du passé, maintenant.

— Tu t'es mis en danger. T'as fait tout ça pour moi.

Sharko ferma les yeux et la caressa dans le dos. Il était à plat, épuisé nerveusement et physiquement.

— Je l'ai fait pour notre famille. Parce qu'on ne mérite pas ça, tu comprends ? Ce qui s'est passé, cette nuit… ça ne fait pas moins de moi le père de mes enfants. Ni de toi la mère dont ils ont besoin. Les secrets sont lourds à porter, mais la culpabilité l'est davantage, elle est pire que l'acide. Et on ne la laissera pas ronger notre famille.

Lucie acquiesça.

— Je sais… Elle est humaine.

— Il y a autre chose que je dois te dire. Je crois que Ramirez n'était pas seul dans la maison hier.

Lucie s'écarta, sous le choc.

— Une fille était menottée aux montants du lit. Elle a vraisemblablement tiré le lit en silence, réussi à récupérer la clé des menottes et à s'enfuir en catastrophe par une fenêtre, parce qu'elle a laissé ses bas, son soutien-gorge et même une chaussure. Vu le genre de menottes et le sang sur les draps, elle a dû morfler. Qu'est-ce qu'elle a vu ? Entendu ? Quand s'est-elle enfuie ? Impossible de le savoir. Elle court dans la nature.

— Mon Dieu…

— Si elle n'a rien dit et qu'elle n'a pas prévenu la police, c'est qu'elle a peur, d'accord ? Ou qu'elle a des choses à se reprocher : elle était forcément au courant pour le chat dans sa cage, vu les miaulements. Je vais suivre ça de près, je ne lâche rien. Toi, tu vas devoir te coller à l'autopsie avec Nicolas. Affronter le corps plutôt que le fuir, c'est la meilleure solution.

Si Sharko vieillissait et que l'âge fatiguait son visage, son regard, lui, demeurait toujours aussi franc et volontaire.

— Tu vas voir que j'ai fait des choses pas belles au cadavre, mais c'est pour l'éloigner encore plus de ce que nous sommes au fond de nous. On va tromper tous ceux qui chercheront à comprendre. Je sais que c'est compliqué, mais sois toi-même, Lucie. Quand tu te trouveras en salle d'autopsie, réagis comme tu le ferais pour n'importe quelle affaire. Garde une distance froide, procédurale. Dis-toi que ce n'est qu'un cadavre de plus. D'accord ?

— Je vais essayer.

— Tu ne vas pas essayer. Tu vas le faire. Promis ?

— Promis.

— Tu constateras que Nicolas n'est pas au mieux de sa forme. Il s'est évanoui sur la scène de crime. Je crois que c'est à cause de ces merdes qu'il prend, de son manque de sommeil. Tout ça, ça lui déglingue la santé.

— On n'a pas la preuve qu'il se drogue.

— Un mec qui ne dort quasiment jamais, qui s'isole, qui n'en fait qu'à sa tête quand ça lui chante, il n'y a pas trente-six explications. Il tient avec de la coke... Et puis ses petits réflexes au niveau des narines, ses reniflements.

Il marqua un long silence, l'air désolé, et bâilla.

— En tout cas, moi, faut que je dorme trois ou quatre heures, je ne tiens plus debout. Ensuite je passerai chez ta tante avant de retourner chez Ramirez pour la fouille du jardin.

— Ma tante ? Non, j'aimerais être là, je...

— Vaut mieux agir séparément pour le moment, ça va être chaud dans les journées à venir, et on doit rester très prudents. J'ai réfléchi à ce qu'il fallait lui dire : la meilleure solution, c'est de lui avouer que tu t'es bien impliquée comme elle t'avait demandé, que tu es entrée chez Ramirez pour vérifier certaines choses, mais qu'il était déjà mort. Qu'il y a une enquête en cours menée par nos propres services mais que, évidemment, personne ne sait que tu as pénétré dans sa maison de manière illégale. Qu'elle doit garder le secret absolu sur les activités de ton oncle au cas où un quelconque lien serait fait, pour ne pas te mettre en difficulté. Ça va la responsabiliser, la rendre fautive vis-à-vis de toi, mais c'est ce qu'il y a de mieux à faire. On se garantit ainsi son silence.

Sharko lui prit la douille des mains.

— On a fait le plus dur, Lucie. Ne te reproche rien, d'accord ? On cache tous des squelettes au fond de nos placards, on apprend juste à vivre avec. Tu ne seras pas la première, ni la dernière.

Une étrange lueur traversa ses pupilles, et Lucie vit ses lèvres trembler, comme s'il s'apprêtait à lui confier un secret et qu'il se retenait en même temps. Elle l'interrogea des yeux, il secoua la tête.

— Ce type a cherché à te tuer, tu n'avais pas d'autre possibilité. Tu as sauvé ta peau. La seule chose que je regrette vraiment, c'est que tu ne m'aies pas parlé de cette histoire avant que tout ceci arrive.

Il l'abandonna, et Lucie resta là, à méditer. Pourquoi avait-il évoqué ces squelettes dans le placard ? Pourquoi ce regard, ces tremblements au bord de ses lèvres ? Qu'avait-il cherché à lui confier dans l'un des moments les plus terribles de son existence ?

Elle se glissa dans la chambre de ses enfants endormis. Elle aimait les observer de cette façon, en silence, leurs mains potelées posées de part et d'autre de la tête, comme s'ils voulaient attraper la planète tout entière. Ils poussaient si vite, dans un monde d'une telle violence. Qui les protégerait, si elle ou Franck disparaissait ? Qui les aiderait à grandir ?

Elle partit se doucher sous les jets de vapeur pour se purger de toute cette crasse. Elle revit la hargne sur le visage de Ramirez… Le film plastique qui l'empêchait de respirer… Et, pendant ce temps-là, quelqu'un se terrait à l'étage… Elle sortit en catastrophe de la douche avec l'impression d'étouffer.

Elle se calma et respira lentement devant le miroir, peut-être deux, trois minutes. Un simple regard pouvait trahir un assassin. Une variation dans l'iris, une rétractation de la pupille, une palpitation du cristallin.

Les yeux reflétaient les plus sombres desseins de l'âme. Ses lèvres pourraient mentir, mais ses yeux en seraient-ils capables, le moment venu ?

Elle enfila ses vêtements civils et son holster le long de son flanc. La veille, Franck avait passé du temps à nettoyer le canon du Sig pour en chasser toute trace de poudre. Un vrai méticuleux qui ne laissait jamais rien au hasard. Il racontait souvent que dans la somme des détails anodins abandonnés sur une scène de crime, on pouvait deviner le visage d'un assassin comme s'il se reflétait dans un miroir brisé. C'est pourquoi il avait essayé de gommer tous les détails, jusqu'aux plus insignifiants.

À ses côtés, Lucie gardait confiance. On ne les coincerait jamais.

13

Deux heures plus tard, elle se garait sur le parking de l'Institut médico-légal de Paris, quai de la Rapée. Le long bâtiment de brique rouge offrait une vue imprenable sur la Seine, mais ses pensionnaires en profitaient assez peu. Lucie se rappelait sa première « visite », avec Franck. L'espèce de fierté honteuse ressentie à pénétrer dans cet endroit presque aussi légendaire que le 36. Ses premiers vrais cadavres, des victimes de tueurs torturés, complexes. Sharko avait été son Pygmalion, son guide dans le Louvre des horreurs, son gardien du temple des morts, il lui avait tout appris, même la façon de respirer en salle d'autopsie. Des années plus tard, son admiration pour lui, pour sa carrière, pour l'homme qu'il était demeurait intacte.

Nicolas écrasa vite sa clope lorsqu'il la vit. Franck avait tendance à noircir le tableau et, contrairement à lui, elle préféra laisser au jeune capitaine le bénéfice du doute. Peut-être buvait-il plus que de raison parfois et, certes, il avait changé depuis la mort de Camille, mais de là à sniffer de la coke…

Il l'embrassa – son haleine sentait exagérément la menthe – et agita deux tickets-restaurant.

— Je te paie un déjeuner au Fénelon après l'autopsie. Je les ai retrouvés dans un tiroir, en... fouillant dans mes vieux souvenirs. C'est leur dernier mois de validité. Tu vas trouver ça drôle, mais j'ai toujours faim en sortant d'ici. Remarque, c'est quand même mieux que l'Oreille, tu sais, le mec de l'équipe Joubert ? Il paraît que lui, ça lui donne envie de baiser. Enfin, c'est ce qu'on dit.

— Tu sais, les on-dit...

On les orienta vers la salle numéro 3, au fond d'un couloir à la robuste odeur de chair faisandée. Seuls les légistes s'habituaient à la longue à cet air chargé d'émanations de gaz intestinaux et de bactéries. Pour les autres, comme pour un saut à l'élastique, le premier rebond faisait toujours mal au ventre.

Ils poussèrent la porte du sas et entrèrent dans la salle, où un second reflux d'odeurs nauséabondes vint agresser leurs narines. Paul Chénaix, le légiste, se courbait au-dessus du corps, assisté d'un collègue qui se chargeait de répertorier les échantillons de sang, d'ongles et de cheveux pour la toxicologie. Chénaix avait tout du citoyen lambda – père de famille, la quarantaine, courts cheveux noirs et nouvelle paire de lunettes à monture verte – mais, armé d'un scalpel, plongé dans sa blouse et avec ses pieds enfoncés dans des sabots en caoutchouc blanc, il ressemblait à un bourreau.

— J'ai attaqué sans vous. Mesuré, pesé, photographié sous tous les angles. L'examen externe est terminé, et on a commencé les prélèvements, histoire de gagner du temps. Comment va Franck, je m'attendais à le voir ? Ça fait un bail qu'il n'est pas passé par ici. Pourtant, ce ne sont pas les cadavres qui manquent.

Le regard de Lucie se porta vers le corps.

— Je crois qu'il commence à en avoir sa dose, des autopsies. Alors, quand il peut éviter, il évite.

Elle ne put réprimer un haut-le-cœur. En plus du trou dans la gorge, Ramirez présentait des plaies béantes sur la poitrine, les bras, les cuisses. Tailladé de part en part comme une baguette de pain. Nicolas s'avança aussi, à grand renfort de longs et bruyants soupirs. Depuis la mort de Camille, il ne réagissait plus pareil face à la mort. L'affronter était devenu une réelle épreuve, et Lucie savait à quel point il se battait en ce moment même pour rester.

Il plissa soudain les yeux en direction de la cuisse droite. L'une des plaies commençait à bouger, ses deux lèvres s'écartaient au ralenti. Un dos noir et luisant apparut, tel Nessie à la surface du Loch Ness. De son scalpel, Chénaix tailla un peu plus la chair et fit apparaître une sangsue. Le visage de Lucie vira au blanc nacre. Elle songea à un passage dans *Alien*, avec ce monstre gluant jailli du ventre de l'un des membres d'équipage. Chénaix constata leur trouble.

— Ah oui, j'aurais dû vous prévenir.

Il désigna un récipient rempli de ces bestioles.

— Je pensais les avoir toutes retirées. On a pris des photos, bien sûr, chaque fois qu'on en sortait une d'une plaie.

Il préleva l'animal gorgé de sang et le posa sur la table en acier, face à Nicolas, figé. Il lui accorda un regard compatissant.

— Je sais, c'est costaud, même pour les plus solides d'entre nous. Je sais aussi que… Enfin, je comprends ce que tu peux ressentir devant ce corps. T'es pas obligé de tout te farcir. Lucie est là, on dira que vous étiez deux tout au long et…

— Ça va. Je ne vais pas passer le reste de ma vie à fuir.

Réponse en coup de fouet. Chénaix acquiesça.

— Comme tu veux. Dans ce cas, allons-y : Ramirez a été tailladé de vingt et un coups de couteau. J'ai l'impression que son assassin l'a mutilé et a déposé une sangsue dans chacune de ses blessures. Pas certain à cent pour cent néanmoins, car six ou sept de ces demoiselles se baladaient joyeusement dans le tiroir de morgue quand on a sorti le corps. Mais, si on compte, avec celle-ci restée bien au chaud, on a bien vingt et une sangsues.

Il fit glisser la lame de son scalpel sur la face ventrale de l'animal et en ouvrit le système digestif. Une giclée de sang bien rouge et liquide se répandit sur la table. Lucie déglutit.

— Il était vivant quand on lui a fait ça ?

— Je suis partagé. D'un côté, je me dis que oui, parce que les sangsues n'ingurgitent pas le sang d'un cadavre. Mais de l'autre, les lèvres des plaies ne sont pas gorgées de sang, c'est comme si elles avaient été réalisées post mortem. Mais je ne peux pas en être certain, c'est difficile à voir à l'œil nu.

Lucie essaya de surmonter son dégoût.

— Peut-être que… qu'il est mort en cours de route, sous le coup de ses blessures. Le temps que le corps se dégrade ou que le sang se refroidisse, les sangsues auraient continué à se nourrir.

— C'est une possibilité. Dans tous les cas, on va découper les plaies et faire partir tout ça à l'anapath. Un sacré travail vu le nombre de plaies, on vous fournira les résultats au fur et à mesure, dans le courant de la semaine.

Le légiste désigna des scarifications au niveau de la poitrine. Des paquets de quatre barres verticales, traversées d'une cinquième en diagonale, comme lorsqu'on compte les jours. Lucie les dénombra mentalement : treize. Nicolas, de son côté, noircissait son carnet de notes Moleskine. Un moyen de détacher ses yeux du cadavre.

— Scarifications plus anciennes, probablement volontaires. Il en a aussi dans le dos.

Il désigna le pli de l'avant-bras gauche.

— Tatouages, des traces anciennes d'injection. On verra ce que ça donne avec la toxico…

Il fit basculer le corps. De nouvelles scarifications, plus profondes, plus nombreuses, plus artistiques, formaient des mots. *Blood*, *Death*, *Evil*. Le sang, la mort, le diable. Autour, des tatouages, serpents, scorpions, araignées…

— Lividités au niveau des points de contact entre les cuisses, les talons, le fessier et le sol. J'ai vu la photo indiquant la position dans laquelle vous l'aviez retrouvé : assis, les mains attachées devant lui. C'est cohérent. Il est mort dans cette position. Traces de sperme, de sang et de déchets organiques au niveau de la verge, signifiant des rapports sexuels en période probable de menstrues.

Nicolas se rappelait les taches de sang sur les draps.

— On pense qu'il y avait une fille avec lui avant qu'il se fasse tuer. On se met à sa recherche.

— D'ailleurs, en parlant de verge…

Il retourna de nouveau son macchabée et montra le gland, perforé d'une tige horizontale décorée d'une tête de bouc. Nicolas grimaça.

— Oui, je sais, ça fait toujours mal quand on est un mec de penser à la manière dont on lui a enfilé ce truc, déclara Chénaix.

Il remonta vers la gorge.

— Là aussi, c'est intéressant. Collerette érosive caractéristique d'une plaie par balle évidente. Brûlures, résidus de tir : son assassin était à bout touchant. On a tamponné autour de l'impact pour faire partir à la balistique, il y avait vraiment beaucoup de poudre. Le projectile est ressorti par-derrière. La mort remonte à plus de vingt-quatre heures. Vous avez retrouvé la balle ?

Nicolas se passa une main sur le visage.

— La balle et la douille, oui.

— OK. Une dernière chose avant que j'ouvre.

Il désigna un tatouage qui occupait la totalité de la surface sous le pied gauche. Une croix aux bords noirs. Dans la partie verticale, était écrit : « *Pray Mev* ».

— C'est une croix religieuse. Vous savez, quand j'étais plus jeune, j'étais assez fan des films sur les esprits maléfiques, les exorcismes, sur Satan et ces barges qui brûlent des crucifix. Pas vous ?

— On en a tous vu, soupira Nicolas, à bout de patience.

— La partie haute de la croix est située au niveau du talon. Donc, inversée par rapport au sens de la marche et par rapport à l'inscription.

— La croix inversée… Un signe sataniste, comme la tête de bouc du piercing et le *Evil* dans son dos.

— Dans le genre. « Prie Mev » fait peut-être référence à une identité satanique, *Mev*, une débilité dans le genre. L'un de mes collègues, Joffrey Lourme, fréquente des gothiques et m'a déjà parlé de ces histoires de croix. Je vous donnerai son numéro. La croix inversée n'est plus tournée vers le ciel, mais vers la terre, elle renvoie à la chute, à la descente aux Enfers. Votre victime, elle écrasait la tête du Christ contre le bitume à chaque pas qu'elle faisait. Une belle façon de dire merde à la religion chrétienne.

Tandis que Nicolas griffonnait sur son carnet, Lucie restait droite, les bras croisés, les yeux vides comme s'ils voyaient à travers le cadavre. Elle avait lu dans le rapport de son oncle que la fille qui côtoyait Ramirez affectionnait le look gothique. Elle pensait de surcroît au chat noir couvert de sangsues. Un lien avec le diable, là aussi ?

Paul Chénaix sollicita son collègue, et ils attaquèrent l'autopsie à proprement parler. De nouveaux tubes se remplissaient d'échantillons d'urine, de bile, de muscles, de peau, tandis que les organes quittaient le corps pour observation, pesée, échantillonnage. Julien Ramirez se résumait à un objet d'étude, une première marche à franchir pour accéder à la vérité.

Lucie glissa les mains dans ses poches, tremblantes sous le poids du secret. Elle imagina le père de ses enfants, seul au fond de cette cave, à charcuter le corps, transférer les sangsues gorgées du chat vers les plaies mortes et froides de l'homme. Comment avait-il pu penser à une mise en scène pareille ? Pourquoi une telle plongée dans les abysses ? Elle le revoyait aussi, à genoux dans le garage, engoncé dans sa blouse bleue, les yeux injectés de petites veines, en train de brûler son costume. Cette nuit-là, il n'avait plus été un flic. Mais l'un d'entre eux. « *On cache tous des squelettes au fond de nos placards.* »

Il n'était pas loin de midi quand l'autopsie arriva à son terme.

— Je vais suivre le dossier avec l'anapath et la toxico, ça m'intéresse quand ce n'est pas classique. Et je vous ferai un bilan, si vous voulez.

Les policiers le remercièrent. Nicolas prit une bonne bouffée d'oxygène une fois à l'air libre, sous un ciel de traîne comme septembre sait les modeler, avant de ranger son carnet et de planter une nouvelle cigarette entre ses lèvres. Il devait se tapisser la gorge de nicotine et saturer ses narines de fumée.

— Alors, t'en penses quoi ? fit Lucie.

— J'ai méchamment l'impression que celui-là va nous donner du fil à retordre.

Nicolas s'appuya sur le capot de sa voiture, savourant ses bouffées de tabac.

— Aucune trace d'effraction chez Ramirez. Ils se connaissaient sans doute, avec son assassin. De toute façon, tu ne t'acharnes pas sur quelqu'un de cette manière sans le connaître. On voulait qu'il souffre. Son calvaire a dû être interminable. Il…

Nicolas se tut soudain, les plaies saignaient aussi en lui. De son côté, Lucie s'empêtrait dans ses pensées. Toute leur équipe du 36 allait traquer un psychopathe, bâtir de fausses hypothèses, poursuivre quelque chose d'inexistant. Et elle en ferait partie : le prix à payer pour avoir récupéré l'enquête. Des mois de chasse vaine, à se traquer et se fuir elle-même. Nicolas lança sa clope à peine entamée au sol et l'écrasa du talon. Il plaqua ses tickets-restaurant dans les mains de Lucie.

— Vas-y seule. Je retourne bosser.

Une fois dans sa voiture, il démarra sans lui adresser le moindre signe. Encore l'une de ses étranges réactions où il décrochait et semblait fuir tout contact. Plantée au milieu du parking, Lucie n'avait pas faim. Juste l'envie d'appeler Franck, là, maintenant. Elle fit néanmoins quelques kilomètres pour être sûre de s'isoler et se gara en warning devant une entrée d'immeuble, rue Saint-Paul. Coup de fil sur le portable perso de Sharko.

— T'es où ?

— Chez Ramirez. Le bulldozer est au travail. Attends deux secondes… (Le bruit de moteur devint plus faible dans l'écouteur.) Pour le moment, on a déterré sept cadavres de chats recouverts de chaux vive. Juste des animaux, Lucie. Aucune trace de… d'autre chose.

Des chats… Ramirez ne s'était-il attaqué qu'à des animaux ? Cela expliquait-il la présence de sa camionnette dans les rues d'Athis-Mons ? Peut-être sillonnait-il des quartiers en quête de chats à ramasser ? Peut-être n'avait-il jamais touché à un cheveu de Laëtitia ?

La voix de Sharko la tira de ses pensées.

— Je suis allé voir ta tante, je lui ai longuement expliqué ce qu'on s'était dit. Elle a d'abord pleuré comme une Madeleine, puis ça s'est plutôt bien passé. Je lui ai fait comprendre que, si elle ne tenait pas sa langue, ça te mettrait en danger. Elle ne parlera plus jamais des recherches de ton oncle ni du fait qu'elle t'a sollicitée. Et elle est heureuse que Ramirez soit mort.

Donc, de ce côté-là, plus de souci à se faire, tout est carré. Et toi, ç'a été ?

— C'est l'une des pires autopsies que j'aie jamais vues. Nicolas s'est senti mal, il a eu l'impression de revivre tout ce qui s'est passé avec Camille. Je sais que c'était pour nous protéger, mais t'es allé tellement loin. Tu l'as mutilé, Franck !

— Il n'y avait pas d'autre solution, crois-moi. Faut que je te laisse, on m'appelle.

Lucie raccrocha comme si son portable lui brûlait la main. Elle pensait aux propos de Sharko dans la matinée : « *Tu vas voir que j'ai fait des choses pas belles au cadavre, mais c'est pour l'éloigner encore plus de ce que nous sommes au fond de nous.* » Justement, ces actes ne le rapprochaient-ils pas, au contraire, de ses retranchements les plus obscurs ? C'était bien sa main qui avait découpé, mutilé, tailladé.

À la vue de ces actes, Lucie avait la sensation que le Sharko blanc – l'homme qu'elle aimait – avait de plus en plus de mal à se dissocier du Sharko noir, cette espèce de Minotaure sanguinaire qui cherchait la sortie du labyrinthe et qui, le temps d'heures sombres à la cave, l'avait trouvée.

14

Il était plus de 19 heures quand Manien décida de rassembler tout le monde pour une réunion. La journée avait été intense pour chacun des cinq policiers de son groupe, entre recherches sur le terrain, lectures et croisements de fichiers, coups de téléphone. Une partie d'entre eux avaient été aidés, notamment pour le début de l'enquête de proximité et la fouille intégrale de la maison, par les renforts du commissariat de Longjumeau et les nombreux brigadiers du 36 placés sous les ordres des OPJ. Les différents départements de la police scientifique – traces, balistique, chimie… –, les laboratoires de toxicologie et d'anatomopathologie ne chômaient pas.

Le paquebot naviguait à plein régime.

Contrairement à leur habitude, Lucie et Franck s'étaient placés du même côté de la table, avec Robillard et ses muscles entre eux, pour éviter que leurs regards ne se croisent, conscients que cette réunion serait une nouvelle épreuve. Compte tenu du caractère exceptionnel du crime, Paul Chénaix y assistait également.

Manien s'assit en bout de table, une télécommande de rétroprojecteur dans la main. Il afficha une photo de la scène de crime, histoire de mettre tout le monde dans l'ambiance, puis un gros plan du corps nu.

— Affaire Ramirez, premier acte. Découverte du corps hier matin, aux alentours de 9 h 30, par une brigade de Longjumeau, suite à l'alerte donnée pour l'abandon d'une Audi TT en bord de route. La porte de la maison est ouverte, les collègues entrent, trouvent une procession de sangsues qui les oriente vers la cave. Il est évident que « Jack » voulait qu'on arrive sur le corps au plus vite.

— Jack ?! lâcha Robillard, un bâton de sucette coincé entre les dents.

— Oui, on va l'appeler Jack. Comme l'Éventreur. Notre Jack n'a pas grand-chose à lui envier. Et puis c'est court, simple, même toi tu devrais pouvoir le retenir. Bon, tout le monde a eu le temps de regarder le PV de constatation de Sharko ? Parfait. Pascal, tu nous fais un point sur Ramirez ?

Robillard avait posé ses avant-bras devant lui, sur la table. Deux véritables gigots.

— Julien Ramirez, 31 ans, célibataire, sans enfants. Un casier fourni que je dois encore éplucher, avec notamment de la taule de 2008 à 2012 pour agression, détention d'arme et tentative de viol. Son identité apparaît aussi dans le STIC pour des erreurs de jeunesse et des actes satanistes : profanations de tombes, cruauté envers les animaux, ce genre de choses… Après 2012, plus rien dans le casier, il disparaît des écrans radar. Visiblement rangé.

Lucie ne perdait pas une miette de ce résumé. Franck avait vu juste : rien, dans les fichiers, n'avait permis à Robillard de tisser le lien avec l'affaire Laëtitia Charlent, où Ramirez n'avait été interrogé que comme témoin. Le lieutenant ignorait par ailleurs tout du passé psychiatrique de Ramirez.

— Il habite du côté de Longjumeau et bosse à son compte dans la déco et le petit œuvre pour des habitations individuelles un peu partout dans l'Essonne. Vu ce qu'on a découvert dans sa chambre, on suppose qu'il fréquentait une fille.

Manien afficha une photo de la pièce en question.

— Fille qu'on doit retrouver à tout prix. Elle a selon toute vraisemblance fui dans la précipitation par la fenêtre. Mais pourquoi n'a-t-elle pas prévenu les forces de l'ordre ? Connaît-elle l'assassin ? L'a-t-elle vu ? Jacques, t'étais là-bas toute la journée. Un début de piste ? Et le bide, ça va mieux ?

— Vu le temps que j'ai passé aux toilettes, je connais le nombre exact de carreaux sur les murs, mais ça va… Non, rien. Ni sur elle ni sur lui. Pas de voisins, personne ne le connaît ni ne le voit jamais. Juste sa camionnette, de temps en temps. Comme il bossait seul, pas de collègues, je vais creuser du côté de ses clients. J'ai vérifié les itinéraires du GPS, il ne devait pas l'utiliser souvent, l'historique est vide. Coup d'œil rapide au GPS du camion également. Rien là non plus, vide, à croire que ce type avait la manie de tout effacer. Sinon, tant que j'y suis… (Il lorgna ses notes.) Pas d'ordinateur, on n'a pas retrouvé de téléphone portable, il l'avait sans doute sur lui, mais comme il était à poil, on peut supposer que Jack l'a emporté. Demain matin, je ferai partir une demande aux différents fournisseurs pour savoir s'il avait un abonnement. On a embarqué factures, DVD, relevés de compte, paperasse en tout genre, et il y en a un paquet. Ça va prendre du temps de décortiquer tout ça. À ce que j'ai pu voir vite fait de sa vidéothèque, elle est principalement axée sur le SM : productions américaines référencées sur Internet, connues pour leur caractère extrême, mais rien d'illégal.

— Faudra tout m'éplucher, lança Manien.

— Bien… Pour l'Audi, j'ai scanné l'immat, il l'a achetée d'occase il y a deux ans pour pas grand-chose. L'IJ a relevé les empreintes sur le volant, les poignées de porte et le coffre, on verra les retours… Voilà, c'est à peu près tout.

Manien acquiesça et revint sur la photo de la victime.

— Ramirez a morflé. Les coupures, les sangsues, puis la balle dans la gorge pour en finir. Jack ne s'est pas contenté de l'abattre comme un chien. Il a déployé une certaine forme d'ingéniosité perverse comme on en voit rarement. Il a utilisé les sangsues que Ramirez élevait dans un aquarium pour le mettre à mort, et aussi pour nous orienter vers la cave.

Il scruta les visages devant lui, les mains à plat sur la table.

— Bon, la priorité, c'est la fille qui s'est tirée par le toit. Vous m'interrogez les clients de Ramirez, ses créanciers, vous retrouvez ses fréquentations. Vous apportez tout ce qui est susceptible de nous renseigner. Je vais m'arranger pour faire tenir le flagrant délit sur plusieurs jours, ça facilitera les mises en garde à vue et les éventuelles perquises. On doit mettre la main sur la nana aux menottes. Vous me retrouvez aussi cette victime qu'il a essayé de violer par le passé, au cas où.

Manien ausculta les feuilles devant lui.

— Paul, tu nous fais un point rapide sur l'autopsie ?

— Je vous envoie le rapport demain. Les résultats toxico et anapath arriveront dans la semaine et devraient vous donner des indications sur le mode opératoire de… de ce Jack. Comme je l'ai dit ce matin, j'ai relevé vingt et une plaies réparties sur tout le corps, et a priori chacune contenait une sangsue qui s'est gorgée de sang. Ce qui laisse supposer une longue et douloureuse agonie. Cependant, le mode opératoire précis reste à découvrir, à savoir : votre Jack a-t-il d'abord tué Ramirez d'une balle dans la gorge avant de le mutiler ? L'inverse ? Un mix des deux ? Il va falloir attendre les résultats des analyses. En tout cas, le corps a été exécuté dans cette position, au fond de cette cave sordide, et n'a pas été déplacé.

Avec son stylo, Manien désigna la photo d'une sangsue.

— Qu'est-ce que Ramirez fichait avec ça dans un aquarium ? Juste de l'élevage ? Une passion pour ces drôles de bestioles ? Pourquoi on les a glissées dans ses plaies ? Ça doit bien avoir une signification. Merci, Paul. Rien d'autre ? On te libère…

Le légiste se leva et les salua d'un geste.

— Sharko, à toi, fit Manien.

Franck avait regroupé ses poings devant lui, les coudes sur la table. L'air calme et détaché.

— C'est la présence d'une belle quantité de chaux vive à la cave qui nous a mis la puce à l'oreille. En général, ceux qui enterrent des corps dans leur jardin le laissent à l'abandon pour dissuader les visiteurs éventuels et pour cacher les mouvements de terre. Avec le bulldozer, on a retrouvé les cadavres de dix chats, enveloppés dans des plastiques biodégradables et recouverts de chaux vive, à différents degrés de décomposition. Ça va du squelette qui doit remonter à plusieurs mois ou années à des dates plus récentes, peut-être quelques jours pour le dernier. Six d'entre eux ont le pelage noir, pour les autres, ils sont trop anciens, on ne sait pas mais on peut légitimement le supposer. Quant à la cause de leur mort, impossible à définir en l'état. J'ai fait partir le tout chez un vétérinaire qui, en ce moment même, est sur le coup.

— Et pour les indices relevés sur la scène de crime ?

Sharko tendit une clé USB à Manien et lui réclama la télécommande. Il fit défiler les photos prises lors de son PV de constatation. Scène de crime, position des objets, gros plans de scellés. Il afficha celle de la balle extraite du mur. Puis celle de la douille, avec le calibre et la marque bien visibles, « *9 mm Luger* ».

— On attend des retours importants des différents labos. Le premier qui devrait remonter dès demain proviendra de la balistique. Il nous donnera des infos sur la balle et la douille laissées par l'assassin.

Clic de télécommande, changement de cliché. Les traînées fluorescentes dans les pièces.

— Le Bluestar a révélé ces traînées de sang un peu partout, mais surtout au niveau des issues. Elles constituent une barrière, sauf pour l'entrée principale et une pièce à l'étage où elles sont absentes… Cette dispersion de sang au sol était contrôlée, volontaire. C'est comme si on avait égorgé une bête et qu'on s'était promené partout en la tenant par les pattes arrière.

— Quand tu dis « bête », tu veux dire l'un de ces chats enterrés ?

— Ça me semble le plus probable, oui.

Lucie fixait le cliché. Elle imaginait Ramirez en train de répandre le liquide partout dans sa maison, un animal égorgé dans la main. Sur le sol, aux pieds des meubles, devant les entrées. Toujours ce rapport au sang, déjà présent dans sa vie de jeune adulte. Dans quel but avait-il agi ainsi ? Quelles abominations dissimulait cette habitation ?

— Autre chose ? fit Manien.

Nicolas leva le bras. Le chef fit mine de l'ignorer une poignée de secondes, remonta l'écran et finit par hocher le menton vers son subordonné.

— On est tout ouïe, Bellanger.

— Lucie a omis de signaler que Ramirez présentait un tatouage sous le pied gauche, une croix religieuse inversée marquée par un sigle, « *Pray Mev* », ainsi que des piercings et des scarifications, dont certaines font penser à des symboles satanistes. Je me dis qu'avec ces chats noirs, les éléments dans le STIC rapportés par Pascal et le sang répandu un peu partout, il y a sans doute matière à creuser.

Le chef claqua dans ses mains.

— OK, t'approfondis ça. Je vais communiquer les infos au proc. On se refait un point demain. Je sens qu'on va s'éclater comme des fous avec cette affaire. Et bon Dieu, priorité des priorités, retrouvez-moi cette fille et collez-la-moi en GAV !

15

Après la réunion, Franck et Lucie étaient rentrés à Sceaux, chacun dans son véhicule. À 20 h 30, ils purent enfin serrer leurs fils contre eux. Jaya les avait fait dîner et mis en pyjama. Franck regrettait amèrement de ne pas accorder plus de temps à sa progéniture. Jules et Adrien le réclamaient le matin, le soir, à la sortie de l'école. S'il ne jouait pas avec eux maintenant, quand le ferait-il ? Alors, pour la première fois depuis bien longtemps, il les emmena tous les deux dans sa chambre, tira avec délicatesse son circuit ferroviaire cloué à une planche sous le lit, et dévoila une boucle en rails Roco un peu poussiéreuse.

— Je vous l'avais déjà montré, il y a longtemps. Mais vous ne vous en souvenez plus, vous étiez tout petits. On ne touche pas, d'accord ? Papa y tient beaucoup.

Les jumeaux succombèrent devant ce décor miniature, avec son tunnel, ses trois vaches dans les champs, son unique passage à niveau. Avec précaution, Franck prit la locomotive, souffla deux fois dessus et la positionna sur les rails.

— Elle s'appelle Poupette.

Une fois alimentée avec trois centilitres de carburant, Poupette se mit à crachoter. Franck lui donna une impulsion initiale, et elle fila comme au premier jour. Chaque tour qu'elle vainquit lui arracha des larmes qu'il s'efforça de cacher. Ce petit train, c'était l'innocence, la promesse d'un monde meilleur, mais il renfermait surtout ses souvenirs, les éclats de rire de Suzanne, sa femme disparue, et le visage de leur fille, morte dans des conditions qu'aucun père ne devrait affronter. Poupette avait continué à tourner quand Sharko s'était retrouvé au fond du trou, elle avait toujours été à ses côtés.

— Pourquoi tu pleures, papa ?

Il frotta ses larmes, lui qui ne pleurait jamais.

— Ce n'est rien. Regardez-la foncer.

Mais soudain, comme pour le contredire, Poupette montra un signe de fatigue, enchaîna encore un virage et stoppa net au milieu des rails. Les jumeaux protestèrent, ils voulaient encore la voir parader. Franck remit un peu de carburant, mais rien n'y fit, Poupette lui tenait tête. Il s'acharna, s'énerva, alla même chercher un tournevis, resserra des pièces minuscules, en vain.

— On réessaiera bientôt. Papa la réparera. Promis.

Plus tard, il coucha ses fils et se maintint là, dans le noir, à les écouter s'endormir. Ses mains de père se devaient de les protéger, comme si elles enrobaient une petite flamme vitale.

Il finit par rejoindre Lucie, ils dînèrent sans appétit, sans goût. Difficile de ne pas songer à l'affaire et aux pénibles journées à venir, à porter le masque du mensonge.

Ils s'endormirent sur le canapé devant un téléfilm sans consistance, alors que, d'ordinaire, confrontés à une telle affaire, ils auraient eu le nez dans les rapports. Un coup de téléphone les arracha du sommeil aux alentours de minuit. Lucie sursauta, et Sharko grogna comme un vieil ours. C'était son portable pro qui sonnait.

— Bellanger… Qu'est-ce qu'il veut ?

Il décrocha et mit vite un terme à la conversation, tracassé. Il se dirigea vers le portemanteau.

— Il est chez Ramirez. Il a trouvé quelque chose.

Lucie devint blanche.

— Quoi ? Qu'est-ce qu'il fiche là-bas à une heure pareille ?

— Je n'en sais rien, et ça m'emmerde. Il m'a juste demandé de rappliquer.

Avant de sortir, il se retourna, l'air grave.

— Ma locomotive, Poupette, est tombée en panne, elle refuse d'avancer. En plus de trente ans, c'est la première fois.

16

Franck roula avec l'angoisse pour passagère. Dans ses meilleurs jours, Bellanger était un excellent flic, un perfectionniste au flair animal, qui avait bien compris le job : s'acharner sur les détails dont tout le monde se fiche. Le genre à se poser des questions sur la position d'une douille et à ne jamais lâcher une piste à laquelle il croyait, quitte à s'attirer les foudres de sa hiérarchie. Qu'avait-il découvert chez Ramirez en pleine nuit ?

Le col de son caban remonté sur son cou, Nicolas fumait près des marches quand Sharko arriva. Chaque fois qu'il le voyait, Franck avait en tête l'image du flic détruit interprété par Brad Pitt dans *Seven*, de David Fincher.

À droite comme à gauche, le jardin se résumait à une succession de trous et de monticules de terre, ravages du bulldozer. Sharko éteignit ses phares et jaillit de l'habitacle avec sa tête des mauvais jours.

— Ça pouvait pas attendre demain ?

— Tu commences à te faire vieux.

— J'ai surtout une famille.

— C'est vrai que t'as cette chance, ouais.

Il balança d'une pichenette sa cigarette au fond d'un trou et montra la clé de l'entrée.

— Je me suis permis de la prendre sur ton bureau.

Sharko se demanda si Nicolas était retourné à son domicile après la réunion avec Manien. Peut-être était-il resté seul dans l'open space avec une petite lumière, de la poudre au fond des narines, face aux photos du cadavre de Ramirez et à ses vieux fantômes. Franck désigna les scellés arrachés sans précaution.

— T'aurais pu faire gaffe.

— Tu te fais *vraiment* trop vieux. Allez, amène-toi, c'est là-haut que ça se passe.

Ils s'engagèrent dans la cage d'escalier. Le capitaine de police lui tendit une paire de gants en latex.

— En début de soirée, j'ai contacté le collègue de Chénaix, celui qui verse dans le gothique. Bon, ce que je vais te raconter est assez caricatural, mais les chats noirs sont liés à la magie occulte, aux sorcières, au mauvais sort, et surtout au satanisme. On les utilisait de plusieurs façons pour invoquer le diable lors des rituels. On les offrait en sacrifice à Satan. On les brûlait, on les mutilait. Leurs longs hurlements attiraient les démons.

— Conneries.

— Sauf pour Ramirez, visiblement, et certains groupuscules de fêlés qui doivent encore exister de nos jours. Le piercing au gland avec le symbole sataniste, ça s'appelle un *ampallang*, ça a surtout un but identitaire. J'ai fait des requêtes sur les termes « *Pray Mev* ». « Prie Mev » ou « Priez Mev ». C'est compliqué de trouver des réponses pertinentes sur « Mev », c'est trop générique, trop court, je me dis que… que c'est peut-être une divinité, un démon, ou un chef de meute.

— Mais tu n'as rien trouvé.

— Non. Une chose est sûre, même avec quatre ans de taule, Ramirez n'a jamais abandonné le satanisme. Au contraire, enfermé dans sa cellule, il s'est peut-être davantage réfugié dans les bras du sheitan. Au légiste gothique, j'ai aussi parlé de ces traînées de sang, de ces traits devant les portes. Selon lui, on retrouve ces rites de dispersion de sang dans de nombreuses traditions où l'on croit aux esprits et à la sorcellerie. On égorge des animaux domestiques, la plupart du temps des poulets, et on répand le sang devant les issues ou autour des endroits de vie. Ces barrières sont censées protéger le foyer et ses habitants des esprits malfaisants, et plus particulièrement du diable.

— OK. Admettons, Raminez a toujours été dans ce trip-là, diable et compagnie, et la prison n'a fait qu'amplifier le phénomène. Mais c'est paradoxal, ce que tu me racontes. Si Ramirez est sataniste, il ne repousse pas le diable, il l'invoque.

— Justement. Pas de barrière de sang à la porte d'entrée ni… (il s'arrêta devant une porte fermée) dans cette pièce. Il n'interdit pas au diable d'entrer chez lui, au contraire. Il le guide jusqu'à ces quatre murs.

— Au cas où le diable aurait oublié son GPS et se perdrait.

Mince sourire de Nicolas, devenu trop rare sur son visage.

— Tu te rappelles les tags de motos et de voitures sur les murs de cette pièce ? Pas vraiment l'ambiance sataniste, ces tags, tu ne trouves pas ? Avec un type capable de répandre du sang partout dans sa baraque, de tuer des chats noirs et de profaner des tombes à 17 ans, on s'attendrait plutôt à des dessins de pentacles, des croix inversées, des 666, ce genre de conneries.

Nicolas ouvrit la porte. Il avait arraché la tapisserie taguée et mis au jour une fresque démente, précise, élaborée, sur tout un pan de mur. Les dessins d'une minutie extrême avaient été réalisés à l'encre noire, non sans talent. Deux monstres ailés, velus, au museau de loup et à la langue pendante, arrachaient des femmes et des hommes à leurs familles, leurs griffes rétractées sur les bras innocents. À l'arrière-plan, un gros monstre rouge engloutissait de petites silhouettes.

— Pourquoi il a caché cette fresque derrière une tapisserie ? Qu'est-ce qu'elle représente ?

Sharko ne répondit pas, secoué de l'intérieur, fixant l'un des visages. Le petit anneau au nez, les courts cheveux bouclés, les yeux… Laëtitia Charlent se tenait là, face à lui, son bras gauche prisonnier de la main crochue du monstre le plus agressif. Il voulait l'entraîner vers le gros diable affamé.

Franck dut lutter pour ne rien dire, ne laisser transparaître qu'un vague étonnement. Laëtitia et son sourire qui avait brûlé dans les flammes ne devaient exister que dans sa tête. Si les diables l'emportaient elle, et qu'elle existait vraiment, alors était-ce le cas pour les autres personnages de la fresque ? Correspondaient-ils à de vraies personnes ?

Les deux hommes se placèrent au milieu de la pièce, dans cet espace de folie, de démence pure, de souffrance perceptible. Cet endroit, dans sa simplicité, rappelait un autel sacrificiel, un lieu de vénération du diable. Le flic ressentit une main glacée dans son dos et le long de son échine. Il frissonna. Nicolas avait vu la façon dont son collègue s'était rétracté.

— Alors tu l'as senti, toi aussi…

— Quoi ?

— Le petit courant d'air.

Nicolas lui tapota sur l'épaule.

— Viens voir.

Il se dirigea vers le fond de la pièce.

— J'ai aussi déplacé l'étagère… Exactement de cette façon. Et voilà ce qu'on trouve dessous.

Il la tira sur le côté, s'accroupit et souleva une trappe découpée dans le plancher. D'une cachette, il sortit deux cartes d'identité. La photo coïncidait avec le visage de Ramirez, mais les identités étaient « Julien Forget » et « Julien Poix ». Dates de naissance identiques. Des cartes bien imitées, mais fausses. Puis Nicolas lui tendit une grosse chaîne avec une entrave circulaire en acier, bordée de sang séché. Il hocha le menton derrière Sharko.

— Les tuyaux proches du radiateur… Légèrement tordus. Et la peinture a sauté, si tu regardes bien.

Sharko alla jeter un œil.

— Comme si quelqu'un y avait été attaché avec la chaîne.

— On dirait bien qu'il y a eu un prisonnier ici.

Nicolas présenta également une espèce de râtelier en bois qui contenait treize éprouvettes. Sharko les observa : elles étaient à demi remplies d'un liquide aussi clair et transparent que de l'eau. Il voulut en déboucher une, mais Nicolas lui serra le poignet.

— Vaut mieux pas ouvrir sans savoir ce que c'est.

Bellanger le fixait avec gravité. Sharko reposa le râtelier devant lui. Pourquoi Ramirez l'avait-il caché avec autant de soin ? Le capitaine de police sortit aussi un long tube en carton. À l'intérieur, un calque format affiche de bus, que déroula Sharko. Rien dessus, hormis treize points faits au feutre noir et répartis un peu partout.

— Treize points qui ne veulent rien dire sur un calque, treize éprouvettes. Il y avait aussi treize scarifications en forme de bâtons sur la poitrine de Ramirez. Et quand tu comptes bien sur la fresque…

— Treize individus, emportés par deux diables vers un autre plus gros. Huit femmes et cinq hommes.

Mal à l'aise, Sharko se mit à prendre des photos avec son téléphone portable. Le trio de diables l'observait. Ils tiraient leur longue langue rouge sous leurs narines fumantes, embarquaient Laëtitia et les autres dans les ténèbres. Au fin fond de son crâne, le flic put entendre leurs rires mesquins et les hurlements de leurs prisonniers. *Mev* était-il ce diable rouge, deux fois plus gros et puissant que les autres, qui semblait orchestrer l'ensemble et se nourrir de chair humaine ? Où était Laëtitia ? Quel avait été son sort ? Pourquoi elle ?

Quand il en eut terminé, Sharko éteignit la lumière. La pièce sombra alors dans le noir absolu. Une obscurité malfaisante qui laissa les deux flics glacés d'effroi.

17

Franck et Lucie ne prirent qu'une seule voiture pour aller au 36, le lendemain, aux alentours de 9 heures. Gueules en berne, idées noires. Lucie avait dû forcer sur le maquillage pour cacher sa nuit catastrophique. Vues, les photos prises par Sharko avec son téléphone. Vues, ces monstruosités peintes, ces visages en larmes, ces langues fourchues. Une véritable scène d'orgie, mais aussi de viol, de guerre, d'épouvante. Qu'avait cherché à raconter Ramirez à travers sa fresque ?

Tout au long du trajet, Franck n'avait cessé de marteler qu'ils devaient se surveiller l'un l'autre, se soutenir, faire bloc et, surtout, ne jamais prononcer le nom de Laëtitia Charlent. Oublier son visage. Elle était un de leurs points faibles. Une erreur, un lapsus, un mauvais réflexe, et ils couleraient tous les deux.

Mais comment oublier un tel visage ? Les diables se battaient aussi en Lucie. D'un côté, il fallait se taire, et de l'autre brûlait ce besoin de comprendre, de résoudre l'énigme, de retrouver la jeune femme, peut-être encore vivante. Parce que c'était son job, ses convictions.

Parce que c'était dans son ADN de flic et que, si elle y parvenait, elle soulagerait peut-être sa conscience.

Leur bureau vibrait déjà de vie à leur arrivée. Comme à chaque nouvelle affaire, l'excitation dominait, les informations commençaient à tomber des différents services sollicités. Sharko comparait toujours les premiers jours à une partie de chasse : ils étaient la meute de chiens stimulés par les cors, qui s'élançait à la poursuite du gibier. À cette différence près que, cette fois, le gibier, c'étaient eux.

Il plaça à côté de son ordinateur une photo toute récente de ses fils. Lucie fit de même. Ils étaient leur shoot de cocaïne, leur pacte invisible, le gage de leur silence. Leurs enfants les aideraient à tenir.

— J'ai eu le retour ADN du bulbe des longs cheveux noirs trouvés dans le lit de Ramirez, fit Robillard. Ils sont bien féminins, mais on n'a rien dans le FNAEG[1]. La fille aux menottes n'a pas de visage et court toujours.

Soulagement en demi-teinte pour Sharko. On entrait, on sortait de la pièce, avec des documents à photocopier, des feuillets à aller chercher, des coups de fil à passer. Levallois avait repris son rôle de procédurier et était parti récolter les éléments dans la pièce avec la fresque. Franck observait à la dérobée chacun de ses coéquipiers qui répondait à un appel, consignait une information, toujours avec, boulonnée au ventre, cette peur du témoignage (« *Je crois me souvenir qu'une jeune femme avait crevé un pneu devant chez ce type* ») qui mettrait en péril leur avenir, à Lucie et lui.

1. Fichier national automatisé des empreintes génétiques.

Mais le véritable cauchemar débuta avec un appel reçu à 10 h 40. Lorsque Nicolas répondit au balisticien et discuta longuement, allant et venant, Sharko comprit sur-le-champ que ce qui le tracassait depuis le début – le sentiment d'avoir oublié un élément primordial cette nuit-là – était lié à cette histoire de douille. Tout avait été trop laborieux, trop complexe autour de ce maudit tube en étain.

Et quand Nicolas parla de gendarmerie, d'affaire en cours, et nota un numéro de téléphone, Franck sentit le sang quitter son visage. Il échangea un regard catastrophé avec Lucie.

Il ne s'agissait pas d'un oubli mais d'une erreur. Bénigne, grave ? Impossible de savoir pour le moment. Quoi qu'il en soit, grâce aux caractéristiques des munitions retrouvées – rayures, endroit de la percussion… –, on savait que le pistolet utilisé pour tuer Ramirez d'une balle dans la gorge avait servi dans deux autres affaires. La première était ancienne, un braquage dans une supérette.

L'autre concernait une affaire de meurtre.

18

La 306 sérigraphiée de la police nationale dévorait le ruban d'asphalte, direction Looze, un bled paumé à une trentaine de kilomètres d'Auxerre. L'Yonne, pays des forêts flamboyantes, des champs lumineux, des cerfs massifs, héritiers de siècles de traque et capables de vous plier le capot au prochain virage. En ce début d'automne, la nature était presque apaisée, à l'opposé de Sharko, forcé d'intérioriser, de faire bonne figure, d'être satisfait de cette piste qui s'offrait déjà à eux, mais ressemblait aux prémices d'un cauchemar éveillé. Il n'avait presque pas décroché un mot durant le trajet, et il ne fallait pas compter sur Bellanger sur ce point. Au fil des mois, une distance s'était creusée entre les deux hommes, leurs sujets de conversation s'étaient taris. De quoi pouvait-on discuter quand l'un avait tout – une femme, des enfants, une maison et un morceau de bonheur – et l'autre rien ?

Nicolas quitta l'autoroute A6 et roula une dizaine de minutes sur des routes qui semblaient mener au bout du monde.

— D'après le GPS, on y arrive. J'avais dit vers 13 heures, on a une heure de retard. Ça va.

Il chercha un ancien château d'eau, d'après les explications fournies par téléphone. Sharko le désigna dans une trouée d'arbres, au bout d'un chemin de terre qui s'enfonçait dans la végétation. Ils se garèrent derrière une voiture de gendarmerie, de laquelle sortit un homme aux larges épaules, engoncé dans sa tenue réglementaire, des rangers à la casquette bleu marine. Il tenait deux lampes torches et une pochette à élastiques. Échange de poignes viril.

— Capitaine Jacques Saussey, SR[1] de Dijon.

— Capitaine Bellanger, c'est moi que vous avez eu au téléphone. Désolé pour le retard. Et voici le lieutenant Sharko. Drôle d'endroit pour une rencontre, non ?

— Le lieu du crime, c'est un bon moyen de couper la poire en deux. Suivez-moi. Et prenez cette torche, vous en aurez besoin.

Bellanger avait gardé ses réflexes de meneur d'équipe, bien que Sharko le devançât hiérarchiquement au sein de leur groupe. Mais ce dernier laissa couler. Ils avancèrent sur le chemin. Le château d'eau, même s'il était visible, se trouvait à quelques minutes à pied.

— On a donc un point commun, vous et moi, résuma le gendarme. Nous disposons chacun d'une balle et d'une douille de calibre 9 mm, qui présentent exactement les mêmes caractéristiques balistiques d'après le système CRIBLE. Donc, sorties de la même arme.

— Tout à fait. Ces projectiles identiques sont la charnière entre nos deux affaires. Nous cherchons le même assassin.

1. Section de recherches.

Sharko gardait le silence à leurs côtés. Lui connaissait les deux assassins : Lucie qui avait abattu Ramirez d'un côté, Ramirez qui avait tué la victime du château d'eau de l'autre. Quelle horreur c'était de voir des collègues bâtir l'édifice de leurs enquêtes respectives sur de fausses hypothèses.

— Vous commencez ? fit Nicolas.

— Très bien. L'historique de l'arme, tout d'abord. Utilisée pour un petit braquage en janvier 2010 dans une supérette de la banlieue parisienne. L'auteur, un certain Alex Jambier, tire une fois en l'air pour impressionner, ce qui permet aux policiers de récupérer la douille et la balle et de rentrer les données techniques dans les fichiers. L'individu est arrêté quinze jours après son casse. Il a déjà refourgué l'arme, mais il peut la décrire précisément : il s'agit d'un HK P30 américain dont vous avez toutes les caractéristiques dans le dossier balistique. Faut savoir que Jambier est encore en cage à l'heure où je vous parle, pincé pour trafic de drogue il y a quelques mois, et qu'il n'a rien à voir avec mon affaire de meurtre. On a essayé de rechercher entre quelles mains cette arme aurait pu circuler, en vain. Sa trace est complètement perdue.

Ils approchèrent de l'édifice en forme de champignon, au béton rongé jusqu'à la moelle par du lierre, des orties, des broussailles. Une épave à ciel ouvert. Même les branches des arbres accolés venaient le vampiriser.

— Concernant le meurtre, à présent… Nous avons été saisis il y a une quinzaine de jours, le 5 septembre. Deux jeunes promeneurs qui aiment traîner dans les endroits désaffectés pour les photographier ont découvert le corps. Ils ont immédiatement informé les gendarmes de Joigny, à quelques kilomètres d'ici. Compte tenu de l'envergure du crime, l'affaire est d'abord remontée à Auxerre, puis chez nous, à Dijon.

Une chaîne et un cadenas, dont Saussey avait la clé, étranglaient la grosse porte rouillée du château d'eau. Les rubans à sceller posés par les gendarmes pendaient, décollés par l'humidité de la végétation.

— Ça fait plus de dix ans que ce château d'eau est à l'abandon, on dirait même que la forêt a poussé autour. Interdit d'accès, évidemment, car dangereux. J'espère que vous avez la forme, il y a un paquet de marches. Et longez bien les murs, il n'y a rien pour se tenir.

Le faisceau de sa lampe dévoila une structure interne impressionnante. De larges marches filaient en hélice vers le sommet, scellées à la paroi grise, sans rambarde de sécurité. Le cylindre s'élevait, étroit, oppressant, pareil à un piège mortel. Plus ils montaient, plus Sharko avait paradoxalement l'impression de s'enfoncer dans le mensonge.

— On pense que la victime était vivante avant d'arriver là-haut, sans doute menacée par l'arme à feu à l'origine de notre rencontre.

— Qu'est-ce qui vous fait dire ça ?

— Les difficultés d'accès, mais surtout, les tortures, vous verrez. L'assassin voulait un endroit isolé, où il pouvait avoir le contrôle sur les alentours et où il pouvait prendre son temps. Parce que du temps, il en avait besoin.

Les respirations se firent plus saccadées. Après une centaine de marches, les trois hommes franchirent une trappe et se confinèrent dans la tête du château d'eau. Seul un petit trou percé dans le béton, sous les semelles de Sharko, permettait de distinguer la vertigineuse structure hélicoïdale tout juste empruntée. Avec sa torche, le gendarme Saussey éclaira les traces de sang encore au sol.

— C'est là qu'on a retrouvé le corps.

La présence de sang se résumait à une pluie de gouttes éparses. Le capitaine Saussey ouvrit sa pochette à élastiques et tendit des photos à Nicolas. Il les observa en silence, sous le faisceau de sa propre lampe. Sharko jeta un œil à son tour. Chaque geste, chaque parole résonnait contre les parois.

— On lui a bousillé les dents, tiré une balle en plein visage, coupé les dernières phalanges pour éviter toute possibilité d'identification. Tortures sur tout le corps au couteau, brûlures de cigarette sur les parties génitales. La victime a morflé. La montre à son poignet était cassée, on a trouvé de petits éclats de verre du cadran par terre. Coup de bol, et ce n'est pas souvent que ça nous arrive, elle nous a permis de dater précisément sa mort. Elle indiquait le 31, 23 h 50. Le 31 août, a estimé le légiste, car le corps aurait été dans un état dix fois pire s'il avait passé tout le mois d'août ici, à pourrir. Pour le moment, il repose dans un tiroir de la morgue de Dijon et on ignore toujours qui il est. Individu masculin de 25, 30 ans, corpulence moyenne, yeux bleus, cheveux bruns et courts, type européen, grosse tache de naissance au niveau du cou.

Franck parcourait les clichés un à un, le visage croqué par l'obscurité. Le cadavre, debout, dénudé, semblait avoir été aspiré de l'intérieur. Des tatouages sur le torse, l'épaule et le mollet droits. Ses poignets, attachés au-dessus de sa tête par une corde reliée à un pieu incrusté dans le mur. Et une grosse tache pourpre au niveau de la gorge, en effet.

— Tué le 31 août, découvert le 5 septembre, fit Sharko. Le cadavre a quand même l'air beaucoup plus ancien qu'une semaine. On dirait qu'il est parcheminé.

— Oui, pour deux raisons. La première, c'est qu'avec cette spirale et le trou, il y a un courant d'air qui circule dans ce château d'eau et qui a évité la prolifération de bactéries, donc un pourrissement trop prononcé. La seconde, c'est que le corps ne présentait plus une seule goutte de sang dans l'organisme. Vidé intégralement. À l'autopsie, le cœur était quasiment rétracté sur lui-même, aussi petit qu'une éponge sèche.

Franck et Nicolas échangèrent leurs clichés. Sharko se rappelait les propos de Lucie au sujet de Ramirez. Son séjour à l'hôpital psychiatrique pour sa folie du sang, et ce qui s'était passé lors de sa tentative de viol en 2008 : il avait saigné sa victime à l'épaule et léché la blessure.

— Il y a aussi des hématomes sur les côtes, caractéristiques du massage cardiaque. Comme si son assassin avait voulu forcer le cœur à pomper jusqu'au bout.

— Comment il s'y est pris pour vider le corps de son sang ?

— C'est comme pour un circuit d'eau qui alimente les radiateurs d'une maison. Vous coupez un tuyau quelque part, et le circuit se vide sous l'effet de la pression d'abord, et de la gravité ensuite. L'assassin a ouvert au niveau de l'avant-bras gauche – celui le plus proche du cœur –, a sorti une artère, l'artère radiale, l'a coupée en deux et a carrément appliqué une canule, un petit plastique transparent à l'intérieur de l'artère pour en maintenir les bords écartés afin que le flux sanguin reste important.

— Un vrai geste médical.

— En effet. Je suppose qu'il y avait un bac ou un seau en dessous, vu que nos équipes techniques n'ont décelé que très peu de sang alentour. Pour compenser la perte et maintenir la pression, le cœur s'est mis à battre plus vite, jusqu'à se trouver dans l'incapacité de se remplir correctement. Arrêt cardiaque, qu'a essayé de retarder au maximum l'assassin par des massages : il a aidé le cœur à tenir.

Nicolas imaginait la scène : la victime suspendue et vivante, le bourreau qui lui entaille la chair et se met à récupérer le précieux liquide dans un récipient, les pressions sur la cage thoracique pour retarder la mort.

— Le légiste pense que c'est seulement après qu'il a ouvert les artères au niveau des jambes, histoire de récupérer le reste du sang par effet de gravité. Il ne voulait pas en perdre une goutte. L'opération a dû lui prendre environ une heure. C'est par la suite qu'il a rendu sa victime anonyme et lui a arraché la moitié du visage avec la balle. Puis il est parti.

Nicolas s'arrêta sur une photo en gros plan du dos de la victime, écorché au niveau des omoplates. Il la donna à son collègue et fixa le gendarme.

— Vous savez pourquoi sa peau a été prélevée ici ?

— C'est l'une des inconnues.

— Notre victime de Longjumeau avait des scarifications exactement à cet endroit. Elles indiquaient *Blood*, *Evil*, *Death*… Vous n'avez rien remarqué sous le pied ? Pas de tatouage ?

— Si, regardez les photos. Là aussi, morceau de chair prélevé. De même, le légiste a relevé la présence de deux trous dans le sexe, au niveau du gland.

— Il avait un piercing, comme Ramirez.

— Les deux victimes seraient donc très proches ?

— Elles appartenaient probablement au même groupe, répliqua Franck, Pray Mev. Ramirez était selon toute vraisemblance sataniste. On dirait bien que votre victime aussi, et qu'on a tout fait pour effacer les références à Pray Mev. Sinon, une idée du profil de l'assassin ?

— Fibre médicale, sans aucun doute. Il savait où ouvrir pour vider le corps le plus efficacement possible. La scène était propre. Et puis, il y a eu les massages cardiaques ; et cette canule, on ne trouve pas ça au supermarché du coin.

Sharko peinait à imaginer Ramirez capable d'actes quasi chirurgicaux lorsqu'on voyait le bordel à sa cave et l'état plutôt déplorable de sa maison. Ce gars avait fait de la taule, plongé les mains dans la peinture et la colle chaque jour sur les chantiers. Mais, d'un autre côté, il y avait ses dessins, précis, qui témoignaient d'une patience et d'une maîtrise certaines. L'élevage de sangsues et le matériel chirurgical… Ses trajets GPS effacés… Une prudence et une minutie évidentes. Et puis, aussi, cette possibilité qu'ils soient deux, seule explication de l'enlèvement de Laëtitia Charlent alors que Ramirez travaillait sur un chantier. Deux kidnappeurs, deux tueurs.

— Des pistes ?

— Pas grand-chose. La victime avait des traces de graisse et d'essence de térébenthine sur les coudes et les pieds, et des marques de liens aux chevilles, alors qu'elle n'était pas ligotée aux pieds quand on l'a trouvée. Peut-être l'a-t-on enfermée plusieurs jours dans un garage ou un entrepôt avant de l'amener ici. On a mouliné le fichier des disparitions dans le secteur, rien de flagrant, surtout qu'on n'a pas vraiment de visage. Pas de traces ADN de l'assassin ni d'empreintes, de témoin, rien qui nous permette d'avancer vite. Autant vous dire qu'on a pris votre appel de ce matin comme une sacrée bonne nouvelle. Vous me détaillez, maintenant ?

— Descendons avant…

Les trois hommes se succédèrent dans l'hélice de marches et retrouvèrent l'air libre, au pied du château d'eau. Sharko prit une grande bouffée d'oxygène, tandis que Nicolas piochait une cigarette et en proposait une à Saussey, qui déclina d'un geste. À son tour, il expliqua avec précision leurs découvertes : la mise en scène de l'assassin pour les contraindre à trouver le corps de Ramirez dans les plus brefs délais. La cave, la scène de crime, les plaies, les sangsues, les liens avec le satanisme. La fille, présente lors du crime et volatilisée.

Pendant ce temps, Sharko observait les alentours, dubitatif. Les cimes des arbres frissonnaient dans le vent, la forêt semblait le décortiquer de son grand œil noir. Pourquoi Ramirez avait-il choisi cet endroit particulier dans le département de l'Yonne ? Pourquoi à cent cinquante kilomètres de chez lui ? Avait-il retenu la victime dans sa cave avant de l'amener ici ? Ou l'avait-il attachée au radiateur dans sa pièce dédiée au diable ?

Le capitaine Saussey jugea qu'il était de leur intérêt commun d'entamer une collaboration et de mutualiser leurs avancées. Ils convinrent alors que, d'ici la fin de journée, ils s'échangeraient une partie des dossiers, avec l'accord de leurs supérieurs. Les trois hommes se saluèrent et se séparèrent sur l'A6, les flics dans une direction, le gendarme vers une autre.

En quittant les lieux, Sharko estima que sa situation personnelle n'était pas si catastrophique : on cherchait un tueur, propriétaire d'un HK P30 9 mm, arme américaine qui avait éliminé Ramirez et l'individu du château d'eau dans des conditions abominables. Point barre. Et on ne trouverait jamais ce tueur, par la force des choses, parce qu'il n'existait pas en tant que tel.

Mais son cerveau de flic ne pouvait s'empêcher de s'interroger sur les motivations de Ramirez. Pourquoi ce meurtre barbare ? Qui était la victime et qu'avait-elle fait pour mériter pareil châtiment ? Quel rôle jouait Laëtitia là-dedans ? Ces questions, Nicolas devait se les poser en partie, vu la façon dont il fixait la route sans rien dire. Il commençait sans doute à chercher d'autres liens entre les deux affaires.

Dans le flou de cette enquête insensée, Sharko n'avait en définitive qu'une seule et vraie satisfaction : Lucie avait éliminé une sacrée ordure.

19

Le point d'équipe, en cette fin d'après-midi, laissa presque tout le monde pantois, surtout devant les notes inscrites au marqueur sur la grande feuille blanche du tableau. Deux meurtres violents, à moins d'un mois d'écart, reliés par un seul lien fragile : une balle et une douille 9 mm issues de la même arme, un HK P30, impliquant l'existence d'un tueur unique. Cela augurait-il le début d'une série de meurtres sanguinaires ? Traquaient-ils un assassin qui agirait de nouveau dans les semaines à venir ? Les questions allaient bon train.

De la pointe de son feutre, le chef passait en revue les notes de sa feuille.

— Si certains éléments relient les deux affaires de manière évidente, d'autres échappent à cette logique. Les points communs, pour commencer : des meurtres barbares, qui concernent tous deux des hommes jeunes. La souffrance, chaque fois, les entraves, sans doute le maintien en vie, avant une exécution par balle à bout touchant. Lieux clos : une cave pour l'un, un château d'eau pour l'autre…

— Le dos de la victime du château d'eau ainsi que son pied gauche étaient écorchés, ajouta Nicolas. Il avait sûrement des scarifications et le tatouage de la croix, comme Ramirez, que l'on a cherché à faire disparaître.

— Cette inscription, « *Pray Mev* », toujours pas d'idée ?

— À la demande de Nicolas, j'ai tout fait, répliqua Robillard. Noms de groupes, de villes, de personnes, j'ai fouiné à droite, à gauche sur Internet, y compris sur des forums satanistes. Ces types prient tout ce que tu peux imaginer, sauf des *Mev*. Même les gars de la CAIMADES[1], ils font chou blanc. Si ce groupe existe, il n'est référencé nulle part.

Manien désigna des paquets de feuilles avec une moue manifeste.

— Bon, il y a ici à disposition de chacun d'entre vous les principaux documents des gendarmes relatifs à l'affaire du château d'eau tout juste imprimés. Rapport d'autopsie, balistique, toxico… J'ai mis Chénaix et notre balisticien dans la boucle, c'est bien qu'ils soient au courant du meurtre de l'Yonne et qu'ils puissent jeter un œil. J'ai également commencé à envoyer des os à ronger aux gendarmes concernant notre affaire. Je serai en réunion à Dijon demain, avec eux, pour voir comment on procède, qui gère quoi dans ce merdier. Après les points communs, passons aux différences. Nombreuses, elles aussi.

1. Cellule d'assistance et d'intervention en matière de dérives sectaires, placée au sein de l'Office central pour la répression des violences aux personnes.

Il énuméra les éléments sur le tableau.

— Ramirez, tué chez lui, contrairement à l'anonyme, achevé dans un endroit isolé. Volonté de nous amener à la découverte du cadavre côté Ramirez, alors que celui de l'Yonne était plutôt planqué et destiné à pourrir. Anonymisation totale pour l'un et pas pour l'autre. Différence de mode opératoire, euh... distance entre les deux meurtres... Quoi d'autre ?

— Il y a comme une évolution dans la marche du tueur, intervint Sharko. D'abord, Jack cache et rend anonyme. Trois semaines plus tard, à cent cinquante kilomètres de là, c'est comme s'il nous apportait le cadavre sur un plateau. Qu'est-ce qui le motive ? Une vengeance ? Est-ce qu'il suit un chemin de sang ? On sait que Ramirez n'était pas un saint. Jack a-t-il cherché à lui faire payer un crime ancien ? La victime anonyme était-elle du même acabit que Ramirez ? Jack l'a-t-il rendue méconnaissable parce que les deux victimes ont un lien trop évident avec lui ? Avec son propre passé ? Est-ce que, lui aussi, il appartient à Pray Mev, ou est-il complètement en dehors de ça ?

— Il laisse les balles 9 mm et les douilles sur les lieux des crimes, ajouta Lucie. On peut supposer malgré tout qu'il souhaite qu'on fasse le lien entre les deux affaires. Et j'ai peur qu'il ne s'arrête pas là. Comme le suggère Franck, il semble suivre un chemin.

Lucie fut elle-même surprise par sa capacité à raconter n'importe quoi.

— À nous de le serrer avant qu'il recommence, répliqua Manien en regardant l'heure. Autre chose ?

Jacques leva le bras.

— À propos de Ramirez, on n'a pas retrouvé d'abonnement téléphonique à son nom, pourtant, il avait un numéro de portable que j'ai récupéré auprès de l'un de ses clients. Il provient d'une carte prépayée. On n'en tirera rien.

— Encore une fois, la prudence.

— J'ai pu joindre la fille qu'il avait tenté de violer, compléta Pascal Robillard. Elle habite Marseille et était en Espagne pour raisons professionnelles quand il a été tué. J'ai pas mal discuté avec elle, et elle m'a appris quelques petites choses intéressantes. Lors du procès de Ramirez, il y a eu des experts psychiatres à la barre. Le prévenu avait fait un séjour en HP avant l'agression. Elle était incapable de m'en dire plus. Mais je vais faire une requête pour obtenir une copie du dossier de procédure pénale auprès du TGI de Bobigny, là où a eu lieu le procès.

— Parfait.

— Et niveau compte en banque, rien de flagrant. Il gagnait bien sa vie, devait faire un peu de noir et avait contracté un crédit pour l'Audi et la moto. Donc, plutôt clean de ce côté-là. Ah, un dernier point : il avait un abonnement Internet, mais il l'a résilié il y a trois ans. Ce type n'était plus connecté. Ça rejoint ce que tu dis : à croire qu'il était d'une prudence extrême et ne voulait laisser aucune trace.

Manien approuva d'un hochement de tête.

— OK. Vous plongez le nez dans les dossiers des gendarmes, vous continuez à avancer de votre côté, vous creusez le passé psy et de taulard de Ramirez et vous bottez le cul des scientifiques pour qu'ils nous fassent des retours rapides. On sort d'une grosse affaire, mais les vacances, ce sera pour plus tard. J'ai besoin de vous à cent pour cent. Prenez autant de gardiens de la paix que nécessaire pour vous épauler, c'est open bar.

— Quel luxe, marmonna Nicolas entre ses dents.

— Ouais, Bellanger. Là-haut, on nous fait savoir qu'il nous faut des résultats.

Manien ramassa ses notes et sortit. Nicolas lui adressa un doigt d'honneur. Dans la foulée, les policiers reprirent leur travail, avec ce grand tableau sur pieds planté au milieu de la pièce, noirci des éléments les plus importants. Aux alentours de 19 h 30, les lieux commencèrent à se vider. D'abord Robillard, puis Levallois. Franck et Lucie avaient décidé de rester plus longtemps cette fois, comme ils le faisaient d'ordinaire à chaque nouvelle affaire. Hors de question de marquer une rupture dans leurs habitudes et d'éveiller le moindre soupçon.

Une intuition ne cessait de titiller Sharko depuis que le capitaine Saussey avait parlé de l'essence de térébenthine. Il lut avec attention le rapport de toxicologie établi par les experts de la gendarmerie et dénicha le paragraphe concerné : cette substance avait été trouvée sur les avant-bras, les chevilles et dans la chevelure du cadavre du château d'eau. Le rapport expliquait qu'il s'agissait d'un solvant pour les graisses et les huiles, souvent utilisé pour nettoyer des pinceaux. Que l'essence de térébenthine, chère et moins connue du grand public, s'employait plutôt dans le milieu des professionnels du bâtiment et de l'entretien.

Franck eut un pressentiment et décida de lever les voiles pour aller faire une vérification. Mais son téléphone pro sonna à ce moment-là. Il décrocha, échangea longuement, prit des notes. Lorsqu'il mit un terme à la conversation, Nicolas l'interrogea :

— C'était le véto, c'est ça ?

Sharko acquiesça. Malheureusement pour lui, son collègue prenait cette affaire très à cœur.

— Il a passé la journée avec les cadavres de chats qu'on lui a rapportés. Pour les plus frais, ils étaient vidés de leur sang, mais sans plaie ouverte. Je lui ai parlé des sangsues, il pense que ça peut coller vu le type de blessures. Les chats ont été pompés par les bestioles.

— Pourquoi il a fait ça ? À quoi ça rime de nourrir des sangsues ?

— Ça reste à définir. Mais le plus intéressant, c'est que le véto a trouvé deux tatouages encore lisibles sur deux des chats, les plus récents. Les deux animaux proviennent de la SPA de Gennevilliers. Selon lui, Ramirez se fournissait là-bas et non dans la rue comme on le pensait : il est quasiment impossible d'attraper des chats qui traînent dehors. Alors des chats noirs spécifiquement, c'est encore plus difficile…

— Il n'a pas tort.

— Or, on ne donne pas dix chats noirs à la même personne sans qu'il y ait au moins un contrôle de la SPA. D'après le véto, si Ramirez prenait vraiment tous ses chats au centre de Gennevilliers, alors quelqu'un était de connivence pour les lui fournir.

— Ça vaut le coup de creuser. Au pire, on aura des dates d'adoption, ça permettra peut-être de mieux comprendre comment Ramirez fonctionnait. Au mieux, celui qui lui fourguait les chats est au courant de quelque chose. Peut-être la fille aux menottes ? Pourquoi pas ?

— Je m'en charge, fit Sharko, je passerai là-bas demain matin.

— La piste est intéressante. Je t'accompagnerai.

Franck acquiesça sans rien dire, mais il rageait. Avec Lucie, ils saluèrent leur collègue et n'échangèrent aucun mot tant qu'ils ne furent pas en sécurité dans la voiture.

— Tu crois que la fille aux menottes peut travailler à la SPA ? demanda Lucie. Que c'est elle qui fourguait les chats à Ramirez ?

— On en aura le cœur net demain.

— Nicolas sera là. Comment tu vas gérer si… si c'est elle et qu'elle reconnaît ta voix, par exemple ?

— J'en sais rien. En attendant, je dois aller faire un tour chez Ramirez. Faut que je vérifie un truc.

Il resta mystérieux jusqu'à destination. Il pénétra dans la maison et scruta les objets remontés de la cave et entassés dans le salon. Puis il s'empara d'un double des clés de la camionnette, trouvé dans un tiroir. Lucie le suivait sans rien dire, n'y comprenant pas grand-chose.

Sharko ouvrit les deux larges portes arrière du fourgon et y grimpa. Sous le faisceau de sa torche, il découvrit des outils de chantier, des pelles, des seaux, des rouleaux et des pots de peinture, posés pêle-mêle devant une carte du département des Yvelines qui tapissait une paroi latérale. Le visage grave, Franck éclaira des bidons d'essence de térébenthine et de nombreux chiffons posés à même le sol, imbibés du produit. Lucie restait derrière lui.

— Bon Dieu, Franck, on débarque ici à 21 heures, tu ne me dis rien et tu te mets à fouiller dans un fourgon. Tu vas enfin m'expliquer ce qui se passe ?

Franck ressortit avec l'essence de térébenthine et les chiffons, fourra le tout dans son coffre.

— Il y avait de l'essence de térébenthine sur la victime de l'Yonne, c'est écrit noir sur blanc dans le rapport de toxico. Le seul endroit où il y a de la térébenthine ici, c'est dans la camionnette. Autrement dit, Ramirez a utilisé son véhicule pour transporter notre individu anonyme et vivant jusqu'au château d'eau, afin de le torturer et de l'achever là-bas.

— Mais pourquoi tu embarques tout ça ?

— Je préfère éviter qu'on n'en vienne à déduire que c'est Ramirez qui a retenu prisonnier et transporté l'autre. Chaque pas, même infime, qui rapprochera l'équipe de la vérité représentera un danger pour nous. Autant brouiller les pistes.

Ils se remirent en route. Lucie avait froid, un froid permanent qui semblait l'habiter depuis cette nuit-là. Chaque jour, ils s'empêtraient davantage dans le mensonge, et elle songea curieusement à un sous-marin qui s'engouffrait dans les abysses noirs. Comme l'océan, le mensonge avait-il un fond sablonneux qu'on ne pouvait franchir ? Elle se recroquevilla, silencieuse. Une fois sur la nationale 20, Franck lui attrapa la main gauche d'un geste débordant de tendresse.

— Quand l'enquête se tassera et que tout ça sera terminé, j'aimerais que tu fasses quelque chose pour moi.

— Quoi ?

— M'épouser.

20

Nicolas aimait contempler les bords de Seine dans ces moments où la majeure partie des Parisiens sombrent dans le sommeil. Les caresses orangées des réverbères sur les quais, les lentes oscillations du fleuve au pied des ponts, la paresse langoureuse des péniches. Leurs bureaux au troisième étage du 36, quai des Orfèvres offraient une vue divine dont il ne pensait à profiter qu'aux heures tardives, celles où Paris reprend son souffle. Seul dans leur open space et dans les couloirs vides, il se sentait bien. Presque en paix.

Il pensait à l'affaire, à ces corps suppliciés, martyrisés, outragés, qu'il avait fallu endurer, ces quatre derniers jours. La scène des diables chez Ramirez. Quel lien existait-il entre la victime du château d'eau et celle de Longjumeau ? Elles appartenaient vraisemblablement au même groupe, Pray Mev, mais pourquoi ces tortures ? Quel avait été leur crime aux yeux de l'assassin ?

Il observa le calque trouvé dans la trappe. Ces treize points à première vue répartis au hasard. Mais il ne pouvait s'agir de hasard. Nicolas essaya de les relier mentalement par des traits, d'imaginer un dessin caché là-derrière, comme ces jeux qu'on faisait en étant mômes. Il regarda encore une fois les photos de la fresque dissimulée derrière la tapisserie, les treize personnages, les deux diables soumis au diable glouton. Il avait pensé à superposer le calque à la fresque, sans résultat.

Perdu dans ses réflexions, il parcourut la pièce vide, son territoire depuis toutes ces années. Il en connaissait chaque recoin, les murs lui parlaient, il savait qui avait accroché quel poster, et pourquoi. Dire qu'il l'avait dirigée, cette équipe, non sans succès, pour se retrouver, aujourd'hui, simple numéro 2 de groupe. Une sacrée promotion !

Aigri, il s'approcha du bureau de Lucie et souleva le cadre avec la photo des jumeaux. Qu'ils grandissaient vite ! Nicolas regrettait parfois de ne plus être aussi proche du couple, ils avaient été bons amis par le passé. Mais il ne supportait plus de les envier. Malgré tout ce qu'on pouvait raconter sur eux, ils étaient heureux.

Il se traîna à la fenêtre, aperçut deux ombres longer les quais, puis se serrer l'une contre l'autre face aux eaux palpitantes, et rester là sans bouger. Depuis la mort de Camille, Nicolas n'avait plus touché une femme. Deux ans, bon Dieu, et il était incapable de passer à autre chose. En observant secrètement ce couple, il songea à ces animaux qui vivent ensemble le plus longtemps possible, et au survivant qui se laisse mourir à la disparition de son partenaire. Il leur ressemblait, au fond. Sans Camille, il se consumait à petit feu.

Au bout de cinq minutes, les amoureux remontèrent l'escalier et se volatilisèrent dans le gris noir d'un trottoir. Nicolas abandonna un regard sur le fleuve, de nouveau livré à sa solitude, ces ponts qui le chevauchaient, ces escaliers à l'assaut de ses quais.

Une étincelle brilla alors dans ses yeux.

Il se précipita vers l'immense carte de France scotchée au mur juste à côté de celle de Paris et fit courir son doigt le long de l'interminable langue d'asphalte qui reliait Paris à Marseille : l'autoroute A6. Il pointa Longjumeau, puis les environs du château d'eau, du côté de Joigny. C'était visible comme le nez au milieu de la figure : les deux meurtres avaient eu lieu à quelques kilomètres seulement de l'autoroute. Moins de vingt minutes de route entre la sortie de l'A6 et le lieu du crime. Un sacré point commun.

Nicolas sentit l'adrénaline se déverser dans ses veines, peut-être tenait-il un début de piste. Il alla regarder le calendrier, avec l'espoir que le 31 août ne tombe pas un week-end. Bingo, un lundi. D'après les rapports des gendarmes, on savait qu'aux alentours de minuit, ce dernier jour d'août, l'assassin tuait dans le château d'eau.

Et si, cette nuit-là, il était venu et reparti par l'autoroute A6 après avoir commis son meurtre ? Les gendarmes de Dijon n'avaient sans doute pas exploré cette piste, parce qu'un seul meurtre ne permettait pas de faire ce genre de supposition.

Un lundi 31 août, en pleine nuit dans l'Yonne… Il ne devait pas y avoir un trafic extraordinaire à la gare de péage de la sortie 18 de l'A6 menant à la D943, qui s'enfonçait en pleine campagne, celle-là même qu'il avait empruntée plus tôt avec Sharko pour se rendre au château d'eau. Nicolas savait que, pour éviter les fraudes, et plus particulièrement le « petit train » – une voiture collée derrière une autre pour ne pas payer –, les sociétés d'autoroute photographiaient en toute discrétion les plaques avant et arrière des véhicules, grâce à des caméras situées au niveau des barrières. Quand une plaque avant ne correspondait pas à une plaque arrière dans le même cycle d'ouverture de la barrière, le véhicule suiveur fraudait. Les sociétés accédaient alors au système d'immatriculation afin de gérer elles-mêmes les infractions.

Un système récent qui allait peut-être donner un grand coup de pied dans la fourmilière de l'enquête. Ça valait la peine de visualiser les clichés de cette nuit-là. Une même voiture s'était peut-être présentée au péage dans un sens aux alentours de 23 heures, puis dans l'autre sens après le meurtre.

Il alla s'enfermer dans les toilettes et sortit son couteau suisse, un morceau de paille biseautée ainsi qu'un petit sachet de poudre blanche. Avec le tranchant du couteau, il dessina un trait de coke qu'il sniffa avec la paille. Il s'y prit à deux fois, histoire de récupérer les derniers milligrammes, puis s'essuya le nez. Il nettoya avec soin les rebords du lavabo et la lame de son couteau.

Il prit la route, direction l'Yonne, sans prévenir personne. Ras le bol des procédures qui ne faisaient que les ralentir, Manien pouvait allait se faire foutre.

Les stations d'autoroute ne fermaient jamais, il trouverait quelqu'un pour lui ouvrir les portes. Il coupa par les boulevards droits et vides de la capitale, attaqua l'A6b au niveau de Gentilly puis l'A6, écumée par une poignée de travailleurs nocturnes ou anonymes qui rentraient chez eux. Nicolas imagina le tueur parmi ces conducteurs. Un type qui devait se rendre chaque jour au travail, qui riait avec ses collègues et avait peut-être une famille. Comme les assassins de Camille.

Plus de deux heures trente d'une route déjà empruntée dans la journée. Mais il se sentait bien, à croquer l'asphalte, la radio en sourdine, la drogue à l'assaut de ses sens. La cocaïne ne le faisait pas délirer, au contraire, les cristaux accroissaient sa capacité à réfléchir, ils constituaient un deuxième cerveau en pleine forme venu se greffer sur le premier, trop fatigué. Il aimait la nuit, son néant, ses esquisses à peine suggérées, les lampadaires dont les lueurs orangées se ramifiaient sur son pare-brise comme des réseaux de neurones. La nuit… Son territoire, désormais. Le grand théâtre des âmes en peine.

À 3 h 35, emmitouflé dans son blouson – il devait faire à peine douze degrés –, il se gara devant un bloc blanchâtre à droite du péage de Sépeaux, en face des bureaux de la station d'autoroute où seule brillait une petite lumière. Nicolas se demanda comment on pouvait travailler dans un endroit pareil, à fleur de bitume et dans les odeurs de gaz d'échappement, au milieu de nulle part. L'ennui à l'état pur.

Il alla frapper. Un type à la grosse moustache grise et aux yeux comme des billes lui ouvrit. Chemise en vrac, cheveux hirsutes, gueule enfarinée. Nicolas l'arrachait sans doute à des activités passionnantes.

— Quoi ? Encore une barrière qui marche pas ? Y en a marre de…

Nicolas coupa court et brandit sa carte tricolore, y allant aux tripes, sans fard ni paperasse.

— Quai des Orfèvres. Je suis venu consulter les photos des caméras de surveillance. Les entrées et sorties d'autoroute dans la nuit du 31 août.

L'homme se gratta l'arrière du crâne. Le Quai des Orfèvres, quand même… C'était sûrement la première fois qu'il affrontait ce genre de situation, et il ignorait comment réagir.

— Pourquoi vous allez pas directement à Dijon ? Ils ont l'habitude, c'est eux qui centralisent et…

— Je sais que vous avez envie de retourner vous coucher, qu'il n'y a rien de marrant à être ici à s'emmerder toute la nuit, et c'est encore moins rigolo quand un flic débarque. Mettez-moi juste devant l'ordinateur, je me débrouillerai.

— Je veux bien, mais vous ne devriez pas avoir un papier officiel ?

— On la fait à l'envers, papy. Je consulte d'abord et, si je trouve quelque chose, dans la journée, vous avez une réquisition judiciaire du juge. On fait souvent ça, on n'a pas de temps à perdre avec la paperasse.

Nicolas savait surtout qu'aucun juge ne risquerait d'accorder crédit à son idée. Après une hésitation, l'employé s'écarta, et Nicolas entra dans le bâtiment. Papy se montra en définitive coopératif. Il orienta son invité surprise vers une pièce sommaire, munie du strict nécessaire, et lui lança le logiciel.

— Les données sont stockées sur un serveur à Dijon, mais je dispose d'un accès. On les garde un mois, et on efface. Vous seriez venu dans une semaine, c'était mort.

— On va dire que j'ai de la chance, alors.

L'homme expliqua les manipulations à opérer et lui apporta même un café.

— C'est ma femme qui l'a fait, il est bon et la Thermos le garde chaud toute la nuit. Vous cherchez quoi, au fait ? Les fraudes, elles sont gérées automatiquement, c'est pas ça que vous voulez, je suppose ? Alors c'est quoi ?

— Le diable. Je cherche le diable.

— Ben, bon courage, alors. Y paraît que le diable se cache dans les détails.

Nicolas resta seul devant son écran. Les photos étaient archivées par ordre chronologique et par voies. Les voies 1 et 2 géraient les sorties, les 3 et 4 les entrées sur l'A6. Un logiciel s'occupait de tout et permettait d'afficher les plaques d'immatriculation suivant différents critères. Nicolas entra ses paramètres : voies 1 et 2, de 21 heures à minuit, et voies 3 et 4, de minuit à 3 heures. Il avait vu large, mais si l'assassin était passé par l'A6 comme il le supposait, son véhicule apparaîtrait forcément dans ces tranches-là.

Le logiciel moulina, et le verdict tomba : deux mille quatre cent sept véhicules avaient franchi le péage dans le sens A6 vers départementale, entre 21 heures et minuit, et « seulement » cent quatre-vingt-dix-huit dans l'autre sens, entre minuit et 3 heures.

Bon Dieu...

Il commença par le plus simple. Il lui fallut plus de deux heures pour parcourir un premier ensemble de photos et entrer les cent quatre-vingt-dix-huit immatriculations dans un fichier Excel. Et parce qu'il n'avait pas le courage de se taper les deux mille quatre cent sept photos dans l'autre sens, il réduisit sa tranche horaire de recherche : la montre de la victime s'étant brisée dans le château d'eau à 23 h 50, il sélectionna les véhicules passés entre 22 h 30 et 23 h 15. Le nombre chuta à deux cent soixante-quinze.

— Il est 5 heures. Vous n'allez donc pas rentrer chez vous ?

L'homme lui tendit un nouveau gobelet, que Nicolas accepta avec un sourire fatigué.

— C'est ça, chez moi. Cette pièce, la route, mon bureau. Être chez soi, c'est être là où on se sent le mieux, vous ne croyez pas ?

— Ouais, je serais mieux ailleurs, moi. Dites, j'ai une petite requête à vous faire. C'est... c'est pour faire une surprise à ma femme. Je pourrais me prendre en photo avec vous ? C'est pas tous les jours qu'on rencontre un flic du 36.

Nicolas éclata de rire.

— Désolé, mais... moins on s'affiche, mieux c'est. Et puis, vous avez vu la tête que j'ai à 5 heures du mat ? Vous saluerez néanmoins votre femme de ma part. (Il leva son gobelet.) Et merci pour le café. Vous aviez raison, il est bon.

L'homme disparut. Nicolas ne connaissait même pas son prénom. Juste un anonyme qui l'avait aidé, et dont il ne recroiserait jamais le chemin. Et il recommença son travail de fourmi, bercé par le ronronnement des moteurs de voitures, de camions, de motos. Régulièrement, ses yeux se fermaient – la coke n'agissait plus depuis longtemps, mais il ne voulait pas encore sniffer un nouveau rail –, alors il sortit pour prendre l'air et s'emplir les poumons de tabac. Il fumait trop, même la nuit. Il fallait bien crever de quelque chose.

Il poursuivit sa manipulation jusqu'à la dernière plaque minéralogique. Le soleil commençait à se lever, énorme, couleur orange brûlant, s'arrachant aux entrailles du monde à travers les arbres. S'il y avait bien une chose qui ne changeait pas et qui restait toujours aussi belle dans cette foutue humanité, c'était l'éternel recommencement du jour.

Retour à l'écran. Il disposait donc de deux tableaux côte à côte. Existait-il une plaque d'immatriculation présente sur les deux documents ? Quelqu'un était-il entré et ressorti de l'autoroute, la nuit du 31 août, entre 22 h 30 et 3 heures du matin ? La gorge serrée, il cliqua sur une fonction qui réalisait l'opération de comparaison.

Déception. Aucun numéro de plaque ne s'afficha. Ç'aurait été trop simple. Nicolas utilisa ses derniers neurones pour réfléchir : l'assassin avait peut-être emprunté l'A6 avant le meurtre, et était passé par les petites routes pour rentrer chez lui, par prudence ? Ou l'inverse ? Il allait éteindre, quand il tenta une dernière chose : référencer les plaques qui quittaient l'autoroute et prenaient la départementale, mais dont les numéros du département n'indiquaient pas l'Yonne. L'assassin était peut-être étranger au 89 ?

Le tri se révéla efficace. Sur les cent quatre-vingt-dix-huit plaques initiales, il n'en restait plus que vingt-deux. Il les parcourut une à une, au ralenti. Fallait-il lancer une recherche dans le fichier des immatriculations pour toutes ces plaques ? Le juge risquait de ne pas apprécier, et ça n'avait plus aucun sens. Nicolas s'apprêtait à abandonner quand son regard buta sur un numéro au vieux format particulier : 6789 XG 91. Pourquoi celui-là ? Il l'ignorait, mais il avait l'impression de l'avoir déjà vu – surtout la suite de chiffres 6789 –, et il n'y avait pas si longtemps.

Immatriculé dans l'Essonne. Sorti de l'autoroute à 23 h 14. Dommage, les photos n'affichaient que la plaque, et non le véhicule en entier.

Presque 8 heures. Jacques et Pascal étaient sans doute déjà arrivés au bureau. Il appela le premier, qui répondit.

— C'est Nicolas. J'ai besoin d'une immat.

— T'es tombé de ton lit ? T'es où ?

— Je t'expliquerai. Je te dicte, c'est un vieux format de plaque : 6789 XG 91.

— Je te rappelle.

— Deux secondes. Tu enverras Pascal à ma place à la SPA avec Sharko, je ne pourrai pas y être.

Il éteignit l'ordinateur dans un soupir, se leva jusqu'à la fenêtre et savoura son café. Le flot de véhicules avait repris, avec le plus gros qui s'engageait sur l'autoroute direction les quatre murs d'un bureau parisien. Bientôt, lui aussi ferait partie de la masse brûlante des pare-chocs. Sagement rangé dans son couloir d'autoroute, comme un bon petit soldat.

Sonnerie du portable.

— Je t'écoute.

— C'est une blague ? L'immat que tu m'as filée, c'est celle de la camionnette de Julien Ramirez.

21

La SPA de Gennevilliers, la plus importante de France, était comprimée entre les rails du RER d'un côté et de vieux entrepôts de l'autre. Face à Sharko et Pascal Robillard, un long bâtiment blanc avec de grandes vitres à l'étage, sur lequel on lisait, en lettres bleues massives : « SPA REFUGE GRAMMONT ». Et à leur droite, les enclos, le grillage, sur plusieurs rangées et des dizaines de mètres. Odeurs de poils et de détresse. Les chiens les scrutaient avec toute la misère du monde, oreilles basses. Et ces aboiements permanents, dramatiques, de vrais appels au secours. Franck ne supportait pas cette souffrance animale, les lâches qui abandonnaient leurs compagnons au premier coup dur ou parce que l'hôtel où ils allaient en vacances n'acceptait pas les chiens.

Les deux policiers se dirigèrent vers l'accueil. Partout sur les murs, des portraits de chats, de chiens, avec la mention « *Adopté* », comme une fierté. Franck trouva un employé et demanda à parler à la personne qui s'était chargée de l'adoption de deux chats dont il fournit les tatouages. Lorsqu'on lui en réclama la raison, il montra sa carte de police sans un mot.

L'homme pianota derrière son ordinateur.

— Combien vous êtes à travailler ici ? demanda Robillard.

— Trente salariés, deux vétérinaires et beaucoup de bénévoles. Voilà, j'ai votre réponse. C'est Géraldine Topin qui s'est occupée de ces chats. Vous la trouverez dans le « quartier Milou » à cette heure. Petite, blonde, la trentaine. Elle nettoie les enclos.

Blonde… ça ne cadrait pas avec les cheveux noirs trouvés dans le lit. Soulagement pour Sharko, qui remercia l'homme. Les flics s'enfoncèrent entre les rangées d'enclos.

— « Quartier Milou ». Non mais je rêve, fit Robillard.

« Quartier Idefix », « Rintintin »… Et « Milou », enfin. Les chiens s'agitaient, glissaient leur truffe entre les barreaux, fiers prétendants en parade. Cockers, labradors, bergers… Les uns se dressaient comme des animaux de cirque, les autres levaient une patte arrière pour impressionner, ce qui ne laissa pas le cœur de Sharko insensible. Des chiens avaient toujours égayé la maison dans sa jeunesse. Il aimait leur indéfectible fidélité.

Une femme correspondant à la description sortait d'un enclos, un seau dans la main, une pelle dans l'autre, des gants en plastique jusqu'aux coudes. Elle leva ses yeux vers les deux hommes, les gratifia d'un pâle bonjour et se rendit vers l'enclos voisin. Ils la talonnèrent. Robillard prit les devants :

— On peut discuter deux secondes ?

— C'est pour quoi ? Je suis pressée et…

Lorsqu'il montra sa carte, elle lui tourna le dos et déverrouilla l'enclos derrière lequel aboyait un jeune épagneul au museau roux et blanc. Elle entra, referma et câlina l'animal avec tendresse.

— Encore des histoires de trafic, c'est ça ?

Sharko attendit qu'elle soit en face de lui pour la sonder. Le visage en poire, les yeux clairs et volontaires. Et une forme d'innocence dans ses gestes envers le chien.

— Julien Ramirez, vous connaissez ?

— Non, désolée. Jamais entendu parler.

Le flic ouvrit la porte, tandis que son collègue musculeux demeurait en retrait. L'animal se jeta sur lui, le gratifia de deux belles traces sombres qui s'imprimèrent sur le bas de sa chemise propre. Franck le caressa tout de même, il aimait les épagneuls, et le jeune animal l'arrosait d'affection.

— Dix chats noirs, refourgués à la même personne, ça vous parle un peu plus ?

— Dix ? Jamais de la vie je ferais une chose pareille, sauf si elle s'appelle Brigitte Bardot.

Pascal serra sa grosse main sur la poignée de porte, mais resta toujours dehors, ce qui amusa brièvement Sharko. La grosse bête avait peur de la petite…

— Écoutez, on n'est pas là pour rien, madame. Et on n'a pas beaucoup de temps à perdre, nous non plus. Vous avez fourni à un type qui s'appelle Ramirez dix chats noirs en l'espace de plusieurs mois. Un sataniste, avide de rituels sanglants… Qu'est-ce que vous connaissez de lui ? Comment s'est faite votre rencontre ?

— Un sataniste ? Des rituels ? Mon Dieu, mais qu'est-ce que vous racontez ? (Elle posa son seau.) J'ai bien eu une personne venue à plusieurs reprises pour des chats noirs, deux ou trois fois… Oui, trois fois, je crois, mais jamais dix !

Elle semblait sincère, et Sharko se heurta à l'évidence : soucieux de ne pas attirer l'attention, Ramirez ne s'était pas approvisionné dans une seule SPA.

— Quelle raison il a invoquée pour adopter trois chats d'affilée ?

— « Elle ». C'était une femme.

Sharko écarta le chien, sous le coup de la révélation, et lança un regard furtif à son collègue.

— Parlez-moi d'elle.

— Une jeune, la vingtaine, je dirais. Cheveux et maquillage noir, rouge à lèvres noir, chaussures noires avec des semelles énormes. Une gothique, quoi. Elle disait adorer les chats noirs. Elle avait l'air très gentille… Mon Dieu, des sacrifices, vous dites ?

Sharko, accroupi pour caresser le chien revenu à l'assaut, y voyait plus clair. Ramirez et la fille partageaient peut-être le même délire. Satan, les sacrifices. Il devait la retrouver. Savoir ce qu'elle avait vu et entendu, la nuit de la mort de Ramirez. Le flic avançait sur un terrain marécageux. Rencontrer cette fille, c'était quitte ou double. Comment réagirait-il si elle savait quelque chose ? Si elle le reconnaissait, lui ou sa voix ? Et Robillard, qui lui collait à la peau comme une tique.

— Elle vous a laissé ses coordonnées, je suppose ?

— Oui, bien sûr. Une pièce d'identité et un justificatif de domicile sont obligatoires.

Cinq minutes plus tard, les flics détenaient un nom et une adresse : Mélanie Mayeur, Vanves.

Avant de partir, Sharko pointa un index vers l'épagneul.

— Ce chien… Je passerai le rechercher en fin de journée. Je le prends.

22

De retour de la gare de péage, Nicolas entra dans le bureau d'un coup d'épaule contre la porte, un gobelet de café dans chaque main. Il les posa sur les bureaux de Lucie et de Jacques Levallois, qui était au téléphone.

— T'as trouvé ce que je t'ai demandé dans ses relevés de compte ? murmura-t-il à l'intention de ce dernier.

Jacques lui répondit par l'affirmative d'un mouvement de menton, puis finit par raccrocher.

— Deux choses, auparavant. La première, Manien vient d'arriver, il est furax de ta petite escapade nocturne. Tu devrais faire gaffe, tu sais bien qu'il attend la faille pour te sauter dessus.

— Il ne mord pas bien fort. Deuxième chose ?

— C'était le poste de garde. Guy Demortier, le balisticien, devait te talonner. Il a des infos pour nous. Il monte.

Lucie tendit l'oreille. Le balisticien ? Pourquoi se déplaçait-il ? Qu'avait-il de si important à leur annoncer ? Nicolas fixait la paperasse sur le bureau de son collègue.

— Allez, dis-moi que tu as du concret.

— Oui, j'ai.

Mains moites, Lucie se leva et vint à leurs côtés. Deux heures plus tôt, Jacques l'avait informée que Nicolas avait localisé le véhicule de Ramirez au péage de Sépeaux, la nuit du meurtre du château d'eau, en fouillant dans les clichés des caméras de surveillance. Tout s'accélérait et, à chaque nouvelle, à chaque information qui tombait, Lucie recevait un coup de poignard dans le ventre.

Jacques hocha la tête vers les relevés de compte.

— J'ai trouvé des mouvements bancaires intéressants le 31 août et le 1er septembre, annonça Levallois. Un règlement a bien été enregistré avec la Carte bleue de Ramirez à 23 h 14, au péage de Sépeaux. Montant de 6 euros.

— Ça correspond à une entrée sur l'A6 au niveau de Massy-Palaiseau, on en a eu pour ce prix-là hier avec Franck. Donc, Ramirez venait de chez lui, du côté de Longjumeau… Quoi d'autre ?

— J'ai trois autres mouvements remarquables, la nuit du 1er septembre : l'un à 3 h 21, société autoroutière, montant de 31,40 euros. Après vérification, il s'agit du péage de Chalon-sur-Saône, et le montant est celui prélevé pour un trajet Gurgy/Chalon.

— Gurgy ? Où ça se trouve ?

— Gurgy permet une entrée sur l'A6 à environ trente kilomètres au sud de Sépeaux. Après ça, un autre mouvement a été réalisé à 3 h 50 à une station essence de Louhans, une petite ville située à une quarantaine de bornes de Chalon.

Il montra une carte sur l'écran de son ordinateur. Rien autour de la ville de Louhans, hormis des villages, et l'autoroute A6 pas bien loin. Après son meurtre, Ramirez s'était enfoncé toujours plus vers le sud.

— … Et le dernier mouvement, c'est un paiement au péage de Massy, toujours le 1er septembre, à 8 h 31, correspondant à un trajet retour depuis Chalon.

Nicolas moulina les informations sous son crâne et se dirigea vers la carte murale géante.

— OK, OK… Alors pour résumer ce que tu viens de me raconter : Ramirez part de sa maison le 31 août au soir. Il entre sur l'A6 au niveau de Massy, quitte l'autoroute à Sépeaux à 23 h 14 pour torturer et tuer sa victime dans le château d'eau. Ça veut dire qu'elle était déjà enfermée dans sa camionnette quand il a quitté son domicile… Il est malin parce que, après son crime, il ne remprunte pas le même péage : il fait quelques kilomètres dans la campagne et entre de nouveau sur l'A6 à Gurgy, histoire de brouiller les pistes. Mais il ne retourne pas vers le nord, il prend la direction de Chalon, deux cents kilomètres plus au sud. Là il sort de l'autoroute, met de l'essence, reste une ou deux heures dans le coin…

Nicolas pointa la portion de l'autoroute au niveau de Chalon, puis remonta avec son index en direction de la capitale.

— Puis il rentre chez lui par l'A6, tranquillement, le matin… Qu'est-ce qu'il est allé faire du côté de ce bled, là, Louhans ?

— Peut-être que la victime lui a lâché des infos suite aux tortures ? suggéra Jacques.

— J'en ai bien l'impression, oui. Et ça déclenche une action immédiate.

Nicolas aimait ce basculement dans l'enquête où les premières pièces du puzzle commençaient à s'imbriquer.

Le balisticien Guy Demortier frappa deux fois et pénétra dans la pièce. Un type brillant, la cinquantaine, qui faisait partie des meubles du service balistique, capable de déterminer l'origine, la date de fabrication et la composition d'une arme en un clin d'œil. Il tenait des feuilles enroulées dans une main. Nicolas lui adressa un signe amical pour le faire patienter et termina son speech.

— Si Ramirez a tué dans le château d'eau, qui a tué Ramirez ? Et comment cela a-t-il pu se faire avec la même arme ? Ça voudrait dire que Jack a utilisé le flingue de Ramirez pour le tuer ?

Sur ces mots, il pria le balisticien de s'approcher.

— Je vois que vous parlez de la fameuse arme commune aux deux meurtres et que ça vous pose un problème, ça ne m'étonne pas. Moi aussi, j'ai un souci avec elle. Ou plutôt, avec les munitions.

Lucie s'était rassise à sa place, derrière son ordinateur. Une sueur glacée lui coulait dans le dos.

— J'étudie depuis hier les deux rapports : celui que j'ai moi-même dressé à partir de la balle, de la douille et des résidus de tirs tamponnés par le médecin légiste, ainsi que celui établi par la gendarmerie de Dijon pour l'affaire du 31 août. Je me suis mis en rapport avec leur balisticien avant de venir ici vous en parler. On est tous les deux d'accord, il y a quelque chose qui cloche. Un vrai bug.

23

Demortier tendit deux feuilles à Nicolas.

— Voici une copie des pages intéressantes. Je voulais vous voir parce que c'est difficile à expliquer par téléphone. Je vais essayer de parler clairement. Je peux dessiner dans un coin du tableau ?

— Vas-y…

Il prit le feutre et griffonna. Jacques vint s'asseoir sur le bord de son bureau, intrigué, tandis que Lucie restait en retrait.

— Voilà la vue en coupe d'une munition. Elle est grossièrement constituée de la balle, de la charge propulsive qui va projeter la balle, de la douille qui contient l'ensemble, et de l'amorce qui va mettre le feu à la poudre après percussion par pression sur la queue de détente. Je vous confirme que les deux munitions – balle et douille – trouvées sur les deux lieux différents sont bien issues du même lot de fabrication. Quand on remonte à l'origine, c'est-à-dire à l'usine d'où ces munitions sont sorties, on tombe chez un fabricant néerlandais. Ces cartouches sont des Luger, ou des « Sintox Action Luger », pour être plus précis.

Évidemment, vous vous doutez que votre assassin ne se les est pas procurées là-bas directement, on peut retrouver des cartouches néerlandaises dans une arme turque achetée en Russie et utilisée par un New-Yorkais au fin fond de la forêt amazonienne… Vous me suivez ?

— Jusque-là, oui, répliqua Jacques. C'est comme la drogue. Le consommateur lambda ne se fournit pas chez El Chapo.

— On peut dire ça. Donc, on imagine votre homme, avec son même chargeur, et la même arme, le fameux HK P30, qui tire une fois dans la victime de l'Yonne, et une autre, dans celle de l'Essonne, ce à environ trois semaines d'intervalle.

— Une première fois le 31 août, une seconde la nuit du 20 septembre, oui.

— Exactement. Les munitions « Sintox Action Luger » ont une particularité : la charge propulsive est composée de titane, de zinc et de cuivre. On va l'appeler munition « Tizicu » pour simplifier. Ce sont des munitions dites écologiques, elles ne contiennent pas de plomb… Au passage, ça m'amuse, ce genre de terme, « une balle écologique » : on tue des gens mais sans plomb, c'est mieux pour la nature, vous voyez ?

Les trois paires d'yeux le scrutaient sans sourciller. Il se racla la gorge et poursuivit ses explications :

— Enfin bref, les Néerlandais sont les seuls au monde à faire ça, avec les Indiens. Vous savez que, lorsqu'on tire sur quelqu'un à bout touchant, on retrouve sur la victime ce qu'on appelle des RDT, des résidus de tir, issus de la combustion et produits au départ du coup de feu. Selon toute logique, le balisticien de la gendarmerie a donc trouvé, dans les résidus de tir prélevés sur la victime du château d'eau, du titane, du zinc et du cuivre.

Il nota « *Château d'eau → Tizicu* » sur le tableau.

— Là où ça coince, c'est pour notre victime de l'Essonne. J'ai moi aussi retrouvé ces trois composés car, je vous le répète, la cartouche vient du même lot néerlandais, mais le hic, c'est qu'il y avait d'autres composés : du plomb, du baryum, du calcium et du silicium. Ce sont des éléments que l'on trouve dans la plupart des munitions mises en circulation par les autres fabricants du monde entier. Nos munitions de la police, par exemple, contiennent exclusivement ces éléments.

Nicolas jeta un œil vers ses collègues, Lucie notamment, qui s'efforça de faire bonne figure. Mais elle avait envie de s'enfuir et de rentrer s'enfermer chez elle. La science lui avait rendu tant de services dans les enquêtes et, aujourd'hui, elle œuvrait contre eux. Comment, bon sang, pouvaient-ils savoir que des fabricants d'armes utilisaient des poudres différentes ?

Nicolas s'approcha du tableau et observa le dessin de près.

— Même usine, même lot, même composition, mais traces de poudre à la fois communes et différentes sur les cadavres. Tu as une explication ?

— Je n'en vois qu'une, d'autant plus que le légiste avait remarqué que les résidus de tir sur Ramirez étaient très nombreux, supérieurs à la moyenne…

Il nota « *Ramirez → Tizicu + Pébacasi* » sur le tableau.

— Je pense qu'il y a eu deux tirs successifs, et que les résidus se sont superposés. D'un côté, un tir avec une cartouche Tizicu, comme celle du château d'eau.

De l'autre, un tir avec une cartouche Pébacasi. Quelle balle a traversé la gorge de votre victime en premier ? je ne peux pas vous le dire. Je ne peux pas vous dire non plus si le P30 a tiré les deux balles – avec changement de chargeur entre deux – ou s'il y a eu deux armes différentes.

Nicolas se lissa les cheveux vers l'arrière, en proie à un véritable trouble.

— Dans tous les cas, je ne vois pas comment c'est possible, on n'avait qu'un seul impact dans le mur, derrière la victime. Admettons que le tueur ait visé la gorge au même endroit, on aurait retrouvé deux douilles, deux balles.

— Je sais. Mais je vous livre ce que la science et la logique me révèlent. Deux projectiles différents ont traversé la gorge de votre victime.

Sur ce, Demortier se dirigea vers la sortie.

— Bon courage, et tenez-moi au courant si vous trouvez la solution. Je l'ajouterai aux annales des bizarreries balistiques.

Nicolas referma la porte derrière lui et composa dans la foulée le numéro du légiste.

— Paul, c'est Bellanger. T'as moyen de ressortir le macchabée du placard et de voir si deux balles différentes auraient pu passer par la gorge ? Deux tirs successifs, pile au même endroit ?

— Hum… Non, pas vraiment. Si les angles de tir étaient identiques, je n'y verrais rien. C'était à bout touchant, il y a trop de dégâts.

— J'aurais adoré que tu me dises oui. Autre question : si on avait déplacé puis remis le corps dans la position initiale, tu l'aurais vu ?

— Non plus, à vrai dire. Les lividités cadavériques peuvent servir à indiquer un déplacement, si la victime est morte dans une position différente de celle dans laquelle on la retrouve. Un assassin un peu malin peut jouer avec ça et nous tromper, bien sûr… Autre chose ? J'ai un scalpel dans la main.

— Ça ira, merci.

— Parfait. Au fait, je passe chez l'anapath en début d'après-midi, je te tiens au jus pour l'analyse des plaies.

Il raccrocha. Nicolas se mit à aller et venir, interloqué. Puis il se précipita vers son blouson et se tourna vers Levallois.

— Tu peux contacter les gars des alentours de Louhans ? Vois avec la police et les gendarmes d'un cercle d'une vingtaine de kilomètres à la ronde s'ils n'ont rien de remarquable pour la nuit du 31 août. Délit, cambriolage…

— OK. Mais fais un détour par le bureau de Manien, il veut te voir pour cette nuit, avant de partir à Dijon.

— Pas le temps. Viens avec moi, Lucie. Un regard supplémentaire ne sera pas de trop.

— Où ?

— Chez Ramirez. On est forcément passés à côté de quelque chose.

24

Lucie resta distante tout le long du trajet. Elle prétexta des soucis avec ses jumeaux, Jules notamment. Peu de sommeil, vie familiale compliquée. Il lui sembla bien que son collègue gobait ses histoires. Aucune raison de ne pas la croire. Au pire, il penserait que son couple battait de l'aile.

Et pourtant, jamais Sharko et elle n'avaient été aussi fusionnels. Il était même question de mariage. Qu'était-il passé par la tête de son compagnon pour lui faire une telle proposition dans les circonstances sans doute les plus infâmes qui puissent exister ? Avait-il peur du temps qui file ? De ne pas en disposer d'assez ? Lucie avait été incapable de lui répondre. Pas de cette façon.

Trois quarts d'heure plus tard, les deux policiers débarquaient chez Ramirez. Torche à la main, Nicolas examina d'abord l'intérieur de la camionnette.

— Il aurait très bien pu se faire assassiner ici.

— Les gars ont déjà sûrement jeté un œil.

— Je sais… Mais je préfère vérifier par moi-même.

Lucie se focalisa sur l'endroit où manquait le bidon de térébenthine, mais Nicolas n'avait aucune raison de remarquer son absence. Puis ils entrèrent dans la maison. La flic se sentit mal quand elle se présenta devant les marches de la cave et elle se demanda, une fraction de seconde, si elle ne ferait pas mieux de prétexter un mal de tête et de faire demi-tour. La peur d'un mauvais geste, d'un mot de trop l'oppressait. Ils descendirent. Nicolas se retourna soudain.

— Fais attention à…

Mais Lucie évitait la cire d'elle-même, ce qui eut l'air d'interpeller Nicolas. Elle garda la tête basse, ne voulant pas affronter le regard de son collègue. Une fois en bas, elle fixa le sol, les yeux dans le vague. Bellanger lui éclaira le visage avec sa torche.

— Un problème ?

— Non, non. C'est que j'ai vu les photos. C'était l'enfer, ici.

— C'est vrai que t'étais pas encore venue.

Lucie devait à tout prix se ressaisir, Nicolas était sur les dents. Le policier balayait à présent la pièce de courts mouvements saccadés. Il se dirigea vers le fond et illumina l'impact dans le mur.

— C'est pile poil là que Ramirez a été retrouvé. Assis contre cette paroi. La balle était juste ici, derrière sa tête. Et la douille…

Il éclaira le mur opposé.

— À cet endroit, au milieu de ces briques empilées. Ce qui n'était pas logique, d'ailleurs. Je ne comprends toujours pas comment elle a pu se retrouver là.

Il s'accroupit, scrutant chaque recoin avant de relire les notes sur son Moleskine.

— Supposons ceci : quelque part, un premier tir dans la gorge tue Ramirez, avec la balle Pébacasi. Puis le tueur traîne le corps au fond, le met en position assise et tire une seconde fois. Il crée l'impact derrière le crâne, juste là, dans le mur. Nous, on retrouve la balle et la douille de la seconde fois, la Tizicu…

— Celle du château d'eau.

— Oui. Mais on ne décèle rien du premier tir. D'où ma question : où Ramirez a-t-il été vraiment tué ? Ici ? Ailleurs ?

Lucie s'approcha, le visage plongé dans un cône d'ombre. Nicolas s'était déplacé vers le centre de la cave. Il éclairait chaque brique, le moindre centimètre autour de l'endroit où la douille avait été découverte. Le premier impact de balle, celui tiré par l'arme de Lucie, s'élevait au-dessus de sa tête, à quelques centimètres sur la gauche. Il allait finir par la trouver alors il fallait détourner son attention, ficher le camp de cet abominable sous-sol. Elle réfléchit et se jeta à l'eau, pesant chacun de ses mots :

— Il n'y a pas trente-six solutions. Jack a éliminé Ramirez ailleurs, avec sa propre arme. Autre endroit, autre moment. Une forêt, un coffre de voiture, une maison… Puis il l'amène ici, dans cette cave, et le replace dans la position exacte de sa mort pour nous tromper. Tu sais quoi ? Je mettrais ma main à couper que les plaies sont post mortem, et que les sangsues ont été placées largement après la mort. De cette façon, on pense que tout s'est passé ici alors que ce n'est pas le cas.

Lucie savait pertinemment que le légiste et l'anapath en viendraient à ces conclusions, alors autant anticiper. Nicolas garda un court silence, puis acquiesça.

— Tu as raison, c'est cohérent. Mais le départ précipité de la fille à l'étage et les traces de rapport sexuel sur le cadavre semblent indiquer que le premier tir, le Pébacasi, a eu lieu quelque part dans cette maison, et non pas à l'extérieur. Quant au second tir, le Tizicu, il sert peut-être uniquement à nous orienter vers la victime du château d'eau par le biais du HK P30 ? Comme si l'assassin de Ramirez avait des choses à nous raconter…

Nicolas balaya la cave de son faisceau une dernière fois.

— C'est curieux, j'ai l'impression qu'il y a une affaire dans l'affaire. Une seconde énigme imbriquée dans la première. Tu n'as pas ce sentiment ?

— Si, si… Comme disait Demortier, il y a un truc qui cloche.

Sur ces mots, Nicolas décida de remonter, au grand soulagement de sa collègue, qui jeta un dernier coup d'œil au plafond, repérant le fameux impact. Le capitaine de police se plantait dans ses déductions, certes, mais il se rapprochait tout de même de ce qui s'était *vraiment* passé. Il s'acharnait sur les détails et accroissait ainsi le danger.

Le portable de Nicolas sonna. Il écouta puis raccrocha, le visage plombé.

— On se remet en route. Ils viennent juste de finir d'analyser le contenu des tubes à essais trouvés dans la trappe.

— Et qu'est-ce qu'ils contiennent ?

— Des larmes.

25

La misère dégoulinait des HLM sinistres, au nord de Vanves. Escaliers crades, ascenseur défoncé, murs lacérés, regards en croix des locataires. Sharko et Robillard grimpèrent jusqu'au cinquième étage et trouvèrent porte close devant l'appartement de Mélanie Mayeur. Ils interrogèrent des voisins taiseux, qui prétendaient ne pas connaître celle qui habitait à quelques mètres de chez eux. Une fille invisible. De retour au rez-de-chaussée, à proximité du local à poubelles, ils dénichèrent le gardien d'immeuble en plein nettoyage.

— Je ne peux pas vous raconter grand-chose sur elle, je lui dis juste bonjour de temps en temps. Mais je vois son courrier parfois. Des fiches de paie, des trucs dans le genre. Il y a l'adresse de l'expéditeur à l'arrière : les abattoirs de viande porcine, à Chelles. C'est là-bas qu'elle doit bosser.

Les flics lui laissèrent leur numéro de téléphone au cas où Mayeur reviendrait et se remirent en route, direction l'est parisien. Sur le trajet, Robillard donna un coup de fil au bureau et mit Sharko à jour avec les dernières informations fournies par Jacques : Ramirez était impliqué dans le crime du château d'eau et, surtout, planait le mystère d'une histoire de double tir dans sa gorge.

— De plus en plus sinistre, cette affaire, soupira Robillard. Au fait, pour le chien roux qui a dégueulassé ta chemise, là, t'étais vraiment sérieux ? Tu vas l'adopter ?

Franck répondit laconiquement, mains agrippées au volant. Tout ce qui se déroulait autour de lui serrait son crâne comme un étau. L'enquête avançait beaucoup trop vite et, en dépit de toutes ses précautions, des liens se tissaient. En ce moment, une seule idée l'obnubilait : ouvrir la portière et balancer Robillard dehors pour interroger seul Mélanie Mayeur. Elle représentait ce poignard capable de leur trancher la gorge, à Lucie et lui.

Ils arrivèrent dans une zone industrielle saturée de camions, de cheminées, de grues. Travail à la chaîne et fumées grises. L'abattoir était érigé en fin de route, protégé par de hauts grillages et une entrée sécurisée. Un bâtiment plutôt ancien, austère, béton sombre, pas de fenêtres. Le sang, les tripes, les carcasses : Sharko ne connaissait pas Mayeur, mais il lui semblait plus logique de la trouver dans ce genre d'endroit que dans une salle de réception au Ritz.

On les aiguilla vers les bureaux de l'étage. Depuis cinq minutes qu'ils déambulaient, ils n'avaient pas vu l'ombre d'un animal, ni dehors ni dedans, mais il régnait tout de même une odeur perceptible de mort et de bête stressée. Sharko sentait Robillard mal à l'aise. Malgré ses cent dix kilos de muscles, son collègue consommait des protéines de lait, du poisson et du soja. Personne ne l'avait jamais vu avaler un steak, et il s'arrangeait toujours pour ne pas assister aux autopsies.

— Si tu ne supportes pas la viande froide, tu peux attendre dehors, je m'occupe de la fille.

— T'inquiète, ça va aller.

Les présentations furent brèves : les flics devaient interroger Mélanie Mayeur dans le cadre d'une affaire criminelle. Devant les pectoraux bombés de Robillard et le visage pas vraiment sympathique de Sharko, Rémi Marlière, le responsable production, un gros type à barbe et aux allures de pêcheur en haute mer, ne chercha pas à lutter : il voulut faire appeler Mélanie sur-le-champ, mais les policiers préféraient aller la prendre par surprise.

— Très bien. Elle travaille à l'éviscération, aujourd'hui.

— Quel genre d'employée est-elle ? Vous la connaissez bien ?

— Pas grand-chose à dire sur elle. Pas le genre bavarde. Ça fait... Ça doit faire cinq ans qu'elle bosse ici. Toujours à l'heure. Elle fait le job, se coltine les postes dont personne ne veut – sang et tripes –, se tape les nuits et n'a jamais demandé la moindre augmentation. L'employée idéale. Elle a fait quelques malaises ces derniers temps, je lui ai dit de lever un peu le pied. Elle a le teint pâle et n'est pas très épaisse, c'est le moins qu'on puisse dire.

Marlière leur tendit deux casques jaunes.

— Désolé, c'est obligatoire, même pour vous.

Déguisés façon Playmobil, ils s'engagèrent dans des couloirs. Ouvertures de portes, sas, la fraîcheur qui tabasse le visage comme une giclée de glaçons.

Ils évoluaient au-dessus des différentes salles, le long d'une plate-forme longitudinale avec vue panoramique. Sharko entrevit les porcs alignés les uns derrière les autres sur un tapis roulant. Assommage par électro-narcose… Bras articulé, qui soulève la bête inconsciente et la transporte au-dessus de grilles… Saignée… Évacuation… L'animal, avalé par des bandes en caoutchouc pour passer dans d'autres machines, être ouvert, débité, conditionné, transporté, rangé en rayons, acheté, consommé dans l'assiette, au barbecue, au gril, en salade ou à la poêle, boui-boui ou restaurant étoilé… Au suivant…

Le pire n'était ni ce circuit de la mort ni la cruauté de l'acte – contrairement à Robillard, Sharko ne crachait pas sur un bon morceau de viande –, mais ces employés en blouse blanche, masse de casques jaunes imprimant des gestes las, automatiques, qui pourtant arrachaient des centaines de vies par jour. De vrais médecins légistes alimentaires dont certains, parfois, pétaient les plombs, s'acharnaient sur les bêtes, acteurs pervers de scandales filmés et incendiaires mis sur Internet.

Il observa les gros flux de lave rouge qui bouillonnaient à travers les grilles – des litres et des litres par seconde – et ne put s'empêcher de faire le rapprochement avec la victime du château d'eau : vidée comme un animal qu'on saigne.

Ils redescendirent et gagnèrent une immense salle où les cadavres suspendus avançaient avec langueur en file indienne. Les couteaux dans les mains de trois personnes masquées brillaient sous l'éclat des lampes, dépeçant les ventres, creusant les chairs de mouvements presque artistiques. Bruits de découpe, de déchirure – de ceux qu'on ne peut supporter, comme la craie crissant sur un tableau – au milieu du ronflement des machines. Chutes de panses, de tripes, de boyaux dans des bacs qui eux-mêmes circulaient sur des rouleaux bien huilés, tandis que les carcasses allégées poursuivaient leur périple dans une autre direction, pour subir un nouveau sort. « Tout est bon, dans le cochon », disait l'adage.

Il fallut moins d'un souffle pour qu'un des trois individus au travail se mette soudain à courir le long des rails. Des bacs d'abats giclèrent sur son passage. Sharko et Robillard brandirent leur arme.

— Bougez pas !

À la vue des pistolets, les autres ouvriers se mirent à pousser des cris et à courir comme des insectes paniqués. La silhouette disparaissait déjà derrière une porte. Franck balança son casque et s'élança à sa poursuite. Après une glissade, il faillit s'étaler dans le sang renversé. Lanières de plastique en pleine figure, il fonça droit devant, tête baissée comme un taureau. Mayeur chevauchait agilement des tapis, des plans de découpe, repoussant des carcasses qui s'agitaient comme des sacs de frappe. Malgré sa taille menue, elle bouscula d'un violent coup d'épaule l'un des employés planté sur son chemin.

Sharko esquivait, s'agrippait, empli de hargne et de colère. Il la prit en chasse sur l'asphalte du parking, souffle court, alors qu'elle escaladait déjà les grillages, parvint à lui agripper le pied, tira d'un coup sec vers lui. Elle s'écrasa sur une bande d'herbe, et le flic pesa de tout son poids sur elle pour l'immobiliser.

Bref coup d'œil vers l'arrière : Robillard manquait à l'appel. Alors, il retourna sans ménagement la jeune femme, qui le fixa d'un regard apeuré, les yeux noirs et profonds comme des orbites creuses de porc.

Et Sharko eut alors la certitude qu'elle ne le connaissait pas.

— J'ai rien fait.

Il la retourna comme une crêpe et lui enfila les pinces.

— Moi non plus.

Pas de réaction par rapport à la voix. Parfait. Il pouvait passer à l'étape suivante en toute sérénité.

— On est le vendredi 25 septembre, 10 h 48. À partir de maintenant, t'es en garde à vue.

26

Le laboratoire de toxicologie-stupéfiants se partageait les bâtiments avec l'Institut médico-légal, place Mazas, le long du quai de la Rapée. Tout transitait entre ces murs, en provenance de l'ensemble des services de police : drogue, produits illégaux, fluides corporels, mèches de cheveux, prises de sang. Rares étaient les affaires criminelles qui n'avaient pas recours aux limiers capables de vous dire, en analysant vos cheveux, les stupéfiants que vous aviez consommés six mois plus tôt et pendant combien de temps. Rien n'échappait à leur vigilance ni au flair de leurs machines.

Avant de s'y rendre, Lucie et Nicolas en profitèrent pour aller voir Chénaix, qui détenait les premiers retours de l'anapath : douze plaies sur les vingt et une avaient pour le moment été analysées, et toutes avaient été réalisées post mortem. Quant aux sangsues insérées dans les blessures, elles avaient préalablement été gorgées de sang animal et non humain, dont l'espèce restait à définir. Pour Nicolas, il s'agissait à l'évidence de sang de chat, vu les découvertes dans le jardin. Donc Lucie disait vrai : tout résultait d'une mise en scène après la mort, destinée à les tromper.

Restait à comprendre pourquoi Jack avait agi de la sorte.

— Il y a un dernier truc avant que vous partiez, ajouta Chénaix. Ça concerne le cerveau de Ramirez, que j'ai découpé en tranches. Il semblerait qu'il y ait une infime région située dans les lobes temporaux qui ne soit pas normale.

— Qu'est-ce que ça signifie, pas normale ?

— Spongieuse, comme rongée. Mais je ne suis pas un spécialiste du cerveau, impossible de vous en dire davantage sans des examens approfondis en laboratoire. Ça peut être n'importe quoi. Ramirez était peut-être atteint d'une maladie neurodégénérative, ou d'une infection, ou de je ne sais quel cancer. Là aussi, je vous tiendrai au courant mais, franchement, ça risque de prendre un peu de temps. Les examens s'accumulent, nos labos ne sont pas extensibles, et savoir quelle maladie portait ce type avant de mourir n'est pas vraiment une priorité pour l'anapath.

— Essaie de ne pas oublier quand même…

Les policiers le remercièrent et changèrent de pièce. À présent, ils se tenaient debout devant une paillasse encombrée de binoculaires, de lamelles de verre, de fioles et de liquides colorés. Le chimiste à leurs côtés, Angel Vigo, était une tige de presque deux mètres, au dos un peu voûté à force de se pencher sur les éprouvettes et les microscopes. Il portait la blouse, boutonnée jusqu'au col comme s'il s'agissait d'un corset ou d'une camisole, des baskets blanches et de petites lunettes rondes à la Steve Jobs.

Lucie fixait le râtelier de treize éprouvettes trouvé chez Ramirez. Des larmes… Elle se demanda combien de temps il fallait pleurer pour les remplir une à une. Combien de larmes Laëtitia avait-elle versées, enchaînée à son radiateur, et dans quelles conditions ? Parce qu'elle en était certaine avant même que le spécialiste ouvre la bouche : ces larmes appartenaient à la jeune fille au petit anneau dans le nez.

Vigo prit l'un des tubes et le mit entre les mains de Nicolas.

— Je préférais que vous veniez, parce que… c'est peu commun, ce que je vais vous expliquer, et a priori très grave. Je n'avais jamais eu affaire à ce genre de cas. D'ordinaire, on analyse le sang, les cheveux, les poils. Mais des larmes, c'est la première fois.

Nicolas observa le contenu translucide. Qu'y avait-il de plus intime que des larmes ? Il se rappelait cette trappe, planquée à l'étage. Cette niche secrète. À qui appartenait le contenu de ces tubes de verre ?

— Il faut savoir que les larmes sont très riches en composants chimiques. Chlorure de sodium, enzymes, lipides, protéines et même des hormones, comme la leucine, la prolactine… Bref, elles transportent un véritable microcosme de notre expérience, de notre vécu. Elles nous racontent toutes une histoire. On est capable aujourd'hui de différencier trois types de larmes : les larmes basales, réflexes ou psychiques. Ça vous parle ?

Les deux flics haussèrent les épaules. Ça voulait dire : oui et non.

— Les larmes basales sont les plus communes, elles sont produites par l'organisme pour lubrifier nos yeux. Les larmes réflexes sont celles provoquées pour défendre l'œil suite à une agression extérieure, comme le vent, le froid, un objet… Quant aux larmes psychiques, elles surviennent à partir d'émotions, pas besoin de vous faire un dessin : tristesse, rire, déception… On connaît tous ça. Ce sont plus particulièrement celles-là qui nous intéressent.

Il leur tendit un livre d'une centaine de pages.

— Au risque de vous surprendre, ce n'est ni un rapport officiel ni une étude scientifique, mais un livre de photos réalisées par une artiste contemporaine américaine, Rose-Lynn Fisher. Elle est spécialisée en macro- et microphotographie, et elle tente de rendre visibles, par l'image, diverses manifestations physiques impalpables. Comme les émotions… Il y a trois ou quatre ans, elle a exposé au Palais de Tokyo *Topography of Tears*, « la topographie des larmes ». Fascinant. Fisher a passé des années à étudier des centaines de larmes d'origines différentes, les siennes et celles de proches, au moyen d'un microscope optique. Elle les a photographiées, exposées dans divers musées d'art contemporain, et en a aussi fait un livre, celui que vous avez entre les mains. Je vous l'ai dit, ça n'a rien de scientifique, mais ce livre est une bible pour définir précisément de quelle origine peuvent être les larmes contenues dans ces tubes.

Nicolas feuilleta le livre, Lucie à ses côtés. Les clichés marquaient l'esprit, ressemblaient à des villes de graphite, à des fractales ou des imbrications démentes de pièces métalliques. La véritable vue aérienne d'un territoire intérieur, de mondes miniatures portant une signature biologique. Les larmes d'espoir ressemblaient à des taches de Rorschach, celles coulées après avoir épluché un oignon s'apparentaient à de la dentelle. Chaque typographie reflétait un univers différent, propre à la situation, à l'émotion ressentie. Lucie se demanda à quoi auraient ressemblé ses propres larmes, la nuit de la mort de Ramirez.

— Et à quoi correspondent les larmes des tubes ? demanda-t-elle.

Le scientifique leur prit le livre des mains et tourna les pages. Il écrasa son index sur une photo qui occupait tout l'espace.

— Une seule et même émotion : la douleur.

Lucie imaginait Ramirez face à Laëtitia torturée, cueillant les larmes au bord de ses yeux. Vigo saisit le tube des mains de Nicolas et le remit en place.

— Il y a pour chaque tube entre trente et cinquante millilitres, ce qui donne une fourchette de mille à mille cinq cents larmes. Ceux ou celles qui les ont versées ont dû pleurer des heures, des jours, en proie à la souffrance, pour pouvoir remplir les éprouvettes à ce niveau.

— Ceux ou celles ? répéta Nicolas.

Vigo serra les lèvres, refermant le livre pour le poser sur la paillasse. Il fixa les tubes dans un soupir.

— Treize tubes. Treize concentrations de composés chimiques complètement différentes. Ces larmes appartiennent à treize personnes distinctes, je n'ai aucun doute là-dessus. Hommes, femmes, jeunes ou vieux ? Impossible à dire. Il n'y a qu'un seul et unique point commun à tous ces tubes : ils ont été remplis de douleur à l'état pur.

Tandis que Lucie fixait les éprouvettes sans plus bouger, Nicolas encaissait. Treize… Elle n'arrivait pas à imaginer. Laëtitia n'avait-elle été qu'un numéro ? Julien Ramirez s'était-il livré à douze autres enlèvements ? Avait-il torturé et tué toutes ces personnes ? Des hypothèses démentes, inimaginables, même pour un flic aguerri du 36.

Nicolas pensait à la fresque dessinée sur le mur de Ramirez. Aux scarifications sur son corps. Au fond de lui, il avait refusé de le croire, mais aujourd'hui, il se retrouvait confronté à une bien sordide réalité : treize individus avaient été emportés par les diables…

— On peut récupérer les ADN ?

— C'est ce que je dois m'attacher à regarder maintenant, en me rapprochant du labo de génétique. Mais ce n'est pas évident. L'ADN se trouve dans le noyau des cellules, or les larmes n'en contiennent normalement pas, tout comme l'urine. Mais il est possible qu'elles aient embarqué un peu de matériel génétique avec elles en coulant, ou lorsque celui qui a fait ça les a récupérées. On a peut-être une chance de trouver d'infimes squames de peau dans certains tubes, qui nous permettraient de dresser un profil ADN. Dans tous les cas, je vous tiens au courant, bien entendu.

Il leur serra la main.

— Bon courage, surtout. J'ai comme l'impression que vous allez en avoir besoin.

Une fois dehors, Nicolas contourna le bâtiment et se mit face à la Seine, les bras croisés, ses dents grinçant les unes contre les autres. Besoin violent d'un rail de coke. Il fixa l'onde tranquille de l'eau, se concentra sur les clapotements pour retrouver son calme.

— Quand Camille est morte, j'ai… j'ai eu le sentiment qu'on ne pouvait pas aller plus loin dans l'horreur. Ce qu'ils lui avaient fait… ça explosait le cadre de l'humain. Aujourd'hui, j'ai l'impression qu'on remet le disque au début, que tout recommence. Treize personnes… Treize, tu te rends compte ? Où sont tous ces gens ? Et pourquoi ? Pourquoi ?

Il chassa du pied une giclée de gravier.

— Ramirez est mort, il est la victime, mais j'ai l'impression que c'est lui, le monstre. Il prenait les larmes de ses proies, leurs composés les plus intimes, les plus précieux. Qu'est-ce qui pouvait bien se passer dans la tête de ce malade ?

Il se sentit mélancolique au passage d'une péniche qui glissait sur le fleuve.

— J'envie les pénichards. Leur insouciance, leur liberté. Tu crois qu'ils sont heureux sur leur bateau ? Tu crois que, en étant sur l'eau, ils sont coupés de toute cette merde qui les entoure ?

— Ils paient des impôts, comme nous tous.

Nicolas médita la réponse et revint sur la terre ferme.

— À la cave, il y avait des quantités énormes de sacs de chaux vive, bien plus que pour enterrer des chats. Ça aurait dû nous mettre la puce à l'oreille. Et puis cette fresque, les diables, les visages effrayés… C'étaient elles, c'étaient ces personnes. Ramirez les a immortalisées en les dessinant et en se gravant un trait sur la poitrine pour chacune d'entre elles. Comme des trophées. Les corps sont quelque part dans la nature, six pieds sous terre.

— On n'est sûrs de rien.

— J'en ai la conviction. J'ai aussi la conviction qu'il aurait continué si Jack ne l'avait pas stoppé. Combien de salopards de son espèce passent à travers les mailles du filet ? J'ai du mal, Lucie. J'ai du mal à imaginer ce qu'il a pu leur faire subir. Il était en face d'eux quand ils pleuraient de douleur. Il leur a arraché leurs larmes et les a gardées précieusement pour se rappeler tout ça en se paluchant. Le pire, c'est qu'il n'était peut-être pas seul.

— Tu penses aux diables du tableau ?

— Les trois diables, oui, l'*ampallang* sur son sexe, qui marque l'appartenance au clan, à « *Pray Mev* ». Et rappelle-toi sa prudence, pas de connexion Internet, carte de téléphone anonyme… Et si Ramirez n'avait pas agi en solo, mais avec un ou des complices ? Et s'il y avait autre chose, derrière ces larmes ? Il faut que je comprenne ce qui s'est passé. Que je coince le ou les salopards qui sont derrière tout ça. Pour Camille, tu comprends ?

— On est une équipe, Nicolas. On veut tous la même chose.

— Pas autant que moi. Oh, non, crois-moi, pas autant que moi.

La sonnerie du téléphone de Lucie mit un terme à leur discussion. Elle s'écarta pour répondre à Franck.

— C'est moi. Je peux te parler ?

— Nicolas n'est pas loin, mais ça va.

— Alors écoute-moi bien. On tient la fille.

— Mon Dieu. Comment vous…

— Ne dis rien, on parlera plus tard. Robillard m'attend dans la voiture, on l'emmène au 36. Elle m'a vu, elle a entendu ma voix, mais zéro réaction. Ça veut dire qu'elle avait déjà pris la fuite quand je suis arrivé cette nuit-là chez Ramirez. Mais toi, faut pas que tu la croises, vous étiez peut-être toutes les deux dans la maison au même moment. Tu te fais redéposer au 36 par Nicolas et tu prétextes un problème avec les enfants, je ne veux pas que tu montes. Nous, on va l'interroger dans le bureau de Manien, il est parti à Dijon et ne sera pas là avant ce soir. Après avoir raccroché, tu dis à Nicolas qu'on a pêché le poisson, et que j'ai eu un appel de l'école pour Jules. Il a de la fièvre. Je te laisse.

— Attends…

Mais il avait déjà coupé. Lucie prit une grande inspiration et s'approcha de Nicolas, qui la fixait d'un air interrogateur.

— C'était Franck. Ils ont la fille.

Nicolas s'arracha du sol et se dirigea d'un pied ferme vers sa voiture.

27

Mélanie Mayeur n'avait pas exigé d'avocat mais un médecin. Sharko et Nicolas patientaient devant l'une des cellules de garde à vue qui se situaient au bout de l'étage, à une dizaine de mètres de leurs bureaux. Franck observait en silence la jeune femme à travers la vitre en Plexiglas, blanche, maigre, un vrai cadavre. Les yeux fuyants, elle tremblait devant le médecin des urgences médico-judiciaires.

Nicolas dévisagea Sharko de haut en bas.

— Tu n'as pas ton costume des grandes occasions ? Je ne t'ai jamais connu sans pendant les GAV, quitte même à faire un détour par chez toi. Surtout que ta chemise est dégueulasse. C'est quoi ?

— Des pattes de chien. Tu ne me verras plus avec ce costume, les coutures du pantalon ont fini par craquer. Avec l'âge, on prend un peu de poids et pas forcément là où on voudrait. Mais ce n'est pas un mal, comme dit Lucie, il était vraiment trop vieux.

Nicolas acquiesça et fixa le médecin qui sortait.

— Je vais vous signer le certificat qui autorise la garde à vue. Physiquement, ce n'est pas la grande forme, mais elle tiendra. C'est au niveau psychologique qu'elle a l'air d'avoir des problèmes, cette jeune femme. À l'entendre, elle est sous antidépresseurs, et je veux bien la croire vu ses tremblements. Elle semble de surcroît souffrir d'anémie, ce qui lui a valu quelques séjours à l'hôpital. Je vais vérifier ça. Elle dit qu'elle n'a rien fait et qu'on doit la relâcher.

— Bien sûr. On va lui faire livrer des petits-fours et un peu de champagne.

— Restez vigilants. Si vous prolongez au-delà de vingt-quatre heures, je repasserai pour m'assurer que tout va bien.

Après le départ du médecin, Nicolas entra et l'empoigna avec fermeté par le bras.

— On va prendre bien soin de toi.

Il l'entraîna dans le bureau de Manien et l'écrasa manu militari sur une chaise. Franck le sentait à cran, les nerfs en pelote. Il referma la porte derrière eux et enclencha un enregistreur numérique.

— Tu sais pourquoi t'es là ?

La tête rentrée dans les épaules, elle la secoua sans desserrer les lèvres. Le poignet de sa main gauche était cerclé de croûtes brunes. À l'évidence, les stigmates des menottes à dents de piranhas.

— Je comprends, poursuivit Nicolas. Il y a tellement de sujets à aborder, tu te demandes pour lequel on t'a interpellée. Je te la fais compliquée : t'es en garde à vue dans le cadre d'une enquête diligentée en flagrant délit pour des faits d'homicide volontaire sur la personne de Julien Ramirez. Et maintenant, la version plus simple au cas où t'aurais pas tout compris : t'es dans la merde.

Il se mit à tourner autour d'elle. Doucement.

— On va procéder dans l'ordre. Au fait, en ce moment, un serrurier est en train de forcer la porte de ton appart avec l'un de mes collègues, le type qui ressemble à un bulldozer. S'il y a des choses à trouver, autant nous le dire avant qu'il retourne tout, non ?

Réaction de repli. Nicolas ouvrit un dossier sur le bureau et balança une série de photos dans sa direction. Il l'incita à bien regarder le cadavre de Ramirez. Elle détourna la tête, les larmes aux yeux.

— Je vois que tu le reconnais. Ton copain était dans un sale état. Balle dans la gorge, vingt et une plaies à l'intérieur desquelles voyageaient gaiement des sangsues. Un sacré cadeau dont on se passerait bien, nous, les flics. Tu peux peut-être nous expliquer ?

Long silence que les deux policiers décidèrent de ne pas rompre. L'interrogatoire devait trouver son rythme. Elle finit par parler au compte-gouttes.

— C'est horrible, mais… c'est pas moi… J'ai rien fait, je vous jure.

Nicolas s'accroupit devant elle et lui serra la mâchoire inférieure d'une main ferme, avec l'impression que les os allaient se broyer entre ses doigts comme une coquille d'œuf.

— Et c'est parce que t'as rien fait que tu t'es tirée dans l'abattoir ?

— J'aurais pas dû, je sais, mais… j'ai eu peur.

— C'est vrai qu'on a des têtes à faire peur, surtout mon collègue aux gros muscles, fit Sharko planté sur la gauche. On va la faire courte, cocotte. Que t'aies adopté dix chats qu'on a retrouvés enterrés dans le jardin de Ramirez, on va dire que c'est pas grave. Que tu t'amuses à brûler des cierges et vénérer Satan avec des pentacles et toutes ces conneries, pas de problème. Mais que tu sois chez ton copain la nuit où il se fait buter et que tu ne dises rien à personne, ça, c'est beaucoup plus problématique. On va réaliser un prélèvement ADN qui nous confirmera en moins de vingt-quatre heures que t'étais dans son pieu et que c'est avec toi qu'il a eu un rapport sexuel avant de passer l'arme à gauche. Tu l'as tué ?

Elle fixa les deux traces sombres au bas de la chemise de Sharko, avant de revenir aux yeux du policier.

— Non ! Jamais j'aurais fait ça !

— Si c'est pas toi, c'est qui ?

Sharko n'arrivait pas à l'imaginer autrement qu'en oisillon tombé de son nid. Sa blancheur de talc, ses tatouages sur les bras et à la base du cou – un petit cygne noir aux ailes déployées. Les bords de ses narines et la commissure de ses lèvres portaient les stigmates de piercings, qu'elle ôtait sans doute au travail pour éviter qu'un consommateur ne se casse une dent en croquant une saucisse. Il remarqua également des coupures au niveau des poignets et plus haut, sur les avant-bras. Volontaires ? Tentative de suicide ? Jeux pervers avec Ramirez ?

— Une femme. C'était une femme.

Franck eut l'impression qu'une grosse vanne venait de s'ouvrir sous ses jambes et qu'il se vidait de son sang comme les bêtes de l'abattoir. À ce moment précis, il avait envie de la prendre à la gorge et de serrer, serrer… Nicolas se redressa, geste contrebalancé par Sharko qui, lui, s'accroupit.

— Explique.

— Avec Julien, on était dans sa chambre, ce soir-là. Il m'avait attaché une main au lit, et avec l'autre… Enfin vous voyez, quoi…

— On croit deviner, oui.

— Il a entendu frapper une première fois à la porte d'entrée, il devait être dans les 22 h 30. Il est allé dans la salle de bains pour regarder par la fenêtre. Il a pas vu grand-chose, il faisait noir, mais visiblement, c'était une femme qui avait des problèmes avec sa voiture. Il a pas ouvert. Je me souviens qu'il a dit un truc du genre : « Fallait tomber en panne ailleurs, connasse. »

Franck essuya une goutte de sueur qui lui coulait dans l'œil. Il transpirait comme s'il passait sur le gril. Et Nicolas qui se tenait debout juste au-dessus de lui…

— Ensuite ?

— On a… On a continué, on a baisé. Puis… Puis… je sais pas, ça s'est passé peut-être cinq ou dix minutes plus tard. Quelqu'un est entré dans la maison par-devant. Julien, il a pris un flingue qui était caché dans un placard. Je savais pas qu'il… qu'il avait une arme chez lui.

Nicolas lui plaqua la photo d'un HK P30 devant les yeux.

— Ce genre d'arme ?

— Oui, peut-être, j'en sais rien du tout, il faisait noir, je vous dis. Il est descendu en silence. Il m'avait laissée attachée au lit, j'ai pas bougé, j'avais la frousse. Et puis… C'est là que j'ai entendu des cris. Ceux d'une femme. Peut-être celle qui avait frappé à la porte dix minutes plus tôt, j'sais pas. C'était… comme s'ils se battaient. Ensuite, il y a eu le coup de feu.

Elle resta figée, les yeux dans le vide, puis porta les mains à ses tempes. Le cœur de Sharko pompait si fort qu'il gonflait sa carotide. Et cette sueur, qui imbibait ses sourcils.

— J'ai réussi à récupérer la clé des menottes. Et je me suis tirée par la fenêtre avec les fringues dans les bras, j'ai même perdu une godasse. J'ai couru à travers les bois, longtemps. Puis… Puis j'ai rejoint la route et un automobiliste m'a ramenée chez moi. J'avais le pied et le poignet en sang… Ce type, j'ai encore sa carte, il m'a dit que je pouvais l'appeler en cas de besoin. La carte est dans mon appartement, vous pourrez vérifier. Je vous mens pas.

Elle fixa le sol, les deux mains sur le front, et garda le silence.

— Combien de coups de feu t'as entendus ? demanda Nicolas.

— Un… Un seul.

Le premier tir, le Pébacasi, songea le flic. Celui dont il cherchait désespérément l'impact.

— Tu sais d'où il provenait ? Salon ? Cuisine ? Cave ?

— Je… Je sais pas… J'avais jamais entendu de coup de feu de ma vie.

— À ton avis, qui a tiré ? La femme ou lui ?

— Elle. Pour la simple et bonne raison que Julien n'est jamais remonté dans la chambre. Moi, j'étais tétanisée, j'avais peur de bouger et de faire du bruit. J'ai dû mettre cinq ou dix minutes pour tirer le lit sans que ça grince, récupérer la clé et me défaire de ces fichues menottes.

— Cette femme, comment elle est entrée ?

— C'est ça que je comprends pas. Julien, il était plutôt du genre parano, il fermait toujours à double tour. J'ai pas entendu de bris de vitre. Cette femme, elle avait forcément la clé.

— Tu l'as vue ? Entendue ?

Elle secoua la tête.

— Non.

Sharko ne montra pas son soulagement et poursuivit le feu roulant de ses questions.

— Et qu'est-ce qu'elle a fait ensuite ?

— Je peux pas vous dire… Je crois pas qu'elle soit ressortie. Le dernier truc que j'ai entendu avant de me tirer, c'est une sonnerie de téléphone. Je me souviens de l'heure exacte, parce que j'avais le radio-réveil sous le nez : il était 22 h 57. Et cette sonnerie, c'était pas celle du portable de Julien.

Wagner, *La Chevauchée des Walkyries*, avait forcément résonné plein pot dans la maison de Ramirez. Tous les flics de l'étage connaissaient la sonnerie du portable de Lucie. Sharko se redressa dans une grimace et fixa Nicolas.

— J'ai une crampe.

Il ne mentait pas, son mollet lui brûlait, mais la douleur physique n'existait pas par rapport à ce qu'il ressentait à ce moment-là. Ça pouvait être la fin de son histoire, ici, maintenant. Celle de Lucie, de ses enfants. Il suffisait qu'elle évoque Wagner.

— Tu sues beaucoup, si tu te sens mal, tu peux sortir, proposa Nicolas.

Sharko alla s'asseoir sur le bord du bureau en boitillant, avec la sensation que son corps menaçait de tomber en morceaux. Il s'essuya le front avec la manche de sa chemise.

— Ça va passer.

Bellanger prit sa place devant la jeune femme.

— Une sonnerie, tu dis. Laquelle ?

— Je serais bien incapable de la citer exactement. Je me souviens de m'être dit que je l'avais déjà entendue quelque part, peut-être à la radio ou à la télé… en matant un film. Mais… c'est tout ce que je me rappelle, je n'ai même plus l'air en tête. Ça va peut-être me revenir.

Apocalypse Now, songea Sharko si fort qu'il eut l'impression que le monde entier pouvait l'entendre. Jamais le film n'avait aussi bien porté son nom. Cette crétine inculte ne savait plus, et sa mémoire défaillante venait de lui sauver temporairement la vie.

— Pourquoi t'as pas prévenu la police ?

— J'ai eu peur ! Peur des flics, peur qu'elle me retrouve et qu'elle me tue moi aussi ! Julien, je le connaissais pas vraiment, je savais pas dans quoi il trempait. On… On baisait de temps en temps, c'est tout.

— Tu baisais de temps en temps… Pour les chats enterrés, ceux-là mêmes que t'allais chercher à la SPA, t'étais peut-être pas au courant non plus ?

Silence, lèvres verrouillées. Elle renifla et frotta son nez du dos de la main sans répondre.

— Qui nous dit que tout ce que tu racontes est vrai ? Et si la femme, c'était toi ? Et si c'était toi qui l'avais descendu, et que t'avais tout mis en scène pour te disculper ?

— Jamais j'aurais fait une chose pareille. Jamais.

Nicolas lui plaqua les photos de la victime du château d'eau devant les yeux.
— Qui est-ce ?
Elle observa les clichés avec effroi. Des larmes coulaient sur ses joues.
— Je... Je sais pas...
Cette fois, elle se mit à pleurer franchement et, dès lors, les policiers ne parvinrent plus à lui arracher un mot. Nicolas lui apporta un verre d'eau, essayant de la sonder pour voir si elle ne simulait pas. Ils croisaient souvent d'excellents menteurs qu'il fallait un peu *bousculer*. Elle but par petites lampées, entre deux sanglots. Il fallut un bon quart d'heure pour qu'elle cesse de hoqueter. Le capitaine de police alla s'installer dans le fauteuil, de l'autre côté du bureau, tandis que Franck retrouvait sa position debout. Avec cette histoire de sonnerie, il venait de traverser l'un des pires moments de sa vie. Il laissa Nicolas mener l'interrogatoire.
— On ne veut pas te faire du mal, ce n'est pas le but. Ce qu'on cherche, c'est juste la vérité. Tu as tué Julien Ramirez ?
— Non !
— Revenons à ce meurtre dans le château d'eau... Pourquoi les tortures ? Pourquoi le type avec qui tu couchais a vidé cet homme de son sang dans ce lieu sordide ?
— Je sais pas, j'arrive pas à y croire... Tout ça, j'étais pas au courant. Julien, je le voyais que de temps en temps. Je sais bien, il y avait le truc avec les chats. Mais... c'est lui qui voulait que je les récupère à la SPA.
— Les sangsues, à quoi ça sert ?
Haussement d'épaules.

— Je sais pas…

D'un geste violent, Nicolas balaya un tas de paperasse sur le bureau de son chef. Les feuilles volèrent dans tous les sens.

— Tu sais jamais rien ! Je te garantis que tu vas arrêter de te foutre de notre gueule !

Nicolas pencha d'un coup sec la chaise de Mayeur et manqua de la faire tomber. Sharko posa une main sur le poignet de son collègue, il allait trop loin. Ils se dressaient comme deux cobras face à face. Bellanger se défit de l'étreinte et retourna devant la suspecte.

— Je répète : à quoi servent ces saletés de sangsues ?

Mayeur baissa les yeux.

— Je sais pas, je vous mens pas. Un jour, je suis descendue à la cave, même si Julien voulait pas que je vienne sans qu'il demande. J'entendais un chat miauler comme un bébé. Julien, je l'ai vu, il était en train de… de récolter quelque chose sur les sangsues qu'il décrochait du chat. Une espèce de liquide. C'était pas du sang. De la bave peut-être, j'en sais rien. Il enfermait ça dans des petits bocaux.

Nicolas ne daigna pas regarder Sharko, il resta concentré sur sa proie. Elle soupira.

— L'état de ce chat, vous auriez vu… Julien, il aimait bien faire souffrir. Quand… quand les chats étaient au bout du rouleau et n'avaient plus que la peau sur les os, il me faisait venir, il allumait des bougies partout, dans les escaliers, au sol. On… On les tuait, on… On invoquait le diable… On baisait avec les tripes autour de nous. Merde, je peux pas vous raconter tout ça. C'est trop personnel et…

Elle ne termina pas sa phrase. Posture de repli, dos en carapace de tortue, le silence. De nouveau, les pleurs. Nicolas lui redressa le visage d'une main sous le menton.

— « *Pray Mev* », ça te cause ?

— C'est le tatouage à son pied. Mais je sais pas ce que ça veut dire. Il a jamais voulu m'en parler.

Difficile de s'assurer de sa sincérité. Il lui montra d'autres photos, lui parla des éprouvettes, des larmes, du tableau, des treize victimes potentielles, de plusieurs « diables ». À qui appartenaient ces visages ? S'agissait-il de personnes disparues ? Elle continua à nier, à se recroqueviller. On lui demanda de montrer la plante de ses pieds.

Nicolas poussa les dossiers sur le côté d'un geste maîtrisé.

— Nous, on a tout notre temps. On va tout éplucher sur toi, on te connaîtra mieux que tu te connais toi-même. Et on finira par découvrir la vérité. Alors, autant que tu coopères. Plus vite ça ira, mieux ce sera pour toi comme pour nous.

Les questions se multiplièrent, de plus en plus pressantes, et vint le moment où elle se débattit en hurlant. Elle tremblait tant que les flics préférèrent relâcher la bride avant qu'elle sombre dans une crise de nerfs et se retrouve à l'hôpital. Nicolas stoppa l'enregistrement.

— Ça va, ça va. Bois un coup, respire. On va te ficher un peu la paix, d'accord ?

Dans le couloir, il garda un œil sur elle par la porte entrouverte.

— Qu'est-ce que t'en penses ?

— Ça ne va pas être simple, répliqua Sharko. Je n'ai pas l'impression qu'elle soit au courant des activités de Ramirez. Regarde-la. C'est qu'une gamine paumée sous emprise, comme la plupart des jeunes qui se retrouvent dans des cercles pour invoquer leurs conneries. Ramirez a dû profiter de ça, il l'a ramassée comme on ramasse un chat errant.

— Et sur sa culpabilité potentielle ?

— Ce n'est pas elle.

Sharko alla se chercher un verre d'eau à la bonbonne, la chemise trempée. Il jeta un œil à l'open space. Dieu merci, Lucie était rentrée chez eux. Il imaginait sa compagne, seule dans leur maison, en train de se morfondre. Il se demanda comment il allait lui annoncer le coup de la sonnerie de portable. Il retourna auprès de Nicolas et le sonda :

— Cette histoire de femme tueuse surgie au milieu de la nuit, qu'est-ce que t'en penses ?

— C'est très cohérent, et j'ai l'impression que ça éclaire un peu ce que le balisticien nous a raconté. Cette nuit-là, Ramirez, en plein acte sexuel, entend du bruit dans sa baraque, il descend avec son HK P30 mais il se fait buter par une autre arme. C'est le premier coup de feu. La balle Pébacasi appartenant à la femme lui traverse la gorge. Ramirez, raide mort. L'intruse positionne le corps au fond de la cave et vise Ramirez une seconde fois, mais en utilisant l'arme de ce dernier, le P30, pour masquer le premier tir. C'est la balle Tizicu. Puis vient la petite mise en scène avec les sangsues.

— Pourquoi un second tir ?

— J'en sais rien. Comme disait Lucie, pour faire croire à un meurtre sadique qui se serait déroulé intégralement à la cave ? Peut-être que cette femme est une « amie », une relation de Ramirez qui veut déguiser la mort et noyer le poisson ? Quelqu'un d'assez proche pour être en possession de sa clé d'entrée ? Bref, toujours est-il qu'en agissant ainsi, en utilisant l'arme de Ramirez, cette femme établit un lien involontaire avec la victime du château d'eau…

Sharko écoutait sans rien dire. Il détestait le voir réfléchir de cette façon, s'acharner…

— En tout cas, deux choses sont certaines, poursuivit Bellanger. La première : il doit forcément y avoir un autre impact dans la maison, qui correspond au tir avec l'arme de la femme. Demain, je demande qu'on renvoie des gardiens de la paix là-bas pour tout scruter à la loupe.

— C'est une perte de temps et d'énergie, Manien risque de bloquer. On a besoin de tous les hommes ici et…

— D'une, ce n'est pas Manien qui a le nez dans le cambouis, je me fous de ce qu'il pense. J'enverrai des hommes là-bas, point barre. Et de deux, la tueuse est quelqu'un qui s'y connaît suffisamment pour tenter de nous tromper, nous et les techniciens. On a affaire à une maligne. Mais ceux qui se croient plus malins que nous se plantent tôt ou tard, on finit par les coincer. C'est pas toi qui dis toujours ça ?

— Si, si…

Nicolas hocha le menton vers le bureau.

— Va aussi falloir la faire cracher. Où, comment a-t-elle connu Ramirez ? Les fréquentations, les trucs sataniques, le rapport au sang de Ramirez, tout. Pour le moment, elle est notre seul point d'entrée dans le monde complètement verrouillé de ce taré.

Nicolas jeta un œil à sa montre.

— *L'autre* va bientôt revenir de Dijon. Il tient à lui presser le jus. Je vais rester à ses côtés.

— Parfait. En ce qui me concerne, je dois faire un détour par la SPA avant que ça ferme. J'ai un chien à aller chercher.

Nicolas écarquilla les yeux.

— Un chien ? Celui qui a foutu en l'air ta chemise ? En ce moment ?

— Pourquoi, il y a un moment pour adopter un chien ?

— Non, mais…

— Ça fait longtemps que j'y pense. Ça fera plaisir aux mômes. Tu vas pouvoir te passer de moi cette nuit ? Avec le gamin qui a de la fièvre… Je me pointerai demain matin, à la première heure.

Nicolas planta une cigarette entre ses lèvres.

— Va falloir rebaptiser Jack. Je pensais à Pébacasi. Ça sonne féminin. Qu'est-ce que t'en penses ?

Franck lui tourna le dos et leva la main.

— Appelle-la comme tu veux. L'essentiel, c'est qu'on l'attrape.

— Franck ?

— Quoi ?

Nicolas serrait la poignée de porte du bureau de Manien.

— Ta réaction, tout à l'heure, je n'ai pas aimé. N'essaie plus jamais de m'empêcher de faire ce que j'ai à faire. Je sais mener un interrogatoire, et il n'y a pas si longtemps que ça, j'étais encore ton chef.

— Et encore avant, c'était moi, ton chef. Et n'oublie pas que t'es que numéro 2 du groupe.

Bellanger haussa les épaules.

— On s'en tape, de ces numéros.

— Peut-être, mais reste à ta place, ne la ramène pas, et un conseil : va ranger le bordel que t'as foutu dans le bureau de Manien si tu ne veux pas qu'il te vire pour de bon.

28

Lucie se tenait prostrée sur le canapé, les genoux sous le menton, lorsque Franck rentra aux alentours de 20 heures. Jules et Adrien, pas encore en pyjama, leur caisse de jouets renversée dans le salon, s'en donnaient à cœur joie devant l'indifférence de leur mère. Ils se figèrent lorsqu'une tornade à poils roux et blancs fonça dans leur direction et les renifla de haut en bas, avant de marquer son territoire au beau milieu du carrelage d'un jet d'urine. Franck se précipita pour nettoyer, devant les yeux hagards de Lucie.

— C'est normal au début. Il n'a que trois mois, il n'a jamais connu de foyer. Il va falloir lui apprendre la propreté. Mais l'employée de la SPA m'a dit que les épagneuls apprenaient vite. Et ils adorent les enfants.

Lucie se décrocha de son canapé, les mains plaquées sur le front.

— Mon Dieu, Franck, mais t'as pété un plomb ?

— Mais qu'est-ce que vous avez tous, avec ce chien ? Je ne pouvais pas le laisser en cage. Il est venu vers moi, c'était comme une évidence entre nous. Regarde.

Il montra les deux taches sur sa chemise. Fous de joie, les jumeaux poussaient de petits cris aigus et poursuivaient l'animal, qui explorait avec fougue tous les recoins de son nouveau foyer. Lucie secouait la tête.

— Non, non. Un chien, tu te rends compte ? On en prend pour dix ans minimum.

— Ce sera mieux que dix ans de taule.

Franck attrapa Lucie par le poignet et l'entraîna vers le canapé. Il s'assit à ses côtés.

— Qu'est-ce que tu veux ? Qu'on attende que le temps passe et qu'on crève sans rien faire ? Ce chien va casser nos habitudes, il le faut. Ça a surpris Nicolas, Robillard, et c'est tant mieux. Il prouve aux autres et à nous-mêmes qu'on continue à vivre en dépit de ce qui se passe autour de nous. Il met un masque sur nos visages. On ne peut pas être coupables et adopter un chien, tu vois ce que je veux dire ? Et puis, j'ai toujours eu des chiens quand j'étais môme. Les enfants vont l'adorer, ça leur fera du bien. Ils ressentent notre tension, ils sont stressés.

Les rires des jumeaux égayèrent la maison. Lucie poussa un soupir dans lequel Sharko put sentir tout le désespoir du monde.

— J'ai beau essayer, je n'y arrive pas. Je ne trouve pas la force d'être au bureau et de faire semblant à longueur de journée, à craindre chaque appel, à soutenir chaque regard, à voir mes collègues foncer droit dans le mur avec de fausses déductions. C'est comme… une trahison permanente. Quand le balisticien est venu et a commencé à parler de deux tirs possibles, j'ai cru que j'allais me liquéfier. C'était pareil quand je suis retournée à la cave avec Nicolas. L'impact était juste au-dessus de sa tête et, moi, je me revoyais au sol avec ce plastique sur mon visage…

Elle marqua un temps, le regard vide, au loin.

— … Si Nicolas l'avait découvert, cet impact, je ne sais pas comment j'aurais réagi. Même la nuit, j'ai peur… Peur qu'ils viennent sonner parce qu'ils ont découvert la vérité. Ils sont trop forts. Ils vont finir par…

Sharko lui attrapa les mains et les serra dans les siennes.

— Non, ils ne nous attraperont pas.

— Si. Tôt ou tard, c'est toujours comme ça que ça se termine, tu le sais. Les flics attrapent les coupables, dans les films et dans la vraie vie. Nicolas est comme un chien fou sur cette enquête, il en fait une affaire personnelle. Comment bâtir une vie, des projets, avec le fil d'un rasoir sous la gorge ?

Il suffisait qu'elle bascule, et tout serait fini. Le moment que Frank attendait depuis si longtemps était venu. Elle était prête à écouter les secrets enfouis dans le coffre de son esprit depuis des années.

— Tu te rappelles, quand je t'ai parlé des squelettes dans le placard ?

Elle acquiesça en silence.

— J'en ai, des squelettes, Lucie. J'en ai tellement qu'on ne peut plus fermer les portes qu'à gros coups de rangers. On peut dire que ça a vraiment commencé avec l'affaire du *Syndrome E*, même si je traînais déjà une batterie de casseroles… On se connaissait à peine. Toi venue du Nord, toute fragile, et moi, le gars de la Crim qui avait déjà tout vu. J'étais en Égypte quand c'est arrivé la première fois. Atef Abd el-Aal, que le type s'appelait…

Lucie essaya de se souvenir. Leur première affaire commune… Franck, parti au Caire pour les besoins de l'enquête.

— À un moment donné, ça s'est mal passé. Ce type m'avait assommé et attaché sur une chaise, dans une cabane en plein désert. Il était prêt à me tuer, comme Ramirez était prêt à te tuer.

— Tu… Tu n'en as jamais parlé.

— Ce n'était pas le genre de truc à raconter à un premier rencard. Quand… Quand j'ai réussi à me libérer, je l'ai poussé violemment et il s'est empalé sur une barre en fer. Mais il n'était pas mort. J'étais seul, isolé en plein désert, il devait faire quarante-cinq degrés. La chaleur peut rendre dingue, tu sais ? T'as le cerveau en surchauffe, le radiateur qui perce et, là, tu fais des choses que tu n'aurais jamais imaginées en temps ordinaire.

Il regarda ses mains, ses lourdes mains intransigeantes qui un jour avaient ôté la vie. À cet instant précis, il était là-bas, au milieu de cette mer de sable.

— C'était comme si… il me revenait de décider du sort de cette ordure qui avait commis les pires abominations. J'étais le juge et le flic, et personne ne pouvait décider à ma place. Je… Je ne pouvais pas le laisser vivre, pas après ce qu'il avait fait. Et puis, ce n'était pas comme s'il était en pleine forme, ce gars avait de bonnes chances d'y rester. Alors, j'ai précipité le destin. J'ai mis le feu à la cabane et je me suis enfui avec sa voiture. Je ne voulais pas seulement qu'il meure. Je voulais qu'il souffre.

Le chien ressurgit et essaya de se faufiler sous un meuble. Jules et Adrien continuaient leur traque acharnée dans un concert de cris. Franck les couva d'un regard tendre, soudain déconnecté du monde. Lucie ne le quittait pas des yeux. L'homme qui se tenait devant elle donnait l'impression d'avoir un interrupteur au fond de la tête, capable de le faire instantanément basculer du noir au jour. Franck avait été schizophrène par le passé. Ces maladies-là ne disparaissaient jamais en totalité de l'esprit, elles s'y accrochaient comme des teignes, et il devait bien rester, au fond de son cerveau, une petite forêt de neurones défectueux.

— Faudra que je répare Poupette, fit-il. Pour eux. Leur héritage, tu comprends ?

— Tu as dit « la première fois », répliqua Lucie, la gorge serrée.

Franck acquiesça. Les os de ses mâchoires roulaient sous ses tempes. Il s'assura que les enfants soient hors de portée de voix puis lâcha :

— Il y en a eu deux autres.

Lucie reçut un vrai choc mais s'efforça de ne pas bouger. Sharko mettait son cœur sur la table, lui révélait ses plus intimes secrets. Il lui racontait le pire et, pourtant, jamais il n'avait paru aussi humain, aussi fragile. Avoir éliminé des ordures, les avoir empêchées de torturer, de tuer faisait-il de lui un homme mauvais ? Un père indigne ? Un assassin ? Combien de fois Lucie avait-elle pensé comme lui, combien de fois avait-elle eu envie d'aller au bout, de presser la détente face à des violeurs, des pédophiles qui vous riaient au nez et vous disaient, en présence de leur gamine de 10 ans, au beau milieu d'une salle d'audition : « J'ai attendu son dixième anniversaire pour lui faire sa fête… » ?

Mais elle n'avait jamais osé, là reposait sans doute sa différence fondamentale avec lui. Franck n'avait jamais volé un centime, touché à un gramme d'une quelconque drogue ni été corrompu de quelque façon que ce soit. Un flic intègre, droit dans ses bottes, mais qui marchait en permanence sur une terre fragile, celle des émotions à fleur de peau, celle où le père se trouve face au tueur d'enfants, celle où le citoyen affronte le bourreau responsable des pires tortures, celle où l'homme, en définitive, chasse le flic et devient un loup pour lui-même.

Mais il avait tué, lui aussi. Trahi son serment.

Un policier avait-il le droit de redevenir un homme dans l'exercice de ses fonctions ?

Franck avait tranché.

Au bout de quelques minutes, il avait tout craché, jusqu'au dernier mot poussiéreux enfermé depuis trop longtemps au fond de lui. Épuisé, vidé de ses forces comme après un marathon, il se leva jusqu'au bar pour se servir un verre d'alcool.

— Je ne suis pas un tueur de tueurs ni un justicier. Je n'ai pas de message à transmettre. Ce n'est même pas de la vengeance ni de la colère. Enfin si, parfois un peu. Mais ce sont surtout, chaque fois, des concours de circonstances. La possibilité d'aller au bout, d'écraser un parasite pour qu'il ne trouve plus de victime sur qui s'accrocher. Moi, j'ai fait mon choix, et je ne le regrette pas. Après tout ça, je comprendrais fort bien que… que ma demande en mariage soit compromise.

Deux bras menus se serrèrent autour de son torse. Lucie posa la joue contre son dos.

— Je crois que je vais l'aimer, ce petit chien roux, tout compte fait. Et je le vois bien sur notre future photo de mariage, aux côtés des garçons.

Franck se retourna et ils s'étreignirent longtemps, sans un mot. Juste des regards tendres, des larmes mêlées aux sourires complices. Ils s'étaient connus dans la douleur, la mort, comme d'autres se rencontrent dans la légèreté. Et les journées noires qu'ils traversaient en ce moment n'étaient que la combustion d'un amour bâti sur le négatif du bonheur. Il lui avait avoué l'inavouable et pourtant, cette nuit-là, elle l'aima comme elle ne l'avait jamais aimé.

Quand les enfants furent couchés, le chien enfermé dans la cuisine, ils se perdirent dans les draps, leurs corps brûlants enlacés jusqu'à l'épuisement. Ces confessions avaient été comme une libération, un éclair dans la nuit qui, certes, n'ôtait rien à leur culpabilité – elle était comme une toile d'araignée accrochée au fond de leur tête –, mais qui l'anesthésiait. À la lueur d'une veilleuse, Lucie reprenait son souffle et Franck le buvait, son verre de whisky, assis à même la moquette, le dos arrondi. Il écoutait les plaintes du jeune chien qui allait devoir se faire à sa nouvelle vie.

— Faut qu'on lui trouve un nom, à ce chien.

— Janus… Appelons-le Janus.

La réponse était sortie comme une évidence de la bouche de Lucie. Janus, le dieu romain des commencements et des fins. L'être aux deux visages opposés, l'un tourné vers le passé, et l'autre vers le futur.

Sharko approuva.

— C’est bien, Janus. Oui, j’aime bien.

Il resta ainsi un long moment, sans bouger, à observer son glaçon fondre dans le verre. Lucie se faufila dans sa nuisette et vint s’asseoir à ses côtés. Elle lui prit le verre des mains et le porta à ses lèvres.

— Merci, mon amour… de ta confiance.

— Ça va être dur de te plaquer avec tout ce que tu sais à présent. En cas de divorce, t’auras un paquet d’arguments contre moi.

— Tu ne seras pas en reste non plus.

Ils échangèrent un sourire. Lucie but une nouvelle gorgée.

— Jusqu’à présent, on n’a eu que de la malchance contre nous. La douille perdue, la présence de cette femme, cette histoire de poudre… Les choses vont forcément changer en mieux. Je vais être plus forte, je te promets.

— Je sais, Lucie. Il y a deux derniers petits trucs que tu vas devoir ajouter à ta liste. Le premier, c’est que Nicolas sait que le tueur de Ramirez est entré chez lui avec une clé, mais ça n’implique pas grand-chose dans ses déductions. Et le second, et ça, c’est beaucoup plus grave : ta sonnerie de portable. Mayeur l’a entendue.

— Mon Dieu.

— Mais elle ne l’a pas reconnue, elle ne se souvient même plus de l’air. On peut sans doute placer ça du côté « chance », dans la balance. Changer de sonnerie attirerait l’attention. Alors, à partir de maintenant, tu mets ton téléphone sur vibreur.

Il lui caressa le visage.

— On a affronté le plus dur. On n’a plus qu’à maintenir le cap. Treize personnes ont versé des larmes de douleur dans des éprouvettes, et on ne pourra pas empêcher Nicolas et les autres d'avancer. Alors, autant se ranger de leur côté et essayer de comprendre qui était ce type. Plus on s'enfoncera dans l'histoire de Ramirez, plus on s'éloignera de la nôtre. Nicolas et Manien vont interroger Mayeur toute la nuit, on en saura plus demain. Je vais partir au petit matin, tu me rejoindras une fois qu'on l'aura libérée, vers 11 heures. Après tout, on sera samedi.

Ils finirent le verre à deux, puis se couchèrent et éteignirent la lumière. Il était presque 2 heures.

— Franck ?

— Hum…

— Cette musique, elle va bien finir par lui revenir.

Franck grimaça dans le noir. Il y avait pensé, évidemment. Pour une fois, il n'avait pas encore la parade et espérait que la nuit lui porterait conseil.

29

Nicolas avait l'air de revenir d'une guerre des tranchées lorsque Franck le retrouva à la machine à café, tôt le lendemain matin. Chemise en vrac, tignasse grasse et des cernes à faire pâlir de honte Al Pacino dans *Insomnia*. Il déchira l'emballage d'une capsule, l'inséra dans la machine et déposa de la monnaie dans une coupelle.

— Mayeur est dans sa cage, elle dort un peu. Manien a bien pressé le jus. C'est un con fini, mais il faut avouer qu'il sait y faire quand il s'agit de pousser les gens à bout.

Au ton de Nicolas, Sharko devinait que l'orage entre les deux hommes avait éclaté.

— On ne tirera plus rien d'elle pour le moment, et il n'y a aucune raison de maintenir la GAV au-delà de vingt-quatre heures. Les propos de cette gamine sont en accord avec les éléments en notre possession. On a pu joindre le type qui l'a ramassée au bord de la route, cette fameuse nuit, et il a confirmé sa version. La nuit du 20, elle était à moitié débraillée et elle sortait des bois, le pied et le poignet en sang, dans un état de panique manifeste. Elle a refusé qu'il appelle la police et lui a juste demandé qu'il la raccompagne chez elle. Un tas d'éléments nous font penser qu'elle dit vrai et qu'elle n'a pas tué Ramirez.

— On en vient donc à la fameuse Pébacasi. Du neuf sur elle ?

— Non. Mayeur sait que dalle. Juste cette sonnerie de téléphone dont elle est incapable de nous fredonner la moindre note, de sa douce et jolie voix. Ça va forcément lui revenir, je lui ai filé ma carte et demandé de m'appeler dès qu'elle s'en souviendra. C'est une question de temps.

— Et la perquise ?

— Rien de fracassant. Profil de la jeune femme paumée en rupture totale avec ses parents, qui se perd sur des sites satanistes, écoute Marilyn Manson, a des armoires pleines à craquer de fringues bizarres et collectionne les bouquins de médecine, sur les dissections notamment. Un certain goût pour le sanglant, ce qu'elle ne nie pas. Mais ça n'en fait pas une coupable.

Nicolas sortit son paquet de cigarettes. Vide. Il le froissa et le balança à la poubelle comme on marque un panier.

— On a jeté un œil à son téléphone portable, rien de vraiment suspect. Sinon, Ramirez et Mayeur se sont connus il y a environ un an et demi, dans une boîte SM parisienne, le B&D Bar, dans le 1er. Mayeur, la petite chose fragile, aime recevoir des fessées sévères, si tu vois ce que je veux dire. Ils débutent une relation sadomaso, et c'est progressivement que Ramirez la convertit au satanisme. Rejet de la société, incitation à la haine, fréquentation de cimetières, on baise sur des tombes ou dans des catacombes et on emmerde le Seigneur. Après quelques mois, il l'initie à la déformation du corps, aux scarifications notamment, qui sont censées accentuer la rupture et marquer la métamorphose. Il lui parlait souvent de ça, la « métamorphose ». Et même *des* métamorphoses. Selon elle, ça l'obsédait. Leurs rapports allaient chaque fois un peu plus loin. Les chats, les sacrifices, la souffrance consentie qui s'accroît durant les rapports sexuels, surtout lorsqu'elle était en période de règles. Comme si Ramirez l'entraînait doucement dans l'obscurité.

Sharko voyait. Le principe des sectes, de l'endoctrinement, de l'emprise infernale sur des cerveaux manipulés. Il pensa à la fresque dessinée derrière la tapisserie, avec ces diables propulsant les individus dans les griffes du gourou.

— Et sur les fréquentations de Ramirez ?

— Rien. Elle n'a jamais croisé l'un de ses amis ni la moindre connaissance, Ramirez avait verrouillé cette partie de sa vie. Son téléphone ne sonnait presque jamais et elle confirme qu'il n'avait pas d'ordinateur. Pourtant, les satanistes fonctionnent par groupuscules, par clans, mais là-dessus et sur ce Pray Mev, on est complètement secs. Comme si Ramirez était ultraméfiant et se protégeait. Ou alors, il protégeait ses contacts. Mayeur nous a quand même lâché un truc anodin mais qui me semble intéressant : il l'emmenait toujours chez le même tatoueur/scarificateur, du côté de la porte de Clignancourt.

— Tu penses que c'est lui qui aurait fait le tatouage de la croix inversée et les scarifications dans les dos de Ramirez et du type du château d'eau ?

Nicolas lui tendit une adresse.

— Il y a de fortes chances. Tu t'y colles dès ce matin avec Robillard ? C'est toujours bien d'aller avec un balèze dans ce genre d'endroit.

Sharko fourra le papier dans sa poche.

— Sinon, Ramirez et Mayeur se voyaient assez souvent, mais il y avait des périodes d'une ou deux semaines où Ramirez coupait tout contact et lui interdisait de l'approcher. Quand elle le retrouvait après ces moments, il se passait chaque fois quelque chose de très particulier, la première nuit : Ramirez buvait du sang issu de poches du type de celles qu'on a retrouvées vides à la cave. Et après, il s'en couvrait le corps. Il était en transe quand il faisait ça. Et tu te rappelles, les barres verticales sur sa poitrine ?

Plutôt deux fois qu'une. Sharko les avait découvertes une première fois lorsqu'il avait déshabillé Ramirez avant de le mutiler. Il se contenta de hocher la tête.

— Eh bien, Ramirez se scarifiait la poitrine, devant elle. Une barre en plus, chaque fois, faite au scalpel. Et en réalisant son geste, le visage couvert de sang, il lui parlait du chaos qui s'abattrait bientôt sur la Terre par l'intermédiaire d'une génération d'êtres supérieurs tout droit échappés des Enfers. Il prétendait avoir rencontré le diable, ce taré, et lui être totalement dévoué. Enfin, tu vois, le genre de discours à tomber, mais qui cadre quand même avec l'idée d'un chef de meute.

Sharko imagina l'emprise que ce malade devait exercer sur Mayeur pour qu'elle ne s'enfuie pas en courant. Il se rappela la fresque sur le mur, le diable glouton, plus gros et plus fort que les autres. Était-ce de ce diable que parlait Ramirez ? S'agissait-il du fameux

Mev ? Le gourou d'une secte satanique non référencée ?

— Et d'où venait le sang des poches ?

— Pour elle, des chats. Mais toi comme moi, on a vu les photos du type du château d'eau. L'artère sortie de son bras avec la canule. Canule, poche de sang, ça va ensemble, non ? Et puis, on sait à quoi rattacher ces treize scarifications…

— … Aux treize tubes de larmes. Aux treize personnages du tableau… Tu penses que Ramirez a arraché des larmes et du sang à des victimes pendant ces périodes où il refusait de voir Mayeur ? Et que, lorsqu'il la revoyait, il fêtait ça à sa manière, en se gavant d'hémoglobine ? En se scarifiant ?

— J'en sais rien, mais c'est bien possible. Quand Mayeur l'a connu, il avait sept ou huit scarifications. Le *processus* était déjà en marche. Depuis quand ? Pourquoi ? Où sont tous ces individus dont il nous reste, pour seules traces, des larmes de douleur et des visages sur une fresque ? Est-ce que Ramirez était juste un putain de pervers, ou il y a autre chose derrière ? S'il s'est représenté comme étant l'un des diables, qui sont les deux autres ? Et dernier point, et non des moindres : qui l'a tué, et pourquoi ?

Il termina son café dans une grimace.

— J'en ai tellement bu que j'ai l'impression qu'il n'y a plus que cette saleté de caféine qui coule dans mes veines. Je vais essayer de dormir une paire d'heures. Reste branché, j'ai laissé un message tôt à Chénaix en lui expliquant ce que Mayeur a dit au sujet des sangsues : le fait que Ramirez récoltait une substance dans des bocaux. Je lui ai dit de te rappeler si je ne répondais pas. Au fait, Lucie n'est pas là ?

— T'as vu l'heure ? On est samedi et on a des gosses, je te signale.

Nicolas regarda sa montre.

— 6 h 30, c'est vrai. Le week-end… Je ne sais même plus dans quel monde je vis.

Une fois seul, Sharko prépara un autre café, se traîna au fond du couloir et lorgna par la fenêtre de l'une des cellules de garde à vue. Mélanie Mayeur était couchée sur le béton, son blouson en guise de couverture. Il tira le gros loquet métallique, dont le bruit réveilla la jeune femme.

— Tiens, un café, ça te réchauffera. Fait toujours froid, ici.

Elle se redressa, ses mains étaient percluses de petites taches violacées.

— Merci…

Sharko s'assit à ses côtés. Elle se décala jusqu'à se retrouver dans l'angle de la pièce, comme un aimant repoussé par un autre.

— On a un peu piétiné ta vie, mais c'était nécessaire. Tu comprends, au moins ?

Elle trempa ses lèvres dans la boisson, l'air apeuré, ce qui pour Sharko était une réponse en soi.

— C'est bien. Dans quelques heures, tu seras dehors, le temps que le chef règle la paperasse. Tu reprendras ta vie comme avant. Tu vas aller découper ta bidoche, tu ne vas pas faire de vagues et tu vas t'arranger pour qu'on n'entende plus jamais parler de toi. Bien compris ?

Sharko parlait sur un ton ambigu, entre le conseil et la menace à peine voilée. Elle acquiesça, les deux mains autour de son gobelet.

— Parfait. T'es sûre que tu nous as bien tout raconté ? Que tu n'as rien caché ? Parce que, si on découvre que tu nous as menti ou que tu n'as pas tout dit, ce ne sera pas bon pour toi.

— Je n'ai rien caché.

Le flic prit son portefeuille dans sa veste, en sortit une carte de visite et un stylo. Il barra le numéro professionnel pour y inscrire son numéro personnel dessous. Puis il l'enfonça dans la poche du jean noir de son interlocutrice.

— Au cas où des souvenirs te reviendraient, quels qu'ils soient.

— Votre collègue m'a déjà donné sa carte.

— Fais voir.

Elle la piocha dans la poche de son jean. Sharko la scruta et l'empocha.

— C'est sa vieille carte, il ne fait jamais attention. T'aurais pu essayer de l'appeler tant que tu veux, le numéro n'est plus valable.

Il quitta la cellule, à moitié soulagé. L'affaire ne se goupillait pas trop mal. Une fois dans l'open space, encore vide à cette heure-là, il déchira la carte de Nicolas, qu'il fourra tout au fond de sa corbeille. Puis se planta devant la fenêtre.

Paris se réveillait au rythme des premiers travailleurs et des joggers matinaux, engoncés dans leurs tenues multicolores. Les quais se mirent à étinceler sous le halo vif du soleil levant. Le flic avait dû les user rien qu'à les regarder, ces quais, depuis toutes ces années qu'il travaillait dans ce lieu mythique. *36, quai des Orfèvres*.

Dire que, dans deux ans, tout serait fini, les services de la PJ s'encastreraient dans de nouveaux locaux, à Clichy-Batignolles. Sharko n'avait jamais rien connu d'autre que le 36. Ses cent quarante-huit marches usées jusqu'à la corde, ses odeurs de vieux bois et de tabac, ses mansardes agonisantes, ses bureaux exigus, son séchoir où l'on entreposait parfois les vêtements faisandés des cadavres, juste sous les toits en zinc. On atteignait peut-être quarante degrés sous les combles en plein été, les locaux crachaient leur dernier souffle, mais c'était chez lui. Bon Dieu, ils n'auraient pas pu attendre encore dix ans, ces crétins de décideurs ? Le déplacer revenait à planter un cèdre du Liban en Sibérie, il n'y survivrait pas.

Mais, assurément, les bureaux des Batignolles seraient toujours mieux qu'une cellule de neuf mètres carrés. Dans un soupir, il lorgna l'adresse du tatoueur fournie par Nicolas. Il laissa Robillard boire son lait protéiné goût vanille, et ils se mirent en route.

30

Clignancourt, boulevard Ornano, du côté du pont, sous le périphérique. Une espèce de quartier fourre-tout où se mêlaient bobos, petite délinquance, contrebande, contrefaçons, vol à la sauvette, mendicité. Un lieu haut en couleur toujours encombré, un vrai goulot d'étranglement pour les véhicules où les règles du code de la route n'existaient que pour les chiens. Les flics voulurent se frayer un chemin à grand renfort de deux-tons dans cet enfer de tôle et de coups de klaxon, mais c'était peine perdue : même la police ne faisait pas autorité. Ils se garèrent plus loin en catastrophe, avec le carton de police bien en évidence au-dessus de la boîte à gants.

Magic Tatoo se résumait à une façade noire entre deux immeubles, pas loin du croisement entre les rues Paul-Bert et Jules-Vallès, à Saint-Ouen. Une poignée de bijoux en vitrine, des photos de tatouages plutôt sombres et torturés. Plus loin s'affichaient trois mots, les uns sous les autres : « *Piercing*, *tatouages*, *scarifications* ».

9 h 33. La boutique venait à peine d'ouvrir.

Sharko poussa la porte. Une sonnerie aux faux airs de thrash metal leur agressa les tympans. L'intérieur ressemblait à une espèce de saloon pour bikers en Harley. Cadres avec des têtes de mort, crânes d'animaux à cornes, cartes à jouer géantes, avec des têtes de bouc à la place des visages. Derrière le comptoir se côtoyaient des modèles de tatouages réalisés sur des corps pris sous tous les angles. Robillard désigna une feuille scotchée, écriture manuscrite.

— « Pour la pose de crocs, contactez le patron. » Ils se mettent des crocs, maintenant, pire que des clébards. Mais où on va, là ? Où on va ?

En parlant du patron… Florent Layani, c'était son nom, asperge aux longs cheveux noirs, tatoué jusqu'à la base du cou, traînait le pied depuis l'arrière-boutique. L'air las – une vraie gueule de lendemain de fête –, il leur adressa un pâle bonjour et se cala derrière son comptoir.

— Y veulent quoi, les messieurs ?

De gros plombs pendaient aux lobes de ses oreilles, qui ressemblaient de ce fait à des tartines de pain déformées. Layani avait scanné Sharko et vite compris que l'homme en costume-cravate ne venait certainement pas se faire tatouer une Vierge sur le sexe. Peut-être pour l'autre musclé, derrière ? Franck la joua plutôt mystère.

— Niveau croix religieuse, qu'est-ce que vous proposez ?

Le propriétaire des lieux hésita, surpris par cette requête si matinale, sortit un album d'un casier et le poussa devant lui.

— C'est comme entrer dans un pub écossais et demander ce qu'ils ont comme whisky. Le tatouage croix est l'un des plus répandus, il y a tout ce que vous voulez. Catholique bien sûr, celtique, tribale, gothique, égyptienne.

Le flic feuilleta en vitesse les différents types de tatouages proposés, avec cette apparente nonchalance des grands fauves.

— Et niveau satanique ? Je ne vois rien.

Layani le fixa soudain avec une méfiance de vieux renard. Il prit l'album et le retourna simplement.

— Voilà.

— Le monsieur fait dans l'humour, releva Robillard.

Sharko ne se priva pas d'un sourire mais décida de changer de braquet. Il posa sa carte sur le comptoir, ainsi qu'une photo.

— On te laisse jeter un œil. Après, on discute.

Le tutoiement s'imposait. Le tatoueur prit la photo de Ramirez en pose devant sa moto et la lorgna. Sa bouche était fine et immobile, ridicule trait rose sur un visage tout en arêtes. Néanmoins, un spasme presque invisible agita sa lèvre supérieure. Il repoussa la photo vers le flic. Robillard faisait le tour du propriétaire, intéressé par les tatouages.

— Je devrais peut-être me faire une pin-up, un jour, sur le biceps. T'en penses quoi ?

— Pas bon. Un jour, t'auras moins de muscles, et elle se transformera en Mère Denis.

— Qu'est-ce que vous voulez, bon sang ?

— Parle-nous de lui.

Florent Layani plaqua ses deux mains à plat sur le comptoir, pitbull en position d'attaque.

— J'ai rien à dire sur lui. Un client comme un autre.

Sharko balança cette fois une autre photo de Ramirez, en version cadavre mutilé. Le chevelu mal réveillé grimaça à la vue des sangsues au bord des plaies.

— Comme tu vois, il n'est pas vraiment un client comme les autres.

D'abord figé, Layani finit par secouer la tête.

— Il est bien mort, ouais, on peut pas le nier. Mais ça me concerne pas, j'ai rien à vous dire. Ce type, je le connais pas.

Robillard resta en retrait, conscient que Sharko n'était pas d'humeur. Le spectacle allait en valoir la chandelle, surtout que la grosse veine commençait à apparaître au milieu du front de son collègue.

— Tu lui as percé le gland avec une tige qui finit en tête de bouc, scarifié le dos avec trois mots, *Blood*, *Death*, *Evil*, et tatoué une croix religieuse inversée sous le pied gauche pour que, tous les jours, il emmerde Dieu…

Franck dévisagea le tatoueur.

— Tu me dis encore une fois non, et on te traîne jusqu'au 36 en te tirant par les gros plombs de canne à pêche qui pendent à tes oreilles.

Layani comprit que son interlocuteur ne plaisantait pas, se précipita vers l'entrée de sa boutique et retourna la pancarte « FERMÉ ». Il revint d'un bon pas et plaqua la carte tricolore sur le torse du policier.

— Remballez ça. Vous n'auriez pas dû venir ici, bordel ! Je veux surtout pas de pépins avec ces gars-là.

Ces gars-là... Sharko sentit la vibration au fond de son ventre. Trois certitudes : d'une, ce croque-mort avait bien fait les scarifications et le tatouage de la croix inversée à Ramirez. De deux, Ramirez n'agissait pas seul, un ou plusieurs autres diables œuvraient à ses côtés. Et de trois, le gaillard mourait de frousse. Robillard s'approcha.

— Accouche.

— Je sais rien d'eux, d'accord ? Ni qui ils sont ni comment ils s'appellent. Il y a ce type de la photo, là…

— Ramirez.

— Si vous voulez. Il venait, lui ou un autre gus, mais ils débarquaient jamais en même temps. Ils étaient toujours accompagnés par d'autres mecs : des nouveaux chaque fois, à tatouer ou à scarifier selon le même rituel.

— Tu veux dire que les deux hommes, Ramirez et un autre, jouaient les accompagnateurs ?

— Accompagnateurs, ouais, on peut dire ça. Mais ça avait rien à voir avec des airs de colo de vacances.

— Et le rituel, en quoi il consistait ?

— Pour les petits nouveaux, ça commençait toujours par les scarifications dans le dos. *Blood*, *Death*, *Evil*. Même endroit, même ordre, chaque fois, c'était très précis. Puis l'accompagnateur et le nouveau revenaient trois ou quatre semaines plus tard pour la perforation du sexe avec l'*ampallang*. Et, après plusieurs semaines, une croix inversée au pied gauche, marquée du terme « *Pray Mev* ». C'était la dernière étape. Après ça, le nouveau, je le revoyais plus.

Le flic songea à des cercles initiatiques. Pour obtenir la croix sous le pied et faire définitivement partie du clan Pray Mev, il fallait franchir des étapes qui prenaient du temps. Un moyen de s'assurer de la fidélité et du dévouement des disciples.

— Pray Mev, c'est quoi ? demanda Robillard.

— J'en sais rien. Vous ne trouverez pas cette croix dans mes catalogues, c'est leur modèle à eux, leur sigle. Je le reproduisais, ils me payaient en liquide, c'est tout. Rien d'illégal là-dedans.

— Ces nouveaux, c'étaient des hommes ?

— Que des hommes, oui. Des jeunes, je sais pas, la vingtaine. Il y avait pas mal de mecs sortis des banlieues, je sais les reconnaître, ces types-là. Leurs fringues, leurs manières…

Sharko pensait à Mélanie Mayeur. Rien de tout ça pour elle. Elle n'appartenait pas au cercle.

— Ils constituaient un groupe satanique ?

— Vu ce qu'ils demandaient, faut pas sortir de Saint-Cyr pour le deviner.

Le flic montra une autre photo, celle du cadavre du château d'eau.

— Et lui ? Il est venu chez toi ? On l'a découvert il y a trois semaines dans l'Yonne. Pas frais, mais regarde la tache à son cou. T'es tatoueur, t'as forcément dû faire gaffe à ça. Est-ce que ça te parle ?

— C'est l'hécatombe, votre truc. Je… Écoutez, j'ai pas envie de…

Sharko agita avec nervosité la photo devant lui.

— Ne nous fais pas perdre notre temps. Ça te parle, oui ou non ?

— Ouais, cette tache à la gorge, je me rappelle, tu m'étonnes, on dirait une carte de la Russie. Il est bien venu plusieurs fois. D'abord tout seul pour se faire tatouer les bras. Ça remonte à… au moins un an et demi. Il se rencardait sur les satanistes, il posait des questions.

— C'était un journaliste ?

— Dans ce genre-là, ouais. J'étais pas le premier tatoueur qu'il contactait, il faisait un peu le tour des boutiques du coin. J'ai été sympa, je lui ai filé une adresse où on pouvait en croiser de temps en temps, des satanistes. Le B&D Bar. C'était le meilleur moyen de les approcher, au fin fond d'un cachot ou dans une backroom bien humide, là où on vous pose pas trop de questions, si vous voyez ce que je veux dire…

Franck et Pascal échangèrent un rapide regard. Le B&D Bar, là où Ramirez avait rencontré Mayeur.

— Qu'est-ce qui s'est passé ensuite ?

— Il est revenu peut-être six ou sept mois plus tard, accompagné par… ce Ramirez. Et… je me souviens bien, il avait eu une réaction bizarre en entrant, il a fait les gros yeux et posé vite fait son index devant ses lèvres. J'ai compris que je devais la fermer, et pas dire un truc du genre : « Ah, c'est vous le mec qui voulait rencontrer des satanistes, l'autre fois ? » De toute façon, j'avais tout intérêt à ne pas trop la ramener, moi non plus. Je voulais pas me frotter à ces gars-là.

Sharko commençait à entrevoir un scénario possible. L'anonyme du château d'eau cherche à se rencarder sur les satanistes, il parcourt plusieurs boutiques de tatouages, se met à fréquenter le B&D Bar, s'infiltre, rencontre Ramirez, gagne sa confiance, au point qu'il revient ici, six mois plus tard, pour franchir les étapes d'appartenance au clan. Les scarifications, le piercing, l'ultime tatouage sous le pied… Problème : il finit par être démasqué. Il est torturé dans le château d'eau pour cracher tout ce qu'il sait, puis assassiné. On gomme tous ses signes d'appartenance au clan pour éviter que les flics ne se mettent à enquêter sur Pray Mev.

— Les « nouveaux » et leur accompagnateur se connaissaient bien ? Des amis ?

— On pouvait pas dire que c'était la joie. Pendant que moi je faisais le boulot sur les nouveaux, Ramirez ou l'autre accompagnateur restait derrière. Pas un mot d'échangé, rien. Quand je voulais nouer la conversation, on me répondait pas. C'était aussi silencieux que dans une morgue, ici.

— Parle-nous du deuxième homme, l'autre accompagnateur.

— Il causait pas, le mec. Des cheveux bruns ou gris, ça dépendait, peut-être qu'il faisait des colorations, et assez courts. J'ai jamais vu ses yeux, il portait toujours des grandes lunettes de soleil. Je sais pas quel âge il avait. Assez âgé quand même, la cinquantaine, je dirais. C'est dur à dire vu la taille des verres fumés. Mais il avait des rides au front bien parallèles, et bien profondes, comme s'il s'était fait labourer la tronche par une charrue.

Sharko jura intérieurement, à cause des lunettes, c'était cuit pour le portrait-robot.

— Pourquoi t'as peur d'eux ?

— Je vous l'ai dit : parce qu'ils me parlaient pas, ils parlaient pas non plus entre eux. Ils entraient sans rien dire, froids comme des plaques mortuaires. Ces deux types me fichaient vraiment les jetons, surtout l'autre avec ses lunettes et ses rides. Pas le genre à emmerder. Fallait juste que je fasse le job. Pas de questions. Croyez-moi, je me suis rencardé dans le milieu pour essayer de savoir qui ils étaient. Mais Pray Mev, personne connaît, ils se mêlent pas aux autres. Des invisibles…

Layani inclina la tête, ses plombs s'agitèrent. Sharko se demanda si ses oreilles n'allaient pas tomber par terre.

— … Vous savez, quand je scarifie ou que je perfore, il y a toujours une forme de peur, d'angoisse dans le regard des clients. Surtout quand on touche aux zones sensibles comme le sexe. Pas eux. Pas eux, putain. Imperturbables comme la mort.

— Combien de fois ils sont venus ? Depuis quand ?

Il haussa les épaules.

— Bah, je sais plus. Je dirais que ça a commencé il y a trois ans. D'abord le mec aux lunettes de soleil… Puis Ramirez. Ils ont demandé les scarifications, les croix sous les pieds. C'est après ça qu'ils ont commencé à venir avec les nouveaux.

La naissance du clan, songea Sharko. Il rebondit avec d'autres questions :

— Combien de fois sont-ils venus depuis le début ? Combien de types tatoués et scarifiés en trois ans ?

— J'en sais rien… Je dirais une quinzaine… Peut-être plus ?

Aucun doute : Ramirez et l'homme aux lunettes bâtissaient une armée de l'ombre, qui grossissait depuis des années. Dans quel but ?

— C'était quand, la dernière fois ?

— Je les ai pas vus depuis la fin juillet. Et c'est tant mieux. Je sais pas s'ils se pointeront encore ni quand (il hocha le menton vers la poche de Sharko), enfin, lui, il viendra plus, c'est sûr…

Et le type aux lunettes non plus, Sharko le savait. Les morts successives de l'inconnu du château d'eau puis de Ramirez avaient dû provoquer pas mal de remous dans leur groupe.

— … Les satanistes, c'est pas ce qui manque, vous en trouverez sur n'importe quel forum Internet, poursuivit le tatoueur. Ils se cachent pas, en réalité, j'en tatoue régulièrement. Les mecs s'affichent, le revendiquent. Le maquillage, les piercings partout, le black metal à fond dans les oreilles, les 666 imprimés sur la verge. Ils ont que des noms comme King Diamond ou Anton LaVey à la bouche quand ils viennent ici. Mais ceux dont vous parlez, ils étaient pas pareils. De vrais taiseux. Certains étaient des jeunes en rupture, bien haineux, ça se voyait dans leurs yeux. Je savais que ça puait le truc pas clair, mais que voulez-vous que je fasse ?

Sharko se rappelait les propos de Lucie, le soir de la mort de Ramirez. La façon dont il s'était jeté sur elle, son regard imperturbable, glaçant comme celui d'un serpent. Animé de la farouche volonté de la tuer. Il parla de Mélanie Mayeur, mais Layani ne lui apprit rien. Cependant, contrairement aux autres, Mayeur avait morflé et crié au moment des scarifications, ce qui confirmait ce que pensait Sharko : elle n'appartenait pas au clan. Juste une distraction pour Ramirez ? La témoin de sa folie ? Un défouloir sexuel entre deux meurtres ?

Qui étaient tous ces gens qui venaient se faire marquer comme des bêtes ? Le tatoueur parlait de jeunes de banlieue. Des types sans repères, furieux, facilement récupérables par le biais idéologique. Sharko pensa aussi aux deux diables de la fresque cachée de Ramirez, qui amenaient les kidnappés vers le gros diable rouge glouton de l'arrière-plan. Pourquoi ? Quel sombre lien unissait tous ces individus passés entre ces murs ? S'il s'agissait d'un groupuscule extrémiste ou d'une secte, quel en était le but ?

Les flics posèrent encore des questions et décidèrent qu'il serait intéressant de profiter des dernières heures de garde à vue de Mayeur pour la confronter au propriétaire de Magic Tatoo. Sous pression, l'homme « accepta » de fermer boutique et de les accompagner au 36.

Une fois dans les locaux du Quai des Orfèvres, Robillard s'occupa de Florent Layani, tandis que Franck fit un point rapide à l'équipe et Manien : si Ramirez était bel et bien mort, il restait au moins un autre diable, le type aux lunettes de soleil et aux rides profondes. Il parla des allers et retours avec les « nouveaux », des différents niveaux de marquage : les scarifications, le piercing, puis le tatouage sous le pied, qui signait sans doute l'appartenance définitive au groupe Pray Mev.

La sonnerie du téléphone de Jacques mit un terme à leur réunion. Manien partit rejoindre Robillard. Quand Levallois raccrocha, il serra le poing.

— J'ai quelque chose !

Franck et Lucie levèrent la tête.

— Il y a eu un truc un peu sorti de l'ordinaire ces derniers temps dans le coin de Louhans. L'effraction d'une maison individuelle dans un village à dix bornes de la ville où Ramirez a fait le plein d'essence. Ça s'est passé dans la nuit du 31 août au 1er septembre.

La nuit de la mort dans le château d'eau. Tout s'accélérait, et Sharko ignorait s'il fallait prendre cela comme une bonne nouvelle. Cette piste qui s'ouvrait n'allait-elle pas leur nuire ? Jacques se leva, alla à l'imprimante puis vint poser sur le bureau de son collègue l'impression couleur d'un visage.

— Je te présente Willy Coulomb, 29 ans. C'était sa baraque. Enfin, celle de ses parents, pour être plus précis.

Il s'agissait d'un jeune homme brun aux yeux bleus qui captaient la lumière, avec cette marque caractéristique à la gorge qui ôtait toute forme de doute.

Les flics tenaient devant eux la proie du château d'eau.

31

Jacques rapporta une chaise et vint s'asseoir à côté de son collègue. Il étala les différentes impressions couleur des pièces jointes, issues des mails envoyés par les gendarmes. Lucie se tenait à côté d'eux, inquiète et silencieuse.

— Bon, c'est un peu compliqué, et après plus d'une heure d'entretien avec un gendarme qui n'a jamais dû mettre le nez en dehors de son bled, je vais essayer de vous expliquer au mieux. L'effraction a eu lieu à Frontenaud, village de huit cents âmes à une dizaine de bornes de Louhans. Elle concerne le domicile des Coulomb et a été constatée le 1er septembre au matin par le facteur.

Jacques montra une autre photo à Sharko, qui siffla entre ses dents.

— Sacrée baraque.

— Pas mal, oui. Ses propriétaires vivent et travaillent en Floride depuis trois ans, dans l'immobilier. Une fois l'effraction constatée, les gendarmes de Louhans ont appelé le père, qui est rentré en France deux jours plus tard.

Jacques écrasa son index sur le visage de la victime.

— Willy est le fils qui occupait en partie les lieux en l'absence de ses parents. Il est scénariste dans l'audiovisuel, il écrit de temps en temps des fictions pour la télé et développe des projets pour le cinéma. Un indépendant qui fait pas mal d'allées et venues entre la maison de Frontenaud et Paris, où il loue parfois un appartement pour quelques semaines ou alors réside à l'hôtel, suivant sa charge de travail et l'état d'avancement de ses projets. Mais, d'après le père, c'est vraiment cette maison de Bourgogne son point d'attache, là où il écrit ses histoires.

Levallois lisait ses notes.

— Concernant l'effraction, c'est simple : porte d'entrée forcée. Les voisins n'ont rien entendu. Selon toute vraisemblance, rien n'a été volé, juste de la paperasse retournée dans le bureau de Willy. Mais, d'après le père, le fils a toujours été bordélique, donc impossible de savoir si le cambrioleur a mis le nez dans ce bureau.

— Ramirez a torturé et tué dans le château d'eau, puis il a roulé et est entré dans cette maison pour y prendre quelque chose, forcément, fit Lucie.

— Autre fait étrange : tous les miroirs de la maison, sans exception, sont fendus sur leur longueur, selon la forme d'un éclair. Et toutes les ampoules ont été brisées, de la cave à l'étage.

Sharko parcourut une à une les impressions couleur. Les miroirs cassés, les ampoules en miettes… Il existait là un rapport évident avec la lumière. Il se rappelait le miroir dans la cave de Ramirez, abîmé lui aussi. Un lien avec le satanisme ? Il se focalisa sur les photos du bureau de Willy. Livres empilés, des feuilles dans tous les coins, une décoration surchargée d'affiches de films, de figurines. Il les tendait au fur et à mesure à sa compagne.

— Je ne vois pas d'ordinateur...

— Willy avait un ordinateur portable, d'après le père. Plus pratique quand t'es scénariste. Aux dires du facteur, rien n'indiquait la présence de Willy dans la maison les jours précédant l'effraction. La dernière fois qu'il l'avait vu remontait à plusieurs semaines. Courrier qui s'accumulait, pas de voiture dans le garage, poubelles vides.

Sharko songea au trajet de Ramirez, cette nuit-là. Il avait tracé la route après son meurtre. Suite aux aveux de sa victime, devait-il récupérer un objet, un document, l'ordinateur ?

— Bref, une fois de retour en France, le père a essayé de joindre son fils sur son téléphone, en vain. Il a géré la paperasse, fait changer la porte et il est reparti pour des obligations professionnelles.

— Reparti ? Sans nouvelles de son fils ?

— Willy ne donnait plus signe de vie depuis des mois et ne répondait presque plus aux messages de ses parents ou alors, parfois, avec beaucoup de retard. C'est pour ça que, sur le coup, le père ne s'est pas inquiété. Ç'aurait pu s'arrêter là, mais ce père a rappelé les gendarmes il y a une semaine pour savoir où ils en étaient dans leurs recherches sur Willy Coulomb. Là, gros malentendu : aucune plainte n'ayant été déposée pour disparition inquiétante de personnes, eh bien, les gendarmes...

— ... n'avaient pas bougé le petit doigt.

— Bingo. Personne ne recherchait Willy. Et si le père s'est soudain alarmé, c'est parce qu'il venait de recevoir l'appel d'une certaine Juliette Delormaux, qui voulait elle-même savoir si ce père avait eu des nouvelles de Willy. Vous me suivez ?

Sharko se gratta la tempe droite, l'œil sur les gribouillis et les flèches sur le carnet de son collègue. Lucie acquiesça.

— À peu près. Pour résumer, une effraction, un fils qui habite la maison de ses parents mais pas toujours à cause de son boulot, une absence qui n'inquiète personne, tout au moins au début… Et cette Juliette, qui est-elle ?

— Une amie, une petite amie, je ne sais pas. Elle aurait connu Willy il y a longtemps lors d'un stage de formation au métier de réalisateur dans une école de cinéma de la Seine-Saint-Denis. Je n'en sais pas beaucoup plus.

Sharko écrasa son index sur un numéro de téléphone portable.

— C'est le numéro de la fille ?

Levallois confirma. Franck le récupéra puis fixa Lucie.

— Vois avec Manien, qu'il se charge de prévenir les gendarmes de Dijon de l'identité du corps du château d'eau et alerte le père pour qu'il rentre en France. Et j'aimerais qu'on fasse fouiller son bureau de fond en comble. Tu peux suivre ça ?

— C'est comme si c'était fait.

— Parfait. Jacques, j'aimerais que tu te rencardes sur la boîte SM, le B&D Bar, c'est là que Mayeur et Ramirez se sont rencontrés et que ce… Willy Coulomb a pénétré le milieu des satanistes, je pense. Moi, je m'occupe de la fille.

32

— Franck ? C'est Chénaix. Je t'appelle suite au message que Bellanger m'a laissé cette nuit concernant les sangsues.

Sharko venait de doubler le Stade de France, direction la Cité du cinéma à Saint-Denis. Les studios de Luc Besson. Une heure plus tôt, il avait laissé un message sur le portable de Juliette Delormaux, et elle l'avait rappelé un quart d'heure plus tard. Ils s'étaient donné rendez-vous dans les studios. Sharko avait juste dit vouloir lui parler au sujet de Willy sans lui délivrer davantage d'informations.

— Je roule, mais je t'écoute.

— Tu te rappelles, les croûtes sur les genoux quand on était mômes ? C'est ce qu'on appelle la coagulation. Dès qu'il est au contact de l'air libre, le sang perd sa fluidité à cause des plaquettes qui se collent les unes aux autres, et il durcit en quelques minutes. Système de protection très efficace contre les hémorragies. Sauf si le sang contient un anticoagulant…

Bruit de mastication. Chénaix devait en profiter pour casser la croûte.

— Merci pour le cours. Et ?

— Les sangsues produisent de l'hirudine, l'un des anticoagulants les plus puissants au monde. Elles la sécrètent naturellement lorsqu'elles se fixent sur la peau, sinon elles ne pourraient pas se nourrir. Quelques gouttes de leur salive suffisent à fluidifier des litres de sang.

— C'est donc pour ça que Ramirez les élevait ? Pour l'hirudine ?

— On peut le supposer. Tu les stimules, tu récupères leur salive, et le tour est joué. Certaines entreprises pharmaceutiques ont des élevages, ça s'appelle l'hirudiniculture.

— Et pour les stimuler, il faut les nourrir. D'où les chats, qui servaient de réservoirs à sang.

— Exactement. Et vu le nombre de sangsues et de chats que vous avez retrouvés dans son jardin, il devait récupérer de belles quantités d'hirudine, et pas depuis hier. De quoi liquéfier des dizaines de litres de sang. Ce type ne jouait pas dans l'équipe amateur, si tu vois ce que je veux dire.

Des dizaines de litres… Sharko essaya d'imaginer la scène : Ramirez, dans sa cave, armé de son scalpel et de ses fioles, arrachant les sangsues à leurs malheureuses proies pour prélever avec soin leur salive et la stocker dans des récipients. Et ce depuis des mois, des années. Avait-il commencé à agir à la naissance du clan ? Une autre connexion se fit dans son esprit.

— Sans hirudine, Ramirez n'aurait pas pu prélever le sang de Willy Coulomb, c'est ça ?

— Qui est Willy Coulomb ?

— La victime du château d'eau, on l'a identifiée ce matin.

— C'est ça. Enfin, à peu près. Disons qu'il aurait pu le prélever, mais pas le stocker ni l'ingérer plus tard. Sans anticoagulant, le sang se serait très vite collé au récipient comme du ciment. J'ai lu le rapport médico-légal de Coulomb, donc, et le schéma de l'ensemble me semble évident : tu vides d'un côté, et tu remplis directement des poches contenant un peu d'hirudine de l'autre. Ça te permet de stocker le sang sans qu'il se dégrade.

Sharko ralentit et se gara sur le bas-côté. Il avait en tête ce que lui avait raconté Lucie au sujet du syndrome de Renfield et la soif de sang de Ramirez, mais il voulait l'avis du légiste.

— Tu sais pourquoi il avait ce besoin d'ingérer du sang ?

— Un rapport avec ses convictions satanistes ? Parce qu'il aimait ça ? Certains sont accros à son goût et s'en boivent un verre de temps en temps comme toi tu bois un verre de rouge. En fait, il y a tout un tas de raisons qui expliquent l'ingestion de sang. Ça va du fétichisme pur au vampirisme, en passant par des pathologies d'ordre psychiatrique…

Sharko se rappelait les destins sordides d'une catégorie bien précise de tueurs en série qui buvaient le sang chaud de leurs victimes. Richard Chase, Peter Kürten, de véritables vampires. Après son propre sang et celui des animaux, Ramirez avait-il éprouvé le besoin de boire du sang humain ? Un malade sanguinaire ? Comme disait le légiste, un vampire des temps modernes ?

— Je n'ai pas encore fini, Franck. J'ai observé attentivement les photos du corps de Coulomb, il y a autre chose qui m'a frappé : la manière dont Ramirez a procédé pour prélever le sang de sa victime. Il n'a rien laissé au hasard.

— Genre ?

— D'une part, il s'est attaqué à des artères et non des veines. Tu connais la différence ?

— Une histoire d'oxygène ?

— Exact. Le sang qui circule dans les artères est du sang neuf, bien rouge parce qu'il est gorgé d'oxygène. Le sang des veines est appauvri, plus sombre, l'oxygène ayant été consommé par les muscles.

— Il cherchait la qualité.

— On peut dire ça. Et, d'autre part, euh… C'est encore plus troublant et ça devrait te plaire. J'ai analysé en détail la manière dont Ramirez s'y était pris : l'incision de l'avant-bras, la sortie de l'artère radiale, la canule… J'ai fait appel à mes vieux souvenirs de fac. C'était de cette façon qu'on procédait pour les premières transfusions sanguines, au début des années 1900. La méthode de Crille… On reliait l'artère radiale du donneur à une veine du receveur. La différence de pression sanguine entre veine et artère faisait que le sang se transfusait naturellement du donneur au receveur. Comme pour des vases communicants.

Franck fronça les sourcils, pas certain de bien comprendre où Chénaix voulait en venir.

— Qu'est-ce que tu essaies de me dire ?

— J'ai ressorti le corps du frigo pour observer les avant-bras de Ramirez. J'avais constaté la présence de traces d'aiguille sur l'avant-bras gauche lors de l'autopsie, c'est notifié dans le rapport. Il n'est pas impossible que Ramirez, au lieu de boire le sang, se le soit directement injecté alors que sa victime était encore vivante.

— Bon Dieu…

— J'ai aussi comparé les groupes sanguins. Coulomb, groupe O, rhésus positif. Ramirez, groupe A, rhésus positif. Techniquement, Coulomb pouvait « donner » son sang à Ramirez sans risque de choc transfusionnel.

Sharko en croyait à peine ses oreilles. Deux hommes au sommet d'un lieu isolé. L'un attaché, torturé, charcuté, l'artère radiale sortie de sa chair. L'autre, qui enfonce dans ses veines une aiguille avec un tube relié à l'artère étrangère. Le sang qui quitte l'un pour nourrir l'autre… Puis les poches stériles qu'on remplit, les massages cardiaques, pour ne pas gaspiller la moindre goutte du précieux liquide. De la folie pure.

— Franck ? T'es toujours là ?

— Oui, je… J'intégrais tes déductions.

— Boire le sang, ce n'est pas grave, si je peux m'exprimer ainsi, mais se l'injecter, c'est une autre affaire. D'une part, il ne faut pas trop t'en injecter si tu ne veux pas basculer en surpression et te faire exploser le cœur. Ou alors, tu te saignes d'un autre côté, histoire d'évacuer le surplus, ce qui n'est pas impossible vu les cicatrices sur son corps. Enfin, je te laisse imaginer le risque d'une telle opération. Sida, hépatite, bref, tout un tas de saloperies peuvent transiter ainsi d'un corps à l'autre. Sans oublier ce fameux choc transfusionnel, qui peut provoquer de sérieux dommages à l'organisme, voire conduire à la mort en cas d'incompatibilité de groupes sanguins. Ou Ramirez aimait jouer à la roulette russe, ou il connaissait assez Coulomb pour faire à ce point confiance à son sang.

Sharko penchait pour la deuxième hypothèse. Coulomb s'était infiltré dans le milieu des satanistes et avait gagné la confiance absolue de Ramirez. Dans le clan, les hommes avaient échangé tous leurs secrets.

— T'as déjà entendu ça ? Ce genre de travers ? L'injection de sang ?

— Jamais.

Ils parlèrent encore un peu, puis Sharko le remercia et raccrocha, sonné, la tête farcie d'interrogations. Des transfusions, de vivant à vivant, en dehors de tout cadre médical. Lorsqu'il redémarra, cinq minutes plus tard, le policier n'avait qu'une seule certitude : Willy Coulomb, même pas 30 ans, avait dû vivre l'enfer sur Terre avant de lâcher son dernier souffle, le cœur vide et recroquevillé sur lui-même comme un fruit sec.

Il avait payé le prix fort pour sa trahison envers le clan.

33

Avec leurs mezzanines démesurées, leurs verrières futuristes, les studios en cascade et les affiches de cinéma surdimensionnées, les locaux de la Cité du cinéma ressemblaient à un morceau de Hollywood transplanté dans la banlieue nord de Paris.

Juliette Delormaux attendait Sharko au fond de la nef principale, à proximité de la reconstitution du taxi volant criblé de balles et piloté par Bruce Willis dans *Le Cinquième Élément*. Avec sa courte tignasse rousse, son pantalon moulant bleu et ses chaussures rouges à semelles compensées, on pouvait se demander si la jeune femme ne faisait pas partie du décor. Après quelques échanges, ils montèrent dans l'une des salles de cours de l'école Louis-Lumière et s'y enfermèrent. Delormaux posa son sac à bandoulière devant elle et s'assit sur une chaise, ses yeux interrogatifs plantés dans ceux de Sharko.

Le policier y alla franco : sans entrer dans les détails, il lui apprit que, vraisemblablement, un corps découvert le 5 septembre dans l'Yonne venait d'être identifié par leurs soins comme étant celui de Willy Coulomb.

Il faudrait attendre les analyses ADN pour obtenir des réponses définitives, mais il n'y avait plus vraiment de doute possible et Sharko ne voulait pas perdre de temps à attendre.

La jeune femme peina à admettre la vérité, puis s'effondra. Il lui fallut plusieurs minutes pour retrouver ses esprits. Lorsque Sharko la sentit apte à répondre à ses questions, il entama l'interrogatoire.

— On… On s'est connus ici, il y a deux ans, à un stage que je dirigeais. Moi j'enseigne, je suis formatrice en écriture scénaristique. Willy avait déjà fait quelques scénarios pour la télé et voulait se mettre à la réalisation de courts-métrages. Ça a tout de suite bien fonctionné, nous deux. Après sa session de stage, on… on s'est fréquentés.

Elle resta immobile, scrutant ses ongles vernis de bleu.

— Assassiné… C'est horrible…

— Vous vous voyiez souvent ?

— À l'époque, oui, mais c'était déjà compliqué. Willy n'était pas parisien, il retournait souvent en province. Certains week-ends, je le rejoignais à Frontenaud, ou alors il revenait à Paris. Ça ne nous laissait pas beaucoup de temps pour nous voir. Mais c'était fort au départ. Willy avait une sensibilité à fleur de peau et pouvait passer du rire aux larmes en un claquement de doigts. Un artiste, quoi.

Sharko s'assit sur une table, face à elle. Ça faisait des années qu'il n'avait pas remis les pieds dans une salle de classe. Ils avaient beau se trouver dans un univers de technologie, rien n'avait changé : vieilles chaises en bois, tableau blanc, odeurs d'imprimerie.

— Donc, vous vous connaissez depuis deux ans. Vous vous fréquentez… Et il y a une semaine, vous avez appelé le père de Willy. Vous vous inquiétiez ?

— Willy m'a donné un coup de fil fin août. Il voulait à tout prix me voir, c'était au sujet de son projet, ce… fichu projet qui a tout brisé. Il devait venir chez moi mais je ne l'ai jamais vu. J'ai tardé à appeler son père, j'aurais dû le faire avant.

— De quel projet s'agissait-il ?

— Au départ, Willy voulait s'éloigner du scénario et se tourner vers la réalisation de documentaires car c'était un bon moyen pour tout mettre lui-même en images. Écrire, filmer, monter, maîtriser le processus du début à la fin, sans intermédiaire, sans filtres, sans Untel ou Untel pour vous dire quoi faire et comment le faire. Il était fasciné par les films les plus sombres, ceux qui franchissent parfois les limites, qui flirtent avec le documentaire extrême. Ses références, c'était *Cannibal Holocaust*, *Schizophrenia*, un film autrichien quasi introuvable d'une horreur absolue… Ou *Tesis* d'Amenábar, qui traite des snuffs, ces meurtres filmés… Il voulait suivre ces traces-là. Plonger dans les milieux les plus radicaux, les plus insoupçonnés de Paris pour en tirer un documentaire qui glacerait d'effroi les spectateurs.

— Par milieux radicaux, vous entendez…

— Le sadomasochisme, les clubs déviants, la magie noire, le satanisme… Ce genre de dérives. Il voulait savoir jusqu'où les initiés étaient capables d'aller. Vous savez, les sacrifices, les rituels, toutes ces légendes urbaines qui circulent mais que personne ne voit jamais et qui, pourtant, doivent exister… Il s'est loué un petit appartement à Paris, rue d'Abbeville, pour être plus souvent présent ici. On se voyait pas mal au début de ses recherches puis… puis ça s'est dégradé au fil du temps. Il a fini par me faire comprendre que ce serait mieux si on s'arrêtait là.

— Vous savez pourquoi ? Il vous racontait ses découvertes ?

— Non, rien. Vous savez, les scénaristes, les réalisateurs ont toujours cette frayeur qu'on leur vole leurs idées. Willy ne me parlait pas de ses recherches, c'était son territoire secret, et je le respectais. Mais je voyais bien que… qu'il était sur un truc sérieux. La fatigue, l'amaigrissement, les tatouages, de plus en plus nombreux et de plus en plus sombres. Et son excitation, cette flamme qui brûlait dans ses yeux.

Sharko lui montra les photos de la croix, les scarifications, les piercings. Elle acquiesça.

— Je les ai vus, mais à ce moment-là, il n'avait pas encore ce genre d'atrocités sur son corps, c'est arrivé plus tard, laissez-moi finir.

— Je vous en prie.

— Un jour, il a rompu, comme ça, sans explication. Il ne voulait plus me voir. Mais moi, je n'arrivais pas à tourner la page, j'étais amoureuse. Deux mois après notre rupture, je suis retournée rue d'Abbeville. Je voulais comprendre, et même, pourquoi pas, l'aider s'il en avait besoin. Je me disais que… que ça pourrait repartir, nous deux, vous comprenez ?

Sharko hocha la tête en silence.

— Mais l'appartement était occupé par quelqu'un d'autre. Willy avait déménagé sans me le dire. Son numéro de téléphone avait changé. Je ne voulais pas lâcher l'affaire. Je me suis rapprochée de ses voisins de Frontenaud, je leur ai demandé de m'informer du retour de Willy en Bourgogne. Je savais qu'il passait encore du temps là-bas pour écrire ou se ressourcer – cette maison, c'était son centre vital. Quand il y est réapparu, en août dernier, les voisins m'ont prévenue, et j'y suis allée.

— En août, vous dites. Vous vous rappelez la date ?

— Le... 4. Oui, le 4 août. Ce jour-là, Willy était enfermé dans son bureau, avec son ordinateur. Il écrivait sans s'arrêter, torse nu, en slip, shooté à l'héro jusqu'à la moelle. Très amaigri. Il n'était plus que l'ombre de lui-même, un fantôme...

Elle fixa le ciel par une fenêtre, en silence, puis revint à la conversation.

— Il y avait ces mots gravés dans la chair de son dos. *Blood*, *Evil*, *Death*... Sang, diable, mort... Tellement morbide. Aussi la croix sous le pied, comme vous m'avez montré... Ce « *Pray Mev* ». Quand il m'a vue, il est devenu comme fou, il voulait être sûr qu'on ne m'avait pas suivie. On lisait la peur au fond de ses yeux. La vraie peur, je vous jure. Il tremblait, délirait. Je ne le reconnaissais pas.

Sharko prenait des notes, tandis qu'elle essuyait ses larmes avec un mouchoir en papier. Coulomb sentait déjà le danger qui pesait sur ses épaules et s'était réfugié en Bourgogne, chez ses parents.

— J'ai cherché à comprendre, je voulais l'aider, répéta Juliette... Il m'a dit qu'il avait quitté Paris, qu'il devait se cacher. Que personne ne devait être au courant qu'il avait cette maison... Qu'il m'expliquerait bientôt, qu'il était presque au bout de son enquête, qu'il lui fallait encore creuser une piste, une ultime piste. Que, si elle était avérée, alors… alors on serait face à la plus grosse monstruosité qui puisse exister. Un truc qui métamorphoserait définitivement le monde.

La métamorphose. Ramirez aussi avait employé ce mot. Sharko était accroché à ses lèvres comme une moule à son rocher.

— Quelle piste ?

— Un truc très étrange. Oh, il ne me l'a pas dit ouvertement, il restait secret, mais j'ai vu les billets de train, les nombreux articles de l'accident posés sur son bureau…

— Quel accident ?

— Ça s'est passé à l'Océanopolis en mars dernier. Vous avez entendu parler de ce plongeur qui s'est fait dévorer par des requins ?

Le flic secoua la tête. Elle poursuivit :

— Un type d'une quarantaine d'années, un plongeur, s'est volontairement ouvert la paume de la main dans un aquarium du centre et il a attendu là, au fond de l'eau, que les squales le dévorent. D'après les observateurs, il était d'un calme olympien. Ça a eu lieu sous les yeux du public. Des hommes, des femmes, des gamins ont assisté au massacre. Certains ont même filmé la scène dans son intégralité. Les vidéos du carnage circulent encore sur Internet, on les trouve en fouillant un peu. Je les ai visionnées, c'est… indescriptible.

Sharko sentit une connexion s'établir : cette scène lui évoquait quelque chose dans sa composition, sa dramaturgie, mais il était pourtant sûr de ne jamais avoir entendu parler de cette histoire de requins.

— Pourquoi Willy est allé fouiner là-bas ? Je n'en sais rien. Quel était le rapport avec les milieux radicaux de Paris, avec les satanistes ou autres espèces de groupements extrêmes sur lesquels il semblait enquêter ? Et en quoi cela constituait-il une ultime piste ? Impossible de savoir.

Ses yeux exprimaient un trop-plein de regrets.

— C'est... C'est la dernière fois que j'ai eu de ses nouvelles. Jusqu'à ce coup de fil de désespoir d'il y a trois semaines... Et votre présence, aujourd'hui, pour...

Une profonde inspiration lui permit de retenir une nouvelle décharge émotionnelle. Sharko lui laissa le temps de se reprendre, puis lui montra une photo de Ramirez.

— Est-ce que vous connaissez cet homme ?

— Non.

— Il vous a parlé de la signification de « *Pray Mev* », tatoué sous son pied ? De l'existence d'un groupe sataniste ?

— Non, non. Je vous le dis : je ne sais rien. À partir du moment où Willy a mis les pieds là-dedans, il a verrouillé sa vie et s'est coupé de tout. Il est devenu un loup solitaire.

Le flic ne lâcha pas l'os. Il fit glisser d'autres photos devant lui : celles du bureau de la maison de Frontenaud.

— Quelqu'un a pénétré par effraction dans la maison de ses parents, le soir de sa mort. Quand son père est rentré de Floride deux jours plus tard, il a signalé aux gendarmes que rien d'important n'avait été volé, il y avait pourtant des objets de valeur dans la demeure. Regardez bien. Est-ce que vous pensez que quelqu'un est entré dans le bureau de Willy pour y dérober quelque chose ?

Elle observa les clichés avec attention, puis les reposa devant elle.

— C'était vrai que tout était bordélique dans son bureau, peut-être même à ce point-là. Mais Willy menait aussi ses recherches depuis cet endroit et il n'était pas vraiment du genre organisé. Ça ne l'empêchait pas de savoir où il allait. Normalement, vous auriez dû retrouver des bouquins sur le satanisme, sa documentation peut-être. Et j'y pense, vous avez son ordinateur ?

Sharko secoua la tête.

— Je sais qu'il stockait ses données sur un serveur distant. Peut-être qu'il y a transféré toutes ses recherches ? À l'époque, il l'utilisait ici, au stage. Mais ça remonte à deux ans et…

— Et vous avez l'adresse du serveur ?

— Je crois. On n'efface jamais les historiques des navigateurs. Ça remonte à un bail, mais… Laissez-moi jeter un œil. Il était installé là-bas, à ce poste. Le parc informatique n'a pas été changé depuis…

Elle se dirigea vers l'ordinateur en question et se mit à pianoter plusieurs minutes. Son visage se crispa.

— Oui, elle est là, tout au fond de l'historique du navigateur. Je connais son nom d'utilisateur, c'est wCoub1987, avec le « C » en majuscule. Par contre, le mot de passe, je n'en sais rien du tout.

Sharko nota toutes les informations sur son carnet.

— Nos experts devraient réussir à le trouver.

Il allait ranger les photos quand elle posa sa main sur l'une d'elles.

— Attendez. Les tableaux…

Elle pointa l'un des coins du bureau.

— Quand j'y suis allée en août, il y avait trois ou quatre des tableaux étranges posés les uns à côté des autres, contre ce mur. Je m'en souviens… Quand j'ai demandé ce que c'était, d'où il les tenait, il m'a dit de ne pas me mêler de ça.

— Et vous vous rappelez ce que ces tableaux représentaient ?

— Je… Je ne sais plus vraiment. Je crois que… oui, sur l'une de ces toiles, il y avait une femme devant un crocodile. Puis… des têtes coupées, suspendues à des arbres. C'était assez grossier, comme des peintures rupestres.

Une étincelle sous le crâne : Sharko comprit pourquoi l'image du plongeur face aux requins lui avait parlé. Il avait vu ce genre de scène – l'homme défiant l'animal – quelques jours plus tôt. Ces fameux tableaux disparus, les techniciens de l'Identité judiciaire les avaient remontés de la cave de Ramirez.

Sharko se leva et rangea son carnet.

— On va vous convoquer au 36. Vous raconterez tout de manière plus officielle, d'accord ? Et ne parlez de cela à personne, n'appelez pas le père, on est juste en train de le mettre au courant.

Il lui donna une carte de visite, la remercia et regagna sa voiture. Pourquoi Ramirez avait-il dérobé ces tableaux ? Sur quoi le jeune homme avait-il mis le doigt ?

Dans l'habitacle de son véhicule, Sharko chercha les vidéos du carnage sur Internet et en dénicha une. Il s'efforça de la visualiser. Sept mille six cent quatre-vingt-dix-huit vues. *Mon Dieu...* Il avait déjà vu pas mal d'horreurs dans sa vie, mais là, cet homme qui se faisait mettre en pièces par des requins… Que lui était-il passé par la tête ? Pourquoi choisir cette façon abominable de mourir ?

Il reprit la route, secoué, direction le sud de Paris. En chemin, il contacta le service de la cybercriminalité et transmit les informations fournies par la jeune femme. Il faudrait cracker le mot de passe, ce qui pouvait prendre du temps, mais avec à la clé peut-être l'ensemble des recherches de Coulomb. Il raccrochait à peine quand il reçut un coup de fil. Nicolas…

— Franck, ça m'est venu devant le bulletin météo du 13 heures : les villes sur la carte de France ! Des points sur une carte ! Je crois que j'ai trouvé à quoi sert le calque. T'es au 36 ?

— Non, je vais chez Ramirez. Un truc à vérifier. J'ai pas mal de nouveau de mon côté.

— Je m'habille, je file au bureau prendre le calque et je te rejoins chez Ramirez, c'est justement là-bas que ça se passe. Prie pour que j'aie pas raison…

34

Debout dans le salon de Ramirez, portable calé à l'oreille, Sharko sortit les quatre tableaux d'un sac-poubelle et les adossa au mur. Il répondit à un nouvel appel.

— Merci de me rappeler, Jacques. Alors ?

— Je viens de raccrocher avec les gendarmes de Louhans. Ils étaient deux pour constater le jour du cambriolage. Ces histoires de dossiers ou de papiers qui concerneraient des recherches en rapport avec le satanisme ou ce genre-là ne leur disent rien. Mais je crois que, le jour des constates, ils n'ont pas pensé à regarder en détail le contenu du bureau. J'ai informé le boss, il est en ligne avec les gendarmes de Dijon en ce moment même. Ils se chargent d'identifier scientifiquement Willy Coulomb, et ils lancent la fouille officielle de la baraque à Frontenaud. S'il y a des choses à trouver, ils les trouveront.

— Parfait. Et la confrontation Mayeur/Layani, qu'est-ce que ça a donné ?

— Rien de neuf. Ramirez emmenait Mayeur là-bas pour les tatouages et les scarifications, mais le tatoueur faisait le job et ils repartaient aussi sec. Il n'a jamais entendu Mayeur ouvrir la bouche, c'est Ramirez qui commandait. Point barre. On a emmené le tatoueur pour qu'il nous fasse un portrait-robot de l'individu aux lunettes, mais ça ne donne rien de satisfaisant. Autrement dit, c'est inexploitable. Désolé pour les mauvaises nouvelles.

Une piste qui partait en vrille. Sharko raccrocha et s'intéressa aux quatre tableaux. Des œuvres sombres, tourmentées, peintes avec des nuances de rouge qui finissaient par virer au noir. Juliette Delormaux avait raison, ces peintures ressemblaient à celles qu'on pouvait découvrir sur les parois des grottes. Il observa la posture de cet homme face à un fauve en position d'attaque, ou celle de la femme qui approchait ses deux mains de la gueule d'un crocodile. Sur un autre tableau, un homme chutait d'un immense arbre en pleine jungle, mais un détail ne cadrait pas avec la dramaturgie de la scène : alors qu'il était sur le point de s'écraser au sol, son visage demeurait paisible.

Chaque fois, la jungle, les animaux, dans un décor sinistre de têtes suspendues… Des individus dans des situations dangereuses mais qui ne donnaient pas l'air d'avoir conscience du danger. Au contraire, ils semblaient le provoquer ou l'ignorer, comme le plongeur avec les requins.

Le policier observa avec attention chaque œuvre, frôla les traits de peinture et eut un étrange sentiment à leur contact. Une répulsion instinctive. Il gratta et porta les doigts devant ses narines. Ça ne sentait rien mais… Pouvait-il s'agir de sang ? Non, le noir se révélait trop profond à de nombreux endroits. Il songea alors aux propos du légiste, à cette différence entre sang veineux et sang artériel : le sang veineux, dépourvu de son oxygène, pouvait-il être aussi sombre ?

Il se redressa et erra dans la pièce, une main au menton. Pouvait-on avoir peint ces tableaux étranges avec du sang ? Il souleva la photo de Ramirez devant sa moto et se mit à parler tout seul.

— Allez, raconte-moi un peu ton histoire. De tatoueur en tatoueur, Willy Coulomb finit par s'infiltrer dans les milieux satanistes, il fait ta connaissance… Il veut s'enfoncer avec toi dans l'obscurité, mais il ne te dit pas qui il est réellement ni qu'il a infiltré ton milieu… Il gagne ta confiance, tu l'intègres après des mois, progressivement, au clan Pray Mev… Rituels, scarifications… Magie noire ? Profanations ? Pire ? C'est quoi, votre moteur, votre objectif ? Kidnapper des gens ? Mais dans quel but ? Est-il au courant pour Laëtitia Charlent ? Es-tu allé jusqu'à lui confier qui tu étais vraiment ? Toujours est-il que Willy fait une découverte qui le force à se cacher et à enquêter sur ce drame de l'Océanopolis… Il est au bout du rouleau, il a peur, mais il se rapproche de la vérité. Quelle vérité ?

Sharko se dirigea vers la cheminée. S'accroupit devant, immobile.

— Tu as sûrement découvert sa véritable identité : un type qui n'est là que pour révéler votre existence, votre secret, par l'intermédiaire d'un film ou un documentaire. Il veut exposer votre visage au grand jour. Tu le retrouves je ne sais comment et, le soir du 31 août, tu décides de passer à l'acte. Est-ce que tu kidnappes Coulomb ? Ou lui as-tu tendu un piège ? Peu importe. Tu l'attaches, tu l'enfermes dans ton camion, et tu prends la direction du château d'eau… Pourquoi si loin ? Tu prends tes précautions, c'est ça ? Les chats dans ton jardin, tu t'en fous, tu sais que tu ne risques pas grand-chose si tu te fais prendre. Mais un être humain, c'est une autre paire de manches.

Il partit vers la télé, sortit des DVD porno de leur pochette.

— Là-bas, tu le tortures. Couteau, brûlures de cigarettes sur les parties génitales… Tu veux qu'il te crache tout ce qu'il sait, jusqu'au dernier mot. Mais qu'est-ce qu'il sait ? Qu'est-ce qui te fait si peur ? Après les tortures, tu sors une artère de son bras, et tu pompes son sang, espèce de cinglé. Est-ce que tu vas jusqu'à te saigner d'un côté, pour t'injecter son hémoglobine de l'autre ? Oui ? Alors pourquoi tu fais ça ? Puis c'est ta prudence, ton obsession de ne pas laisser de traces qui te poussent à le rendre anonyme. Tu veux gommer son appartenance à ton clan… Tu quittes les lieux. Les révélations de Willy sous la torture te mènent jusqu'à sa maison de Frontenaud, où tu fais le ménage. J'ai tout bon, Ramirez ?

Le flic revint vers les peintures.

— Pourquoi est-ce qu'elles revêtent tant d'importance à tes yeux ? Quel est leur secret ?

Il fallait les apporter à la Scientifique, demander une analyse en urgence. Sharko y ferait un détour avant de rentrer. Il les photographia avec son téléphone portable.

Un crissement de pneus l'arracha à ses pensées. Nicolas avait tiré si fort sur son frein à main avant d'être à l'arrêt que ses roues qui s'étaient bloquées glissèrent encore un peu. Il jaillit de l'habitable.

— Amène-toi !

Le calque serré dans la main, le capitaine de police se dirigea vers la camionnette et en ouvrit les deux portes arrière. Sharko s'approcha : son collègue semblait monté sur ressorts.

— Ramirez est un roublard, un méticuleux, tout ce que tu veux, mais il est comme tous ces salopards de pervers : il a besoin de garder la trace de tout ce qu'il a fait. Les larmes en font bien sûr partie, mais ces larmes, elles sont associées à des personnes. Des personnes qui sont quelque part, vivantes ou mortes. Et je crois que ce calque nous indique où elles sont.

Il grimpa à l'arrière du fourgon.

— C'est dans ce camion qu'il passait ses journées, qu'il vadrouillait partout à travers le département, chez ces différents clients. Il y mangeait, s'y reposait sans doute le midi. Ce camion, c'était son second chez-lui.

Il pointa la carte des Yvelines accrochée à la paroi intérieure gauche du véhicule.

— Je l'ai vue quand je suis revenu ici avec Lucie pour chercher le second impact de balle, mais je n'avais pas tilté, sur le coup. C'était pourtant évident. Pourquoi un type qui bosse dans l'Essonne accrocherait la carte des Yvelines ? Regarde, Franck. Ces étangs, toutes ces forêts.

Sharko percuta, lui aussi. Nicolas déroula le calque et, la gorge serrée, le superposa à l'autre support, de taille identique, à l'aide des trombones déjà positionnés dans chaque coin de la carte pour solidariser l'ensemble.

Les treize points se répartirent sur les Yvelines, occupant une place précise au milieu d'étendues vertes ou de points d'eau. Chaque fois des lieux isolés, loin des routes et des habitations. Des forêts, des lacs, des étangs.

— Je crois bien qu'on les tient, soupira Nicolas. Les treize. Et, vu les endroits, j'ai l'impression que leur sort est scellé.

Franck s'assit contre la paroi glacée. Pas de mensonge ou de simulation, cette fois-ci. Juste du dégoût et de la lassitude.

Ça ne s'arrêterait donc jamais.

La mort leur souriait en ce moment même et, au seuil de sa maison accueillante et chaleureuse, elle leur ouvrait grand les bras : treize invités les attendaient.

35

Ils avaient décidé de lancer les premières fouilles à l'aube, le lendemain, et de commencer par cette partie du parc régional de la Haute Vallée de Chevreuse où, d'après la carte, se trouvaient quatre « marques » dans un périmètre d'une dizaine de kilomètres. Si la première était clairement localisée au milieu d'un étang proche du village de Choisel, les trois autres se situaient plus au nord, en pleine forêt. La carte de Ramirez était suffisamment précise pour limiter les différentes zones de recherches à des cercles d'une centaine de mètres de diamètre.

Depuis une grosse réunion, la veille, où chaque enquêteur avait mis ses découvertes à plat devant l'ensemble du groupe, Grégory Manien avait monopolisé toutes les ressources nécessaires pour une opération d'envergure. Policiers, chiens, matériel de détection – les métaux notamment –, plongeurs…

En ce premier dimanche d'automne, l'impressionnant déploiement n'était pas passé inaperçu. La presse locale suivait et, même si ordre était donné aux policiers de ne communiquer aucune information pour l'instant, difficile de mentir sur les raisons d'une telle opération. Avec les réseaux sociaux, la vague médiatique déferlerait dans les heures à venir.

À 7 h 10, les lourds aboiements résonnaient entre les troncs rectilignes, comme un matin de partie de chasse, tandis que des rangées de bottes alignées avançaient en phase. Si chaux vive ou odeurs humaines il y avait quelque part, les saint-hubert au flair surdéveloppé les dénicheraient.

Alors que Jaya s'occupait des jumeaux et qu'elle se débrouillait tant bien que mal avec le jeune Janus, Franck et Lucie attendaient, eux, au bord d'un étang, les mains dans les poches de leurs blousons à la fermeture remontée jusqu'au cou. Un soleil blanc découpé par les troncs s'arrachait à peine de l'horizon. Des nappes de brume frôlaient la surface grise, sous laquelle disparaissaient des hommes en combinaison néoprène et alourdis de bouteilles de plongée.

Henebelle fixait les bulles d'air sans un mot. Peut-être leur équipe du 36 s'apprêtait-elle à révéler au grand jour l'une des pires histoires criminelles de ces dernières années. Treize corps, disséminés dans les eaux et forêts des Yvelines, victimes vraisemblables d'un même bourreau. Treize individus qui s'étaient volatilisés, un jour, sans plus jamais donner de nouvelles à leurs proches, à leurs amis, et dont l'identité devait traîner dans un fichier parmi des dizaines de milliers d'autres. Treize victimes qu'aucun dossier ni aucun enquêteur n'avaient visiblement réussi à relier entre elles.

Lucie n'arrivait toujours pas à réaliser qu'elle était à l'origine de cette histoire. Il avait suffi d'un appel de sa tante pour tout déclencher, de la même façon qu'un battement d'ailes de papillon en Angleterre provoque un raz de marée en Thaïlande. Combien de temps Ramirez aurait-il continué à tuer sans cet appel ? Combien de nouvelles victimes ? L'aurait-on attrapé un jour ?

Elle ne cessait de penser aux révélations de Franck, à ces vies de meurtriers fauchées par le passé. Elle s'imagina dans la cave de Ramirez, seule avec lui, consciente de toutes les abominations qu'il avait commises. En position de force, avec la possibilité de presser la détente. L'aurait-elle *vraiment* fait si elle avait eu le choix ?

Les aboiements redoublèrent, mêlés aux élévations lointaines de voix. Les deux flics comprirent que leurs collègues, plus loin dans la forêt, avaient fait une découverte. La nature allait peut-être régurgiter son premier corps.

Des têtes masquées crevèrent la surface de l'eau et nagèrent en direction des policiers. Ni plage ni berge ne permettaient un accès facile à l'étang, juste cerné d'un mur de verdure d'environ un mètre de haut. L'un des plongeurs ôta l'embout de son détendeur de sa bouche.

— On a un colis, mais ça a l'air bien lesté. Ça ne va pas être simple à remonter.

Ses collègues se positionnèrent entre eau et terre, tandis que lui restait là pour soutenir leur trouvaille. Une grosse bâche bleue saucissonnée de cordes épaisses et de grillage vert perça la surface de l'onde. Les plongeurs firent une chaîne et, aidés des deux policiers, parvinrent à haler le paquet. Vu la vase et les microalgues accrochées au plastique et aux cordages, le séjour dans l'eau ne datait pas de la veille.

Ils placèrent le paquet un peu en retrait de l'étang, dans un endroit accessible et dégagé. Des nuages de têtards pris au piège gesticulaient dans les replis du plastique. Lucie imagina Julien Ramirez saucissonner sa victime comme une araignée, l'enfermer dans son fourgon, se glisser dans cette forêt en pleine nuit et la larguer au fond de l'eau.

Franck prévint Manien par téléphone. Un quart d'heure plus tard, Levallois, Chénaix et deux techniciens de l'Identité judiciaire arrivaient à pied, lestés de leur matériel.

— On est en train de déterrer aussi de l'autre côté, fit Jacques. Même genre de bâche mais sans le grillage, enterrée un mètre sous terre. C'est Guillard, de l'équipe Jourlain, qui s'occupe de la procédure, on n'est pas trop de deux pour tout consigner. J'ai l'impression qu'on va mettre au jour un véritable cimetière.

Déclics de l'appareil photo. L'un des techniciens tournait autour du sinistre paquet et le bombardait sous tous les angles, tandis que Jacques notait les informations utiles à l'enquête : heure, lieu exact, conditions... Puis vint la délicate ouverture. L'un des plongeurs détourna la tête à la vue de la masse gluante retrouvée piégée sous l'eau, comprimée entre métal et plastique. Une vraie flaque de chair asexuée.

— Pas frais, marmonna Chénaix en s'approchant. Pas frais du tout.

Même lui plissa le visage. S'il existait des jours dont on pouvait se dire qu'ils devaient ressembler à l'enfer, celui-ci en faisait partie. Les nerfs des équipes furent chauffés à blanc. À midi, cinq corps à des degrés de dégradation différents avaient regagné la lumière.

La plupart du temps, Ramirez avait marqué d'une croix inversée le tronc de l'arbre le plus proche du lieu de l'enterrement, astuce qui lui permettait de retrouver l'endroit, ce qui facilita les recherches.

À 15 heures, on en était à huit.

Lucie, Franck et leurs coéquipiers mirent au jour le neuvième sac dans la forêt domaniale de Marly-le-Roi, pas loin des anciennes forteresses médiévales. Lorsque les techniciens procédèrent à l'ouverture, ils révélèrent un corps de femme flétri par la chaux vive. Lucie sentit sa respiration se bloquer à la vue du petit anneau au brillant trouvé sous la tête, que Jacques plongea dans un sac à scellés. Elle recula, manqua de tomber et alla s'enfoncer dans la végétation pour vomir.

Le sort de Laëtitia était désormais gravé dans le marbre.

— On est tous très fatigués, souffla Franck d'un air grave.

Nicolas observait Lucie qui se vidait.

— Et ce n'est pas encore fini.

Franck avait proposé à Lucie qu'elle rentre se reposer, mais elle insista pour rester jusqu'au bout. Elle tiendrait le choc et ne pouvait pas disparaître en permanence. Alors, ils poursuivirent leur chemin de croix. Tout au long de la journée, le nombre de journalistes collés à leurs baskets avait grossi. Bien sûr, on leur interdisait d'approcher, mais ils restaient près des voitures, photographiaient, interrogeaient promeneurs et riverains. Ils ne lâcheraient pas l'affaire.

Tous ensemble, les flics de l'équipe Manien déterrèrent le treizième et dernier corps à 23 h 05 dans le bois aux alentours de Bazincourt, dans la partie la plus au nord du département. Les halogènes creusaient la nuit, martyrisaient les visages fatigués après ces seize heures de fouilles ininterrompues. L'ensemble du groupe et une dizaine d'autres personnes se tenaient autour de ce dernier cadavre que la chaux vive avait asséché au point de le rendre aussi friable qu'un vieux parchemin.

— On y est, soupira le chef en s'adossant à un arbre. Treize corps…

Plus aucun entrain dans la voix, juste un sinistre constat. Cette affaire qui le réjouissait quelques jours plus tôt – la dernière de sa carrière – virait au cauchemar. Ils avaient les corps, tenaient le coupable, mutilé au fond de sa cave, éliminé par deux balles qui avaient creusé le même sillon dans sa gorge, mais ils n'y comprenaient rien. Quel monstre avait été Ramirez ? Pourquoi ces multiples meurtres ? Avait-il agi seul ou avec d'autres diables ? Tant et tant de questions qui allaient les forcer à mener une enquête à rebours. Remonter le temps pour avancer.

— Je veux qu'on rende à ces cadavres un peu de leur humanité, ajouta Manien, quel que soit le temps que ça prendra. Qu'on retrouve les treize familles, qu'on leur permette de faire le deuil. Et pour ça, on doit piger ce qui s'est passé. Entrer dans la tête de Ramirez. Je vous demanderai de redoubler d'efforts. Ce soir, s'il devait y avoir une seule satisfaction, ce serait celle-là : ce salopard de Ramirez ne tuera plus jamais. Rappelez-moi de remercier Pébacasi quand on la coffrera.

Il lança un regard aux journalistes, en retrait.

— Je vais donner à manger aux corbeaux…

Franck éprouva le besoin de serrer ses fils contre lui quand il rentra tard, cette nuit-là. Comme si ses enfants étaient les paratonnerres de toutes ses angoisses. Il commença par Jules, le sortit de son lit avec délicatesse et le laissa dormir contre son épaule. Puis il resta là, dos arrondi sur le lit, sans bouger. Dans l'obscurité, Lucie s'était approchée d'Adrien, elle lui caressait la joue. Seul le silence les séparait, une vraie coulée de ténèbres glaçantes. En ramenant à la lumière tous ces cadavres, ils avaient tous deux vu, dans les orbites noires de Laëtitia, le reflet de leur mensonge.

Et tandis qu'ils câlinaient leurs enfants, quatre médecins légistes alignaient, sur deux rangs par manque de place, les cadavres nus et anonymes dans la salle d'autopsie la plus spacieuse de l'IML. Ceux pêchés dans l'eau étaient restés dans leur bâche, car non transportables. Leur premier travail serait d'essayer de définir au mieux les périodes de décès, afin de reconstituer la sinistre épopée de Julien Ramirez et de comprendre l'origine du carnage. Puis, après les autopsies, viendrait la longue et parfois impossible tâche d'identification. Manien avait raison : des familles attendaient des réponses.

À 6 h 12, presque vingt-quatre heures après le premier coup de pelle, Paul Chénaix décida de la répartition des corps entre ses collègues et, en même temps qu'eux, dessina son premier trait de scalpel.

36

Lucie n'allait pas bien. Le visage décharné de Laëtitia était revenu la hanter jusque tôt le matin et, une fois dissipé, ce fut le réveil des jumeaux qui la priva de tout répit. Sharko la sentait très fragile. Aussi, dans l'attente des premiers résultats médico-légaux prévus pour la soirée, il avait réussi à convaincre Manien d'envoyer sa compagne en TGV vers Brest afin qu'elle rencontre la veuve du plongeur de l'Océanopolis. Il l'éloignait ainsi temporairement du 36 et de ses dangers.

Le pas traînant, il se rendait seul au laboratoire de biologie. Virginie Doby, la scientifique chargée d'analyser les tableaux, lui avait en effet passé un coup de fil pour annoncer des découvertes surprenantes.

La combinaison de papier et les chaussons réglementaires enfilés, il pénétra dans l'une des pièces du laboratoire, là où l'on récoltait les fluides sur des vêtements, draps, mobiliers, dans le cadre d'analyses sanguines ou ADN. Doby l'attendait à sa paillasse. Elle salua Sharko avec un sourire de politesse, mais il ne desserra pas les lèvres.

— Mon collègue à l'ADN me charge de vous dire que, malheureusement, on n'a pas trouvé de cellules dans les éprouvettes contenant les larmes. Mais avec les découvertes que vous avez faites hier soir, tous ces corps… les échantillons commencent à arriver de l'IML et vont permettre, cette fois, de dresser des profils de chacune des victimes. C'est horrible, cette histoire. On n'arrête pas de parler de ça, ce matin.

Sharko se rappelait encore les paroles des journalistes, à la radio. On annonçait la découverte de treize corps dans les Yvelines, sans doute les victimes d'un même tueur, qui, selon les sources, seraient décédées dans des conditions encore inconnues et dont l'enquête aurait révélé les emplacements. Si l'identité de Ramirez n'avait pas encore fuité pour le moment, on l'affublait déjà des pires surnoms : le Monstre des Yvelines, le Tueur du 78…

— Difficile de passer à côté, en effet.

Doby comprit que le flic n'avait pas envie d'entrer dans les détails. À l'aide de la pointe d'un scalpel, elle préleva un échantillon sur le tableau au crocodile.

— Vous avez eu une bonne intuition en me les apportant. Ces fresques ont bien été peintes avec du sang, mais un sang très spécifique puisqu'il s'agit de sang menstruel.

Le policier observa avec dégoût ce morceau d'intimité accroché à la lame de l'instrument tranchant.

— Il n'y a eu ni tabou ni filtre, expliqua la spécialiste. Tout y est. Sang évidemment, fragments nécrotiques de l'endomètre, cellules de la muqueuse vaginale, sécrétions du col et du vagin, j'en passe…

— C'est ce qui explique les couleurs et les reliefs différents ?

— En partie. Ces couleurs correspondent aussi à des périodes de menstruations distinctes. Le rouge vif marque l'abondance caractéristique du début des règles, le noir indique un sang resté plus longtemps dans l'utérus, un sang mort, charnu, coagulé. Entre les deux, toutes les nuances possibles et imaginables. Chaque tableau a donc été peint au fil du cycle, sur cinq ou six jours, et non en une seule fois.

Elle pointa une zone sombre, dans un coin du tableau.

— Regardez, on décèle parfois des traces papillaires. Les sillons digitaux sont ici, et là, et on les retrouve partout. Je pense que ces tableaux ont intégralement été réalisés avec les doigts.

Le flic essaya d'imaginer l'auteur, homme ou femme, de ces fresques. Il voyait une ombre au fond d'un atelier noir, plonger ses doigts dans le sang menstruel et les écraser sur une toile pour aboutir à ces scènes de jungle primitive. S'agissait-il d'un homme qui avait peint avec du sang étranger, ou d'une folle qui avait utilisé ses propres déchets ? Une connaissance de Ramirez, dans le genre Mélanie Mayeur ?

— Il y aurait une raison particulière de faire ça ? De peindre avec du sang menstruel ?

— Ces tableaux ne sont composés que de matières organiques, intimes, à dimension sexuelle. On ne peut pas dire que leur auteur, qu'il soit homme ou femme, ait beaucoup d'interdits. Il y a quelque chose d'outrageant à exposer cela aux yeux de tous. C'est bien pire que de se mettre nu, c'est juste… dégueulasse.

La biologiste rempila les tableaux et les posa sous sa paillasse.

— Voilà, c'est à peu près tout ce que je pouvais vous en dire, je vais envoyer un rapport à votre équipe, il faudra venir les récupérer. Si j'avais eu le temps, j'aurais jeté un œil sur Internet pour chercher des pistes. Ils ne doivent pas être nombreux à « peindre » de cette façon, mais avec tout ce qui nous tombe dessus et…

— Je le ferai, c'est mon job. En cas de besoin, une analyse ADN de ce sang est-elle possible ?

— Pas certaine. Mais si vous voulez qu'on approfondisse, il nous faudra une demande du juge. Là, on est ultradébordés.

Sharko la remercia et regagna le 36, en pleine réflexion. Encore une fois, le sang refaisait surface, sous une autre forme, plus sombre, plus mystérieuse. Ramirez avait torturé et tué Willy Coulomb pour récupérer ces tableaux organiques. Il fallait à tout prix retrouver leur auteur.

Retour dans leur espace, seulement occupé par Robillard. Ce dernier mesurait son tour de biceps avec un mètre de couturière. Il rabaissa en vitesse sa manche, tandis que Sharko s'installait à sa place.

— Où est Nicolas ?

— Il est parti chez Ramirez avec trois gardiens de la paix. On a treize corps sur les bras et, lui, il consomme les ressources, il s'acharne à chercher ce deuxième impact de balle qui peut-être n'existe même pas, en squeezant la hiérarchie. Autant te dire que Manien a pété un plomb et que, s'il n'était pas en train de jongler avec la presse, Nicolas aurait passé un sale quart d'heure. Ça va mal finir entre eux. Avant de partir à la retraite, j'ai l'impression que le chef va tout faire pour le foutre au placard.

— Je n'arrête pas de lui dire de s'en méfier. Manien est comme un serpent : tu penses qu'il dort, et il te saute dessus au moment où tu t'y attends le moins. Et Jacques ?

— Il s'éclate avec les légistes.

Sharko s'installa derrière son écran et lança une recherche. Il entra différents mots clés, « *tableau* », « *peinture* », « *sang* », « *menstruations* », « *peur* », « *crocodile* », qui ne donnèrent rien de probant. Mais, au fil des clics, il tomba sur des articles qui finirent par l'interpeller : ils concernaient le bio-art, une évolution récente de l'art contemporain. Les représentants de cette mouvance se servaient des ressources biologiques pour élaborer leurs créations : peau, cellules, sperme, sang, ossements humains. Parfois, certains d'entre eux se prenaient comme cobayes soumis à l'expérimentation. Le créateur devenait sa propre œuvre d'art.

Le bio-art… Sharko n'avait jamais entendu parler d'une telle discipline. Il dénicha une ribambelle de sites spécialisés aux sujets tous plus ahurissants les uns que les autres. Certains artistes travaillaient à la pointe avec des laboratoires de recherche, d'autres restaient terrés dans leurs ateliers, entourés d'éprouvettes, de scalpels et d'aiguilles. Fabrications de poupées à partir de cellules vivantes, créations de lapins transgéniques vert fluorescent, échantillons de peau hybride à greffer au bout des doigts… On taillait, on découpait dans le vivant, parfois sur soi-même. Le but était d'interroger, d'explorer, de déranger pour soulever les problèmes du monde d'aujourd'hui. Pas mal de bio-artistes heurtaient d'ailleurs le mur de la justice, à la limite des lois de la bioéthique et de la génétique.

Sang… Le mot lui claqua au visage lorsqu'il tomba sur un article du *Monde* concernant Danny Bonnière, bio-artiste parisienne, aussi fascinée par l'animal que par le sang, qu'elle considérait comme « le moyen de communication universel ». Le papier datait de l'année précédente et titrait « L'animal dans le sang ».

En juin 2014, la femme avait réalisé une performance, en public et sous le contrôle de médecins, consistant à s'injecter du sang de loup et à entrer en osmose avec l'animal. Une photo stupéfiante la montrait agenouillée et mains au sol, nez à nez avec la bête. Sharko pensa à une véritable affiche de film hollywoodien. La performance était intitulée *In the Mind of a Wolf*, « Dans la tête d'un loup ».

Il lut l'article en détail. Quand le journaliste avait demandé à l'artiste la raison de telles expérimentations, elle avait répondu que la communication tactile ne suffisait plus, et que porter l'animal en soi permettait de lutter pour protéger la biodiversité en danger, mais aussi de se transformer. Elle disait même : « L'acceptation du sang, c'est s'ouvrir la porte des métamorphoses. »

Les métamorphoses. Le terme frappa l'esprit de Sharko. Ramirez en avait parlé à plusieurs reprises avec Mélanie Mayeur. Le policier eut beau se replonger dans l'article, il ne trouva pas l'explication de cette phrase mystérieuse.

Ça valait le coup de rencontrer cette Danny Bonnière, d'autant plus que le papier signalait qu'elle utilisait aussi le sang animal, et plus particulièrement celui, bleu foncé, des limules, pour dessiner ses œuvres à la plume de paon et les exposer ensuite dans les musées d'art contemporain. Une vraie mine d'or, semblait-il, cette artiste. Pour la première fois depuis le début de l'enquête, Sharko sentit le goût acide de la traque sur ses lèvres et en vint, durant quelques minutes seulement, à oublier ses propres soucis.

Après des coups de fil bien ciblés, il obtint un rendez-vous avec Bonnière, qui vivait à Pantin et acceptait de le recevoir dans les meilleurs délais.

37

Lucie avait pris un taxi pour couvrir les cinq kilomètres qui la séparaient de l'Océanopolis. Avant d'entrer dans le centre, elle longea la rade et observa la mer d'Iroise, cette étendue d'eau bien particulière qui séparait la Manche de l'océan Atlantique.

Des nuages s'arrachaient au ciel tourmenté comme l'écume à la mer, s'étiraient à la verticale et s'aplatissaient dessous, telles des enclumes géantes inversées. Elle était une fille de la côte d'Opale, née à Dunkerque, et perdre son regard au loin, dans ces immensités blanc et bleu, l'avait toujours apaisée, même dans les pires circonstances. Le sel, l'air marin, les rires mesquins des mouettes, il suffisait de s'asseoir là, au bord de la jetée, et de fermer les yeux. Elle éprouvait un besoin vital de s'évader.

La sonnerie de son téléphone la sortit de sa quiétude temporaire. Lucie regrettait parfois l'existence de ces appareils qui, paradoxalement, entravaient toute forme de communication. Sa tante l'appelait. Bon Dieu, qu'est-ce qu'elle voulait ? Elle hésita, et finit par répondre.

— J'ai vu à la télé ! Il paraît que vous avez découvert treize corps dans les Yvelines ? On parle d'un tueur qui serait mort après avoir enterré tous ces cadavres. C'est Ramirez, hein, Lucie ? Anatole ne s'était pas trompé, c'est de ce salopard qu'il est question ? Est-ce que vous avez retrouvé Laëtitia parmi les victimes ?

Lucie se redressa soudain et s'isola des promeneurs, le murmure aux lèvres.

— Tu ne dois pas parler de ça, tu ne dois pas prononcer ces mots ! Tu es seule, au moins ?

— Oui, oui, bien sûr, je suis chez moi. Dis-moi juste si vous…

La voix de Régine vibrait de panique, comme si Laëtitia était sa propre enfant. Lucie essaya de ne pas basculer dans l'hystérie à son tour. Elle devait à tout prix calmer sa tante.

— Écoute-moi bien. Tu n'aurais jamais dû m'appeler. Franck est venu te voir, il t'a bien expliqué qu'on ne devait plus être en contact ces jours-ci, qu'il ne devait plus être question de Ramirez. Tu as déjà oublié ?

— Non, mais…

— Je vais te le répéter : quand je suis entrée chez Ramirez avec la clé que tu m'avais donnée, il était déjà mort. Il a dû y avoir un règlement de comptes. J'ai fui sans rien dire à personne, parce que j'aurais eu des ennuis. Si tu parles de moi, de Laëtitia ou de Ramirez à quiconque, je suis fichue, tu comprends ça ?

— Mais tu n'as rien fait et…

— J'étais chez Ramirez de façon illégale, bon sang ! Je me suis retrouvée face à son corps et je n'ai pas prévenu la police ! J'enquête sur lui et je suis obligée de faire comme si je ne l'avais jamais vu ! Je ne peux pas parler non plus de Laëtitia ! Tu t'en rends compte ? Je suis en permanence sur le fil du rasoir.

Un long silence.

— Je ne veux plus jamais que tu parles de ça, à personne. Les noms de Ramirez ou de Laëtitia ne doivent jamais franchir le seuil de tes lèvres. Je vais devoir te laisser. C'est moi qui te contacterai désormais.

— Attends ! Lucie, attends. Dis-moi juste si Laëtitia faisait partie des corps. C'est tout ce que je te demande. Dis-moi juste ça.

Lucie comprit, à cet instant, qu'elle ne se sortirait jamais de ce cauchemar.

— Pour que t'ailles le répéter à la famille d'accueil dès que j'aurai raccroché ? Tu les vois plusieurs fois par semaine à l'association du Téléthon, tu… tu n'arriveras pas à tenir ta langue. Oublie Laëtitia, je t'en prie, ou c'est ta propre nièce que tu vas envoyer en prison.

Lucie coupa la conversation sans attendre de réponse, sur les nerfs, avec l'envie folle de hurler face à la mer, là, maintenant, de toutes ses forces. Elle s'emplit les poumons d'iode avant de se diriger vers l'Océanopolis. Il fallait continuer à mener l'enquête, coûte que coûte, histoire de s'occuper l'esprit, sinon elle allait devenir dingue.

Elle était devant le bâtiment quand un SMS de Nicolas arriva.

Je savais bien qu'on finirait par trouver. On sait où a eu lieu le premier tir, on était passés tout près tous les deux, quand on est retournés chez Ramirez ! L'impact Pébacasi est dans le plafond de la cave !

38

Ce fut le reflet de Lola Pinault que Lucie découvrit en premier. La veuve fixait l'aquarium des requins sans bouger, les deux mains crispées sur la bandoulière de son sac en cuir noir. Les squales circulaient comme de gracieuses torpilles, semblant déjouer les lois de la physique. Les portes de l'Océanopolis fermaient dans une demi-heure et, en cette fin d'après-midi de septembre, le calme régnait dans le centre. Les grandes vacances n'étaient plus qu'une brume lointaine, chacun avait regagné l'usine, son bureau d'écolier ou son ordinateur.

Les deux femmes se serrèrent la main. Pinault avait insisté pour rencontrer Lucie ici, sur les lieux du drame. La poigne était ferme, malgré un physique sec et longitudinal comme celui d'un phasme.

— C'est un collègue à vous qui m'a appelée, fit Pinault. Il m'a juste dit que vous vouliez me parler de la mort de mon mari. Que se passe-t-il ? Pourquoi venir de si loin, six mois après ? Pourquoi la police parisienne ?

Lucie se concentra. Il fallait absolument qu'elle oublie sa tante, Nicolas, qu'elle s'échappe du tourbillon noir qui grossissait dans sa tête. Retrouver ses instincts de flic.

— Willy Coulomb, qui était venu vous voir au début du mois d'août, est mort. On l'a assassiné.

Un temps, comme si elle allait rechercher l'identité au fond de sa mémoire.

— Assassiné ? Mon Dieu… De quelle façon ?

— C'est un dossier en cours, je ne peux malheureusement pas vous donner tous les détails.

— Et vous pensez que c'est lié à ce qui s'est passé ici ?

— Je ne serais pas là, sinon. En plus du meurtre, sa maison a été visitée. Son ordinateur et toute sa documentation ont disparu. Alors oui, il y a un lien, seulement on ignore lequel. J'aimerais que vous me racontiez tout ce que vous savez. Sur le drame, sur Willy Coulomb…

Pinault se tourna vers l'aquarium et fixa les squales. Elle dépassait son interlocutrice d'une demi-tête, en dépit de ses chaussures plates à semelles de crêpe.

— Je n'étais pas là quand l'accident s'est produit, Dieu merci. Je ne sais pas comment j'aurais réagi. Lui d'un côté d'une vitre, moi de l'autre, impuissante, à le voir se faire mettre en pièces. Vous savez tout de même ce qui s'est passé, je suppose.

Lucie avait lu les articles dans le train. Contrairement à Franck, elle avait évité de visionner les vidéos du massacre.

— Votre mari faisait un peu de nettoyage dans l'aquarium des requins, comme toutes les semaines. À un moment donné, il s'est immobilisé, il s'est ouvert la paume de la main avec un couteau et il a attendu, sans bouger, devant le public. Et ensuite… Je suis désolée…

Pinault acquiesça.

— Ils l'ont dévoré, vous pouvez le dire. J'ai rencontré une telle tripotée de médecins et de spécialistes qui ont essayé de m'expliquer que je peux en parler sans fondre en larmes. Oh, ça m'arrive encore de pleurer, bien sûr, mais… ça va. Et puis, je bosse aux urgences, ça n'enlève rien à la souffrance du deuil mais ça permet de relativiser. Vous êtes au courant, pour le cardiofréquencemètre ?

— Non.

— Remarquez, ils n'en ont pas parlé dans la presse. Ils ont préféré se focaliser sur les détails sordides, comme toujours. Le sensationnel…

Pinault pointa un requin-tigre.

— C'est dans le ventre de cette espèce de requin, le tigre, que les vétérinaires ont retrouvé l'appareil. Ils ont consulté les enregistrements. Avant les attaques, jamais le rythme du cœur de Thomas n'a dépassé les soixante pulsations par minute, comme s'il était allongé dans son lit au repos. Sauf que là, il saignait, et les requins lui tournaient autour. Chez n'importe quel être humain, le cœur aurait dû partir dans les tours. C'est un réflexe instinctif face à la peur, vous comprenez ?

— Quelque chose qu'on ne contrôle pas, même en étant concentré.

— En effet. Les spectateurs ont vu ses yeux, ils ont tous dit que Thomas était complètement détendu. Pas un geste de panique, rien. Détendu mais avec eux, pas hypnotisé ou dans un autre monde. Il était bien conscient, pour preuve, il mesurait les battements de son cœur, il faisait des signes. C'est seulement quand… quand un requin lui a arraché la main que le cœur s'est emballé à cause de la perte de sang immédiate.

Le tigre frôla la vitre avant de bifurquer en direction des rochers. Elle le suivit des yeux, les lèvres pincées.

— Il faut savoir que mon mari était sujet à la squalophobie. Une peur si développée et irraisonnée des squales qu'il ne plongeait qu'en piscine et n'allait jamais se baigner en mer. Il a développé cette phobie dans son enfance, après avoir vu un surfeur ramené sur une plage, à moitié dévoré par un requin. Alors, expliquez-moi : comment un homme en vient-il à se saigner dans un bassin rempli de ses angoisses les plus profondes ? Pourquoi choisir la mort la plus atroce qui soit ? S'il avait vraiment cherché à se suicider, comme certains l'ont avancé, il y avait bien d'autres moyens moins douloureux, non ?

Elle secoua la tête, pensive.

— Non, non, ce n'était pas un suicide. Ça n'a aucun sens.

— Qu'est-ce que c'était, selon vous ?

— Je ne sais pas. Mais ça lui arrivait de plus en plus souvent, à Thomas, les derniers temps, de perdre cette notion du danger.

— C'est-à-dire ?

— C'est difficile à expliquer. Mais… ça a commencé six mois avant sa mort, quand il s'est baigné dans la mer pour la première fois depuis l'âge de 10 ans. C'était en octobre dernier, je peux vous dire qu'il ne faisait pas chaud et qu'il n'y avait plus grand monde sur la plage. Il est quasiment allé dans l'eau tous les jours jusqu'à début novembre, tellement il était heureux de s'être débarrassé de sa phobie des squales.

— Il y a eu un élément déclencheur ? Un événement particulier qui aurait pu chasser sa peur ?

— Non.

— Une rencontre ? Un médecin qui le suivait pour sa phobie ? Des séances de relaxation, de bien-être ?

— Rien de tout ça, ce n'était pas son truc. Depuis sa mort, j'ai retourné l'équation dans tous les sens, croyez-moi. Je n'ai rien trouvé. Enfin si, avec Thomas, on avait eu un grave accident de bus un an auparavant, on revenait d'un voyage en Espagne. Il y a eu deux morts et, nous, on n'est pas passés loin. J'ai eu plusieurs hématomes à la tête, Thomas a eu la poitrine perforée mais, miraculeusement, ni les poumons ni le cœur n'ont été touchés. Un vrai rescapé. C'est peut-être ce qui a tout changé dans sa tête… Une autre façon de voir la vie. Je ne vois pas d'autre explication.

— Que s'est-il passé après ces baignades à l'automne dernier ?

— Les choses ont empiré, si je puis dire. Une fois, Thomas a volontairement grillé un feu à un carrefour, manquant de nous tuer tous les deux. Une autre, il s'est pris en photo au bout d'une jetée en pleine tempête, il a failli se faire emporter par les vagues. Il était vraiment à deux doigts d'y rester. C'était comme si… comme s'il n'avait plus peur de mourir, ou qu'il ne voyait plus le danger. Il me disait « Ça ne craint rien », « Il ne peut rien m'arriver », ce genre de propos enfantins. Il défiait la nature.

Lucie essaya de raccrocher les fils avec ceux de son enquête.

— Votre mari avait-il des tatouages ? Des piercings ? Un quelconque rapport avec l'occultisme, le satanisme, les sectes ? Est-ce que le terme « *Pray Mev* » vous dit quelque chose ?

— Les sectes ? Vous plaisantez ? Non, non. Rien de tout ça. Et puis mon mari n'avait pas un seul tatouage, il détestait ça.

Lucie montra une photo de Ramirez.

— Jamais vu.

— Votre mari prenait-il des médicaments ? Suivait-il un traitement ?

— Non. J'ai lu le rapport toxicologique après qu'on a ouvert les différents estomacs des requins pour... récupérer les éléments du corps de mon mari. Il n'avait pris aucune substance. L'analyse segmentaire des cheveux n'a rien révélé. Mon mari ne se droguait pas, ne buvait pas, ne fumait pas. J'ai épluché les rapports de police, j'ai assailli ses amis de questions. Il ne faisait pas non plus partie d'un quelconque groupe d'influence ou d'une secte, comme vous semblez le croire. Il était clean.

Elle parlait à la fois avec fermeté et douceur. Au fond d'elle-même, sans réussir à le détester vraiment, elle devait en vouloir à son mari de l'avoir ainsi abandonnée.

— Sa phobie des squales ne l'empêchait pas d'entretenir cette passion pour la plongée. Il s'entraînait dans les piscines, les fosses artificielles, avec les copains. Il était soigneur au parc animalier des Eden, à quarante kilomètres d'ici. Quand il a appris qu'on cherchait un plongeur pour l'entretien des aquariums de l'Océanopolis, en janvier dernier, il s'est présenté, il a décroché le job… Je…

Elle baissa les yeux, hésita.

— Vous étiez inquiète ? demanda Lucie.

— … Oui, bien sûr, à cause de ce comportement étrange dont je vous ai parlé. Je ne comprenais pas ce qu'il cherchait à se prouver en s'entourant de requins. Deux mois plus tard, quand j'ai vu les policiers débarquer aux urgences, j'ai tout de suite su. Le pire, c'est que personne n'a d'explications.

Une voix résonna dans un micro. La fermeture du complexe approchait, et les visiteurs devaient regagner la sortie. Les deux femmes s'engagèrent dans un tunnel de Plexiglas. Lucie garda son carnet en main, insensible au feu d'artifice des poissons tropicaux alentour.

— Parlez-moi de Willy Coulomb.

— Je l'ai rencontré début août, c'était un samedi… Le 8, je crois. Je dois vous dire que, de prime abord, il m'a un peu effrayée, il était… très fatigué. Mais il a été respectueux, il s'est présenté comme un étudiant en cinéma enquêtant sur les phobies. Il m'a dit être tombé sur les articles de l'accident en faisant ses recherches.

— Que voulait-il ?

— Il était là, comme vous, il voulait comprendre comment Thomas en est venu à ne plus avoir peur des squales. Je lui ai dit la même chose qu'à vous : je n'en savais rien. Il s'est focalisé sur l'accident de bus, c'était ça qui semblait l'intéresser.

— Précisez.

— Il m'avait demandé la date, le lieu. Je lui ai même donné une photo où on pose tous devant le bus.

Puis il est parti, je n'ai plus jamais eu de nouvelles de lui. Jusqu'à aujourd'hui…

— Cet accident de bus, vous pouvez m'en parler ?

— Vous trouverez sur Internet, il y a eu des articles. Tapez « *août 2013, accident bus Foix* ». Foix, la ville, bien sûr. C'est par là qu'on s'est plantés. Un pneu qui éclate en descente et fait tout partir en vrille. Le chauffeur a eu le réflexe de braquer côté montagne, sinon, on serait tous morts. Rien d'autre à raconter. Un truc terrible, mais ordinaire.

Lucie nageait dans le flou. Difficile de comprendre les motivations du jeune homme à venir ici, à mentir sur la véritable raison de sa visite. Une fois dehors, elle remercia son interlocutrice et lui demanda de lui envoyer tout ce qu'elle pouvait au sujet de ce voyage en Espagne, même si elle ignorait ce qu'elle ferait de ces informations. Lola Pinault lui fournirait les données dans la soirée.

— Si vous trouvez quoi que ce soit, surtout, dites-le-moi, annonça enfin la veuve. Tout a été tellement brutal.

Lucie le lui promit. Restait encore une heure et demie à tuer avant le train pour Paris. Elle retourna sur la rade et observa le soleil qui commençait à brûler la mer de son rouge fougueux. Qu'avait vraiment cherché Willy Coulomb en se rendant ici ? Et qu'est-ce qui avait pu pousser une personne phobique des squales à jouer les marioles entre les remparts d'émail ?

Lucie allait repartir de Bretagne avec davantage de questions qu'à son arrivée.

Et elle détestait ça.

39

L'un des tableaux emballé sous le bras, Sharko frappa en cette fin de journée à la porte d'un loft à proximité de la Maison Revel, le centre de ressources des métiers d'art de Pantin. La ville abritait en effet nombre de designers, créateurs, artisans, qui exprimaient leur talent dans tous les domaines possibles et imaginables, de la verrerie à l'impression 3D d'objets façonnés par la voix.

Lorsqu'il la vit, Danny Bonnière lui fit penser à la primatologue Jane Goodall, arrachée à sa jungle. Cheveux gris en queue-de-cheval, short et tee-shirt jaune savane, pieds nus et de longues mains osseuses ; il lui manquait juste le chimpanzé. Sharko l'avait imaginée plus jeune sur les photos, mais elle arborait une bonne cinquantaine.

Après quelques mots, elle l'invita à entrer dans son atelier, fragment de forêt vierge sous une immense verrière cernée des hauts murs voisins. Palmiers, bananiers, yuccas poussaient en pagaille, devant un espace réservé à la création, encombré de pinceaux, de planches de travail, de pots colorés. Des bois de cerf ornaient un casque de vélo, des queues de félin en textile ou encore des chaussures aux allures de pattes de chat pendaient par des fils invisibles. Sur la gauche, masques, fétiches, armes tribales occupaient les murs.

— Café ? Thé ?

— Café, s'il vous plaît. Noir, sans sucre.

— Guatemala ? Brésil ? Costa Rica ?

— Euh… Comme vous voulez. Tant que c'est du café.

Franck s'approcha de l'atelier et posa son tableau contre un pied de table. Il observa les fameuses toiles au sang bleu de limule, exposées sur des chevalets. Ces œuvres d'une précision folle dégageaient un magnétisme tellurique. Bonnière peignait des animaux, surtout des mammifères. Le flic s'orienta vers la droite, doubla de longs vers qui gesticulaient dans un aquarium au fond sablonneux, remarqua une multitude d'ouvrages sur le sang, son histoire, ses mythes, s'interrogea sur de curieuses échasses : la bio-artiste travaillait sur des prothèses qui ressemblaient à des pattes de cheval.

— C'est pour la prochaine performance que je réalise juste avant Noël, fit-elle en lui tendant sa tasse. Cette fois, je vais me produire en Suisse pour éviter les problèmes que j'ai rencontrés ici, en France, avec *In the Mind of a Wolf.*

Elle parlait avec une exquise lenteur, comme sous l'emprise de drogues exotiques. Sharko l'imaginait bien vivre avec les chamans au cœur des forêts vierges, au gré des incantations et des rituels. Et pourtant, jamais il ne lui semblait avoir croisé un regard aussi clairvoyant. Sous la lumière de la verrière, ses iris d'un bleu de lagon le transperçaient.

Le flic eut envie de prendre son temps. S'approprier cet univers dément dont il ignorait l'existence quelques heures plus tôt. Il sentait que des réponses pouvaient jaillir des lèvres de l'artiste.

— Et en quoi cette performance consistera-t-elle ?

— Je m'injecterai le sérum du sang de cheval et resterai allongée une dizaine de minutes, sous surveillance, pour être certaine que tout se déroule comme prévu et qu'il n'y aura pas de choc anaphylactique. Le public assistera à l'intégralité de la performance, bien sûr. D'abord par l'intermédiaire d'une caméra puisqu'il sera dans la pièce voisine avec Luxor, puis en *live*.

— Luxor ?

— La jument. J'ai préféré une femelle, cette fois.

Elle s'empara de l'une des prothèses, désigna l'endroit où elle enfoncerait son pied. À voir les éléments accrochés au plafond, elle s'était probablement déjà glissée dans la peau d'un chat, d'un cerf, d'un oiseau…

— J'enfilerai ensuite cette paire de prothèses pour faire plusieurs tours de la salle avec la jument, nous serons pile à la même hauteur, en parfaite synchronicité. Puis je m'allongerai de nouveau. Là, le biologiste me fera une prise de sang, mettra en évidence les marqueurs des antigènes du corps humain témoignant de la présence d'un corps étranger équin en moi, puis lyophilisera le sang grâce à ses machines, toujours devant le public. Chaque observateur pourra alors repartir avec un peu de poudre de mon sang placée dans un écrin métallique. Une sorte de reliquaire, contenant du sang de centaure, mélange parfait d'humain et d'animal. Fin de la performance.

Sharko trempa les lèvres dans son café. Ou cette femme avait une case en moins, ou il ne comprendrait jamais rien à l'art. Sans doute un peu des deux.

— Je sais ce que vous pensez, lui dit Bonnière avec un sourire. Que je suis folle.

— J'essaie de comprendre le but, c'est tout.

— Vous êtes policier, terre à terre, c'est normal. Mais l'art a toujours eu pour vocation de transgresser. Quand j'utilise un limule pour peindre, je transgresse car j'ai tué un être vivant et précieux, mais ce limule s'exprime bien plus par mes œuvres et, quelque part, à travers mes tableaux, il défend la cause de tous les autres limules. Je travaille sur et avec le vivant, je crée de la communication avec lui. Vous comprenez ?

Sharko acquiesça sans conviction, puis désigna les différents ouvrages.

— Vous êtes une spécialiste du sang, à ce que je vois.

— Un hématologue serait plus qualifié que moi, mais disons que je m'intéresse à son histoire. J'aime le toucher, le sentir et l'utiliser pour peindre. Le sang bleu des limules attire l'œil comme un aimant. Bleu, car il est principalement composé de cuivre, et non de fer comme notre hémoglobine humaine. C'est un animal extraordinaire. Cinq cents millions d'années d'existence, ils ont survécu à dix-sept âges glaciaires et aux extinctions massives. Vous savez combien coûte un quart de litre de leur sang ? Plus de 10 000 euros. De l'or bleu, qui intéresse les laboratoires pharmaceutiques, car il est capable de tuer tous types de virus, le limule ne possédant pas de système immunitaire.

Moi, je peins avec, ce qui m'attire pas mal la foudre des écolos.

Encore une façon de transgresser, songea Sharko. Il en revint à son enquête et déballa son tableau : celui de la femme face au crocodile.

— Ce genre de tableau vous parle ?

— Oui, bien sûr. L'artiste est Mev Duruel. Elle peint toujours ses initiales sur ses toiles. Regardez, le « *M* », là, glissé dans le dessin de la tête du crocodile. Et… le « *D* »… Il faut chercher un peu, mais il est forcément caché sur l'œuvre. Mev Duruel a toujours été très douée pour manipuler les lettres de l'alphabet, les insérer dans les décors.

Sharko n'en crut pas ses oreilles. En à peine dix minutes, non seulement il tenait l'identité de l'auteur des tableaux volés par Ramirez, mais il découvrait à qui s'adressait le Pray Mev. Possédait-il enfin l'identité du gros diable rouge ? Du chef de clan ? Une femme ? Il montra les autres œuvres depuis la galerie de photos de son téléphone.

— Oui, oui, c'est sa patte chaque fois, confirma Bonnière. Vous enquêtez sur elle ?

— Disons que ses tableaux sont au cœur de notre enquête. Elle vit en France ? Je peux la rencontrer ?

La bio-artiste eut un petit rire. Elle posa sa tasse de thé sur un coin de table et versa le reste de la théière dans une plante.

— Vous pouvez, oui, mais ça se fera sans doute au fin fond d'un hôpital psychiatrique ou d'un institut spécialisé. À ce que j'en sais, Duruel est atteinte d'une schizophrénie sévère…

Le mot se rabattit comme un piège à loup sur la gorge de Sharko. Parce qu'il le touchait, lui, et le ramenait à ses douleurs passées. D'un autre côté, il ne voyait pas comment une schizophrène enfermée dans un hôpital spécialisé pouvait être impliquée dans leur affaire.

— … Son seul moyen d'expression, ce sont ces tableaux, bien connus dans le milieu du bio-art, et qui se vendent à bon prix auprès de certains amateurs. Ces humains face au danger et à la mort, mais qui s'en détachent avec une forme d'insouciance évidente… Ça a quelque chose de fascinant.

Elle désigna les tracés sur la toile.

— Elle travaille avec les doigts. Les mouvements sont brusques, violents, ils se superposent dans le chaos. Il n'y a pas d'amour dans cette façon de peindre. Duruel n'exprime qu'une souffrance intérieure, elle écrase la matière, la rejette. Le sang menstruel, c'est l'intimité, le soi profond, mais c'est aussi de la destruction, le liquide sombre, presque noir, recraché par le corps, composé de déchets. C'est la punition héritée d'Ève dans la Bible. C'était, par le passé, l'interdiction faite aux femmes d'entrer dans les églises en période de menstrues. C'est le sang maudit qui, du temps de Pline l'Ancien, faisait flétrir les récoltes et tuait les abeilles.

— Donc, ces tableaux…

— C'est comme si l'artiste refusait ce qu'elle était au fond d'elle-même, ses propres origines. Ce qui est étrange et fascinant, c'est que cette violence est contrebalancée par la tranquillité des personnages devant la mort, avec leur air béat.

Sharko n'y comprenait plus rien, voguant de joies en déceptions. Il essayait de raccrocher ce discours à son enquête.

— Vous savez pourquoi elle peint ces scènes, et depuis quand ?

— Tout est très mystérieux autour de Duruel. Ses racines, les raisons de l'existence de ces toiles, cet étrange don de peindre avec le sang menstruel, ces scènes autour du duel ou du défi. Et toutes ces têtes suspendues aux arbres. J'avoue que je n'ai pas creusé davantage le personnage. Rien ne vous empêche d'aller à l'hôpital, à sa rencontre et à celle de ses médecins.

— Je le ferai.

Sharko n'allait évidemment pas s'en priver : pourquoi des tarés comme Ramirez la *priaient*-ils ? Qu'avait-elle à voir avec le satanisme ? En quoi pouvait-elle être impliquée ?

Il enchaîna sur la seconde raison de sa venue ici. Il désigna du menton l'affiche de *In the Mind of a Wolf*.

— J'ai lu l'article dans *Le Monde*. Vous vous êtes injecté du sang de loup. Vous avez parlé non pas de la métamorphose, mais de métamorphoses, au pluriel. Vous pouvez expliquer ?

— Le sang n'est pas un liquide comme les autres. Il est porteur de toute l'histoire de l'humanité et, en même temps, de l'histoire de chacun par le lignage génétique. La vie s'arrête quand il cesse de circuler, et il est aussi synonyme de mort quand il se répand en dehors du corps. Vous êtes bien placé pour le savoir, vous qui croisez des cadavres tous les jours. Pensez à la Bible, Abel et Caïn, le premier sang versé… Il est le poison et le remède qu'on retrouve dans les bras gauche et droit de Méduse, le liquide pollué qui a provoqué les saignées du Moyen Âge, mais il représente aussi la jeunesse éternelle. Vous avez déjà certainement entendu parler de la comtesse sanguinaire, Élisabeth Báthory, qui remplissait des baignoires avec le sang de jeunes vierges qu'elle enfermait dans une machine de torture…

Sharko acquiesça. Elle désigna les vers dans leur aquarium.

— Voici des arénicoles, des vers marins ; ce sont eux qui laissent les petits tourbillons de sable sur les plages à marée basse. Tout le monde les connaît. Mais peu de gens savent que leur hémoglobine est capable de transporter une quantité incroyable d'oxygène, cinquante fois plus que l'hémoglobine humaine. De plus, il n'y a aucun problème de compatibilité avec les différents groupes sanguins humains. On parle déjà de son utilisation pour oxygéner les greffons de reins pendant leur transport. Alors, imaginez qu'on puisse se l'injecter dans l'organisme… Imaginez des muscles gorgés de cinquante fois plus d'oxygène, les performances sportives, ou le temps que l'on pourrait rester sous l'eau sans respirer, par exemple…

Sharko se demanda si les vers ne seraient pas sa prochaine étape après le cheval. Une plongée progressive vers l'interdit, l'impossible, la folie.

— Se produirait alors la fusion de l'homme et du poisson… C'est ça, la métamorphose. La fusion des êtres par leur sang.

L'artiste fixait la photo d'elle face au loup agrandie, accrochée au mur.

— Quand je me suis injecté le sang du loup, j'ai vraiment eu l'impression d'être ailleurs, je n'étais pas dans mon corps habituel. J'ai eu une sensibilité à fleur de peau, j'étais à la fois craintive et je ressentais une réelle puissance animale de carnivore. Je n'ai pas dormi pendant trois jours, en hypervigilance. Au fond de moi, j'étais ce loup parcourant les steppes, ce loup qui cherche la proie mais qui veille aussi pour sa propre survie. Bien sûr, il y a une partie des sensations que l'on doit aux glandes thyroïdiennes ou surrénales qui réagissent à l'injection de sang étranger, ainsi qu'une importante activation du système immunitaire, mais cela ne peut pas tout expliquer. J'ai vraiment senti le loup en moi… C'était, encore une fois, la métamorphose.

— Et le pluriel ? Vous avez dit : « L'acceptation du sang, c'est s'ouvrir la porte des métamorphoses. »

— C'est en référence à Ovide et à son long poème épique, *Les Métamorphoses*. On peut y lire, entre autres, que Médée change le sang des hommes pour leur permettre de vivre plus longtemps en attendant l'arrivée des Argonautes. Ovide aborde le thème de l'immortalité, mais surtout, dans ces passages, il évoque déjà, finalement, les prémices du transfert de sang bienfaiteur qui permet de devenir un autre. De se métamorphoser en quelqu'un de meilleur. Quand on y regarde bien, on en est aux balbutiements inconscients de la transfusion sanguine, qui aujourd'hui sauve des milliers de vies.

Le mélange des sangs, la transfusion… Le discours était décalé, parfois lunaire, mais il parlait à Sharko. Ramirez avait bu le sang de ses victimes ou s'en était même injecté pour ressentir ce que ses proies ressentaient avant de mourir. Absorber leur énergie, mais aussi leur souffrance. Fusionner avec elles.

— Une dernière chose : si je vous dis injection d'humain à humain, en dehors des transfusions en hôpital évidemment, ça vous évoque quoi ?

Elle eut un geste de repli et considéra Sharko presque avec colère.

— Je vous parle de transgression, pas de folie ! Le but du bio-art n'est pas de jouer avec la mort. Le sang de loup que l'on m'a injecté a été nettoyé des immunoglobulines incompatibles avec l'être humain, ce sera pareil pour celui du cheval. Je me prépare depuis plusieurs mois en m'injectant, toujours sous la surveillance du laboratoire, de petites doses qui stimulent mes anticorps. Tout est contrôlé. Il n'y a pas de réel danger.

— On peut imaginer des bio-artistes encore plus extrêmes… qui briseraient les limites et toutes sortes de tabous. Qui, eux, joueraient avec la mort.

— Peut-être, tout peut exister, vous le savez mieux que moi. Mais ça n'est pas mon truc, désolée.

Sharko la remercia pour le café, reprit le tableau et regagna la sortie, avec le nom de Mev Duruel à l'esprit. Une schizophrène…

Il rentra au 36, la tête farcie d'interrogations. Alors qu'il expliquait ses découvertes à son chef, il se demandait en quoi une artiste atteinte de maladie psychique et enfermée entre quatre murs pouvait être au cœur de toute cette histoire. Et comment, depuis son hôpital, elle avait pu conduire Coulomb vers la mort.

40

20 h 40. Éclairé par l'ampoule faiblarde, Nicolas était assis, seul, dans la cave de Ramirez, une bière tiède entre les jambes et les différents dossiers de l'affaire étalés devant lui. La satisfaction du travail bien fait lui donnait du baume au cœur. C'était lui qui avait insisté pour rechercher le premier impact, le Pébacasi. Et il se nichait là, dans la diagonale de son regard, un mètre cinquante au-dessus de sa tête. Nicolas s'était fait une joie d'appeler Manien pour lui annoncer sa trouvaille.

Grâce à cet impact, Bellanger pouvait désormais se refaire un film assez précis du scénario du 20 septembre. Il avait tout consigné avec soin sur son Moleskine, page après page.

Tout avait démarré aux alentours de 22 h 30. D'après Mélanie Mayeur, une femme avait frappé à la porte d'entrée de la maison. Ramirez s'était levé sans un bruit, avait observé avec discrétion par la fenêtre de la chambre. Une fois revenu auprès de Mayeur, il avait parlé d'une femme dont la voiture était tombée en panne. Il n'avait pas ouvert. Cette inconnue était revenue dix minutes plus tard et avait pénétré dans la maison avec la clé d'entrée, dont elle possédait un double.

Nicolas s'envoya une gorgée d'alcool, tirant deux déductions. La première, Ramirez ne connaissait pas Pébacasi, sinon il n'aurait pas dit, selon les propos de Mayeur : « Fallait tomber en panne ailleurs, connasse. » Et la seconde, Pébacasi avait voulu s'assurer de l'absence du propriétaire pour entrer dans la maison avec la clé. Elle ne voulait pas l'affrontement avec Ramirez, mais cherchait plutôt quelque chose. Quoi donc ? Pouvait-il s'agir des tableaux de sang récupérés par Sharko ? Du calque avec les points ? De la fresque des diables ? Était-elle en relation avec l'une des victimes ? Cherchait-elle des preuves de la culpabilité de Ramirez ? Toujours est-il qu'elle s'était aventurée à la cave. Pendant ce temps, Ramirez s'était emparé de son HK P30 et avait circulé à pas de loup. Il avait dévalé l'escalier glissant et s'était retrouvé face à face avec Pébacasi. Et là…

Le flic leva les yeux vers le plafond.

— Un accident. C'était un accident, et non une exécution. Tu ne cherchais pas à le tuer en pénétrant chez lui. Tu voulais l'éviter, au contraire.

Il nota le mot sur son carnet et l'entoura. L'accident était l'hypothèse la plus probable. Quoi d'autre pouvait expliquer cet endroit incongru où s'était logée la première balle ? Nicolas se leva et se mit à gesticuler, tel un comédien qui rejoue une scène avant le tournage. Ramirez était arrivé par surprise, mais il n'avait pas utilisé son arme. Il était vif, musclé, jeune. Sans doute avait-il pensé avoir le dessus. Une lutte s'était engagée, les deux avaient roulé au sol.

Nicolas posa sa bière et s'accroupit, visage orienté vers le plafond. Il imaginait : Ramirez dessus, elle dessous… Elle avait pointé son arme sur la gorge et avait tiré. Mais pourquoi ne pas tout laisser en plan et prendre la fuite ? Pourquoi ce besoin de déguiser l'accident en meurtre ignoble ?

Nicolas se mit à aller et venir, se réchauffant le fond de la gorge avec l'alcool. Un peu flottant, il se sentait bien, ici, dans ces profondeurs, à réfléchir. Il redoutait déjà le moment de rentrer, quand les visages des cadavres découverts la veille viendraient le hanter.

Donc, Pébacasi avait décidé de rester. Son téléphone avait sonné, à 22 h 57 précises. Mayeur était encore à l'étage, elle avait entendu les sonneries mais n'avait rien dit. Puis elle s'était sauvée par la fenêtre en silence, tandis que Ramirez, déplacé au fond de la cave, recevait une seconde balle à travers la gorge, tirée avec sa propre arme.

Nicolas cueillit dans un dossier des photos de la cave avant nettoyage, ainsi que des gros plans du cadavre, qu'il scruta pour la énième fois. Ramirez avait été charcuté et fourré aux sangsues comme un bon far breton. Pébacasi avait le cœur bien accroché et une imagination remarquable. Pensait-elle déjà aux flics quand elle avait agi ? Cherchait-elle à les déstabiliser ? Leur faire croire qu'elle était perverse alors qu'en fait elle avait tout fait pour ne pas croiser Ramirez ?

Nicolas revint au niveau du premier impact. Pébacasi avait voulu détourner leur attention, les éloigner du premier tir. Elle n'était pas née de la dernière pluie, avait replacé le corps exactement dans la même position.

Il fixa l'espace du fond, il sentait que les réponses étaient juste là, suspendues au-dessus de sa conscience. Soudain il se figea devant l'un des murs. Puis il retourna fouiller dans les dossiers. Il en sortit l'impression couleur du pistolet HK P30 et l'observa avec attention.

— Bingo !

Il alla se mettre à la place du mort, imagina la position exacte du tueur, face à lui. Puis se redressa et, son Sig Sauer en main, prit la position assassine : à genoux, face au cadavre imaginaire, l'arme bien droite.

Il se souvenait de la remarque faite à Sharko, le soir de la découverte du corps : seule une fenêtre d'éjection à gauche pouvait expliquer la présence de la douille au milieu d'un entassement de briques, juste derrière lui. Dans ce cas, le tube en étain aurait percuté le mur de gauche très proche, puis rebondi vers l'arrière. Problème : la fenêtre d'éjection de tous les HK P30 se situait sur la droite, comme sur son Sig Sauer.

Nicolas remonta en quatrième vitesse, récupéra des boules Quiès dans le coffre de sa voiture – il y stockait aussi une brosse à dents, des Coton-Tige, un peigne et un pack entamé de douze bières –, redescendit à la cave et reprit sa position, une fois les oreilles bouchées. Il visa le trou dans le mur, ferma un œil et ouvrit le feu. La douille fila sur la droite, bondit sur le sol et n'atteignit même pas le mur proche de l'entrée. Même avec le capharnaüm le soir de la mort de Ramirez, impossible que la douille se retrouve derrière lui, au niveau des briques.

Nicolas fit un rapide croquis sur son carnet, puis se jeta sur le rapport balistique établi par Guy Demortier, ainsi que sur les photos des scellés jointes au dossier, prises par Franck. Gros plan sur la douille prélevée au niveau des briques, photographiée sur fond neutre cette nuit-là : elle était bien de marque Luger comme celle tirée dans le château d'eau, c'était bien elle que Demortier avait analysée et, aucun doute possible, elle correspondait à la balle Tizicu profondément enfoncée dans le mur face à lui.

Mais alors, où est-ce que ça buggait ? Où Nicolas se trompait-il dans son raisonnement ? Un détail lui échappait encore. Il récupéra sa propre douille et s'immobilisa devant sa balle plantée dans le mur au moment de la récupérer. Elle n'était presque pas enfoncée, contrairement à celle cueillie au même endroit, cette nuit-là.

Il retourna au niveau de l'impact du plafond. Là aussi, faible pénétration du projectile. Il décrocha son téléphone et appela le balisticien qui répondit après quatre sonneries.

— Je suis désolé de te déranger si tard, mais une question risque de m'empêcher de dormir.

— Je t'écoute.

— On a enfin trouvé le premier tir, le Pébacasi, dans le plafond de la cave de la victime, à quelques mètres de l'autre impact, le Tizicu. Le matériau dans lequel se sont enfoncées les balles est le même, la brique. Or, le trou dans le plafond est beaucoup moins profond que celui dans le mur. Je n'y connais pas grand-chose en arme. C'est quoi, l'explication, selon toi ?

— Tête pleine, tête creuse.

— C'est-à-dire ?

— Les têtes creuses sont utilisées pour faire le plus de dégâts possible dans leur cible, sans, théoriquement, en ressortir. On dit que la balle « champignonne » ou s'épanouit dans sa cible. Les têtes pleines sont beaucoup plus perforantes et continuent en général leur trajectoire. Les dommages collatéraux sont plus grands. C'est pour ça que les forces de l'ordre sont désormais équipées de munitions à tête creuse. Depuis 2010 ou 2011, je crois.

Nicolas observa la balle écrasée dans sa main. Donc, la balle tirée dans le mur était une tête pleine, et celle dans le plafond une tête creuse. Pébacasi disposait d'une arme avec le même genre de projectiles qu'eux, les flics.

— Les têtes creuses sont très répandues ?

— Elles sont normalement interdites à la vente pour les armes de poing et ont été faites, comme je te dis, pour les forces de l'ordre et l'armée.

— Le tireur serait donc quelqu'un de la maison ?

— C'est probable, oui, mais on ne peut pas l'affirmer. Ces munitions, je doute fort que votre tueur se les soit procurées légalement. Dans les circuits parallèles, on trouve des têtes creuses, provenant de stocks volés. Beaucoup moins que les têtes pleines, mais quand même. Enfin bref, tout cela est difficile à estimer. J'ai répondu à ta question ?

— Oui, merci, Guy.

Il raccrocha et prit des notes rapides, perturbé par cette histoire de têtes creuses et têtes pleines. Quelqu'un de la maison, peut-être… Un flic, un militaire, un douanier ? Un individu qui, en tout cas, savait comment tromper les enquêteurs et arranger une scène de crime. Qui avait fait preuve d'un sacré sang-froid, aussi.

Nicolas termina sa bière, content de sa trouvaille. « Le diable se cache dans les détails », avait dit le type de la station de péage. Et une somme de détails pouvait, au final, mener à une résolution. N'était-ce pas là une conviction de Sharko ? Progressivement, le capitaine de police avait l'impression de se rapprocher de Pébacasi. De la cerner un peu plus.

Manien était chauffé à blanc, il n'apprécierait pas l'épisode avec le coup de feu et l'utilisation d'une arme de service sur une ancienne scène de crime. Chaque tir en dehors d'un stand devait faire l'objet d'une procédure stricte. Beaucoup de paperasse, et le boss s'en donnerait à cœur joie pour lui coller un blâme aux fesses, ce genre de conneries. Mais Nicolas ne lui accorderait certainement pas ce plaisir. Alors il allait garder sa petite expérience de ce soir pour lui et n'en parler à personne. Cette affaire dans l'affaire, sur laquelle « on » lui reprochait d'utiliser des ressources, c'était la sienne. Il ne lâcherait pas l'os.

Il ramassa sa douille, la glissa dans sa poche à côté de la balle, puis décida de lever le camp suite à un message sur son téléphone. À plus de 22 heures, Chénaix voulait les voir pour le bilan des treize autopsies.

41

La mort.

Sous ses formes les plus abouties. Sans fard ni artifices. Corps secs, humides, flasques, verdâtres, ou momies poreuses, légères, presque aériennes et artistiques, semblant extraites d'un musée des horreurs. Silhouettes nues, découpées aux instruments chirurgicaux dans la mesure du possible, ronde macabre de visages décharnés, d'os scintillants, de ligaments à fleur de peau, alignés sur deux rangs comme pour une ultime photo de famille, aller simple pour l'enfer.

Franck, Jacques et Nicolas, regroupés dans un coin face à l'armée des ténèbres, les visages trop fatigués, alourdis d'insomnies à répétition. Aux premières loges de la violence du monde, cernés de cette odeur épouvantable, morceau d'atmosphère arraché au ventre même de l'outre-tombe, mélange du pire, entre végétal et animal, champignon et charogne.

Paul Chénaix accusait aussi le coup, lui l'increvable aux deux mille cinq cents autopsies – boursouflés, moches, nouveau-nés, noyés, pourris, brûlés, passés à la moissonneuse ou juste morts, comme ça… Il se dressait entre les deux rangées, tel un sinistre maître d'école au milieu de sa classe de zombies. Jacques avait passé une partie de la journée à ses côtés et avait même vu, dans des replis de chair, des mouches s'arracher à leurs pupes puis s'envoler dans un gai bourdonnement. Des naissances volées au vide de la mort. Dans la nature, rien ne se perdait, tout n'était que transformation.

— Alors…

Une longue pause. Par où commencer ?

— … Avec mes confrères, et toujours sous le couvert d'analyses plus approfondies par l'anapath, l'anthropo et l'entomo, on en est arrivés aux conclusions suivantes : parmi ces treize sujets se trouvent huit femmes et cinq hommes, âges parfois difficiles à estimer, mais je donnerais une tranche allant du jeune adulte – 17, 20 ans – à des individus qui ont au maximum une cinquantaine d'années. Particularités à confirmer par l'anthropo : vu les formes des crânes et des faciès, les origines ethniques semblent variées : africaines, peut-être chinoises, mais aussi caucasiennes. Bref, on dirait qu'on est dans la diversité absolue, pas de profil standard qui ressorte.

Franck pensait à Laëtitia, d'origine réunionnaise. Il avait déjà repéré son corps, sur la deuxième rangée, lugubre bloc de papier froissé et jauni. La tête était tournée dans sa direction, et ce qui avait été jadis une jeune fille pleine de vie semblait le fixer de ses deux orbites creuses.

Paul Chénaix se dirigea vers le cadavre relativement conservé d'un homme.

— Impossible de définir les causes de la mort de tous ces sujets, seuls trois d'entre eux nous ont permis d'y voir un peu plus clair et d'extrapoler aux autres, plus abîmés. Celui-ci était le numéro 4, enterré en forêt dans la vallée de Chevreuse, recouvert de chaux vive. Comme pour le cadavre du château d'eau, il a été intégralement vidé de son sang.

Il désigna des morceaux de plastique posés dans un récipient rectangulaire.

— Sur six des treize corps, on a retrouvé des canules. On peut supposer que d'autres canules se trouvaient sur d'autres corps, mais la décomposition, les conditions de remontée des cadavres font que ces morceaux de plastique ont dû se perdre dans la nature ou au fond de l'eau. Sur la plupart des corps, des côtes étaient brisées : ça fait penser au massage cardiaque très violent pour forcer le muscle à pomper jusqu'au bout. On peut donc légitimement supposer que toutes ces victimes ont subi un sort identique à celui de Willy Coulomb : pompées jusqu'à la dernière goutte.

Nicolas se sentait mal. Il se représentait le calvaire de ces personnes comme il avait, à l'époque, imaginé celui de Camille. Il pensait aux larmes de douleur arrachées à leurs yeux, à leurs cris désespérés, aux litres de sang qui avaient transité dans les poches et peut-être fini au fond de gorges cannibales.

— On a fait partir des échantillons de chaque sujet pour des analyses ADN, avec l'espoir que des visages et des identités viennent se superposer à tous ces anonymes.

Le légiste ôta ses gants en latex et les jeta d'un geste las dans une corbeille.

— Le plus difficile est d'établir la chronologie des crimes. Il y avait des corps dans l'eau, dans du plastique, sous terre, recouverts de chaux vive ou pas, plus ou moins profondément enterrés, ce qui rend les tentatives de datation très compliquées. Là encore, il faut avoir une vue globale. Avec mes confrères et en attendant d'autres précisions, je dirais que le cadavre le plus ancien, à l'état de squelette, remonte à deux ans, minimum. Quant au plus récent, il date de quelques semaines, à vue de nez.

Franck réfléchissait malgré tout. Peut-être n'y avait-il pas eu d'autres cadavres après Laëtitia. Quant à ceux la précédant… Jusqu'à deux ans plus tôt… L'estimation correspondait aux propos de Florent Layani : Ramirez et le type aux lunettes de soleil avaient commencé à constituer leur clan à cette période.

Il s'avança vers le corps le plus frais.

— Deux ans, treize victimes, ça donne un meurtre tous les deux mois. Du travail à la chaîne…

Il revoyait les images des carcasses en file indienne dans l'abattoir. Il avait l'impression d'être dans le même genre de situation face à ce cimetière à ciel ouvert. Nicolas s'approcha de lui, l'haleine chargée de menthe. Franck, bien que concentré sur les propos du légiste, se demandait encore ce que son collègue était retourné faire si longtemps dans la cave de Ramirez. Bellanger restait évasif à ce sujet.

— Hommes, femmes, âges variés, origines peut-être diverses, fit Nicolas. Tellement de différences, et pourtant, il y a forcément un point commun qui relie toutes ces personnes. Ramirez ne peut pas frapper au hasard.

— Qu'est-ce qui te fait dire ça ? répliqua Sharko. Qui te dit qu'il n'agit pas sous le coup de pulsions et au gré de ses déplacements ?

— Les canules. Le fait qu'il s'injecte peut-être leur sang. Tu ne peux pas faire ça avec des individus choisis au hasard. Ç'aurait été prendre trop de risques, Ramirez aurait tiré un mauvais numéro à un moment donné. Une maladie, une incompatibilité sanguine. C'étaient ces victimes-là, et pas d'autres.

— Rien ne confirme qu'il s'injectait leur sang. Peut-être se contentait-il de le boire.

— Oui, peut-être, ce qui en soi est déjà pas mal, tu ne trouves pas ? Mais j'ai le sentiment que… qu'il y avait quelque chose d'intime, de presque charnel, entre le bourreau et ses victimes. Il les peint, les vide de leur sang, conserve leurs larmes, marque les arbres pour revenir les voir de temps en temps. Il tient à chacune d'entre elles.

Un silence se glissa dans la pièce glaciale où seule ronflait désormais la ventilation. Derrière eux, la porte du sas s'ouvrit sur le visage de Manien. Il était suivi par un homme à la barbe noire taillée en carré, façon légionnaire, et au crâne rasé, arborant juste une mèche frontale. Des allures de Jonah Lomu, quelques centimètres et kilos en moins. Sharko eut soudain un mauvais pressentiment : la présence de ce type n'était pas normale. L'homme marqua un temps d'arrêt à la vue des corps alignés, puis fit de brèves salutations, une main devant le nez.

— Désolé. Cette odeur. Faut que je m'habitue.

— Voici Hubert Landreau, annonça Manien en grimaçant lui aussi. Il est l'un des commandants de l'OCDIP. Drôle d'horaire et de lieu pour une rencontre, mais sa visite va peut-être nous donner le coup d'accélérateur tant espéré.

Coup de poing dans le plexus de Franck. L'OCDIP, déjà, sur le coup. Sûrement à cause de cette fichue presse. La découverte de treize corps dans la région, *a fortiori* des disparus, l'avait logiquement intéressée. Les journalistes avaient mis le feu aux poudres et établi des liens qui n'auraient jamais dû se faire. Bon Dieu, pourquoi un tel déferlement de malchance ? Franck vivait un cauchemar dans le cauchemar, une espèce de rêve imbriqué où chaque niveau se révélait pire que le précédent.

La voix de son chef remonta au-devant de sa conscience.

— … Hubert a tout de suite réagi quand je lui ai cité le nom de l'auteur de ce massacre. Hubert ?

— Mes hommes sont informés depuis quatre mois de la disparition d'une jeune femme, Laëtitia Charlent, majeure, qui vivait chez une famille d'accueil dans une ville voisine de Longjumeau. Mi-mai, après son départ d'un foyer de jeunes, elle n'a plus donné signe de vie. Elle se disputait souvent avec sa famille d'accueil, elle menaçait de partir, on a privilégié la fugue comme ça arrive souvent dans ces cas-là. Le nom de Julien Ramirez apparaît brièvement dans notre dossier, il a été interrogé comme témoin à l'époque parce que sa camionnette avait été repérée près d'endroits que fréquentait la jeune fille. On a fait ce qu'il fallait et, s'il n'a pas été inquiété, c'est parce qu'il était sur un chantier au moment de la disparition.

— C'est parce qu'ils étaient deux à agir, répliqua Nicolas. Les deux diables…

— Les quoi ?

Sharko était pétrifié dans son coin, appuyé contre le mur pour ne pas chanceler. Les voix lui arrivaient en bourdonnements. Manien et le commandant vinrent aux côtés du médecin légiste.

— On vous expliquera, mais on a plusieurs raisons de penser que Ramirez n'a pas agi seul. Le corps numéro 9, celui découvert avec l'anneau, lequel est-ce ?

Paul Chénaix désigna la momie aux orbites vides, au crâne ouvert en deux et remis en place à la va-vite.

— C'est le corps que j'estime être le plus récent. Individu féminin, entre 19 et 22 ans, taille aux alentours de un mètre soixante-dix, courts cheveux noirs, vraisemblablement d'origine non caucasienne.

Le commandant de l'OCDIP s'approcha, une main toujours placée devant le nez et la bouche.

— Laëtitia est réunionnaise, d'origine malgache. 20 ans.

— Dans ce cas, ça pourrait fonctionner, répliqua Chénaix.

Le bijou se trouvait dans un sac à scellés numéroté et posé à côté des pieds, que Jacques embarquerait au terme des examens. Landreau observa en détail.

— Difficile à dire, le corps est très abîmé. Mais pour le bijou, il n'y a pas de doute, c'est le même.

Il se tourna vers Manien.

— Vous pouvez demander son analyse ADN en priorité pour une comparaison ? On doit être certains avant de prévenir la famille d'accueil.

— C'est comme si c'était fait.

— Si ça correspond, on vous file toutes les billes du dossier. C'est un flic à la retraite d'Athis-Mons qui a levé le loup et a fait ressortir pour la première fois le nom de Ramirez. Vous verrez. Dans cette affaire, on a tous intérêt à collaborer et à…

Un battement de porte, derrière lui, l'interrompit.

Sharko avait disparu.

42

Lucie se frottait les yeux devant les articles au sujet de l'accident de bus du plongeur, en août 2013. Rien à en tirer, rien non plus des visages des passagers, tous inconnus. Il était plus de minuit. Pourquoi Franck ne rentrait-il pas ? Pourquoi ne répondait-il pas au téléphone ?

À 1 heure du matin, elle hésitait à appeler Nicolas, quand Sharko franchit enfin le seuil de la porte, les yeux rouges et l'haleine chargée. Janus, couché dans un coin, vint se glisser entre ses jambes. Le flic s'accroupit pour le caresser et tituba.

— Je n'ai pas eu de mal à avoir une place de choix au bar. L'odeur de mort que je porte sur moi chassait systématiquement ceux qui se tenaient dans un rayon de deux mètres.

Le chien le reniflait partout. Sharko roula avec lui sur le tapis et se laissa mordiller les mains. Lucie l'observa, morte d'inquiétude, et se dirigea vers la cuisine pour remplir un verre d'eau. Franck se servit un whisky, puis se laissa choir dans le fauteuil, une main sur le crâne.

— On est morts. Morts, Lucie.

Elle posa le verre d'eau sur la table et s'installa à ses côtés.

— Explique-moi.

— Pour Laëtitia, ça y est, ils savent. Le couperet est tombé.

— Ils savent ? Comment ça ?

— Un type est venu avec Manien dans la salle d'autopsie, un gars de l'OCDIP qui a bossé sur la disparition de Laëtitia. C'est la presse qui a mis le feu aux poudres. Le mec a reconnu l'anneau. Saleté de bijou…

Lucie sentit une bouffée de chaleur l'envahir. Contrairement à Franck, elle était soulagée de ne plus avoir à porter le secret.

— … Il a raconté les circonstances de la disparition de la jeune femme. Demain, les résultats ADN tomberont et confirmeront que c'est bien de Laëtitia qu'il s'agit. Quelques heures plus tard, ce type va refiler le dossier de la disparition à l'équipe. Tout le monde aura les yeux rivés sur ton oncle, ce petit flic à la retraite qui, un jour, a repéré la camionnette de Ramirez. Personne ne sait qu'il est mort d'une crise cardiaque, et donc… des types comme Jacques ou Nicolas vont se pointer chez lui, la bouche en cœur. Quand ta tante leur apprendra qu'il est décédé, ils ne vont pas repartir, oh, non. Ils vont se jeter sur elle comme un chien sur un os à moelle, demander des précisions, chercher à savoir comment Anatole en est arrivé à surveiller Ramirez et si ton oncle n'a pas livré à ta tante des détails qui pourraient faire avancer notre enquête. Et dès que Nicolas découvrira vos liens de parenté, tous les signaux vont s'allumer dans sa tête. Il fera des rapprochements, les déductions couleront de source. Il comprendra que Pébacasi, c'était toi.

Il fallut quelques instants à Lucie pour prendre la mesure de la situation. C'était la première fois qu'elle le voyait abattu à ce point depuis le début de cette histoire, et elle trouva dans un geste tendre la force de lui confier son idée :

— Il reste une solution, Franck, elle paraît aberrante, mais j'y pense depuis que ma tante m'a appelée à Brest.

— Vas-y, éclaire-moi. Parce que là… je suis obligé de chercher des solutions au fond d'une bouteille.

— Quoi qu'il arrive, on ne révèle pas qu'Anatole est mon oncle ni que Régine est ma tante.

Sharko fronça les sourcils.

— Qu'est-ce que tu racontes ?

— Ben oui, leur nom est Caudron, celui de jeune fille de ma mère. Je suis une Henebelle. Qui fera le lien entre eux et moi, si on ne dit rien ? Tu connais la tante de Nicolas, toi ? Celle de Jacques ? De Chénaix ? Non. On passe nos journées ensemble, mais on ne connaît rien des familles des autres. Si on ne dit rien, si on ne réagit pas à l'évocation du nom de mon oncle lorsqu'ils tomberont dessus, on n'aura pas de problème.

Franck considéra Lucie entre surprise et réflexion. Il finit par acquiescer.

— C'est une possibilité. Oui… C'est même plus qu'une possibilité, c'est une idée plutôt… viable.

— Demain matin, je vais retourner briefer ma tante une dernière fois. Elle n'évoque surtout pas mon nom ni notre lien de parenté, et tout ce qu'elle sait de cette affaire, c'est ce que tout le monde sait : mon oncle a continué à enquêter un peu, il a bien signalé à l'OCDIP la présence de la camionnette de Ramirez près des lieux de fréquentation de Laëtitia. Ça s'arrête là. Il n'a jamais surveillé Ramirez à son domicile ni moulé de clé… Je vais aussi vérifier qu'il n'y a pas de photos de moi qui traînent chez ma tante mais, normalement, non. Quand viendra le moment où elle sera interrogée, faudra pas qu'on soit là, ni toi ni moi. Parce qu'elle fera forcément une connerie. Elle nous tutoiera, il y aura des regards, ce genre de choses, qui nous trahiront. On devra rester loin de ce pan de l'enquête et laisser faire les autres. Si on respecte ça à la lettre, ça fonctionnera.

Sharko fit basculer le bord du verre de whisky entre ses lèvres. Giclée glacée contre ses dents et sa gorge.

— C'est une bonne idée. À condition qu'elle ne craque pas.

— Ma tante est ce qu'elle est. Mais je crois qu'elle a pris conscience des enjeux, maintenant. Et, même si elle pose des questions sur Laëtitia, ça n'éveillera pas les soupçons. Après tout, elle connaissait la gamine et sa famille d'accueil, elle a écouté les infos comme tout le monde, c'est légitime qu'elle s'intéresse.

Lucie lui montra le SMS de Nicolas sur son téléphone portable. « L'impact Pébacasi est dans le plafond de la cave ! »

— Ce qui m'inquiète encore plus que ma tante, c'est ça. Je l'ai reçu en milieu d'après-midi. Raconte-moi ce que Nicolas t'a dit au sujet de ce premier impact. Qu'est-ce qu'il en déduit ? Vers quoi il s'oriente ?

Sharko sembla chercher des réponses sur le rebord de son verre.

— J'en sais rien. Il est retourné là-bas avant le bilan des autopsies mais il reste mystérieux, évasif. À croire qu'il sent quelque chose.

Lucie vint se serrer contre son homme, le visage plongé au creux de son épaule. Il chancelait, et pas seulement à cause de l'alcool. Qui, ayant entre ses mains quatre destins, ne serait pas dans le même cas ?

— Ne lâche pas, Franck. Pas toi. Tu es le pilier de notre famille. Si tu trembles, on s'écroule tous. On a libéré Laëtitia de la terre. On va la rendre à ceux qui se sont toujours occupés d'elle. Et on fera ce qu'on a toujours fait, parce que c'est notre job : on va la venger en bouclant cette enquête.

43

— L'histoire de Mev Duruel est très difficile à retracer, messieurs.

Le lendemain matin, Sharko, Bellanger et le psychiatre Michel Cataluna avançaient dans l'un des couloirs de la clinique médicale de Ville-d'Avray, à deux encablures du château de Versailles. L'endroit où résidaient quarante-quatre patients atteints de graves troubles mentaux était agréable, planté au cœur d'un poumon de verdure.

— Son père adoptif, Roland Duruel, est décédé suite à une chute d'échelle il y a une dizaine d'années. Il avait 76 ans. Un spécialiste des araignées, qui a longtemps parcouru les forêts de la planète à la recherche de nouvelles espèces. Le nom de Mev apparaît pour la première fois dans l'administration française en 1961. Une enfant sauvage, abandonnée, que l'aventurier aurait trouvée errante, à quelques kilomètres de la ferme où il vivait avec son vieux père, au nord de Chartres. Elle a d'abord grandi dans des instituts spécialisés, puis Duruel a réussi à en avoir la tutelle et finalement à l'adopter.

— Quel âge avait-elle ? demanda Nicolas.

— 6, 7 ans au moment de sa découverte. On ne connaît pas son âge précis. On n'a jamais retrouvé ses origines. Toutes les hypothèses ont été avancées, y compris celle selon laquelle elle aurait été élevée avec des chiens par une espèce de sadique. Aujourd'hui, je suis persuadé que Duruel l'a trouvée au fond d'une jungle lors de l'un de ses voyages et s'est débrouillé pour la ramener illégalement. Il avait de l'argent, beaucoup d'argent. Et avec l'argent, vous le savez, on achète tout. Même des vies.

Mev avait donc aux alentours de 60 ans. Sharko l'avait imaginée beaucoup plus jeune, sans doute à cause du sang menstruel, qui symbolisait pour lui l'enfantement, la naissance, la femme nourricière.

— … Elle ne parlait pas, mais poussait des cris et des sons gutturaux, elle dormait à même le sol. Dans les premiers mois, elle refusait de manger, sauf des cœurs ou des foies d'animaux crus. Après deux ou trois années de progrès, par le biais d'un imbroglio administratif, Duruel a pu la récupérer en graissant quelques pattes. Elle a donc grandi et vieilli dans une immense ferme isolée. Cet endroit de campagne constituait globalement son seul univers, mais c'était là où elle se sentait le mieux, au contact de la nature et des animaux. Roland s'occupait bien d'elle, les médecins et les éducateurs se succédaient pour assurer le développement de l'enfant. Quand Roland s'absentait pour le travail, le vieux père de ce dernier prenait le relais.

Ils s'arrêtèrent devant une salle colorée où divers patients de tous âges s'activaient à peindre, dessiner, faire des collages. Des œuvres plus ou moins grossières et torturées tapissaient les murs. Des bouches, des spirales de feu, des ogres aux mains énormes… *Thérapie par l'art*, songea Sharko. Il reconnut, sur l'un des pans de mur, des dessins de Mev Duruel. Les reliefs rouge sombre et noirs, les situations de danger, les têtes suspendues… Cataluna désigna la patiente en retrait, penchée sur une feuille.

— C'est elle, là-bas. Concentrée sur une grille de sudoku. Elle est une grande spécialiste des jeux de lettres et de chiffres, capable de résoudre une grille en moins de trois minutes. Elle a une mémoire extraordinaire, elle adore parcourir les dictionnaires. Allez comprendre. Elle sait parfaitement lire et écrire, on sait aussi qu'elle parvient à communiquer oralement, on l'a déjà entendue parler avec des patients, mais elle ne le fera jamais avec nous.

— Pourquoi ?

— Vous êtes des étrangers, je suis en blouse. Nous sommes tous trois des agresseurs potentiels. Depuis dix ans, elle ne m'a jamais adressé la parole. Comme vous voyez, Mev est brune aux yeux bleus, caucasienne. Mais la récurrence de la végétation, des animaux sauvages, des visages indigènes et ces têtes coupées dans son œuvre montrent qu'elle a probablement vécu sa prime enfance dans la jungle. Peut-être en Papouasie-Nouvelle-Guinée.

— Pourquoi ces régions-là ?

— Roland Duruel était dans ces derniers endroits au monde peuplés de cannibales à la fin des années 1950. Il est rentré en France en 1961.

La femme impressionnait Sharko. Massive comme un bloc de chêne, cheveux d'ébène, de larges poignets, un visage qui semblait creusé par l'érosion.

La peau couleur d'écorce. Il l'imaginait dans son enfance dévorer des cœurs entre ses doigts, au sein d'une tribu primitive coupeuse de têtes.

— De quoi souffre-t-elle, au juste ? On m'a parlé de… schizophrénie.

— Schizophrénie paranoïde, plus précisément. Phases incessantes de désorganisation psychique, psychotique au plus haut point avec hallucinations visuelles et auditives sévères à dominante persécutive. Régulièrement, Mev est attaquée par… par des coulées de sang.

Nicolas fronça les sourcils.

— Je ne comprends pas.

Comme si elle avait entendu, Mev les dévisagea. Sharko vit dans son regard l'obscurité de la jungle et l'agressivité d'une bête sauvage. Elle conserva un air méfiant, se recroquevilla plus encore sur sa chaise et reprit son activité.

— Avez-vous déjà vu la peur dans les yeux de quelqu'un ? La vraie peur, cette terreur palpable qui vous pousserait à vous tuer ou vous mutiler plutôt que de l'affronter ? C'est ce qui se passe avec Mev chaque fois que les coulées de sang l'attaquent. Ces coulées sont épaisses, elles n'émettent presque aucun bruit lorsqu'elles s'approchent lentement d'elle, mais Mev les entend. Elle perçoit leur ronflement, pareil à la lave qui se fraie un chemin à travers la roche.

Il rendit le salut à un patient qui lui faisait un geste amical et revint vers ses interlocuteurs.

— Quand le vétérinaire de la ferme a découvert le corps de son père tombé d'une échelle de six mètres, il y a dix ans, Mev était prostrée contre un mur, parce que le sang qui avait coulé du crâne paternel s'était répandu jusque devant ses pieds et… comment dire, l'empêchait symboliquement de s'échapper. Elle s'était mutilée à l'entrejambe en pensant que son sang menstruel se répandrait et pourrait combattre les coulées étrangères. Elle avait environ 50 ans.

La folie à l'état pur, qui ramenait Sharko à sa propre histoire. Aujourd'hui encore, il se rappelait Eugénie, la gamine apparue un jour dans sa tête, intarissable bavarde et friande de beurre de cacahuète. Oui, il s'en souvenait mais ne la voyait plus, à présent, et c'était toute la différence avec la femme qui se tenait dans la pièce. Mais en tant qu'ancien malade, il imaginait sans mal le calvaire de Mev. À cause d'un dysfonctionnement dans sa tête, elle *voyait* les coulées, parce que les zones liées à la vision s'allumaient dans son cerveau chaque fois que les hallucinations apparaissaient. Elle n'avait aucun moyen de discerner le faux du vrai.

— … On ignore quand tout cela a débuté, quand les hallucinations et le sentiment de persécution liés au sang ont commencé à l'envahir, on ne sait pas vraiment qui l'a suivie dans son adolescence et plus tard. Les Duruel père et fils ont toujours maintenu Mev à l'écart du monde, pour la protéger sans doute. Bref, tout est très flou. Mais les schizophrénies débutent souvent dans la vie de jeune adulte. La psychose de Mev ne date pas d'hier.

— Vous pensez que cette peur panique du sang peut venir de ses jeunes années dans la jungle ?

— Probable, oui.

Ils quittèrent la salle et s'engagèrent dans des couloirs. Le psychiatre poussa la porte d'une chambre, dont tous les murs étaient recouverts par des grilles de sudoku et des tableaux peints avec du sang menstruel.

— Ces tableaux sont une barrière contre ses peurs, un moyen de repousser les coulées. Elle s'entoure de morceaux de jungle et de sang pour se retrouver dans un environnement qu'elle connaît. Je pense que tous ces visages tribaux, ces léopards, ces serpents, ces crocodiles sont ceux de sa prime enfance. D'un point de vue symbolique, elle a reconstitué le monde de ses premières années. Elle a eu une ménopause tardive – après 55 ans –, mais elle est trop âgée aujourd'hui pour utiliser son propre sang menstruel, alors, elle s'arrange pour en récupérer auprès de patientes plus jeunes. On encadre tout cela, bien sûr, mais on ne s'y oppose pas.

Alors que Nicolas restait immobile, Sharko tournait sur lui-même. Le rouge, le noir, les reliefs du sang menstruel, liquide à la fois usé et riche.

— Pourquoi des visages souriants face au danger ?

— On pense qu'il s'agit, là encore, d'un moyen de se rassurer. L'uniformité dans le ton et les couleurs, la régularité avec laquelle les tableaux accrochés au mur sont espacés…

Sharko ne pouvait s'empêcher de songer au plongeur dévoré par les requins, persuadé que la cause était ailleurs. Que, dans son enfance, Mev Duruel avait vraiment vu ces indigènes affronter la mort sans aucune peur dans le regard. C'était il y avait plus de cinquante ans, sûrement à des milliers de kilomètres d'ici.

— … L'un de mes confrères est féru d'art contemporain, poursuivit le psychiatre. C'est lui qui a introduit les tableaux de Mev dans le circuit, voilà sept ou huit ans. Ça a plutôt bien fonctionné, il y a des amateurs qui achètent les œuvres, d'autant plus que le sang de Mev, lorsqu'elle avait encore ses règles, n'était pas commun. Elle est du groupe sanguin Bombay. Un groupe très rare.

Sharko n'en avait jamais entendu parler, et vu la réaction de Nicolas, lui non plus.

— Mev est heureuse que ses tableaux sortent d'ici. Elle se fiche de l'argent. Plus ses tableaux se répandront dans la population, plus ils pourront gagner du territoire sur les coulées, vous comprenez ?

Logique de schizophrène. Les flics acquiescèrent. Nicolas lui montra une photo de Willy Coulomb.

— Lui aussi était un amateur de ses œuvres ?

— Il est venu, en effet, mais « amateur » n'est pas le terme exact. Il voulait comprendre le sens des tableaux : pourquoi ces individus étaient-ils dénués de peur ? Il était comme vous, très curieux, et posait tout un tas de questions sur les origines de Mev, le fait qu'elle peigne des scènes de jungle avec son sang menstruel. Je lui ai plus ou moins révélé la même chose qu'à vous.

— Quand était-ce ?

— Fin juillet. La dernière semaine, le 30 ou le 31, je ne sais plus.

— Et savez-vous comment il est arrivé jusqu'ici ? Comment il a appris l'existence de Mev, de ses tableaux ?

— Non. Par la presse ? Mev a eu au fil des années beaucoup d'articles, dont certains aux titres parfois un peu racoleurs.

Sharko réfléchit. Grâce à la presse, Coulomb avait sans doute fait le lien entre le prénom de cette femme et le « *Mev* » gravé sur sa plante de pied lors de la séance de tatouage. Ou alors, il avait été mis au courant par Ramirez ? Que savait-il réellement en débarquant ici ?

— … Il a insisté pour lui parler, je lui ai dit qu'elle n'échangerait pas un mot avec lui, mais je ne me suis pas opposé à la rencontre. Il était très habile, il la flattait, la félicitait. Mev appréciait vraiment, même si elle ne desserrait pas les lèvres. Il lui a même proposé de lui acheter des tableaux. Puis il a posé une question qui a tout fait dégénérer. Mev lui aurait transpercé la main avec un crayon s'il n'avait pas eu le réflexe de la retirer. Les infirmiers ont dû intervenir, elle a sombré en pleine crise psychotique. Vous avez vu son gabarit ? Elle a failli envoyer deux hommes à l'hôpital.

— Quelle était cette question ? demanda Franck.

— « Quel est le secret du sang ? »

Le secret du sang… Nicolas et Franck se trouvaient confrontés, semblait-il, à un gros nœud de leur affaire. Sharko gardait les yeux rivés sur les tableaux. Il se rappelait les propos de la bio-artiste, quand elle parlait d'Ovide, des métamorphoses, du sang vecteur d'immortalité. Était-ce de ce genre de secret qu'il s'agissait ?

— Vous avez une idée de la réponse ?

— Pas la moindre.

— Et vous pensez que Mev la connaît ?

— Le sang la terrorise depuis des années. Est-ce la simple évocation du mot entre des lèvres étrangères qui a provoqué la crise ? En l'état actuel des choses, il n'y a pas moyen de le savoir. Je suis désolé.

« *Quel est le secret du sang ?* » Pour Sharko, le sang était à l'origine du traumatisme de Mev. Quel drame l'avait frappée dans sa petite enfance ? Avait-elle été abandonnée au milieu de la forêt ? Recueillie par une tribu anthropophage ? Comment avait-elle survécu ? Seul Roland Duruel devait le savoir, or il était mort. Franck tendit au psychiatre une photo de la croix tatouée.

— Est-ce que vous avez déjà vu cette croix ? Cette citation ?

Il considéra le cliché avec attention et secoua la tête.

— « *Pray Mev* »… Qu'est-ce que ça veut dire ?

— Nous l'ignorons. C'est pourquoi nous aimerions que vous montriez cette photo à Mev. Ces treize corps, vous en avez certainement entendu parler à la radio ?

— Bien sûr. C'est affreux.

— Eh bien, l'assassin avait cette croix sous le pied. Et Willy Coulomb aussi quand il est venu ici. Une croix sataniste car inversée. On pense qu'il y a peut-être une histoire de secte vénérant le diable, ou quelque chose d'approchant. On a l'impression que, indirectement, Mev est concernée.

— Une secte ? Je ne comprends pas, et je ne vois pas en quoi elle pourrait être concernée. Ça fait plus de dix ans que Mev n'a pas quitté cet établissement. Jamais une visite, rien. Avant, elle vivait dans une ferme paumée, sans contact extérieur. Comment son… son identité peut-elle se retrouver sous le pied d'un assassin ? Comment pourrait-elle avoir un rapport quelconque avec… avec des adorateurs de Satan ou je ne sais quoi ? Ce « Mev », ce n'est pas elle. Vous faites fausse route.

— Non. Willy Coulomb s'est lui aussi fait assassiner, sans doute parce qu'il s'approchait trop près de la vérité. Son assassin a récupéré les tableaux de Mev pour effacer toutes les traces du passage de Coulomb dans vos murs. Il y a un rapport très fort avec le sang dans notre enquête, mais on n'arrive pas à comprendre lequel. Et, selon toute vraisemblance, Coulomb cherchait lui aussi ce lien. On doit savoir si ce tatouage a une signification pour elle, c'est très important.

Après réflexion, Cataluna céda.

— Très bien.

Ils retournèrent vers la salle de thérapie par l'art.

— Restez là. Ça pourrait la braquer si vous vous approchez.

Le psychiatre prévint un infirmier d'être vigilant, s'avança et s'installa en face de Mev Duruel, qui leva un sourcil avant de commencer une nouvelle grille de sudoku. Sharko vit le médecin murmurer du bout des lèvres, ce qui suscita l'attention de sa patiente. Puis il fit glisser la photo vers elle. Elle la scruta en détail. Le flic comprit que ce tatouage, cette citation ne lui disaient absolument rien. Elle repoussa le cliché vers le psychiatre et se replongea dans sa grille.

Michel Cataluna revint vers les flics et rendit la photo à Sharko.

— Je suis désolé.

— Je suppose que si on veut accéder à son dossier médical…

— … ce sera long et fastidieux, même si j'y mets la meilleure volonté du monde.

Sharko lui donna une carte de visite, lui signifiant que ses collègues ou lui auraient d'autres questions à lui poser. Les deux hommes le remercièrent et reprirent la route, sur leur faim : cette piste n'avait fait qu'épaissir le mystère. Nicolas démarrait à peine que le portable professionnel de Sharko sonna. Les services informatiques…

— Lieutenant Sharko ? Hector Jeanlain, de la Cyber. On a réussi à cracker le mot de passe permettant l'accès au serveur distant dont vous nous avez fourni l'adresse.

Le compte de sauvegarde de Willy Coulomb… Sharko avait presque oublié.

— Je vous écoute.

— Le dernier accès au serveur a eu lieu le 1er septembre, à 8 h 32. Malheureusement, tout a été effacé. Plus aucun fichier, rien.

Nicolas avait entendu. Il tapa sur son volant d'un geste nerveux. Il était évident que Ramirez avait réussi à soutirer des aveux à Coulomb sous la torture, et qu'il avait effacé toutes ses recherches et ses notes dans la foulée.

— Bon, répliqua Sharko. Et on ne peut plus rien faire, j'imagine ?

— Non, c'est perdu. Je vous communique juste le mot de passe, au cas où, parce qu'il est particulier et que j'ai cru entendre dire que le sang avait un lien avec votre enquête. C'est « vampyre », au singulier et avec un « y ».

Sharko le remercia, raccrocha et nota l'information sur son carnet.

— Vampyre… C'est curieux, cette orthographe, pourquoi il…

Les mots restèrent au bord de ses lèvres. Les sourcils froncés, il se mit à changer les lettres de place.

Il arracha la feuille et l'écrasa sur le tableau de bord.

P R A Y M E V → V A M P Y R E

44

Tôt dans la matinée, Lucie avait rendu visite à sa tante afin de lui marteler l'attitude à tenir face aux policiers. Elle avait posé des questions typiques de flics pour tester ses réponses, lui avait fait subir un interrogatoire dans les règles de l'art, durant lequel Régine n'avait pas démérité.

Lucie se sentait quelque peu rassurée lorsqu'elle regagna son bureau.

— Je me suis renseigné sur le B&D Bar, fit Jacques, tandis qu'elle s'asseyait. En fait, pour tout te dire, j'y ai même fait un tour hier soir, comme ça, incognito… Pour le boulot, bien sûr.

Mince sourire de Lucie. Robillard n'écoutait pas, occupé au téléphone.

— Naturellement. Et ?

— Pas grand-chose. Une discrète boîte sadomasochiste dans le 1er, un lieu de dépravation où l'on peut vendre des esclaves sexuels ou se faire torturer le bout des tétons. Sympa comme tout. J'ai repéré quelques gothiques, sans plus. Légalement, tout est en ordre, j'ai vérifié. Jamais de soucis avec la justice. Bref, une piste hyper difficile à exploiter.

— Ça semble compliqué de se pointer là-bas et de montrer des photos de Ramirez ou de Coulomb sans attirer l'attention, en effet.

— Autre chose : les gendarmes de Dijon viennent d'appeler. Ils ont fouillé la maison des parents de Coulomb, en présence du père et des gendarmes de Louhans. Aucune trace de recherches sur les satanistes, de notes quelconques, pas d'ordinateur. Tout a proprement disparu, mais ils ont quand même débusqué une photo chiffonnée au fond d'une corbeille dans le bureau où bossait le scénariste…

— Quel genre de photo ?

— On a reçu un scan par mail, si tu veux y jeter un œil.

Lucie ouvrit sa messagerie et afficha le cliché : un groupe de touristes devant un bus. Un visage était entouré, la flic le reconnut : celui du plongeur. Aucun doute, il s'agissait de la photo que la veuve avait donnée à Willy Coulomb lors de sa visite à Brest, et qui concernait le fameux voyage en Espagne. À côté du plongeur, son épouse… Lucie lorgna les informations manuscrites notées au bas du cliché :

Péronne, 8 mars 2013
Yvetot, 18 janvier 2014

Étrange… Tandis que Lucie réfléchissait, Robillard raccrocha et se leva.

— Bon, je viens d'avoir l'anthropo, il a quasi terminé ses analyses des corps. Neuf des treize victimes ne sont pas d'origine caucasienne : trois ont des caractéristiques mongoloïdes, sans doute la Chine, deux sont d'origine indienne, et quatre viennent d'Afrique. Ça fait un sacré brassage. Quand je lui ai appris les origines exactes de Laëtitia, l'expert a eu une intuition : il pense que la plupart de ces victimes pourraient être, elles aussi, d'origine réunionnaise.

— Des Réunionnais ? répéta Jacques, interloqué.

— Oui. Ça pourrait être le point commun, l'île est un vrai carrefour multiethnique, avec les colonies, l'esclavage, et ce qu'on appelle l'engagisme après l'esclavage : des Indiens du sud et du nord de l'Inde, ainsi que des Chinois ont immigré sur l'île. Il y a aussi eu des Mauriciens, des Comoriens…

— Et pourquoi eux ? Pourquoi Ramirez et toute sa clique s'en seraient-ils pris à des Réunionnais ?

— Ça, c'est une autre question, et je n'ai bien sûr pas la réponse. Cafés ?

Il sortit après avoir pris la commande.

Des Réunionnais… Ça n'avait aucun sens. Lucie médita sur ces informations et se replongea dans ses recherches. Elle réétudia tout ce qui avait trait à l'accident de bus, avec l'impression d'être passée à côté de l'essentiel. Ce jour-là, le véhicule revenait de Barcelone et roulait vers Paris. Après une perte de contrôle due à une crevaison, le véhicule avait percuté la montagne aux alentours de Foix. C'était en août 2013, dans l'Ariège. Bilan : deux morts et de nombreux blessés.

Quel lien existait-il entre ces différents lieux et dates notés sur la photo ? Lucie eut alors une idée en repensant aux propos de la veuve : « Tapez "*août 2013, accident bus Foix*". »

Et si…

Sans conviction, elle entra dans un moteur de recherche de son navigateur l'une des inscriptions au bas de la photo, « *Péronne, 8 mars 2013* ». Comme Internet lui renvoya un nombre trop important de pages, elle ajouta « *accident* ».

La plupart des lignes de la page Web renvoyaient à un article de *La Voix du Nord*.

À Péronne, un coup de vent provoque l'accident d'une jeune maman

Le violent coup de vent sur Péronne et ses environs est à l'origine d'un grave accident, place du Commandant-Louis-Daudre. En milieu d'après-midi, le vendredi 8 mars 2013, vers 16 heures, des tuiles du toit de la pharmacie Bridou ont chuté. Carole Mourtier, 35 ans, marchait avec sa petite fille de 4 ans quand une tuile l'a violemment heurtée à la tête, la laissant inconsciente sur le trottoir. Les secours sont arrivés quelques minutes plus tard, prodiguant à la victime les premiers soins. La jeune femme a perdu beaucoup de sang et repris connaissance au moment où elle était transportée par le Samu. Elle a immédiatement été admise au centre hospitalier de Péronne. Sa fille a miraculeusement été épargnée…

Lucie tapa une nouvelle ligne dans le moteur de recherche : « *accident Yvetot, 18 janvier 2014* ». De nouveau, elle obtint des résultats. Cette fois, un ouvrier s'était tranché la main dans une usine de fabrication de galettes et de crêpes. Un fait divers terrible mais somme toute banal.

Des accidents, chaque fois… Pourquoi un tel intérêt chez Coulomb pour ces drames ? Quel lien pouvait se tisser entre une femme blessée par une tuile dans le Nord, un ouvrier méchamment amoché en Seine-Maritime et un plongeur dévoré par des squales dans un aquarium à Brest ?

Lucie passa des coups de fil et réussit à joindre l'auteur de l'article du 18 janvier 2014. Lorsqu'elle lui parla de cette histoire de main coupée, il percuta.

— Oui, je me rappelle bien. Frédéric Rubbens a eu la main happée par une machine de production, ça arrive plus souvent qu'on ne le croie. Mais il n'y a pas eu que ça pour Rubbens, il est réapparu dans la rubrique des faits divers fin 2014. Un acte insensé qui lui a été fatal, hélas.

Lucie sentit son pouls s'accélérer.

— Quel genre d'acte ?

— Il est allé flirter avec le vide du côté des falaises d'Étretat, plus précisément dans des zones interdites. Il est tombé et, évidemment, il est mort.

45

Sharko sortit de la boutique Magic Tatoo d'un bon pas et entra dans la voiture où l'attendait Nicolas. Il plaqua une feuille mentionnant une adresse sur le tableau de bord.

— Je savais bien que j'avais vu ça en venant la première fois, elle était affichée derrière le comptoir. De la pub pour un type qui pose des crocs de vampire, du côté de la Goutte-d'Or. D'après Layani, le proprio de l'autre boutique, un certain Vlad, est spécialisé dans le body-art, la pose de prothèses sous la peau, ce genre de trucs qui te ferait passer un quidam pour un dragon. Il serait aussi le seul « artiste » de la capitale à exceller dans la pose de crocs. C'est toujours là-bas que notre tatoueur envoie ceux que ça branche. S'il y a un gars à aller interroger au sujet de tarés qui se prennent pour Dracula, c'est lui.

Nicolas démarra et reprit la direction du nord.

— Des vampires… Tu crois qu'on pourrait avoir affaire à ce genre d'individus ? Des mecs suffisamment allumés pour boire ou s'injecter le sang de leur victime en hommage à Bram Stoker ? Ramirez n'avait pas les dents en pointe, à ce que je sache, ni de cape rouge.

— Moi aussi, j'ai du mal à imaginer une horde de vampires arpentant nos rues et fuyant devant une gousse d'ail. Mais… (il considéra l'anagramme de Pray Mev) on ne peut pas laisser cette piste de côté. Le rapport au sang dans notre enquête est trop fort. Les tableaux, les transfusions, les corps vidés jusqu'à la dernière goutte… Sans oublier l'attrait que Ramirez a toujours eu pour l'hémoglobine. Rappelle-toi ce que disait Mélanie Mayeur, ces scènes où il se couvrait de sang et se scarifiait la poitrine. Le fait aussi qu'il buvait son propre sang depuis le plus jeune âge. Tout ça est lié, d'une façon ou d'une autre, au vampirisme.

— Comment ça, il buvait son propre sang en étant jeune ? Où t'as eu l'info ?

Sharko eut soudain l'impression qu'un piège à loup venait de se refermer sur lui. L'information, il la tenait de Lucie, qui elle-même la tenait des dossiers laissés par son oncle.

— Je ne sais plus qui m'a dit ça. Pascal… Ou Lucie. Oui, Lucie, je crois. Elle avait dû jeter un œil au dossier de procédure pénale du procès de 2008.

— J'aimerais bien être au courant de ce genre de détails.

— T'as passé la moitié de la journée d'hier hors du bureau à traquer un impact de balle au fond d'une cave, je te rappelle.

— Et je l'ai trouvé.

Un silence dressa une barrière entre eux. Bellanger fixa la route de son regard le plus sombre. Sharko suait, son cœur battait à cent à l'heure, mais il tenta de se montrer calme. Il venait de faire une seconde gaffe : il n'était pas certain que Robillard avait déjà reçu la copie du dossier de procédure pénale réclamé au tribunal de Bobigny.

Boulevard Rochechouart, le Sacré-Cœur surgissant entre deux immeubles, sur la droite, comme un morceau de rêve. Bellanger s'était replongé dans ses pensées et n'en revenait toujours pas : des vampires, des buveurs de sang. S'en étaient-ils pris aux treize victimes ? Que venait faire dans l'équation Mev Duruel, cette femme déconnectée de la réalité et enfermée depuis des années ? Quel était le secret du sang qui semblait tant intéresser Willy Coulomb et qui l'avait conduit à la mort ?

Barbès, ses vendeurs de cigarettes, ses contrefaçons, ses trafics au pied de la station de métro. Petite délinquance de surface, bien visible et pas méchante. Mais Franck et Nicolas, eux, erraient dans les sous-sols du monde, si profonds qu'aucune lueur d'espoir ne perçait. À l'endroit même où le mal prenait racine. Les ombres qu'ils traquaient étaient d'une autre envergure.

Château-Rouge… Morceau d'Afrique arraché au continent, poissons exotiques sur les étals jouant des coudes avec les boucheries halal. Pendant que Nicolas se garait dans un parking privé à proximité, Sharko était sorti et essayait d'appeler Lucie en urgence. Répondeur. Il laissa un message :

— Pourquoi tu ne réponds pas au téléphone, bordel ? Écoute bien : j'ai parlé à Nicolas de l'autovampirisme de Ramirez sans le faire exprès. Personne n'est censé être au courant. Le seul moyen de rattraper le coup, c'est que tu récupères le dossier de procédure pénale du TGI et que tu plonges le nez dedans. Comme ça, on pourra dire que tu m'as donné l'info. C'est Pascal qui devait récupérer le dossier, j'espère qu'il l'a déjà fait. Arrête tout ce que t'es en train de faire et branche-toi là-dessus. Efface ce message et envoie-moi un « OK » quand ce sera bon. Ça peut tout foutre en l'air si on ne l'a pas.

Il raccrocha au moment où Nicolas le rejoignait. Les deux hommes marchèrent cinq minutes sans parler jusqu'à leur destination. La « boutique » était coincée entre le boulevard Barbès et les rails de la gare du Nord, rue Doudeauville. Pas d'enseigne ni de vitrine. Une porte, une fenêtre avec volet roulant baissé. L'apparence d'un vieux magasin fermé depuis des lustres. Nicolas sonna.

— On dirait qu'il n'a pas besoin de publicité.

Une minute plus tard, une gueule de lézard apparut dans l'embrasure, et ce n'était pas une image : crête verte, excroissances au front et au niveau des tempes, lentilles orange, pupilles formant deux fentes verticales. Et la langue coupée en deux dans le sens de la longueur. Pas de temps à perdre en palabres : le flic brandit sa carte devant lui.

— Police criminelle.

— J'ai des papelards en règle, fit Vlad. Allez vous faire foutre.

Il voulut claquer la porte, mais Nicolas eut le temps de glisser son pied et de donner un coup d'épaule qui éjecta l'animal vers l'arrière.

— On a dit criminelle, pas financière. Nous, on est les méchants. Et c'est franchement pas une bonne entrée en matière de nous insulter.

Les deux flics pénétrèrent dans le local et refermèrent derrière eux, malgré les protestations du propriétaire. Rapide coup d'œil. Une femme au crâne rasé attendait à côté du comptoir, différents modèles de pointes exposés devant elle. Autour, tout paraissait propre et en ordre. Grande pièce carrelée, fauteuil et matériel de chirurgie dans l'arrière-salle, différentes vitrines : implants en téflon de toutes formes et couleurs, clous à rendre jaloux un charpentier, vente d'hameçons et de crochets dont les policiers peinaient à imaginer l'usage.

Sharko s'adressa à la cliente.

— Remballez. Vous reviendrez plus tard.

Elle fila sans demander son reste. Nicolas s'approcha de l'étal le plus large, où reposaient des modèles de lentilles et surtout de crocs insérés sur des dentures vraisemblablement humaines : « *Classique*, *Sabre*, *Carnes*, *Blade*, *Raptor* »... Un écriteau indiquait « *Crocs taillés main, fabriqués à partir d'acryliques dentaires de la plus haute qualité. Teinte des crocs adaptée à l'émail de vos dents* ». En retrait, des photos en gros plan de bouches féminines et masculines, porteuses de ces sinistres excroissances.

— Vous voulez quoi, bordel ? grogna Vlad.

Sharko, qui mesurait une tête de plus que lui, avait décidé d'aller au plus court. Il lui montra une photo de la croix « Pray Mev ».

— Ça te dit quelque chose ?

— Que dalle.

Le lieutenant le scruta, avec cette méchante impression de s'adresser à un animal à sang froid. Il retourna le morceau de papier glacé, derrière lequel il avait écrit « *VAMPYRE* ».

— Et ça ?

Les deux fentes se figèrent une fraction de seconde. Trop pour Sharko qui, lorsque Vlad lui annonça qu'il n'en savait rien, le saisit par l'épaule et le plaqua contre une vitrine.

— Tu vends des crocs de vampires, et tu n'en sais rien ? Écoute-moi bien, tête de lézard…

Et Franck lui sortit l'argumentaire classique, qui fonctionnait à tous les coups. Ces « artistes » connaissaient pour la plupart les lois – ils flirtaient souvent avec l'illégalité lors d'interventions chirurgicales plus que douteuses –, mais ils savaient aussi à quel point les flics pouvaient être teigneux. Nicolas en rajouta une couche : menace de fermeture de la boutique, contrôle d'hygiène et des comptes. Acculé, le propriétaire finit par abdiquer.

— Qu'est-ce que vous voulez savoir, au juste ?

— Qui vient se faire poser ce genre de crocs. Si aujourd'hui, ici en France, il y a des allumés du ciboulot qui se prennent pour des vampires. S'ils se regroupent en bande, où et comment. Ce qu'ils recherchent.

Vlad remit en ordre les objets renversés par l'intervention plutôt musclée de Sharko.

— Oui, il y a des individus qui entrent dans cette boutique pour se faire poser des crocs ou réaliser des modifications corporelles. C'est pour ça que mon business existe, putain ! Pour la plupart, c'est juste esthétique, ça suit une démarche artistique et un goût pour la provocation gratuite. Les lentilles, les crocs… c'est un truc de tribu. Il y a rien de sorcier là-dedans. Vous sortez d'un placard ou quoi ?

Il prit les clous posés sur le comptoir et les replaça dans une vitrine.

— Mais je veux bien vous avouer un truc, et vous me fichez la paix.

— À nous de voir.

— Parfois, ceux qui font ça sont des mecs qui sortent de taule, des suicidaires, des paumés, des types qui n'ont plus grand-chose en quoi croire, qui pensent que le système n'est pas fait pour eux. Des rebelles qui refusent de marcher dans les clous et préfèrent vivre la nuit.

— Tu nous en apprends, des choses.

Vlad ignora la remarque et tendit une paire de crocs « Sabre » à Sharko.

— C'est ce genre de prothèse qu'ils veulent, des dents bien pointues, recourbées. Ces crocs, c'est comme un prolongement, une extension de leur personnalité, un moyen de marquer leur différence, leur colère, d'attirer les regards en coin. Et puis ça fait peur. T'imagines un mec comme ça en face de toi dans une ruelle ou en voisin d'une séance de cinoche ? Ces mecs-là veulent pas être emmerdés. Mais ce n'est pas parce que vous avez des crocs que vous êtes un vampire, vous voyez ce que je veux dire ?

— C'est des vampires qu'on veut que tu nous parles. Avec ou sans crocs.

— Réfléchissez : ceux qui mettent pas de crocs vont pas venir ici. Moi, je peux juste vous parler des autres. En plus des crocs, ils adhèrent à une culture, avec plus ou moins de fidélité et d'investissement. Le vampirisme, c'est sortir la nuit, écouter Cradle of Filth, vénérer la comtesse Báthory et se gaver de films violents, gore, à la limite du snuff. Certains font des pèlerinages en Roumanie ou dans les Carpates sur les traces de Dracula. Ils dorment pas dans des cercueils, mais on n'en est pas loin. Ils se retrouvent dans les boîtes sadomasochistes, parfois en petits groupes parce qu'ils apprécient les mêmes déviances, le SM extrême, les scarifications. Il y a aussi des conventions de vampires, un peu partout dans le monde. C'est commercial, c'est sympa, vous pouvez acheter du matos ou assister à des soirées où des volontaires se font suspendre par des crochets plantés dans la peau, mais rien de bien méchant. C'est ça, le vampirisme. C'est un peu comme les gothiques, c'est une façon d'être, de vivre, de se tenir à la marge sans forcément se comporter en gros méchants.

— Et la consommation de sang humain, là-dedans ?

Le lézard secoua la tête.

— Oh, non, non. Ça n'existe pas, juste une idée tirée de l'imaginaire. Une légende urbaine, si vous voulez. Vous ne croyez quand même pas qu'avec leurs dents ils vont aller mordre dans le cou de pauvres filles vierges ? Les vierges, ça n'existe presque plus aujourd'hui, elles sont encore plus rares que les vampires !

Il eut un drôle de rire – une espèce de sifflement de serpent – en allant remettre sa prothèse en place. Quand il se retourna, Nicolas se plaqua contre lui.

— Tu nous prends pour les rois des cons. On te laisse dix secondes pour ranger ton discours de commercial et nous cracher de l'info intéressante, ou on te tire par la langue et on t'embarque illico.

Le lézard se rétracta. Nicolas vit les deux bouts de son excroissance disparaître entre ses lèvres et son expression changer.

— Écoutez, je…

— Cinq secondes.

Il se dirigea vers son comptoir, où il prit un Post-it et y déposa une identité.

— Les vrais vampyres, ceux avec le « y » que vous avez l'air de rechercher, ils viennent pas chez moi, je vous l'ai dit. Ils en ont rien à foutre des crocs et des lentilles colorées. Je les connais pas, je sais pas qui ils sont. Vous pouvez m'emmerder tant que vous voudrez, aller voir chaque personne de mon fichier clients, ça vous avancera à rien. Ces types-là sont des ombres. Quand il y a trop de soleil, ils disparaissent.

Il tendit le petit rectangle de papier à Nicolas.

— Moi, je peux rien pour vous, mais allez voir Peter Fourmentel. Vous êtes flics, si vous avez un cerveau vous trouverez son adresse. Le mec était journaliste, il a écrit plein de livres sur des sujets ésotériques. Il a voulu s'intéresser aux milieux satanistes et vampiriques il y a cinq ou six ans aux États-Unis. Mais ça a mal tourné : il a été agressé à New York, ils lui ont brûlé le visage pour le dissuader de fouiner.

— Quand tu dis « ils », tu penses aux « vampyres » ?

— En personne. Fourmentel est resté plus de trois mois à l'hosto avant de rentrer en France. Je vous préviens, il est pas beau à voir.

Nicolas fourra le papier dans sa poche.

— Toi non plus, t'es pas beau à voir. Un conseil : change de look.

46

Péronne se déroulait en une farandole de maisons en brique rouge, perdues au milieu des champs de patates, à un battement d'ailes de l'A1. Lucie se rendit à l'adresse indiquée par son GPS. Avant de partir, elle avait téléphoné et appris de la bouche de la mère, vivant chez sa fille, que Carole Mourtier était devenue tétraplégique non pas à cause de la chute de tuile, mais à la suite d'un autre drame : la remontée en sens inverse d'une portion d'autoroute. Encore un acte insensé, identique à celui du plongeur et à celui de l'ouvrier tombé d'une falaise. En effet, selon l'épouse que Lucie avait réussi à joindre deux heures plus tôt, l'homme à la main tranchée s'était mis à défier la mort après son accident de travail, jusqu'à la rencontrer.

La personne qui ouvrit à Lucie avait le visage gris comme un ciel du Nord. Henriette Mourtier.

— Entrez.

L'intérieur était simple, avec du carrelage blanc et noir façon taches de vache, des meubles à l'ancienne. Lucie sentit son téléphone vibrer, jeta un œil : Sharko.

— C'est par là, fit la mère.

La flic ne décrocha pas, par politesse, et pénétra dans le salon. Carole était assise dans son fauteuil roulant, une couverture sur les jambes. La femme – elle avait aujourd'hui 37 ans mais en paraissait dix de plus – lui adressa un sourire.

— Avancez, asseyez-vous, je vous en prie. Maman, tu apportes un café à madame ?

Lucie s'installa au bord du canapé.

— Ma mère m'a dit que vous étiez de la police ? Que vous enquêtiez sur cette histoire de disparus ? C'est vraiment horrible, ça tourne en boucle sur toutes les chaînes d'info.

La flic livra des explications qui semblèrent laisser son interlocutrice de marbre et montra la photo de Willy Coulomb.

— Nous enquêtons aussi sur lui, il s'appelle Willy Coulomb. Je suppose qu'il est venu vous voir pour vous poser des questions ?

— Non. Jamais vu.

— Vous êtes bien certaine ? Au téléphone, peut-être ?

Carole Mourtier secoua la tête. La veuve de l'ouvrier tombé de la falaise avait dit la même chose : elle ne connaissait pas de Willy Coulomb. Le jeune homme n'était donc allé qu'à Brest.

— On a retrouvé une étrange photo chez lui, poursuivit Lucie. Les informations de votre premier accident, celui avec la tuile, figurent dessus, parmi deux autres. Les dates, les lieux, les conditions de ces accidents sont toutes différentes. Pourtant, il se dégage un vrai point commun : quelques semaines, parfois quelques mois après le drame, la vie des victimes a changé. Elles se sont mises à accomplir des actes insensés qui les ont menées vers un autre accident, ou vers…

— La mort, soupira Carole. Vous voulez savoir comment ça a débuté, je présume ? Comment je me suis mise à ne plus avoir peur ?

Ainsi, comme le plongeur et l'ouvrier, elle non plus ne ressentait plus la peur. Lucie trempa ses lèvres dans le café. La mère était sortie en prenant soin de refermer la porte du salon.

— Oui. Dites-moi comment ce… changement est apparu.

— J'étais femme de ménage à l'école maternelle. C'était une journée comme une autre, ni mieux ni moins bien. Après le boulot, je traversais toujours le même parc pour rentrer chez moi. Cette fois-là, un homme a surgi et a plaqué un couteau contre ma gorge, il voulait mon sac. Je me rappelle encore très bien ce qu'il m'a dit : « Donne-moi ton sac ou je te saigne. » Mais moi, je l'ai tenu encore plus fort. Je n'ai même pas crié, rien, je ne sais pas comment vous expliquer, je… je ne ressentais *rien*. Ma réaction l'a déstabilisé, et quand il a vu que je ne céderais pas, il est parti. C'est… C'est comme ça que ça a démarré. Que j'ai commencé à ne plus avoir peur.

— Cet épisode a eu lieu avant ou après la chute de la tuile ?

— Après, bien après. Je dirais… cinq ou six mois plus tard.

Lucie nota sur son carnet la date exacte de l'agression.

— Est-ce que l'accident de la tuile aurait pu changer votre perception de l'existence ?

— Du genre : « J'ai eu la chance de m'en sortir, je vois la vie autrement ; bien plus colorée » ? Pas du tout, au contraire. Je vous garantis que, quand vous vous prenez une tuile qui manque de vous fendre le crâne en deux, vous en voulez à la terre entière, à la météo, au connard qui a posé la toiture. Vous ne vous dites pas : « J'ai eu de la chance. »

— Je vois. Donc, vous commencez à ne plus avoir peur ce soir-là, dans le parc…

— J'ai d'abord pris ça comme un réflexe, une espèce d'acte de bravoure ou de résistance. J'étais… fière de moi d'avoir provoqué la fuite de ce type. Mais ça a recommencé quand ma mère a glissé devant moi, un jour. Je n'ai rien ressenti. Pas de panique, pas d'angoisse, pas de montée d'adrénaline. Je l'ai juste aidée à se relever comme on ramasse un objet qui nous a échappé des mains. C'est là que je me suis dit qu'il y avait quelque chose de changé. Sur le coup, j'ai trouvé ça génial quand je me suis rendu compte que plus rien ne me faisait peur. Cette émotion avait disparu de ma tête. Il me restait le rire, la tristesse, la colère, tout ce que vous pouvez imaginer, mais plus la peur.

Lucie pensa aux tableaux de sang, aux personnages insouciants face au danger. Carole Mourtier hocha le menton vers la tasse fumante.

— Combien de fois je me suis brûlé la langue après ça ? Je savais bien sûr que le feu brûlait, mais je m'en fichais. La peur est un instinct, un réflexe. Et lorsque vous perdez cet instinct, tout ce qui vous entoure devient source de danger. Mais le vrai problème, c'était que je ne ressentais plus non plus la peur pour les autres. Ça a commencé à me causer de sérieux soucis quand ma petite fille s'est brûlée à la flamme de la gazinière ou qu'elle a failli se noyer dans la baignoire parce que je l'avais laissée seule. Si ma mère n'avait pas été là…

Elle secoua la tête d'un air triste.

— C'est difficile de vivre sans la peur. Vous êtes dans la police, vous le savez. Sans cette crampe boulonnée au fond de votre ventre, vous iriez au-devant du danger. C'est elle qui assure votre survie.

— Parlez-moi de votre accident.

Elle fixa ses jambes mortes, fines et raides comme des manches à balai.

— On était en juin 2014… Cette nuit-là, je n'ai pas fait exprès de prendre l'autoroute en sens inverse, ça devait arriver, je ne faisais plus attention aux panneaux routiers depuis des mois. Il n'y avait pas grand monde et, quand je me suis rendu compte que je ne roulais pas dans le bon sens, je me suis juste dit que je prendrais la prochaine sortie. Je ne pensais pas aux autres, au danger que je représentais pour eux. J'ai fini par taper le terre-plein central parce que j'ai été éblouie, et non parce que j'ai cherché à éviter la mort. J'aurais dû y rester… ça aurait été mieux pour tout le monde.

— Et avant d'en arriver à cet accident de voiture, vous n'avez pas cherché à comprendre ? Vous n'avez pas consulté de médecins, de spécialistes ?

— Si, si, bien sûr, mais… j'ai tardé à le faire, parce que ça me plaisait de ne plus avoir peur. J'ai vraiment réagi quand les services sociaux m'ont enlevé ma fille. On me prenait pour une irresponsable, on pensait que je le faisais exprès, on exigeait que je me fasse soigner. J'ai pris rendez-vous à l'hôpital, je voulais être certaine que la chute de la tuile n'avait pas causé de dommages à mon cerveau. Les spécialistes étaient sûrs d'eux, la chute n'avait provoqué aucun traumatisme. Je suis allée voir mon médecin pour qu'on me fasse de nouveaux examens, mais il a préféré me faire rencontrer un psychologue pour la raison que vous avez évoquée : l'accident avec la tuile avait peut-être changé des *choses* en moi. Altération de la conscience, rapport différent à la vie, ce genre de conneries. Fin de l'histoire. Tout ça a été une perte de temps, et l'accident de voiture est arrivé…

Le café était imbuvable, mais Lucie fit bonne figure.

— … Ça a été le grand vide, jusqu'à il y a environ un mois : un jeune chercheur parisien s'est intéressé à mon cas. On est encore en relation tous les deux, et avec un neurochirurgien de Lille. Je vais bientôt me faire opérer.

Lucie sentit l'excitation monter.

— Opérer ? De quoi ? Et qui est ce chercheur ?

— C'est Jérémy Garitte, un spécialiste du cerveau et de la peur. Il a été mis au courant de mon dossier par mon kiné, les deux hommes se connaissent. Garitte m'a emmenée à Paris pour faire des tests et tout un tas de scanners. Et c'est là qu'il a découvert quelque chose de pas normal. C'est pour ça que… qu'ils vont bientôt regarder sous mon crâne.

Lucie marchait sur un lit de braises. La piste se concrétisait enfin.

— Qu'est-ce qui n'est pas normal, exactement ?

Elle désigna un meuble d'un coup de menton.

— La carte de visite de Garitte est là-bas, dans la coupelle. Il travaille dans une unité de recherche à Paris. Allez le voir, il vous expliquera tout ça bien mieux que moi.

47

D'après les informations collectées par Franck et Nicolas, le journaliste Peter Fourmentel avait longtemps vécu aux États-Unis et écrit des livres sur la quête du Graal, les sorcières, les prophéties, les sectes lucifériennes… ainsi que des romans policiers au succès modeste.

Il habitait désormais rue Meslay, à deux pas de la place de la République, au dernier étage d'un immeuble au fond d'une impasse. Les deux flics montèrent l'un derrière l'autre, Franck en second, bombardant de ses sms Lucie qui ne répondait à aucun. L'heure tournait, et c'était probablement leur dernière halte avant que Nicolas et lui retournent au 36. Sharko broyait du noir : qu'est-ce qu'elle fichait ?

L'homme qui leur ouvrit, vieille casquette des Dodgers vissée sur la tête, n'avait presque plus de visage. Le nez se réduisait à deux trous, ses oreilles, ses sourcils avaient disparu. Quant au reste… C'était comme si toute la chair avait glissé vers le bas et que les yeux étaient restés en suspension dans l'air – deux morceaux de cobalt sur une coulée de lave.

Les flics l'avaient prévenu de leur visite par téléphone une demi-heure plus tôt. Fourmentel vivait au milieu des journaux et des livres, envahisseurs bien rangés ou par piles dans les coins, sur les tables, au pied des chaises. Son ordinateur allumé indiquait que l'ancien journaliste travaillait sur un nouveau projet d'écriture.

— J'écris un livre doc sur les femmes tueuses, expliqua-t-il en les menant au salon. Rien de très original, mais ça se vend un peu. Faut bien remplir le frigo.

Il les pria de s'asseoir.

— Il fut un temps où c'était moi qui venais vous voir, pas vous. Qu'est-ce qui me vaut votre visite ?

Il fallait se concentrer pour le comprendre – la langue, les lèvres, le nez, c'était tout le système de prononciation qui vrillait. Les policiers expliquèrent la raison de leur présence, éludant au maximum dans un premier temps : une enquête en cours les poussait à s'intéresser aux milieux satanistes et surtout vampiriques. Sharko lui parla de l'orthographe si particulière du mot « vampyre ».

— Vampyres, soupira le journaliste. Je leur dois ce visage.

Il proposa des cafés que les policiers refusèrent. Il s'en versa une tasse.

— Vous allez devoir m'en dire un peu plus si vous voulez que je vous aide.

Nicolas prit les devants. Il parla des croix tatouées sur la plante des pieds, des rites de sang chez Ramirez, de Pray Mev, du corps de Willy Coulomb retrouvé vidé par les artères. En revanche, il n'aborda pas la partie avec les treize cadavres. L'expression de l'ancien journaliste resta neutre, même si l'on pouvait deviner des frémissements de muscles et de nerfs sous les cratères.

— Corsée, votre affaire. Et vous pensez que les vampyres ont un rapport avec ça ?

— On a toutes les raisons de le croire, oui.

— Vous la voulez courte ou longue ?

— Efficace, répliqua Sharko.

— Je vois… Pour comprendre qui ils sont vraiment, il faut oublier tout ce que vous croyez savoir sur eux, et relire attentivement Bram Stoker. Il a écrit dans *Dracula* que « la puissance du vampire tient à ce que personne ne croie en son existence ». C'est ainsi que se revendiquent les « vampyres ». Le « y » est là pour marquer la différence, la rupture avec l'image de l'aristocrate vêtu d'une cape rouge et noire, qui craint les gousses d'ail et les miroirs.

Alors qu'il allait fouiller dans une armoire pour en sortir un mince dossier, Sharko pensa aux miroirs brisés, dans la cave de Ramirez et chez Coulomb.

— Il ne me reste pas grand-chose de mes investigations, mais ça peut vous aider.

Il poussa des clichés vers les policiers. Façades colorées, tags, visages de jeunes à la peau grêlée, des Blacks, des Blancs. Dreadlocks, longs manteaux de cuir, gueules ouvertes desquelles, parfois, jaillissaient des crocs. L'odeur des gangs et de la prison.

— Jamaica, dans le Queens, à une heure de route de Manhattan. Des studios de tatouages, de piercings, de body-art dans des ghettos. C'est souvent dans ce genre d'établissement que tout commence, que le clan prend vie. Ceux que vous voyez sur ces photos sont jeunes, durs, violents, ils viennent du Bronx, du Queens, de Spanish Harlem… Ils sont en rupture avec la société. Certains portent les crocs ou les lentilles, mais la plupart d'entre eux restent discrets : quelques scarifications ou tatouages, tout au plus, qui montreront leur appartenance au clan. Le clan, c'est ce qui devient leur repère, leur point d'attache, un phare dans la nuit de leur existence. Ils se dévoueront totalement à lui.

Il pointa son index sur un visage.

— Lui, c'est Ice Pick, l'un d'entre eux. Après plusieurs semaines d'enquête et de rencontres dans les rues de New York, de mise en confiance, il m'a accepté et pris sous son aile. Bien sûr, il savait que j'étais journaliste. Je ne pouvais pas et ne voulais pas me cacher, ç'aurait été bien trop risqué si j'étais découvert. Il m'a accueilli chez lui, je me suis introduit dans son mode de vie, *leur* mode de vie, j'ai plongé, j'ai pu effleurer ce que c'était d'être un vampyre avant que… qu'on m'agresse…

Franck parcourait les photos et les passait ensuite à Nicolas. Willy Coulomb avait sans doute eu les mêmes ambitions que le journaliste, mais sans avouer qu'il enquêtait ou se documentait pour un projet. Il avait d'abord approché les milieux satanistes pour, peut-être, découvrir l'existence des vampyres, reclus dans ces profondeurs dont il cherchait tant à s'approcher. Il les avait trouvés…

— Plus vous vous enfoncez là-dedans, plus vous sombrez dans l'obscurité de ce que nous sommes. Dans vos propres ténèbres. Les vampyres revendiquent cette obscurité, ils l'affichent. J'ai vécu avec Ice Pick, j'ai suivi des membres de son clan, pas tous. Il y a d'abord eu les soirées soft, puis bien hard, j'ai même pu assister à une partie d'un rituel d'intronisation d'un nouveau membre, et ce n'était pas la joie, croyez-moi. Mais j'étais écarté de tout ce qui devait rester secret, entre vampyres.

— C'est-à-dire ?

— Les rites du sang…

Le mot était lâché. Sharko se souvenait de la question posée par Coulomb à Mev Duruel. « *Quel est le secret du sang ?* »

— Les vampyres en consommaient-ils, et pourquoi ? Si oui, où se fournissaient-ils ? J'étais là pour le savoir, obtenir les réponses à ces questions, sans lesquelles mon reportage tombait à plat. Mais personne n'y répondait, c'était le sujet le plus tabou, qui provoquait la colère et m'a valu plusieurs fois ce que j'appellerais des mises en garde. Mais une nuit, au cours d'une soirée bien alcoolisée, j'ai réussi à obtenir les aveux d'Ice Pick. Il a parlé… Il était prêt à me montrer jusqu'où ils allaient, parce que je n'avais, selon lui, fait qu'effleurer la surface. Il m'a fixé un rendez-vous dans un quartier du Queens, deux jours plus tard. Mais cette nuit-là, il n'est pas venu. Et on m'a pris mon visage…

Sharko et Bellanger écoutaient sans dire un mot, alors que Fourmentel buvait son café froid dans un pénible bruit de succion.

— On n'a jamais retrouvé le corps d'Ice Pick, son squelette doit traîner au fond d'un égout. Quant à l'enquête, elle n'est pas allée bien loin. Les flics ne mettent pas les pieds dans le Queens. Et puis, qu'est-ce qu'un Blanc comme moi fichait là-bas en pleine nuit, sauf s'il voulait se suicider ?

Il essuya ce qui lui restait de lèvres à l'aide d'un mouchoir.

— Vous vous brûlez si vous les approchez de trop près, au sens figuré comme au sens propre… Ces vampyres-là fonctionnent en meute, comme les loups, et sont soumis à un chef. Des loups parmi les hommes, capables de se fondre dans la masse, d'être invisibles. C'est là leur force. Ce sont des prédateurs. Oui, de vrais prédateurs, au sommet de la chaîne alimentaire. Des hommes au-dessus des hommes et des lois.

Nicolas pensait à Ramirez : il entrait dans les cases. Ancien délinquant devenu discret, un petit entrepreneur bien rangé après la prison, voleur de larmes et de sang, auteur de multiples crimes invisibles.

— Qu'est-ce qu'ils chassent ? demanda Nicolas.

— Le faible, le soumis, celui qui rentre dans les rails de notre société bien rangée. Oh, ils ne le traquent pas avec un flingue, mais ils le rejettent, le méprisent. Ils nous détestent tous, nous, les médias, le gouvernement, les normes sociales. Tout ce qui n'est pas « vampyre » est dégénéré à leurs yeux. Ils réfléchissent à un monde meilleur, sans nous, sans constituer de partis politiques ou autres qui sont bien trop visibles. Eux, ils restent reliés aux croyances occultes, aux rites satanistes, ils croient en l'arrivée de l'ère de Satan, pratiquent pour certains la magie noire, les sacrifices d'animaux. Ils adulent le diable, aiment la nuit, l'obscurité, se livrent à toutes sortes de déviances, notamment sexuelles. Ils ne connaissent aucun tabou.

— On sait qui ils sont ? Combien ils sont ?

— Bien sûr que non. Peut-être une centaine à New York, regroupés en une dizaine de clans. Et ici, à Paris, je ne sais pas, mais ils sont là, ils existent, ils rôdent, insérés dans nos vies et nos habitudes. Ils aiment les grandes villes, ils s'y sentent bien, libres de circuler en tout anonymat. Des lieux de la nuit par excellence, où personne ne regarde personne, où les créatures nocturnes peuvent être elles-mêmes.

— Comment on les approche ?

Sharko crut deviner un ersatz de sourire sur les lèvres de Fourmentel.

— En commençant par la base : les boutiques de tatouages, de piercings. Encore faut-il trouver les bonnes. Laissez tomber la boutique de crocs de la Goutte-d'Or, les conventions commerciales : les vrais vampyres n'y vont pas, trop voyant. Puis il faut remonter le réseau comme je l'ai fait, et ça risque d'être très compliqué dans votre costume de flic. Il faut connaître les codes, se tatouer soi-même, s'immerger, s'infiltrer. C'est un travail de longue haleine, de confiance, de discrétion, qui prend des semaines, des mois. Ces types-là se méfient de tout le monde.

Le flic songea au long chemin effectué par Willy Coulomb pour pénétrer le groupe. Il tendit la photo de la croix inversée.

— On a déjà la boutique de tatouages, on sait que les nouveaux membres y viennent se faire marquer, fit Nicolas. On pense que Pray Mev est leur nom de clan, et qu'ils sont peut-être une quinzaine. L'anagramme donne Vampyre. Ça vous évoque quelque chose ?

— Désolé. Vous pouvez aisément comprendre que j'ai décroché de tout ça depuis des années.

— Racontez-nous ce que vous a dit cet Ice Pick sur leur rapport au sang.

— Le sang… Le sang est lié à la douleur, elle-même liée au plaisir et au sexe. Sang, plaisir, douleur, le triangle de l'extase suprême. La morsure du vampire, dans l'imaginaire, a certes un dessein nourricier mais dégage avant tout une pure sensualité. Chaque fois que j'ai assisté à des scènes d'orgie, que j'ai vu des vampyres mordre leur partenaire, c'était dans le but de repousser les limites du plaisir et de la douleur. Les filles mordues sombraient dans des orgasmes violents. Le sang était un catalyseur des instincts primitifs, les partenaires sexuels devenaient comme… des bêtes.

Sharko imagina le tableau, Mélanie Mayeur lui avait donné un aperçu, avec Ramirez. Elle au lit, lui se maculant du liquide rouge, avec ces menottes à dents dans la chair de la jeune fille, alors qu'il la chevauchait. Les corps emmêlés, les baisers de sang, les coupures…

— Est-ce que certains d'eux en boivent ? Ou vont jusqu'à s'en injecter ?

— Tout existe. Il y a plusieurs strates, j'en ai dénombré trois. D'abord, les simples « buveurs de sang », qui vont utiliser tous les biais « légaux » pour combler leur appétit. Ça va du cunnilingus en période de règles aux jeux de sang : morsures pendant l'acte sexuel, dont je vous parlais, léchage d'arabesques sanguines dessinées sur le corps, fabrication de philtres d'hémoglobine, blessures consenties. Ice Pick était de ceux-là. Ils ne sont pas dépendants au sang, ils peuvent très bien vivre sans. Ensuite, il y a les fétichistes sanguins. Eux sont plus… dangereux. Ils sont excités sexuellement par le goût, l'odeur, la vue ou même la simple pensée du sang. Ils feront tout pour être en contact avec lui. Dans leur job, les lieux qu'ils fréquentent, leurs relations. Leur fixation sur le sang est telle qu'elle envahit leur vie et peut les pousser à commettre des délits. On les retrouve dans les morgues, les boucheries, les abattoirs, les hôpitaux, même les centres de don. Certains vont aller jusqu'à perdre du sang volontairement pour qu'on les hospitalise et les transfuse. La façon dont ils se vident de leur sang est invisible aux yeux des médecins : ils se piquent sous la langue, dans les gencives… Les plus extrêmes d'entre eux deviennent ces tueurs que vous connaissez, parce qu'il n'y a plus de limites à leurs fantasmes sanguins : Peter Kürten, John Haigh, et tant d'autres… Certains côtoient les vampyres, s'en revendiquent mais ne sont pas considérés comme tels, parce que cette fixation sexuelle les parasite… Mais, eux, ils s'autoproclament vampyres.

Sharko avait l'impression de naviguer au cœur même de la folie. Il laissa le journaliste finir son café et demanda :

— Et la dernière catégorie ?

— L'élite des vampyres, en quelque sorte. Le Graal. Ce sont les addicts au sang. Pour eux, l'ingestion du liquide qui coule dans nos veines est vitale, ils ne peuvent plus s'en passer. C'est comme un shoot d'héroïne. Ceux-là sont dangereux, très… perturbés. Je n'ai jamais pu les rencontrer ni assister à leurs « repas ». Ils sont tout en haut de la hiérarchie, ils se protègent, se cachent et méditent sur une société meilleure, ainsi que sur les moyens radicaux d'y accéder. Perturbés mais aussi très intelligents, car capables de tenir le clan, d'entraîner les adeptes jusqu'au bout de leurs convictions. S'ils sautent dans un ravin, tout le monde les suit…

Nicolas se pencha vers l'avant, les mains serrées entre ses jambes. Les vampyres de Pray Mev appartenaient sans doute à cette catégorie.

— On parle là de sang humain ?

— À cent pour cent.

— Comment ils se fournissent ?

— D'après ce que m'a raconté Ice Pick, certains ingéreraient leur propre sang : ils se couperaient les avant-bras avec des lames de rasoir et seraient capables de se prélever deux cent cinquante millilitres de sang en une seule fois, avec un cathéter. Là où vous voyez la définition la plus exacte du masochisme, eux voient un acte de force et de tradition vampirique. Mais, et je reste au conditionnel, la plupart passeraient par des fétichistes consentants qui veulent vivre des sensations extrêmes, ou par des soumis dont ils font leurs partenaires sexuels.

— Des espèces de réservoirs…

— On peut dire ça. Le tournis lié à la perte de sang plongerait ces donneurs volontaires dans des états de jouissance sexuelle absolue. Évidemment, ces rites du sang se dérouleraient toujours au milieu du clan, lors de soirées bien spéciales avec mise en scène : costumes, décors, perruques… Ils fonctionneraient, là encore, avec des cathéters, qui feraient circuler le sang d'artère du donneur à veine du vampyre. Ces donneurs consentants fétichistes, ils sont comme les assistants des magiciens : sans être vampyres, ils accèdent forcément à leurs secrets. Mais je n'ai jamais pu en rencontrer, ils sont aussi rares et discrets que les vampyres eux-mêmes. C'est pour cette raison qu'on les appelle les « cygnes noirs ».

Les deux policiers se raidirent, sous le coup. Tout leur revint alors en tête. Le travail dans l'abattoir, au contact du sang… Les propos du médecin, lors de la garde à vue, au sujet des anémies… La soumission à Ramirez… Le tatouage du cygne à la base du cou…

Ils avaient croisé un cygne noir, l'avaient retenu dans leurs locaux pendant vingt-quatre heures, et l'avaient relâché.

Mélanie Mayeur.

48

Lucie, pied au plancher, avait écouté le message catastrophé de Sharko, perçu la panique dans sa voix. Elle aussi savait que Pascal avait fait la demande pour le dossier de procédure pénale depuis quelques jours, mais l'avait-il récupéré depuis ?

Bon Dieu, Franck, songea-t-elle dans un soupir. Si même lui commençait à baisser la garde…

Lucie sentait la tension aller crescendo, jour après jour. Un mot de travers, une attitude, un mauvais geste pouvait tout planter, à chaque instant. Ça ne pouvait plus continuer comme ça. Peut-être allait-il falloir songer à changer d'équipe ou de service, voire quitter la police, faire autre chose. Mais quoi ? Flic, c'était toute sa vie, elle n'avait jamais rien connu d'autre. Sharko non plus, d'ailleurs.

Périphérique, porte de Bercy, quai de Bercy, pont d'Austerlitz, quai de la Tournelle, Saint-Michel, Pont-Neuf, quai des Orfèvres, enfin. 15 h 30. Elle se gara en toute hâte dans la cour du 36 et fonça vers l'escalier. D'après les derniers SMS de Sharko, Nicolas et lui étaient encore en vadrouille mais ne tarderaient pas à rentrer. Elle allait récupérer le dossier en arrivant, se plonger dedans. Certes, ce serait après la bourde de Franck, mais ce qui comptait, c'était que Nicolas voie le dossier sur son bureau à elle, à son retour et, ainsi, évite de se poser des questions.

Robillard était seul, assis à sa place, le nez dans la paperasse. Il leva un sourcil.

— Tu ruisselles de partout. T'as couru un cent mètres ou quoi ?

En effet, elle haletait, et elle devait absolument retrouver son calme. Elle ôta son blouson et l'accrocha au portemanteau. Coup d'œil rapide vers le bureau de Pascal. Impossible d'y voir quoi que ce soit, trop de dossiers. Elle s'installa à sa place, alluma son ordinateur, se tamponna le front d'un mouchoir roulé en boule qu'elle jeta à la poubelle.

— Je boirais bien un petit café…

Son collègue s'étira. Sourire.

— OK, j'ai compris.

À peine fut-il sorti qu'elle fonça vers son bureau, fouina dans les papiers. Rien. Où se cachait ce fichu dossier ? Au bout de deux minutes, elle retourna à sa place. Message de Sharko : « Tu l'as ? » « J'y travaille », répliqua-t-elle, sur les nerfs. Pascal lui déposa sa tasse et s'assit au bord de son bureau.

— Alors, Péronne ?

— Je t'expliquerai, mais il faut que je jette un œil au dossier de procédure pénale avant. Tu peux me le filer ?

— Je l'attends toujours. Il devait arriver aujourd'hui, mais vu l'heure, c'est râpé. Ce sera demain, dernier délai.

Lucie s’efforça de noyer sa rage dans son café. Elle ne voyait pas de solution pour récupérer le dossier. Se rendre directement au TGI ? Improbable. Pascal répondit alors à un appel.

— C’était Nicolas, fit-il en raccrochant. Ils sont chez Mayeur, elle a disparu. Sa porte a été forcée, des objets sont renversés. Et tous les miroirs, les ampoules, devine…

— Brisés ?

— Exactement.

49

Sharko était assis à son bureau, en pleins tourments. À son retour de chez Mayeur avec Nicolas, une heure plus tôt, Lucie lui avait signifié d'un mouvement de tête l'absence du dossier de procédure pénale. Leur secret avait désormais une faille béante. Il suffisait que Nicolas se souvienne, fasse un rapprochement, et *game over*.

Appuyé sur le radiateur sous la fenêtre, Manien tirait sur sa vieille Gauloise et en savourait les dernières bouffées. Quand il eut terminé, il la balança d'une pichenette dans la cour du 36, trois étages plus bas, au ras d'un brigadier. Il se tourna vers son équipe au grand complet. On approchait des 21 heures.

— Bon… J'ai la tête comme une citrouille, alors on fait rapide et efficace. Mélanie Mayeur, pour commencer. Pascal, vas-y.

Robillard posa le bâton de sucette qu'il mâchouillait sur un mouchoir en papier déplié.

— J'ai eu le temps de joindre son boss de l'abattoir. Elle a dû disparaître le jour, ou le lendemain, de sa garde à vue parce qu'elle n'a jamais repris son poste.

On a demandé un bornage de son téléphone portable. L'OCDIP nous aide pour l'enquête de voisinage.

Manien nota : « *Mélanie Mayeur → disparition* » et ne s'attarda pas sur ce sujet. Il écrivit, dessous : « *Les 13 corps* ».

— En espérant que ça aboutisse. Ensuite, nos treize cadavres. Les ADN tombent doucement les uns après les autres. Mais celui demandé en priorité confirme que l'une des treize est Laëtitia Charlent, gamine d'origine réunionnaise portée disparue dans la ville d'Athis-Mons en mai dernier.

Il ajouta : « *Nombreuses victimes d'origine réunionnaise ?* »

— C'est peut-être un point commun. Il faut qu'on comprenne pourquoi Ramirez et sa bande s'en seraient pris spécifiquement à des Réunionnais.

Il pointa le dossier qu'il venait de poser sur le bureau de Nicolas.

— Cette copie du dossier de l'OCDIP sur la disparition de Charlent est à disposition. Prenez-en connaissance vite fait. La disparition étant devenue un meurtre, cette affaire et la nôtre ne forment plus qu'une. Demain, je veux quelqu'un chez la famille d'accueil, les Verger, ils ont été mis au courant pour Laëtitia. Qu'on voie si la gamine n'avait pas de rapport avec le satanisme ou les milieux radicaux. Faut aussi m'interroger ce flic d'Athis, là, qui a levé le lièvre et enquêté sur Ramirez à l'époque. Il aura peut-être des éléments nouveaux à nous apprendre.

Nicolas tira le dossier à lui.

— Je m'en occuperai.

Franck l'observa du coin de l'œil et s'efforça de ne pas croiser le regard de Lucie. Manien débouchonna un marqueur noir et nota « *Vampyre* ».

— Bellanger, Sharko. À vous. Tout, depuis le début. Je veux que des liens se fassent dans tout ce merdier, qu'on y voie clair. Les éléments sont là, autour de nous, dispersés comme une bande de mômes en délire. À nous d'y mettre un peu de discipline.

Nicolas se leva et vint s'asseoir à califourchon sur le devant de son bureau.

— Pray Mev est l'anagramme de Vampyre. On pense qu'il s'agit d'un clan d'une quinzaine d'individus, dont Ramirez et un type d'une cinquantaine d'années seraient à l'origine et qui se serait créé il y a trois ans. On pense aussi qu'ils sont sous les ordres d'un gourou, d'après la fresque peinte chez Ramirez : un gros diable rouge qui « récupère » les victimes des enlèvements. De temps en temps, ces deux fondateurs ont fait entrer des membres dans le clan. On ignore tout de ces membres : pourquoi ils existent, ce qu'ils cherchent, quel est leur lien avec les treize cadavres. Visiblement, et d'après les quelques recherches de Jacques auprès de contacts satanistes, personne ne connaît Pray Mev dans le milieu.

— Willy Coulomb a réussi à intégrer le groupe, intervint Sharko. Il s'intéressait au satanisme, mais il a sans doute découvert une strate supérieure, à savoir les vampyres, avec un « y ». Pour les atteindre, il a employé un procédé identique à celui de Peter Fourmentel, un journaliste qui a enquêté sur les vampyres aux États-Unis : il se rapproche du milieu des tatoueurs/pierceurs, puis des soirées SM dans des clubs, jusqu'à finir par entrer en contact avec Ramirez... Il s'intègre progressivement au clan... Franchit les étapes. Cherche « le secret du sang ».

— Calmos, tempéra Manien qui traçait un trait horizontal. On a moyen de dresser une chronologie du parcours de Coulomb depuis le début ?

— Oui, on a ça en regroupant toutes nos sources. Coulomb commence son enquête par les boutiques de tatouages, il y a environ un an et demi. Quelques mois plus tard, rupture avec sa copine : il veut se plonger corps et âme dans sa quête et s'isole. Coulomb découvre l'existence des vampyres, intègre le clan, franchit les étapes, ne donne plus signe de vie, ni à ses parents ni à quiconque. Ça prend des mois... Plus de traces de lui jusqu'à la toute fin juillet, où il contacte Mev Duruel. Il cherche le secret du sang... Puis son ex-copine le retrouve chez lui, à Frontenaud, le 4 août de cette année. Piercé, scarifié, mal en point, il se cache et écrit, lui révèle qu'il a presque fini sa quête, qu'il doit encore faire des « vérifications »...

— ... Il est à Brest le 8 août, intervint Lucie, pour enquêter sur un accident de plongée où la victime s'est d'un coup mise à ne plus avoir peur, comme deux autres victimes d'accidents, dont juste les lieux et dates sont notés sur une photo.

Manien traçait des bâtonnets sur son axe et inscrivait les éléments essentiels en dessous. Nicolas prit part au résumé.

— Il se fait torturer, assassiner et mutiler le 31 août. Rendu anonyme. Le 1er septembre, il est cambriolé, toutes ses recherches disparaissent. Willy Coulomb n'est plus, et tous ses liens avec les vampyres ont été gommés.

Manien termina d'écrire et considéra la frise dans son ensemble.

— Ces vampyres, comment on les approche ?

— On n'a pas de piste sérieuse, répondit Sharko. Florent Layani, le tatoueur du côté de Clignancourt, est une porte d'entrée, mais peu de chances que les vampyres prennent le risque d'y retourner, maintenant que Ramirez est mort et qu'ils savent qu'il y a une enquête.

— Pour le B&D Bar, c'est compliqué, fit Jacques. Une boîte hard, mais pas de soucis avec la justice. On n'a pas de point d'attaque. Ces mecs-là, s'ils fréquentent les lieux, doivent être comme des ombres.

Le chef jeta un œil à ses notes, et ajouta : « *Sang ?* »

— Parlez-moi de leur rapport au sang…

— Le sang semble rester un moteur important du fonctionnement du clan, expliqua Nicolas. Ils y associent le secret, le sexe, le plaisir, la douleur. Le sang les unit, il est une sorte de pacte. On sait que Pray Mev a recours à ce genre de rituels par la présence auprès de Ramirez de Mélanie Mayeur, un « cygne noir », un fournisseur volontaire de sang soumis au groupe. J'ai vérifié auprès du médecin des urgences médico-judiciaires, Mayeur est du groupe sanguin de Ramirez, A, rhésus positif. C'est peut-être pour cette raison qu'il l'a choisie. Mayeur est anémiée, elle a fait des malaises dernièrement au travail. Ce salopard de Ramirez et peut-être d'autres devaient la pomper régulièrement. Elle crevait à petit feu.

Sharko revit la cage avec le chat rasé dans la cave de Ramirez. Les sangsues qui le suçaient jusqu'à la mort.

— Et si toutes ces victimes trouvées dans les bois étaient aussi des cygnes noirs ?

Sa question instaura un long silence où chacun, à sa manière, devait essayer de rassembler les pièces du puzzle. Manien inclina la tête.

— Précise.

— Ça peut paraître aberrant ce que je vais dire, mais si ces victimes servaient à « nourrir » les membres du groupe ?

Jacques se recula sur son siège dans un soupir, les bras croisés.

— Des victimes comme Laëtitia Charlent, tu veux dire ?

— Par exemple.

— Pourquoi des Réunionnais en grande partie ? Et pourquoi les assassiner alors qu'il suffit de trouver des cygnes noirs consentants, comme l'a fait Ramirez avec Mayeur ? Il y aura toujours des barges pour donner leur sang.

— C'était juste une suggestion. Peut-être qu'ils sont à un degré supérieur de la perversion, qu'ils prennent davantage de plaisir quand les victimes ne sont pas consentantes. Quant au fait qu'ils soient réunionnais… je n'en sais rien.

— Ramirez serait une espèce de nettoyeur pour le clan ? demanda Lucie. Après usage, on jette ?

Sharko se leva et écrasa son index sur l'une des photos accrochées au mur.

— Je l'ignore. Mais rappelez-vous, cette fresque dessinée dans la pièce à l'étage. Les deux diables qui tirent leurs victimes vers le diable glouton du fond. Les petites silhouettes qui disparaissent dans sa bouche. Quand on y réfléchit bien, tout est dans ce tableau.

Manien manipulait déjà une autre cigarette. Il la glissa entre ses lèvres sans l'allumer, puis nota « *Mev Duruel* » sur une nouvelle ligne.

— Tant que t'es en forme, Sharko, embraie sur elle.

— Mev Duruel est une schizophrène paranoïde, très atteinte, hantée par des hallucinations dont le socle est le sang. Probablement trouvée dans une jungle, ramenée en France il y a plus de cinquante ans par un spécialiste des araignées. On suppose qu'elle puise ses origines en Papouasie-Nouvelle-Guinée. Enfermée depuis la mort de son père adoptif dans la clinique médicale de Ville-d'Avray. Trois éléments la relient à notre affaire. Un, son prénom. Deux, les tableaux. Et trois, le sang. Fait certain et évident : les vampyres la connaissent et ont tout fait pour couper les liens entre elle et Coulomb en volant les tableaux qu'il avait en sa possession. Autrement dit, ils ne voulaient pas que notre enquête mène à elle, ils voulaient la garder isolée au fond de son hôpital, sans doute parce qu'elle connaît « le secret du sang ».

Manien nota les données pertinentes.

— Aucune idée de ce que peut être ce secret, j'imagine ?

Il scanna chaque visage. Robillard mâchouillait de nouveau son bâton de sucette en secouant la tête.

— Et on peut lui soutirer des informations ?

— Vu son état, c'est difficile. On peut interroger le personnel, essayer de récupérer son dossier médical, mais ça risque d'être compliqué, comme toujours avec ce genre d'établissement.

— J'essaierai de voir, répliqua Manien. Bon… L'autre gros morceau, cette histoire d'accidents. Henebelle, à toi. Clair et efficace.

Lucie se leva à son tour, un mug de café à la main.

— Tout commence par une photo, trouvée dans la poubelle du bureau de Willy Coulomb. Elle mène à une liste de trois drames figurant dans les rubriques de faits divers : accident de bus dans l'Ariège, main tranchée dans une usine de Seine-Maritime, tuile reçue sur la tête dans la Somme. Suite à ces faits complètement aléatoires, les victimes ont, quelques mois plus tard, commencé à perdre la notion de danger et à ne plus avoir peur, ce qui les a poussées à accomplir des actes insensés. Le premier s'est entaillé la paume de la main dans un aquarium rempli de requins en… (elle consulta ses notes) mars 2015. Le deuxième est tombé d'une falaise en novembre 2014, et la troisième a fini en fauteuil roulant, après avoir pris l'autoroute à contresens, en juin 2014.

— Laisse-moi au moins le temps d'écrire.

Manien notait aussi vite que possible les informations pertinentes. Lieux, dates, identités…

— Je suis allée voir cette femme aujourd'hui. Elle m'a orientée vers un spécialiste de la peur qui s'est intéressé à elle. Demain, je vais me rendre à l'université Curie pour…

Le portable personnel de Sharko sonna. Il considéra le 06 qui appelait, fronça les sourcils : il ne connaissait pas ce numéro. Il s'excusa, s'éloigna et décrocha.

Des hurlements lui vrillèrent le tympan. Ceux d'une femme qui criait de toutes ses forces. Si fort que ses collègues entendirent et tournèrent le regard vers lui.

Il enclencha le haut-parleur. À l'autre bout de la ligne, des supplications stridentes, des reniflements envahis de larmes, l'expression d'une souffrance à l'état pur. Lucie mit ses deux mains devant sa bouche, tandis que ses collègues, y compris Manien, restaient pétrifiés.

— C'est elle, souffla Nicolas. C'est Mélanie Mayeur. Ils la tiennent.

Elle avait peut-être réussi à allumer son téléphone portable en espérant du secours. Nicolas fut le premier à retrouver ses réflexes de flic : il lança un enregistrement avec son propre téléphone. Robillard appela dans la foulée leur collègue chargé du bornage téléphonique. Sharko maintenait son appareil à bout de bras, avec l'impression qu'une bête officiait de l'autre côté de la ligne, tant les cris de la jeune femme exprimaient la souffrance. Ils perçurent aussi des bruits de succion, des grognements. Quelqu'un était avec elle. Comme un animal.

Ou plusieurs.

Puis tout s'arrêta net.

Une main aux doigts décharnés et couverte de poils noirs raccrocha. Aux portes de l'inconscience, Mélanie Mayeur trouva une dernière fois la force d'ouvrir les yeux. Dans le mélange d'obscurité et de lueurs vives sur l'arrondi de ses rétines, elle entrevit le visage même de l'horreur. Une gueule aux longues dents à moitié déchaussées, au crâne en champignon, aux iris rouge sang vint lui effleurer la nuque. La jeune femme sentit la caresse froide de la mort et, dans le concert de grognements qui rebondissaient sur les murs, juste derrière, pria pour que les ultimes secondes de sa vie soient le plus brèves possible.

50

Ils avaient agi dans l'urgence. Grâce aux informations récupérées sur le portable de Mayeur lors de la garde à vue – marque, modèle, numéro de ligne –, les techniciens avaient pu se brancher sans mal sur l'application de localisation de l'appareil : selon toute vraisemblance, le système de traçage avait volontairement été activé un quart d'heure avant l'appel passé à Sharko.

Le clan de vampyres utilisait le téléphone de Mayeur pour les attirer.

Ils leur donnaient rendez-vous.

BRI en tête, quatre voitures de police fonçaient plein pot vers Carrières-sur-Seine, à quelques kilomètres seulement du siège de la direction centrale de la police de Nanterre. Le signal fixe émettait depuis le nord-ouest de la ville, au bord de champs, là où avaient été exploitées, par le passé, des champignonnières. Aujourd'hui, il restait des kilomètres de galeries souterraines à l'abandon.

Nicolas regardait la route à l'arrière du véhicule, conduit par Sharko. Les hurlements, les lieux souterrains vers lesquels ils se dirigeaient, la souffrance perçue au téléphone… C'était comme un cycle qui recommençait, l'impression de tenir en équilibre sur un anneau de Moebius et de revenir en permanence au point de départ. Deux ans plus tôt, il avait foncé dans ces mêmes voitures, s'était dirigé vers le même genre d'endroit sordide. Avec, au bout du tunnel, l'amour de sa vie, crucifiée, la poitrine entaillée…

Dans l'obscurité de l'habitacle, il déploya devant lui ses deux mains et les observa en silence. Ces mains-là allaient coincer ces malades, les empêcher de nuire de nouveau. Nicolas y mettrait toutes ses tripes. Il releva les yeux et fixa Sharko dans le rétroviseur.

— Comment ils ont eu ton numéro de portable personnel ?

Par l'intermédiaire du miroir, les deux yeux noirs de Franck plongèrent dans les siens.

— Qu'est-ce que j'en sais ?

Réponse froide, de circonstance. Nicolas préféra ne pas creuser le sujet, Sharko était sur les nerfs depuis quelques jours, Bellanger le sentait bien. Il plaqua son front contre la vitre en direction des bandes blanches mordues par la nuit. Quant à Lucie, elle lança un bref coup d'œil vers son homme, elle non plus ne comprenait pas. Mais Sharko fixa la route sans lui accorder le moindre regard, les doigts crispés sur le volant. Quelque chose qui allait bien au-delà de leur découverte là-bas le tracassait.

Les véhicules stoppèrent à deux cents mètres du signal, derrière la façade en tôle d'un entrepôt désaffecté. Un vent frais jaillissait des champs, faisait vibrer la tôle et figeait les visages. Lucie remonta la fermeture de son blouson jusqu'au cou.

Une fois les coffres ouverts, on distribua les torches, on vérifia les protections et donna les dernières instructions. Une colonne d'hommes armés jusqu'aux dents s'engagea entre les bâtiments, direction les reliefs d'une carrière en friche d'où provenait le signal. L'équipe Manien fermait la marche.

Gestes précis, roulements de bras, feulement des semelles sur la craie. La masse noire du groupe progressait en silence, jusqu'à tomber sur le téléphone, posé bien en évidence contre une brique, aux abords d'un goulot sombre et encombré d'ordures : l'entrée de la champignonnière.

— On y va…

La multiplication des galeries incita les hommes à se disperser. Ils gardèrent le contact par radio. Le groupe Manien se scinda lui-même en deux. Lucie, Franck et Nicolas restèrent ensemble, armes au poing. De l'eau suintait du plafond. À travers les faisceaux des lampes, les gouttes roulaient, grises et sombres, chargées de matières organiques. Les grosses arches en pierre donnaient l'impression qu'elles pouvaient s'écrouler à tout moment.

Ils progressèrent encore, les uns derrière les autres, affrontant les odeurs d'urine et de détritus. Des seringues, des bouteilles d'alcool vides, de vieux journaux s'entassaient, des tags révélaient des croix gammées, des gueules de monstres, des sigles tribaux. Pas un centimètre de ces tunnels qui ne fût exploré, squatté, malgré les panneaux d'interdiction. Envie de tranquillité, de frayeurs, de se droguer ou juste d'être à l'abri.

Lucie savait qu'ils n'étaient pas sur le territoire des vampyres mais dans un endroit neutre où on leur avait donné rendez-vous. Un lieu de rencontre avec la mort.

Et la mort arriva par les cris des hommes de la BRI. Franck, Lucie et Nicolas se guidèrent aux sons, puis aux lueurs qui palpitaient dans la pupille noire d'une niche au plafond arrondi, loin dans les galeries. Les collègues ressortirent, armes à la main, visages fermés.

— C'est pour vous ce qu'il y a là-dedans, annonça le chef de groupe de la BRI. Nous, on explore les couloirs voisins, au cas où.

Les regards qu'ils échangèrent avec leurs collègues surentraînés en dirent long. En s'approchant, Lucie eut les narines agressées.

— On dirait…

— De la Javel, répliqua Sharko.

Ils pénétrèrent sous l'arche et restèrent figés d'effroi.

Mélanie Mayeur pendait au bout d'une corde, nue, bâillonnée, les mains attachées dans le dos, dans une lente rotation sur elle-même. Une main devant le nez, Sharko éclaira avec sa torche. Les mollets, les cuisses, l'abdomen, les avant-bras, les seins… Il n'y avait pas un endroit sur le corps de Mayeur où l'on pouvait poser un doigt sans toucher une morsure. Partout des rangées de dents avaient profondément entaillé la chair.

On l'avait mordue jusqu'à ce qu'elle en meure. Et jusqu'à la dernière goutte de sang.

Le faisceau descendit encore et dévoila une flaque au sol, mélange d'hémoglobine et de liquide translucide. Sharko avait la sensation de se trouver dans la gorge humide du diable. Il revint vers le corps. Sous la lumière crue, en y regardant bien, Mayeur luisait. On l'avait arrosée d'eau de Javel.

Derrière, tandis que le reste de l'équipe arrivait, Nicolas fixa le corps sans bouger, la bouche mi-ouverte. Manien observa le triste spectacle et s'approcha, soucieux de ne pas contaminer la scène de crime. Son pinceau de lumière accrocha des inscriptions sur le mur de gauche où était noté, selon toute vraisemblance avec du sang et en lettres capitales :

LES RIVIÈRES COULENT ET POURRISSENT LE MONDE

Sharko lorgna vers Nicolas, qui se redressait avec difficulté, semblant courbaturé de partout. Manien restait immobile devant le corps qui continuait à tourner au ralenti dans un léger grincement de corde. Il l'immobilisa et éclaira les lèvres ensanglantées.

— On dirait qu'elle a quelque chose dans la bouche.

Il plissa les yeux pour mieux voir, plongea les mains dans ses poches, se tourna vers son équipe.

— Quelqu'un a une paire de gants ?

Jacques lui en tendit une. Après l'avoir enfilée, Manien revint auprès du cadavre, écarta les lèvres et glissa deux doigts dans la bouche. Il sortit entre son index et son majeur un petit rectangle cartonné plié en deux. Il le consulta avec attention, puis se tourna vers Sharko.

— C'est ta carte de visite.

51

La lune gibbeuse s'accrochait au ciel, éclaboussant les reliefs de craie et d'argile de ses reflets miel. En retrait, au-delà des entrepôts déserts, la surface plane des champs ondulait jusqu'au fil obscur de l'horizon. On se serait cru en pleine campagne, dans un endroit improbable et venteux du Cher ou du Berry, mais on était seulement à dix kilomètres de Paris, au nord-ouest, piégé dans un méandre de la Seine.

Les collègues de la BRI avaient remballé une demi-heure plus tôt, le fourgon des pompes funèbres engloutissait le corps de Mélanie Mayeur, direction le quai de la Rapée. Franck serra la main à Chénaix sur le départ et vint rejoindre Lucie et Nicolas, à dix mètres l'un de l'autre, muets comme des carpes. Incapable de tenir en place, le capitaine de police enchaînait les clopes, tandis que Lucie restait appuyée sur la carrosserie de leur voiture, bras croisés et visage de fer. Elle était transie d'un froid qui n'avait rien à voir avec la météo. Le sien était intérieur, tapissé de peur, de démons.

— Il y avait une cinquantaine de morsures, expliqua Franck d'une voix lasse. Vu…

Il se massa les tempes, yeux fermés, comme s'il cherchait le fil de ses pensées.

— … Vu leur taille, leurs formes, Chénaix pense qu'au moins une dizaine de personnes l'ont mordue et ont bu son sang. Il prendra les mesures des plaies, fera toutes les analyses nécessaires pour nous établir le nombre exact de ces bêtes sauvages.

Nicolas balança sa cigarette contre la tôle du bâtiment. Au contact avec le métal, une myriade de cendres rougeoya.

— Une vraie horde d'enfants de putain.

Sharko n'avait pas envie de livrer les détails, mais il s'y efforça. Ses propres mots lui donnèrent la nausée.

— Mayeur a été ensuite arrosée d'eau de Javel pour détruire l'ADN laissé par la salive. On ne retrouvera pas de trace biologique des agresseurs.

Nicolas imaginait ces malades être alertés d'une façon ou d'une autre, rejoindre cet endroit avec discrétion, y entrer les uns derrière les autres pour croquer dans la chair d'un corps suspendu. Les artères et les veines percées, sang sur leurs bouches, leurs langues léchant leurs propres lèvres, comme pour récupérer le sucre d'une friandise. Puis, gorgés de sang, ils étaient repartis dans l'obscurité, ni vu ni connu, derrière leur chef de meute.

— Ces salopards nous livrent une déclaration de guerre. Ce n'est pas pour rien qu'on se trouve proches de la DCPJ. Ils veulent nous montrer qu'ils n'ont pas peur. Qu'ils ont un coup d'avance sur nous. Qu'ici, dans l'obscurité et sous la surface, ils sont chez eux.

Nicolas courut après son mégot qui roulait sous l'effet du vent et l'écrasa tel un insecte. Plusieurs fois, violemment, comme si le bout de cendres allait reprendre vie. Épaules voûtées, presque résigné devant pareille violence, Franck s'approcha de Lucie. Il avait mal aux reins, aux articulations, à tout ce qu'il existait d'organique en lui. Il la serra contre elle, la tapota dans le dos.

— Ça va, toi ?

Elle se laissa aller contre son torse réconfortant.

— Je suis épuisée, Franck. Je veux rentrer chez nous.

Franck se tourna vers Nicolas.

— On va y aller. Il faut te redéposer ?

Le capitaine hocha la tête vers l'ancienne champignonnière.

— Il y a encore Manien et Jacques là-dedans. J'attends que Jacques termine les constates, je vais rentrer avec lui.

— À demain, alors.

Lucie se laissa choir sur le siège passager, avec un mal de crâne qui pointait. Tandis que Franck s'engageait dans le véhicule, Nicolas vint écraser sa main sur la portière et l'empêcha de se refermer.

— Juste deux petites secondes…

— Ça ne peut pas attendre demain ?

Nicolas se pencha vers l'intérieur.

— J'en reviens à cette histoire de carte de visite.

— Écoute, Nicolas, on…

— Quand Manien l'a sortie de la bouche de Mayeur, t'as dit que tu la lui avais donnée en garde à vue, deux ou trois heures avant qu'on la libère. Mais pourquoi t'as fait une chose pareille, en fait ? Tu te doutais bien qu'elle avait déjà ma carte, non ?

— Non, je ne m'en doutais pas, elle ne m'avait rien dit.

— Mais moi, je te l'avais dit. On avait parlé de la sonnerie de téléphone, je t'avais précisé que je lui avais donné ma carte au cas où elle se rappellerait.

— Je ne m'en souviens pas. Et, même si elle l'avait déjà, ta carte, c'est quoi, le problème ? T'as la priorité sur tout le monde ?

— Ne le prends pas comme ça. Ta carte, ma carte, on s'en fiche, au final. Ce que je ne comprends pas bien, c'est pourquoi tu as barré ton numéro professionnel et inscrit ton numéro personnel dessous.

Sharko rejaillit de l'habitacle, tandis que Lucie restait figée à l'intérieur, le visage dans l'obscurité, ses mains tremblantes entre ses jambes.

— Je n'aime pas la façon dont tu me parles depuis quelque temps.

— Je pose juste une question.

— Bordel, tu l'as bien vue comme moi, cette gamine ? T'as bien remarqué dans quel état psychologique elle se trouvait ? T'as jamais fait ça, toi, donner ton numéro perso à un indic, un témoin, un individu impliqué dans une enquête, pour le rassurer et l'encourager à parler plus facilement ?

— Pas vraiment, non. Et je ne t'ai jamais vu le faire, d'ailleurs, ce n'est pas dans tes habitudes. T'es plutôt du genre à la protéger, ta vie perso.

— On va dire que j'ai changé mes habitudes.

— Dans tous les cas, on ne peut pas dire que ta méthode ait marché sur ce coup-là.

Sharko sentit l'adrénaline monter et vit rouge. Il attrapa Nicolas par le col et le plaqua contre la voiture.

— Qu'est-ce que tu cherches ?

— Je veux juste comprendre.

— Et nous ? Tu crois qu'on est là pour attraper des papillons ?

Lucie sortit.

— Arrête, Franck, je t'en prie.

Mais Sharko n'entendait plus rien, toute la tension accumulée des derniers jours explosait. Il crachait ses mots comme un serpent venimeux.

— Tu penses aussi qu'on laisse nos gosses dormir avec une étrangère pour le plaisir d'être ici, à racler la boue ?

— C'est bon, Franck. Je voulais juste…

Le flic tira son collègue à lui puis le repoussa, loin de la voiture.

— Non, ce n'est pas bon, tu crois que je vais te laisser balancer des saloperies et ne pas réagir ? On ne me dit pas ces choses-là, à moi. Je t'ai sorti de la merde, espèce d'enfoiré, quand t'étais au fond du trou. Et c'est comme ça que tu me remercies ? Avec ce ton mielleux de mec qui suspecte quelque chose ? Mais qu'est-ce que tu suspectes, hein, tu pourrais me le dire ? Quel salopard t'es devenu ? Tu devrais arrêter de te foutre de la poudre plein le pif, ça ne te réussit pas.

Franck s'engouffra dans le véhicule, referma la portière, fit gronder le moteur. Lucie fixa Nicolas, les lèvres pincées, puis monta à son tour. Dix secondes plus tard, la Clio disparaissait dans un crissement de pneus, plantant le capitaine de police en plein milieu de la route.

Bellanger ne sentait plus ses membres et s'assit là, dans l'obscurité, frappé en pleine face par la colère explosive de Sharko, sans apercevoir l'ombre portée sur la tôle, le long de l'entrepôt, à même pas dix mètres. Manien n'alluma pas la cigarette qu'il comptait se griller. Sans un bruit, le chef de groupe s'éloigna et retourna dans la champignonnière.

52

Pupilles noires et dilatées, Nicolas se tenait devant le miroir des toilettes, se frottant les narines.

— Va te faire foutre, Sharko ! De quel droit tu me juges ?

Il regagna le sous-sol aux allures de cathédrale gothique. Voûtes de pierre, faux vitraux, colonnes épaisses autour desquelles se tortillaient des corps fins et alanguis, dangereux serpents du jardin d'Éden. Sueur, visages luisants, lèvres rouge carmin ou noires, feu et ténèbres. Le jeune capitaine imagina des crocs protéger ces bouches sensuelles. Il traversa le groupe avec lenteur et alla s'effondrer dans un fauteuil, whisky-glace en main, chemise trempée et sortie du pantalon. Il avait dansé, lui aussi, craché sa sueur et ses remords sur la piste, la tête traversée de flashes sordides. Mayeur, pendue au bout de sa corde. Les corps parcheminés des bois, les flaques de chair arrachées aux étangs. Images de tripes, de sang. Tous ces morts, le jour, la nuit, en permanence, même dans les paradis artificiels.

Vie de merde.

Il fixa la piste. Une infime parcelle du Paris de la nuit était ici, au B&D Bar, à la recherche d'extase et d'interdits. Mélange de frustrés, de gothiques, de quidams, sans doute aussi d'une poignée de dégénérés et d'adorateurs de Satan. Ramirez avait rencontré Mayeur et Coulomb entre ces murs. Avait-il été seul à côtoyer l'endroit ? D'autres membres de Pray Mev erraient-ils encore en ces lieux, ou les avaient-ils fuis comme la peste depuis la mort de l'un d'eux ?

Nicolas observait les visages, les peaux nues, matait aussi les corps en transe. Ce soir, il était flic sans l'être. Une partie de lui veillait, l'autre se perdait dans les limbes.

Une femme vint s'installer à ses côtés, cogna son verre contre le sien.

— Tchin.

Son parfum était enivrant. Pantalon de cuir moulant, talons hauts, chevelure d'une blondeur de conte de fées. Un loup aux arabesques élégantes sur le visage, en cuir noir ciselé. Elle aurait pu être secrétaire le jour et barmaid la nuit. Nicolas lui adressa un sourire sans barrières. Il était aussi venu pour s'abandonner. Oublier, ne serait-ce que quelques heures, le monde dans lequel il vivait.

— Qu'est-ce qui se cache derrière le loup ?

— Le loup.

Rires. Bourdonnement de la musique… Stroboscopes… Nicolas lui paya un verre. Ils burent sans parler, trop de bruit, de tam-tam étourdissants. Les regards, les sourires remplaçaient les mots. Plus tard, elle alla chercher d'autres whiskys au bar. Alcool et coke. Elle aussi. Nicolas était parti pour la nuit, sans freins.

Elle le prit par la main. Courbes sublimes, jambes parfaites, une panthère. Direction les profondeurs. L'avantage de l'endroit : on pouvait baiser vite et sans avoir à discuter. Nicolas n'en demandait pas plus.

Ils empruntèrent un escalier. Toujours plus bas. Couloirs sombres, étroits, alcôves avec rideaux qui jouaient la transparence. Donjons et dragons. Figures blanches sur latex noir. Silhouettes seules, doubles, quadruples, qu'ils observaient tous les deux. La drogue chassait toute forme de pudeur. Bouches qui discutaient, corps qui se serraient, s'emmêlaient. Dans les pièces, des dos puissants et nus, des membres, des muscles criblés de tatouages, de piercings. Verre à la main, le flic parcourait les monceaux de chair comme on décrypte un manuscrit. Malgré tout, il enquêtait, cherchait les signes – les cygnes. Était-il possible de mettre la main sur d'autres cygnes noirs ? Des hommes ou des femmes qui, par leur fétichisme, leur asservissement, lui ouvriraient la voie vers le clan des vampyres ? Un raccourci inespéré, certes, mais Nicolas refusait de ne pas tenter.

Toujours plus loin, sous terre. Échangisme, soumission, séance fessées. Femme nue sortie on ne savait d'où, cul à l'air sous les coups de cravache d'une tribu d'hommes masqués. Nicolas scrutait les chairs offertes, verre aux lèvres, tandis que son « loup » se serrait contre lui par-derrière. Il la laissa faire – un vrai moyen de ne pas paraître suspect, d'être un poisson parmi les autres.

— Qu'est-ce que tu préfères ? lui demanda-t-elle dans le creux de l'oreille.

— Je fais d'abord le tour du propriétaire.

Il lui tardait de poser des questions. Venait-elle souvent ? Pourrait-elle le rencarder sur Ramirez ou ses complices ? Avait-elle déjà vu des tatouages de cygnes noirs ? Ne pas précipiter les choses ni éveiller les soupçons, tout cela viendrait plus tard. Il abandonna son verre vide dans une niche en pierre.

Plus loin encore, soumission, domination, hommes à quatre pattes entravés, femmes ligotées, mateurs, matés, et même mateurs matés par d'autres mateurs. Mélange des peaux, cris, plaisir et douleur mêlés. Parfois, un pentacle dans un dos, une figure de diable, des scarifications. Des satanistes, venus assouvir leurs fantasmes, faire mal ou avoir mal, ici, ailleurs, quelque part.

Nicolas se frotta le front du dos de la main. Suée, sensation de flotter de plus en plus. Il se retourna, trouva les lèvres avides, embrassa sans réfléchir, ses mains dans la longue chevelure blonde. Décharge de deux années d'hormones accumulées jusqu'au bout des doigts. Instincts bestiaux, jaillis du cerveau reptilien. Nicolas brûlait d'envie de la prendre, là, maintenant, qui qu'elle fût.

L'acmé de son excitation n'était plus très loin, les tourbillons grossissaient dans sa tête, comme si des mains d'enfants le prenaient et le faisaient tourner de plus en plus vite. Tout ne fut plus que kaléidoscope, courbure de perspective, distorsions des sons. En un clignement de paupières, il se retrouva dehors – Paris lui explosait en plein visage. L'inconnue le tirait par la main dans la rue, riait, leurs pas claquaient sur le bitume.

Plus tard – quand, comment ? –, il eut l'impression d'être agressé par des flashes orangés – des lampadaires qui défilaient… Lui, couché sur la banquette arrière de sa voiture, au niveau – 3 d'un parking.

— On a un peu trop forcé sur les substances ?

La voix du loup… Nicolas ne sombrait pas, une pulsation au fond de sa tête le maintenait dans un état de conscience minimale – peut-être la cocaïne. Sa chemise qu'on ouvre, son pantalon qu'on baisse. Le parfum. Humidité et chaleur sur son sexe. Il râla de plaisir, tenta de sortir un préservatif qui s'échappa de ses mains et se perdit entre les sièges.

— Non…

Pas la force de la repousser. Un corps nu qui le chevauchait – et cette interminable chevelure qui lui chatouillait le torse. Vision trouble, Nicolas était incapable de réfléchir. Un véritable rêve éveillé, au fond duquel il pressentit soudain un danger.

Dans la tornade de ses émotions contradictoires, dans l'amalgame chimique qui déréglait ses sens, il entrevit alors, à la base du dos qui lui faisait face, qui oscillait de haut en bas et d'avant en arrière, un petit cygne noir.

Il tenta de tendre les mains, de saisir ces hanches qui le rendaient fou, mais ses membres pesaient comme le plomb. Elle parla, et les sons aussitôt s'écrasaient, déformés dans ses oreilles, il n'y comprenait rien. Puis tout se mit à osciller, plus violemment encore, jusqu'à ce que la portière arrière droite s'ouvre. Nicolas peina alors à intégrer ce que ses yeux voyaient. Une monstruosité. Était-il en train de délirer ?

Vision trouble, déformée. Au-dessus de lui, une sorte de gueule au crâne en forme d'ampoule, aux mâchoires démesurées qui se pencha vers sa gorge, comme pour l'arracher d'un coup de dents.

Déconnexion.

Lorsqu'il se réveilla, à 6 h 49 du matin, la tête en vrac et recroquevillé sur sa banquette, il porta les mains à sa gorge, comme après une interminable apnée. Les portières étaient fermées. La veilleuse du plafonnier, ainsi que le miroir du rétroviseur, brisés. Ne restait plus de l'inconnue que l'odeur de son parfum et la chevelure blonde, posée sur l'appui-tête du siège passager.

Une perruque, avec un mot glissé à l'intérieur : « *Poulet grillé* ».

53

— Là…

Nicolas se tenait debout devant un écran dans le poste de surveillance du parking, les cheveux en pétard, un bonbon à la menthe dans la bouche et une tête à faire peur. Des bourdonnements résonnaient encore au fond des oreilles. Sur le moniteur, il se vit de dos avec l'inconnue, démarche en zigzag au bas de la cage d'escalier, avant de disparaître vers un coin du parking. Le gardien sélectionna une autre caméra, mais il ne parvint pas à entrevoir les visages.

— On n'aura rien de mieux.

Portières qui s'ouvrent, leurs silhouettes qui s'effacent à l'arrière du véhicule. Le flic avait laissé sa carte tricolore bien en évidence sur le bureau, pour éviter les remarques désobligeantes du type.

— Accélérez.

Les minutes défilèrent. Quinze, vingt…

— Stop !

Une autre silhouette apparut dans le champ de la caméra, de dos et par la gauche. Un long imper noir lui descendait jusqu'à mi-mollets et semblait voler derrière elle, tant elle se déplaçait vite. Un parapluie incliné au-dessus de la tête, si bien qu'elle restait dans l'ombre.

— Un parapluie ouvert dans un parking, j'ai jamais vu ça, commenta le gardien. Et il n'a pas plu hier, en plus, si mes souvenirs sont bons.

Ainsi, Nicolas n'avait pas rêvé : il y avait bien eu une seconde présence qui se cachait des caméras.

— Vous ne pouvez pas faire un arrêt sur image et zoomer ?

Le gardien essaya, sans succès : le parapluie noir faisait obstacle. Il remit la vidéo en route. Deux secondes plus tard, l'individu s'engouffrait, lui aussi, à l'intérieur de l'habitacle.

Le flic se rappelait vaguement ce visage effroyable penché sur lui. Les iris d'un rouge sanguin, ce crâne déformé, cette denture semblable à un paquet de cure-dents renversés. Qui était ce monstre ? Qu'était-il venu faire dans sa voiture ? Impossible de s'en souvenir.

Trois minutes plus tard, la fille et l'homme ressortaient, chacun d'un côté du véhicule, visage orienté au sol, toujours ce parapluie ouvert au-dessus du crâne pour lui. Le gardien eut beau jouer avec les différentes caméras, jamais les faciès n'apparaissaient.

Nicolas s'était fait baiser, dans tous les sens du terme.

Il ne demanda pas à récupérer les vidéos, hors de question d'ajouter ça à l'instruction. Il avait merdé grave, et valait mieux laisser la parenthèse se refermer. Tant pis, son épopée nocturne resterait en dehors du cadre de l'enquête.

Il rentra chez lui, s'attarda sous les jets brûlants de la douche, comme une purge. Il observa chaque parcelle de sa peau dans le miroir. Il se sentait sale, bafoué, piégé comme un bleu par une espèce de sentinelle, une gardienne du temple qui avait peut-être vu sa tête dans un journal ou un coin d'écran de télévision. Ou qui avait juste senti l'odeur du flic. Peut-être avait-elle appelé la seconde silhouette, cette ombre insaisissable au visage de monstre. Nicolas se demanda s'il devait son délire aux drogues ou si cette face inhumaine avait bien été réelle.

La piste du B&D Bar partait en fumée, plus aucun membre de Pray Mev ou cygne noir n'y remettrait les pieds. Qu'est-ce qu'il était allé faire là-bas ? Qu'avait-il espéré découvrir de plus que Jacques ?

Certes il avait pris le risque de se faire pincer, mais il avait joué bien plus gros : sa santé. Ces cygnes noirs qui baisaient à tout-va et flirtaient avec les échanges sanguins devaient être de vrais sacs à virus.

Il mit un petit sachet de coke au fond de sa poche, histoire de s'allonger un rail en cas de coup de mou et se contenta de fourrer son stock restant dans l'armoire à pharmacie, sans précautions particulières. Plus personne ne fichait les pieds chez lui, de toute façon. Il affronta son reflet dans le miroir. Bien sûr, qu'il se dégoûtait, qu'il songeait chaque jour à tout arrêter. Mais tous les alcooliques et les drogués du monde ne pensaient-ils pas comme lui ?

Dans la cuisine, il se fit un bain de bouche mentholé, avala un café et le Dafalgan qui allait avec, se substituant au sucre, puis posa son verre d'eau à côté de la vaisselle qui s'accumulait dans l'évier. Léger mal de crâne qui disparaîtrait d'ici dix minutes, à l'instar de sa nuit de cauchemar.

Il revint au 36 à 11 heures et des poussières. Seuls Robillard et Sharko étaient dans l'open space, le nez baissé derrière leur écran. Sharko avait des cernes comme des pneus, qui montraient bien qu'il prenait de l'âge. Sale nuit pour lui aussi, visiblement. Qu'est-ce qu'il foutait là, le cul encastré dans sa chaise ? D'ordinaire, il aurait navigué entre salle d'autopsie, appartement de Mélanie Mayeur, lieux proches du crime. Un vrai chien fou. Et pas aujourd'hui ? Ça ne lui ressemblait pas, il vieillissait mal.

Les deux hommes échangèrent un regard sans se parler et, pour la première fois depuis des années, ne se serrèrent pas la main. La rupture était actée.

Tasse de café aux lèvres, Nicolas se plongea dans le dossier de l'OCDIP concernant la disparition de Laëtitia Charlent. Des queues de cerise à se mettre sous la dent : disparition signalée le 12 mai, enquête confiée au commissariat d'Athis-Mons, puis à l'OCDIP quatre jours plus tard. Aucune piste jusqu'à l'apparition de cet Anatole Caudron. Le policier, tout juste en retraite, aurait continué à enquêter dans son coin et consulté, avec l'appui d'un collègue du commissariat d'Athis du nom de Simon Cordual, le fichier des immatriculations puis le fichier des infractions. Le STIC lui aurait alors révélé que Ramirez avait été incarcéré pour une tentative de viol.

S'était alors ensuivi ce que Nicolas savait déjà : Caudron prévient l'OCDIP, indiquant que la camionnette d'un individu appelé Julien Ramirez, déjà inculpé pour tentative de viol, a été vue les 23 avril et 2 mai, la première fois dans une rue proche de celle des Verger, et l'autre à proximité du foyer pour jeunes où la fille tuait son temps libre. Ramirez est alors interrogé comme simple témoin et allonge un alibi en béton pour l'après-midi de la disparition.

Le capitaine de police referma le dossier avec deux objectifs en tête. Et d'un, se rendre chez les Verger pour mieux cerner la personnalité de Laëtitia. Pourquoi Ramirez ou son complice l'avait-il choisie, elle ? Entretenait-elle un rapport particulier avec le sang ? Avait-elle des tendances satanistes ? Fréquentait-elle un groupe ? Pouvait-elle être, comme suggéré par Sharko, un cygne noir, ou devait-elle sa disparition au simple fait d'être réunionnaise ?

Et de deux, il allait falloir interroger ce flic retraité qui disposait peut-être d'éléments importants pour leur enquête.

Lors d'un premier coup de fil, il fixa un rendez-vous avec Caroline Verger. Sharko, derrière son ordinateur, était tout ouïe, il observait aussi chaque geste de son collègue, la manière dont ses yeux se plissaient à la lecture du dossier... Il l'entendit appeler le portable d'Anatole Caudron dont le numéro était notifié dans le dossier de l'OCDIP. Le vit raccrocher, chercher sur Internet, appeler le commissariat d'Athis pour trouver un moyen de joindre le flic retraité.

— Mince. Une crise cardiaque... en juillet... OK, merci...

Sharko le vit soupirer en raccrochant, et ça lui réchauffa le cœur après sa nuit catastrophique. Maintenant qu'il savait pour la mort d'Anatole, peut-être Bellanger allait-il abandonner la piste ? Ne pas se rendre chez la tante de Lucie ?

Manien passa en coup de vent et, téléphone calé dans le cou, en pleine conversation, déposa un paquet de feuilles sur le bureau de Robillard. Il remarqua à peine la présence des trois flics. Sharko sentit son cœur partir dans les tours quand il vit son collègue musculeux s'emparer du dossier. Il se leva et lorgna en coin vers le paquet : « *DPP du TGI de Bobigny* », était-il inscrit en gros, au marqueur noir, sur la première feuille.

Il s'enferma dans les toilettes et frappa du poing devant lui.

Lorsqu'il revint au bureau, Nicolas avait enfilé son blouson et, bien sûr, feuilletait le dossier, debout devant le bureau de Robillard. Franck regagna sa place avec l'envie de lui loger une balle entre les deux yeux. À voir la façon dont Bellanger scrutait les pages, sourcils froncés, et orientait ses yeux vers lui sans bouger la tête, il comprit que tout pouvait voler en éclats sur-le-champ.

Nicolas referma le dossier du TGI, resta immobile et fixa Pascal.

— Tu t'amènes ? On va chez la famille d'accueil de Laëtitia Charlent…

Robillard, surpris par la requête – son collègue était plutôt du genre à faire cavalier seul sur ce genre de mission –, finit par acquiescer et se leva. Avant de s'engager dans le couloir, Bellanger prit le dossier sous le bras, accorda un regard blessant comme un chardon à Sharko, puis les deux hommes disparurent.

54

Nicolas attendit d'avoir remonté le boulevard Raspail et de s'être engagé sur l'A6b, direction Athis-Mons, avant de parler à Pascal de ce qui le taraudait depuis quelques minutes.

— T'es au courant que Ramirez souffrait d'autovampirisme en étant plus jeune ? Il buvait son propre sang.

— Hein ? Comment tu sais ça ?

— Comment je sais… C'est bien ça, la question, et je pensais que toi, tu savais.

— Absolument pas.

Nicolas hocha le menton vers l'enveloppe posée sur le tableau de bord.

— J'ai regardé le dossier, c'est écrit dedans. Pour tout te dire, il se passe un truc bizarre avec Sharko. Hier, il m'a parlé de cet autovampirisme, en me disant que l'information venait de toi ou de Lucie qui aurait lu ce dossier. Il avait l'air gêné. Comment il pouvait savoir puisque les documents ne sont arrivés qu'aujourd'hui ?

Robillard déballa une sucette à la fraise sans sucre et la fourra dans sa bouche.

— Il a peut-être vu ça, je ne sais pas… en fouillant chez Ramirez ?

— Toi, moi, on l'aurait su. Et puis, ça relève de la psychiatrie, c'est confidentiel, c'était il y a presque quinze ans. Non, non… Je crois qu'il m'a menti.

— Pourquoi il t'aurait menti ?

— J'en sais rien. Tu peux passer un coup de fil au TGI de Bobigny et voir si le dossier de procédure pénale n'a pas été sorti antérieurement ?

Robillard appela puis raccrocha.

— Le type des archives me rappelle dans l'après-midi. Faut pas trop les pousser, là-bas.

Nicolas n'arrivait à s'ôter de la tête qu'une pièce coinçait dans la machine : Sharko avait probablement, à un moment donné, été mis au courant de l'histoire de Ramirez, et ce avant leur enquête. Pascal pointa le doigt vers sa nuque.

— Au fait, t'as une marque un peu violacée, juste là. Une trace de seringue, on dirait.

Nicolas glissa ses doigts sur sa peau, ne sentit rien. Il tendit son portable à son collègue.

— Fais-moi une photo.

Surpris par la requête, Pascal s'exécuta néanmoins. Bellanger constata avec effroi la marque qui ne pouvait être une blessure involontaire : on l'avait piqué dans la nuque cette nuit, dans sa voiture, alors qu'il était aux trois quarts défoncé. Est-ce qu'on lui avait prélevé du sang ? Injecté une substance ? Le flic fut silencieux le reste du trajet, fébrile.

Les deux policiers arrivèrent à destination une demi-heure plus tard. Nicolas frappa à la porte et reprit un visage de circonstance.

Chrystelle Verger était un bout de femme d'à peine un mètre cinquante, mais ce qui lui manquait en taille semblait s'être transformé en énergie. Elle parlait vite, allait, venait, rapportant gâteaux, thé, café. Nicolas devinait qu'elle souffrait de la disparition de Laëtitia – il suffisait de voir les dizaines de photos de la gamine qui ornaient les murs –, mais elle restait droite et digne, les accueillant du mieux qu'elle pouvait, avec les moyens du bord. Les deux policiers lui avaient demandé de leur parler de l'histoire de la jeune femme et de la manière dont elle était arrivée chez eux.

— Elle a été abandonnée dans sa prime jeunesse par une mère qui était une enfant de la Creuse.

— Une enfant de la Creuse ? demanda Nicolas en lâchant un sucre dans son café.

— L'un des nombreux épisodes horribles et méconnus de l'histoire de notre pays. Un scandale qui n'a vu le jour qu'aux alentours de 2005, par le biais d'associations qui ont décidé d'assigner l'État français devant le tribunal, rien que ça. Vous voulez que…

— Allez-y, expliquez-nous.

— Tout a commencé au début des années 1960, et l'épisode a duré jusqu'aux années 1980. Pendant plus de vingt ans, l'État français a fait venir en métropole, souvent de force, plus de mille six cents enfants réunionnais, afin de repeupler les départements victimes de l'exode rural, comme la Creuse, le Gers, la Lozère. Pour certains de nos bien-pensants, il s'agissait d'une simple « migration », dont le but était d'intégrer des mômes défavorisés dans un environnement meilleur, prometteur d'avenir. Allez dire ça aux victimes, parce qu'elles sont bien des victimes. Tout cela n'est ni plus ni moins que de la déportation.

Le mot assommait, mais Chrystelle Verger en connaissait le poids. Nicolas sentit le feu de haine qu'elle entretenait au fond de son ventre. D'un tiroir, elle sortit des clichés d'époque.

— Certes, nombre de ces enfants étaient orphelins et venaient de la DDASS, mais cela donnait-il le droit à des politiques de les arracher à leur île, à leur histoire, pour les planter dans des endroits paumés d'une terre qui n'était pas la leur ? Par la suite, faute de « matière première », on a commencé à enlever des enfants à leurs familles. On a enfumé de pauvres parents illettrés, à qui l'on faisait signer avec le pouce des papiers auxquels ils ne comprenaient rien. Documents signifiant purement et simplement qu'ils abandonnaient leurs gosses.

Elle tendit une photo en noir et blanc à Nicolas. On y voyait une 2 CV break grise, arrêtée au milieu d'un chemin. Des hommes qui en jaillissaient, visages menaçants. Des enfants qui fuyaient, grimpaient dans les palmiers ou disparaissaient dans les champs de canne à sucre. Nicolas passa les clichés à son collègue.

— Le malheur avait la forme de cette camionnette grise, expliqua Verger. Elle était la terreur de l'île, une sorte de monstre, de grand méchant loup bien connu de tous les habitants. Lorsqu'elle débarquait dans un village, on savait que c'était pour prendre des enfants. Des employés de la DDASS et des gardes champêtres en sortaient et procédaient à leur rafle. Quand les enfants disparaissaient dans la camionnette, c'était terminé. Plus personne ne les revoyait.

Les deux policiers étaient stupéfaits, frappés par cette impression que les événements les plus odieux de l'histoire se répétaient en permanence, sous des formes différentes certes, mais avec des fondations identiques. Chrystelle prit une photo récente de Laëtitia et la contempla, les yeux tristes.

— « L'intégration » en France de la mère de Laëtitia, en métropole, plutôt, s'est mal déroulée, comme pour beaucoup, d'ailleurs. Les mômes sont comme les plantes, on ne peut les arracher à leurs racines sans causer des dégâts irrémédiables. En définitive, cette mère a reproduit ce qui lui est arrivé, elle n'a pas su élever son enfant et s'en est séparée. Après avoir été trimbalée d'institution sociale en institution sociale, la petite Laëtitia a fini par atterrir chez nous, elle avait 10 ans. Nous sommes famille d'accueil depuis plus de vingt-cinq ans. Elle était bien, ici, malgré ses colères et son caractère pas toujours facile. Elle était comme notre fille.

Nicolas lui laissa le temps de reprendre son souffle. Il but une gorgée de café et constata, sur les photos, que les Verger n'avaient sans doute pas d'enfants à eux. Il lui demanda de lui parler des fréquentations de Laëtitia.

— Elle était une jeune comme une autre, je l'ai déjà dit à vos collègues qui l'ont recherchée. Elle préparait un CAP coiffure, elle avait ce rêve bien illusoire de coiffer des stars. Mais c'était son rêve, il lui appartenait. Ses fréquentations, c'étaient des jeunes de son âge, à l'école et au foyer. Elle y écoutait de la musique, regardait des films, jouait au ping-pong. Pourquoi est-ce que c'est elle qu'on nous a ravie et pas une autre ? Pourquoi cette espèce de malade s'en est pris à douze autres personnes ? Vous avez les réponses, peut-être ?

Nicolas serra les lèvres. Mme Verger se comportait comme tous les proches de victimes, elle attendait qu'on comble les immenses vides de sa vie fracassée.

— Nous y travaillons à chaque heure qui passe. Savez-vous si Laëtitia avait des tatouages, ou d'autres piercings que son anneau au nez ?

— Non, il n'y avait que l'anneau. On allait souvent à la piscine, toutes les deux. Je l'aurais remarqué.

— Vous aurait-elle déjà parlé de… cygne noir ?

— Un cygne noir ? Je… Non, pourquoi ?

— Ça vous dérange si on inspecte sa chambre ?

— Je doute que vous en appreniez plus que vos collègues, mais je n'y vois pas d'inconvénient.

Elle les emmena à l'étage. La pièce mansardée était restée en l'état, encombrée de babioles, de vêtements, de boîtes à bijoux fantaisie. Sur les murs, en vrac, des posters de chanteurs, d'acteurs, de starlettes de télé-réalité. L'univers d'une jeune fille de 20 ans. Chrystelle Verger restait sur le seuil, comme si une force invisible et puissante l'empêchait de pénétrer dans cet espace. Fouler le territoire des morts, toucher à leurs affaires… Nicolas avait connu ça, à la disparition brutale de Camille. Que faire des objets des disparus ? De leurs habits, leurs souvenirs ? Où les stocker, sous quelle forme ?

Pascal jeta un œil aux CD, aux bijoux, tandis que Nicolas s'occupait des livres penchés sur une étagère.

Absolument rien en rapport avec le satanisme. Le flic acquit la conviction que la gamine n'était pas dans ce trip-là.

Son cœur se souleva soudain quand il tomba, entre deux livres, sur une revue éditée par l'EFS, l'Établissement français du sang. Elle retraçait l'histoire de la transfusion sanguine, de ses prémices à nos jours. Le capitaine de police la tira de son rayonnage, la feuilleta en vitesse. Il se tourna vers son interlocutrice.

— Savez-vous pourquoi Laëtitia possédait ce genre d'ouvrage ?

— Oui, bien sûr. Elle donnait son sang au moins deux fois par an.

Le sang ressurgissait de la façon la plus inattendue qui soit : des étagères d'une morte. Nicolas encouragea Verger à poursuivre.

— Je n'y connais pas grand-chose, mais je sais qu'elle porte un sang très rare, d'un groupe qu'on appelle Bombay. Il y aurait moins de mille personnes qui posséderaient ce groupe en France. Laëtitia avait conscience de la rareté de son sang, elle voulait faire une bonne action en l'offrant à ceux qui en auraient besoin.

Un groupe sanguin Bombay… Nicolas se rappelait que le psychiatre de Mev Duruel avait évoqué ce groupe, et ça lui était complètement sorti de la tête. Évidemment, il ne pouvait s'agir d'un hasard. Le flic ne comprenait pas l'implication de la schizophrène, mais il lui sembla qu'un pan de l'enquête s'éclairait soudain : et si Laëtitia avait été choisie pour son sang si particulier ? Et si les autres disparus possédaient aussi cet or rouge au fond de leurs veines ? Ces kidnappés étaient-ils des coffres-forts qu'il avait fallu fracturer pour accéder au précieux trésor ?

Le cerveau de Robillard carburait également, les pièces s'assemblaient, si bien qu'il demanda :

— Est-ce qu'il y a une relation entre le fait d'être réunionnais et de posséder ce groupe sanguin ?

— Laëtitia m'en avait déjà parlé, oui. D'après ce que j'ai compris, le groupe sanguin aurait été découvert en Inde au milieu des années 1900, à Bombay justement, où une fraction de la population le possédait par des brassages génétiques. Quelques-uns de ces porteurs avaient migré vers l'île de la Réunion et, donc, répandu cette particularité parmi les générations suivantes par le métissage. Ils sont plus nombreux là-bas que n'importe où ailleurs.

Elle fronça les sourcils.

— Vous pensez que… qu'on l'aurait kidnappée et tuée à cause de… de son sang ?

— On étudie toutes les pistes.

Nicolas ne montra pas son excitation, mais il tenait l'une des clés. On s'en était pris à ces gens-là à cause de leur sang si spécial. Une nouvelle question s'imposa : si les autres disparus étaient de groupe Bombay, comment les vampyres avaient-ils pu être au courant de la rareté de leur sang, puisque le don était, pensait-il, anonyme ? Comment avaient-ils pu les identifier et les retrouver à travers toute la France ?

Le policier fit un rapprochement avec son propre métier : eux, les flics, disposaient d'un fichier des immatriculations. À partir de la plaque d'un véhicule, on retrouvait le propriétaire, où qu'il habite. Cela devait fonctionner de la même façon pour le sang. À partir d'un groupe sanguin, on devait pouvoir remonter aux différents donneurs.

Et les accès aux fichiers étaient forcément contrôlés, sécurisés.

Nicolas en avait désormais la conviction : l'un de ces salopards de buveurs de sang était infiltré dans le circuit du don, comme un virus bien caché dans les veines. Mais les virus laissaient toujours des traces derrière eux et, désormais, Nicolas savait où taper.

Une dernière question, histoire d'être efficace.

— Vous savez où Laëtitia donnait son sang ?

— À l'EFS Henri-Mondor, à Créteil, c'est moi qui l'y conduisais. C'est aussi là-bas qu'on trouve la seule banque de sang rare en France.

Elle leur apportait les réponses sur un plateau.

Les deux policiers la remercièrent et disparurent en coup de vent.

55

L'Établissement français du sang Île-de-France, au cœur du CHU Henri-Mondor, à Créteil, était l'un des cent trente-deux centres répartis sur tout le territoire, mais celui-ci avait la particularité d'abriter la BNSPR, la banque nationale de sang de phénotype rare.

À l'intérieur du bâtiment, certains défilaient devant un accueil pour remplir des fiches, d'autres disparaissaient dans des bureaux de médecins. Plus loin, on trouvait un centre de collation, histoire de se recharger en sucre après le don. Derrière une vitre, les donneurs allongés, une poire en plastique serrée dans le poing, étaient reliés à d'énormes machines qui brassaient les litres et les litres de composés sanguins. Des seniors qui voulaient sans doute se rendre utiles, mais Nicolas fut surpris par le nombre de jeunes adultes, casque sur les oreilles ou livre à la main. Il observa le va-et-vient des infirmières, des médecins, des laborantins… L'un des monstres qu'ils cherchaient se cachait peut-être parmi eux.

Nicolas et Pascal furent accueillis par une chargée de communication, mais le capitaine lui fit comprendre en deux mots qu'ils n'étaient pas venus faire du tourisme, si bien que, cinq minutes plus tard, ils entraient dans le bureau du directeur de l'EFS.

Geoffroy Walkowiak, une bonne cinquantaine, n'avait pas l'air commode et semblait excédé d'avoir dû raccourcir son rendez-vous téléphonique. Il leur présenta deux chaises et s'installa face à eux, une méfiance manifeste dans les yeux. Le sang était un sujet sensible qui redoutait les éclaboussures.

— Je vous écoute.

Nicolas alla au plus court, livrant dans un premier temps un minimum de détails.

— Il y a plusieurs éléments qui motivent notre visite. Le premier, nous avons un besoin urgent de savoir qui a accédé aux informations de l'une de vos donneuses régulières, Laëtitia Charlent. Nous avons toutes les raisons de penser que ce membre du personnel a également eu accès aux données d'autres individus du même groupe que Laëtitia, le groupe Bombay. Nous devons l'identifier le plus vite possible.

Walkowiak se recula dans son fauteuil afin d'accentuer la distance qui les séparait. Il avait le visage sec, les os à fleur de peau et une moustache grise taillée à la mode « dictateur ».

— Vous vous doutez bien que je ne peux répondre à ce genre de requête. Tout comme vous, nous avons des lois qui encadrent le champ de nos compétences. La bioéthique et la protection des données privées nous interdisent de…

Nicolas n'écouta pas son baratin. Il poussa d'un geste sec son téléphone portable sur le bureau.

— Vous savez, les lois, la plupart du temps, même nous, les flics, on passe outre. Jetez un coup d'œil à ces photos. Il y en a une cinquantaine, vous n'êtes pas obligé de toutes les regarder.

Le responsable prit le portable. D'un mouvement d'index, il fit défiler les clichés et plissa le nez.

— Pourquoi vous me montrez une chose pareille ?

— Les treize corps découverts dans les Yvelines… C'est nous qui avons trouvé ces cadavres l'un après l'autre. Laëtitia Charlent, âgée de seulement 20 ans et donneuse de sang dans votre établissement, en faisait partie. Toutes ces malheureuses victimes ont été vidées de leur sang jusqu'à la dernière goutte.

Un silence. Le directeur prit la mesure de la gravité de la situation.

— Et vous pensez que… ces morts seraient liées à leur groupe sanguin ? C'est pour cette raison que vous êtes ici ?

— C'est plus que plausible. D'après notre anthropologue, qui a analysé les squelettes, ces corps ont des origines ethniques différentes – Chinois, Indiens, Africains. Ça colle bien avec des racines réunionnaises. Et donc, potentiellement…

— … des groupes sanguins de phénotype Bombay. Bon Dieu !

Nicolas et Pascal échangèrent un bref regard de satisfaction : le type était ferré.

— Aucun policier ou gendarme n'a jamais pu relier ces enlèvements, ajouta Robillard. Ils sont étalés dans le temps, sur deux ans estime-t-on, et aussi sur le territoire, sinon des enquêteurs auraient fini par faire des recoupements. Il y a des hommes, des femmes, de tous âges.

Aucun profil ne se distingue, hormis ces fameuses origines ethniques pour certains. Celui qui s'en est pris à eux connaissait la rareté de leur sang, il a forcément eu accès aux données stockées dans votre système.

Walkowiak rendit le téléphone à Nicolas et agita la souris de son PC.

— Pourquoi, selon vous, les responsables de ces horreurs feraient-ils ça ?

— On comptait sur vous pour nous le dire. Est-ce que ce groupe sanguin a des caractéristiques spéciales, en dehors de sa rareté ?

— Je ne peux entrer dans les détails, vous n'y comprendriez rien. Mais pour faire simple, sachez que le sang est composé de globules rouges, de plaquettes et de globules blancs, le tout transporté dans un liquide riche en sels minéraux et protéines appelé plasma. Un globule rouge possède, à sa surface, des antigènes, et le plasma des anticorps. Si vous injectez des globules rouges d'une personne A dans le plasma d'une personne B – c'est le cas pour une transfusion –, alors les anticorps de la personne B vont attaquer les globules étrangers si les groupes sanguins ne sont pas compatibles. Cela crée ce qu'on appelle des chocs transfusionnels, qui peuvent entraîner la mort.

Il jeta un œil à son portable qui vibrait, refusa l'appel entrant.

— Vous connaissez surtout deux systèmes de groupes sanguins – le groupe ABO et le groupe Rhésus –, mais sachez qu'il en existe trente et un autres avec, dans chaque système, des complexités qui rendent parfois les transfusions et les greffes d'organes extrêmement délicates. Pour le sang Bombay, les règles sont claires : son porteur peut donner à tout le monde, c'est l'un des sangs les plus universels au monde, mais ne peut recevoir que du sang Bombay. D'où l'importance des donneurs de sang rare, qui nous permettent de constituer des stocks et de fournir des poches à un autre porteur de sang rare compatible, en cas de nécessité : accidents, maladies génétiques, accouchements, grosses opérations chirurgicales.

Nicolas réfléchit. Il pensait aux poches vides dans la cave de Ramirez, à l'hirudine des sangsues qui permettait le stockage, à ces litres d'or rouge qui avaient quitté les corps de leurs malheureux propriétaires. Pray Mev constituait-il sa propre banque de sang Bombay ? Pourquoi ? Pour pouvoir transfuser sans crainte n'importe quel individu, quel que soit son groupe ? Que venait faire Mev Duruel et son groupe si rare dans l'équation ?

Le responsable s'était mis à pianoter sur son clavier, coupant Nicolas dans ses pensées.

— Tout est tracé, du donneur au receveur, de celui qui fait des recherches dans le système ou consulte des fiches, quel que soit son établissement d'origine. Ma propre connexion en ce moment même est archivée.

Les policiers gardèrent le silence, les minutes défilèrent, et ils commençaient à se dire que la piste ne mènerait nulle part, lorsque le visage du directeur se fit grave. Après de nouveaux clics, il se recula sur son siège, abasourdi.

— Vous avez trouvé quelque chose ? demanda Pascal.

— J'en ai bien l'impression… D'après la fiche, il s'agit de l'un des laborantins qui travaillent sur la qualification biologique du don, au labo de Rungis… « Travaillait », plutôt. Ça fait presque deux ans qu'il n'est plus en poste.

Il leva les yeux vers les policiers.

— J'ai travaillé là-bas avant de venir ici en remplacement de l'ancien directeur, je connaissais ce laborantin. Il me semble qu'il était déjà en arrêt maladie.

Il encaissa, silencieux, puis revint vers son ordinateur.

— À ce que je vois ici, quelques semaines avant son arrêt, il a lancé tout un tas de recherches, chaque fois tard le soir. Et uniquement sur les Bombay. D'ordinaire, on fait ce genre de choses pour les statistiques, mais jamais avec autant de détails. Lui, il a tiré des listings avec les âges, les identités, les adresses des donneurs. Plus de trois cent quatre-vingts personnes passées au crible…

Il accusa de nouveau le coup, l'œil rivé à son écran. Nicolas ne tenait plus en place : les identités des treize victimes étaient sans doute là, perdues dans cette longue liste de donneurs de sang Bombay. Le responsable poussa un soupir et annonça :

— Arnaud Lestienne. J'ai son adresse sous les yeux.

56

Le campus de Jussieu de l'université Pierre-et-Marie-Curie, à deux pas de la Seine et du Jardin des Plantes, était une ville dans la ville dédiée aux sciences. Plus de vingt mille étudiants, une fourmilière d'enseignants-chercheurs, une ruche de laboratoires de recherche axés sur quatre grands pôles, de l'ingénierie à la chimie moléculaire, sans oublier les sciences de la Terre. Un bouillon de matière grise qui avait vu germer entre ses murs des prix Nobel de physique, des médailles Fields[1], des directeurs de recherche au CNRS…

Lucie errait dans les allées. Elle n'avait pas eu la chance de suivre un cursus universitaire classique – les erreurs de jeunesse, les échecs scolaires –, mais espérait bien voir Jules et Adrien aller le plus loin possible. Elle les imaginait déjà assis sur ces marches, à 19 ou 20 ans, leur mèche blonde sur le front, à refaire le monde à coups de formules et de théories. Et elle espérait être là pour les applaudir à la cérémonie de remise des diplômes.

1. L'équivalent du Nobel pour les mathématiques.

Ces pensées la rendirent encore plus malheureuse. Leurs enfants pouvaient tout perdre, eux aussi. Leur liberté de bien grandir, avec leurs deux parents, leur avenir. Lucie avait l'impression de ressembler à Sisyphe avec son rocher : au moindre faux pas, elle entraînerait tout le monde dans sa chute.

Franck arriva enfin.

— Fallait que je sorte du 36, ou j'allais péter un plomb. C'est où ?

Ils se mirent à la recherche du bâtiment A, qui abritait le laboratoire Neuroscience Paris Seine au nom barbare de « CNRS UMR8246/Inserm U1130/UMPC UMCR18 ». Lucie considéra son homme avec gravité.

— Nicolas sait, c'est ça ?

— La poisse nous poursuit. Le dossier de procédure pénale est arrivé au pire moment. Nicolas a capté et, maintenant, il a embarqué Pascal avec lui alors qu'il ne le fait jamais. Je suis certain que c'est pour lui poser des questions sur ce fameux dossier.

— Qu'est-ce qu'on va faire ?

— J'en sais rien. Nicolas est aigri, il en veut à la Terre entière et pourrait tout faire pour nous pourrir la vie. La bonne nouvelle, c'est qu'il sait que ton oncle est mort et ne jugera sans doute pas nécessaire de se rendre chez ta tante. Même s'il commence à se poser des questions, il n'a pas l'ombre d'une preuve.

Ils s'engouffrèrent dans le bâtiment, Lucie s'annonça à la secrétaire. Jérémy Garitte, la cinquantaine, vint les accueillir et les emmena dans son bureau. Il referma derrière eux, les pria de s'asseoir et regroupa ses mains en pyramide sous son bouc argenté. Un cerveau synthétique était posé juste devant lui, à côté d'une figurine de Dark Vador. Il fixa plus particulièrement Lucie.

— Vous ne m'avez pas dit grand-chose au téléphone. En quoi puis-je vous aider ?

— Nous enquêtons autour d'un meurtre violent. Pour être brève, la victime a sûrement mené des recherches sur une série de trois accidents à la suite desquels le comportement des personnes impliquées a changé : ces individus ne ressentent plus de peur, n'ont plus la notion de danger, si bien qu'ils ont été amenés à accomplir des actes insensés avec, au bout, un nouvel accident. Carole Mourtier faisait partie de la liste. Je suis allée la voir, et c'est ce qui nous a conduits à vous.

Jérémy Garitte parut soufflé. Ses paupières se baissèrent.

— Des comportements insensés… Ainsi, il y en aurait d'autres dans son cas ici, en France.

— On en a bien l'impression.

Vu son changement de posture, Lucie lui apportait une information qui l'intéressait au plus haut point.

— Qui sont-ils ?

— La seule survivante, c'est Carole.

— Vous me laisseriez les identités des deux autres ?

Sharko se pencha vers l'avant.

— Si ça peut servir les intérêts de l'enquête. Mais nous devons d'abord entendre ce que vous avez à nous dire au sujet de Carole Mourtier.

Le chercheur sembla approuver le franc-parler des policiers. D'un long tiroir, il sortit un dossier qu'il garda fermé et posé sur sa gauche.

— En collaboration avec des équipes suisses et allemandes, j'étudie depuis des années les mécanismes neurobiologiques impliqués dans les processus de peur et d'anxiété. Pourquoi avons-nous peur du noir lorsque nous sommes seuls, et pas en groupe ? Quels sont les seuils de déclenchement de la peur ? Que se passe-t-il dans le cerveau lorsque nous sommes confrontés à une source de danger ? Pour tout vous dire, je me suis intéressé à Carole Mourtier par le plus grand des hasards : un ancien copain d'école avec qui je suis resté en relation la suit en kinésithérapie. Il m'a contacté il y a un mois et m'a parlé de cette absence totale de réaction face à des situations stressantes ou dangereuses.

Il désigna les montagnes de feuilles et de documentation qui s'accumulaient sur ses étagères, à proximité d'autres figurines – Batman, Superman, qui cadraient mal avec l'impression de rigueur que dégageait sa personne. Même encerclé de ses théories et de sa science, le type avait gardé son âme d'enfant.

— Ici, je fais beaucoup de recherche fondamentale, mes compagnons de jeu sont des rats et des souris, j'écris des articles et ne sors presque jamais de mon labo. Mais… cette histoire m'intriguait. Et puis, il y avait eu des antécédents.

— Quand ? Où ?

— Marcus Malmaison, vous connaissez ?

Lucie secoua la tête, mais Sharko hésita : ce nom lui disait quelque chose.

— Il doit bien avoir 80 ans, aujourd'hui. Il était à l'époque un journaliste de faits divers qui a travaillé aux côtés de Jimmy Guieu pour une émission hebdomadaire de radio spécialisée dans l'ufologie. C'était dans les années 1970-1980, et ça s'appelait « L'invasion commence ».

— Ah oui, je me rappelle à présent, lâcha Franck. « L'invasion commence »... ça m'était sorti de la tête. Malmaison parcourait le monde à la recherche de phénomènes étranges liés au paranormal, aux petits hommes verts, aux *Poltergeist*.

— C'est exactement ça. Un peu barré, le monsieur, vous pouviez le voir un jour à proximité de la zone 51 et, le lendemain, au fin fond de la Sibérie à l'endroit où s'était écrasée une météorite. J'étais ado et je n'ai raté aucune de ses émissions. Ça traitait déjà de la peur, ça me passionnait.

Lucie remua sur son siège, elle s'impatientait. Garitte s'en aperçut et revint au sujet qui les amenait.

— Bref, suite à ma rencontre avec Carole Mourtier, je me suis souvenu d'une vieille édition de « L'invasion commence » où Malmaison parlait d'habitants qui avaient eu, eux aussi, des comportements étranges liés à l'absence de peur. Ça s'était passé au tout début des années 1980, dans la ville de Ciudad Juárez, à la frontière mexicaine. J'ai récupéré l'enregistrement. Je vous préviens, les explications de Malmaison sont très vaseuses, je n'ai pu en tirer aucune déduction, cependant les points communs sont bel et bien là. Je n'ai pas encore eu le temps de creuser le sujet en profondeur. Mais si vous voulez, je vous donnerai le fichier audio, il est sur mon ordinateur.

Franck tendit une carte de visite. Garitte considéra l'e-mail indiqué au bas.

— Je vous l'envoie après votre départ.

— La piste des extraterrestres, on n'y avait pas pensé, souffla Lucie à Franck.

Elle haussa les épaules et s'adressa à leur interlocuteur.

— Pour en revenir à Carolc Mourtier, donc.

— Je suis allé chez elle, un samedi. On a discuté, puis je l'ai soumise à des images censées être stressantes : insectes, serpents, araignées, fantômes, visages effrayants. Son absence de réaction était plutôt surprenante, d'autant plus qu'elle se rappelait avoir toujours ressenti une aversion profonde pour les serpents. Alors j'ai décidé de pousser les tests. Je l'ai amenée chez des collègues, dans un laboratoire de psychologie expérimentale, à Boulogne-Billancourt, où ils disposent d'un programme très performant de mesure des émotions.

Il ouvrit le dossier et montra les photos aux policiers. Carole Mourtier était installée au milieu d'une pièce, dans un gros fauteuil bardé d'électronique, face à un écran, un casque sur les oreilles. Au bout de l'accoudoir gauche, trois boutons colorés : rouge, vert, blanc.

— J'ai pris ces clichés le jour des tests. On a projeté des centaines de photos, émis différents bruitages, on lui a demandé d'appuyer sur les boutons en fonction de l'émotion ressentie. Vert pour agréable, rouge pour désagréable, blanc pour indifférent. Pendant plus de deux heures, on a mesuré ses rythmes respiratoire et cardiaque, la conductivité de sa peau, sa température corporelle, le volume de sang dans ses artères… Le verdict était sans appel : physiologiquement parlant, Carole n'avait plus aucune réaction par rapport à l'angoisse, la peur, même face aux situations de surprise stressantes. Comme si la peur, et uniquement elle, avait été gommée du catalogue de ses émotions.

Lucie se rappelait les propos de la veuve du plongeur, et l'absence de hausse du rythme cardiaque sur la montre. Exactement les mêmes symptômes. Elle rebondit là-dessus :

— Comment c'est possible ?

— Savez-vous ce qu'est la peur, pour un scientifique comme moi ? Un ensemble de manifestations physiologiques dues à la libération d'une hormone, l'adrénaline, suite à l'apparition d'un danger. Ces modifications physiologiques, comme la hausse instantanée du rythme cardiaque ou de la température, nous permettent de surréagir afin d'assurer notre survie. Si vous devez fuir, votre cœur est déjà prêt, vos muscles sont chauds. Quant à la notion de danger, elle a deux origines : ou elle provient d'un héritage génétique – on fuit le serpent parce que nos ancêtres l'ont fui, c'est, pour faire simple, gravé au fond de notre ADN –, ou d'un apprentissage – conduire à gauche en France est dangereux.

Il souleva le cerveau en plastique, l'ouvrit comme un fruit coupé en deux et désigna deux petites zones en forme d'amande.

— Si Carole n'avait plus aucune de ces notions, alors c'était que le problème venait de ces zones… On sait depuis quelques années que les circuits neuronaux de la peur se situent surtout dans une région du cerveau nommée complexe amygdalien, situé lui-même dans la région antéro-médiale du lobe temporal. C'est ardu mais, pour faire simple, on va dire que les amygdales cérébrales – et plus particulièrement la partie médiane du noyau central – sont les décideuses finales de la réaction de peur : une fois stimulées, elles engendrent la réponse comportementale de l'organisme face à un danger, via la sécrétion d'adrénalinc. Et si l'organisme de Carole ne sécrète plus d'adrénaline…

— … c'est qu'il a un problème au niveau de… de ces noyaux centraux.

— Exactement.

De sa pochette, il sortit des imageries de scans RX cérébraux, ces grands clichés translucides en noir et blanc, où l'on distinguait différentes coupes de l'organe. Il en plaça deux côte à côte à plat devant lui, et pointa les zones minuscules des amygdales.

— …Ces scanners cérébraux ont été réalisés à deux époques différentes. Le premier lorsque Carole Mourtier a reçu la tuile sur la tête, le 8 mars 2013. Un scanner tout ce qu'il y a de plus normal. Le second, il y a moins de quinze jours. Ce n'est pas évident à voir, il faut savoir où chercher, mais sur ce dernier, les noyaux centraux sont moins sombres, comme s'il y avait une perte de matière manifeste exclusivement dans cette partie.

Lucie se remémora soudain les propos de Paul Chénaix : le cerveau de Ramirez semblait lui aussi touché par *quelque chose.* S'agissait-il de la même région cérébrale ? Du même genre de pathologie ? Cela signifiait-il que Ramirez n'éprouvait plus la peur, lui non plus ? Elle se souvenait à la perfection de son visage quand il s'était jeté sur elle. La hargne dans ses yeux, l'agressivité, mais surtout pas la peur…

— Vos déductions ?

— Le neurochirurgien qui va s'occuper d'elle a pensé à une pathologie d'origine génétique rare, la maladie de Urbach-Wiethe. Elle provoque ce type de symptômes dans le complexe amygdalien, mais elle s'accompagne toujours de manifestations dermatologiques, un épaississement de la peau et des muqueuses. Or, ce n'est pas le cas pour Carole Mourtier. Peut-être une variante ? Ou une inflammation de cette partie du cerveau ? Mais, avec ce que vous me racontez aujourd'hui, ces autres cas déclenchés suite à des accidents… ce n'est a priori pas possible.

— Est-ce que… ça pourrait être un virus ? demanda Sharko. Une bactérie ? Une saleté qu'on attraperait dans la nature et qui s'en prendrait au cerveau ?

Le scientifique réfléchit et serra les lèvres.

— On ne peut pas exclure cette hypothèse. Je ne suis pas un spécialiste, mais je sais qu'il existe aussi aujourd'hui des maladies bien référencées qui s'attaquent au système nerveux central et à des zones très localisées, les encéphalites, notamment. Mais, sans ouvrir le crâne de Carole Mourtier ni faire des prélèvements, c'est difficile d'en dire plus. Les amygdales sont localisées en profondeur dans le cerveau, c'est une opération délicate.

— Quand doit-elle se faire opérer ?

— Dans trois semaines. On devrait en savoir plus à ce moment-là. Mais j'insiste : je peux essayer de vous aider, et aider Carole si vous me livrez davantage d'informations. Si ce que vous dites est vrai, si plusieurs personnes ont déclenché ce genre de symptômes, un point commun existe forcément. Un lieu qu'ils ont fréquenté, un aliment qu'ils ont ingéré, un médicament, puisqu'on parle d'accident… Peut-être même qu'il y a un rapport avec ces comportements au Mexique dans les années 1980. Donnez-moi ces noms.

Lucie et Franck en convinrent d'un simple regard : Jérémy Garitte pouvait être un allié important. Il avait des connexions dans le milieu médical, sans doute la possibilité d'accéder aux dossiers des personnes atteintes. Et les flics savaient qu'il se lancerait dans la quête avec toute son énergie : il tenait peut-être là la découverte de sa vie. Franck se leva.

— Très bien. Je vous transmets cela une fois au bureau. Dès que j'aurai reçu le fichier de l'émission de Malmaison.

Sharko lui tendit la main avec un sourire.

— « L'invasion commence »… Bon Dieu, c'était une sacrée bonne émission !

57

Nicolas et Pascal se garèrent à quelques pâtés de maisons de leur destination, aux abords de Rungis. Robillard raccrocha le téléphone en claquant sa portière.

— C'était l'archiviste du TGI. T'avais raison, le dossier de procédure pénale est déjà sorti en juillet dernier, mais pas pour le 36. Le demandeur était un certain lieutenant Simon Cordual, du commissariat d'Athis-Mons.

— Simon Cordual ? J'ai vu son nom dans le dossier de l'OCDIP. Ce n'est pas lui qui a aidé l'autre flic, cet Anatole Caudron, à faire des recherches dans le STIC au sujet de Ramirez ?

— Je n'ai pas encore lu le rapport.

— Si, si, son nom me revient. En juillet, tu dis… Caudron avait branché l'OCDIP sur Ramirez en mai… Il aurait donc dû, en théorie, arrêter ses recherches et profiter de sa retraite paisiblement. Ça veut dire que lui et son collègue ont continué à mener une enquête parallèle de leur côté, sans rien dire à personne. Très intéressant.

Et Sharko, au milieu de tout ça ? Comment pouvait-il être au courant ? Nicolas sentait le nœud à dénouer de ce côté-là, mais il laissa ses interrogations dans un coin de sa tête pour le moment, parce qu'ils arrivaient devant l'habitation.

Face à eux, une maison de cité au crépi sale, aux vitres tapissées d'un film de poussière. Lorsqu'ils s'engagèrent dans l'allée pavée d'autobloquants, ils remarquèrent le gros bonhomme en train de déposer des caisses de verre – surtout des bouteilles d'alcool. Cheveux gras, vieux bermuda beige, tee-shirt aussi chiffonné que du papier aluminium, sandales aux pieds. Il lorgna vers eux, se figea, avant de marcher d'un bon pas vers sa porte d'entrée laissée ouverte.

— Monsieur Arnaud Lestienne ?

Il fit mine de ne pas entendre. Pascal accéléra et l'empêcha de refermer la porte.

— J'ai rien à donner, cracha l'homme. Fichez le camp.

Il empestait la vodka à un point tel que le flic faillit détourner la tête. Tout en maintenant le battant, Robillard brandit sa carte tricolore.

— On a l'air de témoins de Jehova ? Faut qu'on discute.

Son visage était tellement bouffi, sa peau si tendue sur ses grosses joues qu'elle semblait absorber ses expressions.

— Qu'est-ce que vous voulez ?

— À l'intérieur.

Ils entrèrent, et Nicolas referma derrière lui. Plus aucune vie n'habitait les lieux. Rideaux sales, de la paperasse partout, jusqu'au sol, où traînaient encore des cadavres de bouteilles – visiblement, Lestienne était en plein nettoyage d'automne. Et cette légère odeur de nourriture rance…

Le propriétaire paraissait à la fois confus et désolé. Planté au milieu de son salon, il les questionna du regard. Nicolas inspecta les pièces adjacentes, histoire de s'assurer que Lestienne était seul, et lui tendit le document enroulé qu'il tenait. Pascal restait sur ses gardes, prêt à réagir, même si leur interlocuteur semblait aussi dangereux qu'une limace. Le gros homme déroula l'interminable liste de noms, puis sa main droite se mit à trembler fort. Il rendit le papier à Nicolas et partit se servir un verre.

— Qu'est-ce qui justifie que vous veniez m'emmerder deux ans plus tard avec cette liste ?

— Treize cadavres, c'est une justification suffisante ?

Lestienne ralentit son geste, puis inclina davantage la bouteille jusqu'à remplir son verre aux trois quarts. Il s'était servi de la main gauche – la droite, toute tremblante, reposait au fond de sa poche – et le goulot claquait contre le verre.

— Bon Dieu, treize cadavres, vous dites… Où ça ? Et qu'est-ce qui leur est arrivé ?

Selon toute vraisemblance, il n'écoutait pas la radio.

— Vous achèterez le journal, répliqua sèchement Pascal.

Lestienne se laissa choir dans son sofa. Une véritable onde de choc.

— J'ai déjà tout perdu. Ma femme, mes… ma gosse, mon boulot. Qu'est-ce que je risque de plus ? La taule ?

— Ça dépend de ce que vous avez à mettre sur la table.

D'un mouvement de tête, il indiqua aux flics qu'ils pouvaient eux aussi s'asseoir. Nicolas jeta un œil à une photo accrochée en face de lui. Un vieux cliché où l'homme enlaçait ses enfants, un temps où Lestienne avait été svelte et souriant.

— C'était... il y a environ deux ans, je crois... Je sortais du boulot quand je l'ai rencontré, la toute première fois. Je... Je bossais au laboratoire de qualification biologique, c'est là que... qu'on réalise une série d'analyses sur les échantillons de sang des donneurs pour... pour maîtriser le risque de transfusion de maladies infectieuses. J'avais aussi pour mission de... de repérer les sangs rares, ceux qui présentaient des caractéristiques immunohémat... immunomachin, même ça, je ne sais plus. J'ai le cerveau déglingué, bordel.

Le refuge du verre contre ses lèvres. La gorgée salvatrice.

— Il m'attendait dans ma... ma voiture, sur le parking de l'hôpital. Ouais, dedans, vous vous rendez compte ? Il m'a dit qu'il avait un... un service à me demander. Je ne connaissais ce type ni d'Ève ni d'Adam.

Robillard avait sorti son carnet, ridicule timbre-poste dans sa grosse main.

— Comment il s'appelait ?

— J'en sais rien. Je pourrais même pas vous dire à quoi... à quoi il ressemblait précisément. Je l'ai jamais vu sans ses lunettes de soleil... Mais... il avait des rides profondes au front... Et il était assez grand, costaud, toujours bien habillé. C'était ça qui me faisait le plus peur, le fait qu'il… qu'il soit bien fringué. C'était pas le mec de bas étage, celui qui veut s'en prendre à votre fric, au contraire. Ouais, au contraire…

Ses yeux partirent dans le vague. Il porta de nouveau le verre à ses lèvres, buvant l'alcool blanc comme l'eau. À l'évidence, il parlait du complice de Ramirez, le second diable qui avait enlevé Laëtitia.

— Qu'est-ce qu'il voulait exactement ?

— Ce… Ce que vous avez entre les mains. La liste de tous les individus de… de groupe sanguin Bombay du territoire. Enfin, ceux… ceux qui sont connus par l'EFS, évidemment, parce que tous ne donnent pas leur sang… Je lui ai demandé de se tirer en… en menaçant d'appeler les flics. Il n'a pas paniqué, il m'a sorti un paquet d'argent de… sa poche. Cinq mille euros en liquide pour une simple liste de noms et de… d'adresses. Une vulgaire requête sur un ordinateur… Quand je lui ai dit que ça ne m'intéressait pas, il est simplement parti en me disant qu'il ne valait mieux pas que… que je prévienne la police. Ce type en imposait… Une vraie gueule de méchant. J'ai eu tellement peur que… que je n'ai rien dit à personne, même pas à ma femme. Je croyais que c'était fini, juste un mauvais rêve, mais…

Il renifla sur le dos de sa main, comme s'il sniffait un rail de coke invisible, puis désigna du menton un panier vide, dans un coin.

— J'ai jamais pu m'en débarrasser, de ce panier… On avait un chien, Jasper, un petit cocker anglais. Trois jours plus… plus tard, je l'ai retrouvé mort dans le jardin en me levant le matin, avec un mot dans…

dans la gueule. « *La prochaine fois, ce sera ton gosse. Prépare la liste. Et si tu préviens l'ombre d'un flic...* »

Le mot dans la gueule. Nicolas pensa à la carte de visite de Sharko retrouvée dans la bouche de Mayeur. Mêmc signature.

— ... J'ai brûlé le papier, j'ai menti à ma femme et à ma fille, j'ai dit que Jasper avait été renversé, il avait la tête en sang. On... On l'a enterré derrière la maison. Je... J'ai imprimé cette saleté de liste comme il me l'avait demandé, avec les noms et les adresses... Bien sûr, c'était un motif de licenciement grave, ça... Ça pouvait même aller jusqu'au pénal parce que... parce que là où on travaille, on ne rigole pas avec la protection des données des patients, mais... mais est-ce que j'avais le choix ? Je n'étais qu'un laborantin lambda, un... un mec normal avec une famille, qui fait son boulot et passe inaperçu...

— Vous pensez que c'est pour cette raison qu'il vous a choisi ? Pour votre... discrétion ?

— Forcément. Il savait aussi que je pouvais accéder au système.

Il termina son verre, sans grimace, sans hausser un sourcil.

— Et donc, vous l'avez revu, relança Nicolas.

— La semaine d'après, toujours sur... sur le parking de l'hôpital. Il est monté dans ma voiture au moment où... où je m'installais. J'ai... roulé, je lui ai donné sa liste, il m'a tendu le... le fric. J'ai dit que je n'en voulais pas, il l'a mis dans... la boîte à gants, m'a demandé de m'arrêter et il est descendu, comme ça, en plein Créteil. Je... Je ne l'ai plus jamais revu... Après ça, tout est parti en vrille, je me sentais... sale. Je me suis mis en arrêt, les rapports avec ma femme se sont dégradés – cette salope me… me trompait déjà depuis un bail, de toute façon. J'ai jamais touché au fric de ce type, même si aujourd'hui… j'en aurais bien besoin. Mais je peux pas.

— Vous avez vu sa voiture ? Quelque chose qui pourrait nous aider à le retrouver ? Un lieu, une piste ?

— Je vous l'ai dit… Je… Je sais rien de lui. Un fantôme.

Nicolas essaya de cacher sa déception. A priori, ils n'avaient aucun moyen de remonter à ce second diable.

— À votre avis, pourquoi tenait-il tant à récupérer cette liste-là ? Pourquoi précisément ce sang Bombay ? Est-ce qu'il peut y avoir une raison valable de s'en prendre à des individus de ce groupe si rare ? À leur voler leur sang ?

— Leur voler leur sang ? On… On leur vole leur sang ?

— Ils ont été vidés, oui, intervint Robillard. Jusqu'au dernier centilitre. Comme si ceux qui font ça se constituaient leurs propres réserves, leur propre banque de sang Bombay… Ça pourrait être un trafic ?

Il secoua la tête.

— Trafiquer du Bombay ? Pourquoi ? Je… Je comprends pas.

Il n'avait plus l'esprit assez clair pour réfléchir, et les flics savaient qu'ils n'en tireraient rien pour le moment. Il se leva en titubant, se baissa sous un meuble et en sortit un parallélépipède recouvert de papier journal. Il peina à se relever – ce type faisait vraiment pitié à voir – et posa le paquet sur la table.

— J'aurais dû m'en… m'en débarrasser depuis longtemps. Mais c'est de l'argent, je pouvais pas le… le jeter. Ça se jette pas, de l'argent… J'ai même jamais compté. Je suppose que… que les 5 000 euros y sont. Prenez-le, vous êtes flics, vous… saurez quoi en faire. Virez ce fric maudit de ma maison…

Les deux policiers se levèrent sans toucher à l'argent, lui annoncèrent qu'il devait rester à disposition de la police, qu'on allait le convoquer incessamment et que ce serait mieux qu'il soit sobre ce jour-là, puis le saluèrent, l'abandonnant à sa bouteille.

58

Assis derrière son bureau, Sharko avait mis un casque sur ses oreilles. Jérémy Garitte lui avait déjà envoyé le lien pour télécharger « L'invasion commence » du 14 mai 1980. L'émission durait quarante minutes. À entendre le générique bien cheap – mélange de sons psychédéliques assez indigeste – et les voix des animateurs, Sharko eut un reflux de vieux souvenirs. Il n'avait pas 20 ans, à l'époque. Un jeune homme fougueux, amoureux, capable de courir un cent mètres en moins de quatorze secondes, et qui croyait pouvoir refaire le monde. En définitive, c'était le monde qui l'avait refait.

L'émission commençait par un délire sur les « petits-gris », une espèce extraterrestre qui vivrait cachée à de grandes profondeurs sous terre depuis des siècles. Malmaison allait même jusqu'à les décrire : pas de larynx ni de cordes vocales, un squelette cartilagineux, des entités s'exprimant par télépathie. Selon le « journaliste », la dernière manifestation des petits-gris s'était produite à Ciudad Juárez, un foyer de violence à la frontière avec les États-Unis.

Articles de journaux locaux à l'appui, l'animateur à la voix métallique – Sharko s'était toujours demandé si c'était sa vraie voix – rapportait que, entre 1978 et 1980, la ville avait été le témoin de comportements anormaux. Sur deux ans, une quarantaine d'habitants étaient décédés dans des conditions pour le moins troublantes. Certains avaient sauté depuis des toitures de maisons ou des flancs de montagne – l'arrière-région était escarpée, idéale pour abriter des bases secrètes souterraines de petits-gris, d'après l'ufologue Guieu, qui en remettait une couche –, d'autres s'étaient approchés sans précaution de serpents à sonnette au venin mortel, s'étaient noyés dans le Río Grande ou électrocutés le long de lignes à haute tension.

Sharko se recula sur son siège, interloqué. Des comportements similaires aux cas relevés par Willy Coulomb : une absence totale de conscience du danger qui entraîne la mort. Il songea aussi, bien sûr, aux tableaux de Mev Duruel. Des souvenirs de son enfance, à la fin des années 1950 ? Mais la jungle n'avait pas grand-chose à voir avec le soleil brûlant mexicain.

Dans l'enregistrement, Malmaison rapportait qu'il était allé enquêter là-bas, poser des questions aux habitants, proches, voisins ou amis des victimes. Tous expliquaient avoir constaté un changement progressif dans les attitudes des individus face au danger. Le défi, l'absence de peur face à la mort… Quand Malmaison avait demandé aux témoins si, par hasard, ils n'avaient pas vu de manifestations extraordinaires – lumières dans le ciel, déplacements rapides d'objets aériens qui atterrissaient dans les montagnes –, les habitants avaient commencé à affabuler. « *Oui, oui, bien sûr, je crois que j'ai vu quelque chose en forme de triangle se déplacer super vite, comme ça, presque en zigzag, puis plonger vers le désert.* » Ce genre de bêtises.

L'émission se terminait sur un autre délire, comme souvent. Malmaison n'en démordait pas : les esprits avaient été contrôlés progressivement par les petits-gris installés dans une base secrète souterraine non loin de là, au milieu du désert. Selon le pseudo-journaliste, la plupart des « parasités » étaient des ouvriers pauvres, sans lien de parenté, choisis au hasard. Quand les petits-gris en avaient fini avec eux, ils les poussaient vers la mort et investissaient d'autres hôtes.

Sharko ôta son casque avec amertume. L'émission avait quand même sacrément mal vieilli et ne ressemblait qu'à un ramassis de débilités. N'empêche, ce phénomène semblait avoir réellement existé…

Il tenta quelques requêtes sur Internet, mais ne trouva rien sur cette histoire. Réalité ou pure invention ? Il afficha la carte de cette partie du Mexique et zooma. La ville de Ciudad Juárez était vraiment ventousée à la frontière, en face de la bouillonnante El Paso, côté américain. Le flic sentait que Malmaison avait, trente-cinq ans plus tôt, mis le doigt sur une histoire beaucoup plus puissante qu'une prise de contrôle débile d'esprits par des extraterrestres.

Un mal avait peut-être frappé ces personnes, et ce mal était là, aujourd'hui, en France, bien caché. Willy Coulomb avait réussi à le cerner, et il était mort pour cela.

Sharko devait parler à Malmaison. Après des recherches et quelques appels, il parvint à lui laisser un message sur son téléphone fixe.

L'arrivée de Nicolas et de Pascal mit un terme à ses réflexions.

59

L'équipe Manien, sans son chef, était réunie dans l'open space. Chacun avec une copie de la liste des trois cent quatre-vingt-quatre individus de groupe Bombay sous les yeux. Après s'être repoudré le nez aux toilettes, Nicolas se tenait à présent debout devant le tableau blanc et venait d'expliquer leurs dernières découvertes : les victimes, probablement de groupe sanguin très rare, comme Mev Duruel, l'interrogatoire d'Arnaud Lestienne, sa rencontre avec l'homme aux lunettes noires…

Il regarda sa montre.

— Bon, 17 heures passées. Avant qu'on se mette à décortiquer cette liste, j'ai discuté avec Chénaix au sujet des morsures. L'odontologue a référencé dix-sept mâchoires différentes. Une véritable horde s'est acharnée sur le corps de Mayeur.

Sharko serra les lèvres. Il imaginait une bande de fêlés, rapides et silencieux comme le vent, surgissant des profondeurs pour déchiqueter leur victime… Leurs bouches dans la chair, les cris, le sang. Puis ils étaient retournés se fondre dans l'obscurité de la ville, loin du corps suspendu au bout de sa corde.

— Mais ce n'est pas tout : l'une des blessures, au niveau de la gorge, était largement supérieure à toutes les autres. L'odontologue n'avait jamais rien vu de tel. « *Des dimensions hors norme* », selon ses propres termes. Les perforations étaient très profondes sur toute la largeur de la plaie, elles atteignaient l'os. C'était comme si le mordeur n'avait que des canines extrêmement longues. Une sorte de mâchoire immense et puissante, aux dents acérées. Une mâchoire quasi animale.

Tous s'observaient en silence. Nicolas songeait, bien sûr, à ce visage flou dans l'habitacle de sa voiture, mais il garda ces images pour lui.

— Le chef de meute, fit Jacques. Peut-être qu'il s'est pointé avec de fausses mâchoires, genre hyène ou loup, et qu'il les a enfoncées dans la chair pour nous impressionner ou nous mettre sur une fausse piste…

— Difficile à dire. L'eau de Javel avait détruit toutes traces biologiques.

Nicolas agita sa copie de la liste :

— Passons à ça, maintenant. La liste, composée à l'origine de trois cent quatre-vingt-quatre identités, a été réduite à trois cent douze en ôtant ceux qui ont donné leur sang récemment et ne peuvent donc faire partie des victimes. Ça fait environ soixante coups de fil à donner chacun. Il y a de fortes chances pour que la plupart de nos victimes se trouvent dans cette liste. Vous mettez de côté les individus qui ne répondent pas ou dont le numéro n'est plus en service, ce sont des victimes potentielles. Si personne n'est au bout de la ligne, laissez des messages sur les répondeurs… Cela donnera un bon premier tri.

Après le partage des noms de la liste, tous se mirent à l'action. Dans son coin, Sharko se sentit à demi soulagé : l'effervescence de ces dernières découvertes avait pris le pas sur tout le reste. Peut-être Nicolas avait-il oublié – ou tout au moins mis de côté – cette histoire de dossier de procédure pénale. Pour sa part, il avait contacté Chénaix pour voir si les zones abîmées dans le cerveau de Ramirez avaient été analysées depuis l'autopsie : il devait comprendre s'il existait un lien avec Carole Mourtier et la peur. À sa grande déception, l'anatomopathologiste, débordé, n'avait pas encore réalisé les examens, mais il allait s'y atteler.

Les coups de téléphone fusèrent et, comme au bon vieux temps – et ce même si Nicolas et Franck s'ignoraient –, l'excitation avait regagné l'équipe. La première « touche » fut pour Jacques, elle tomba une demi-heure après le début des appels. Il se leva et alla noter l'information sur le tableau.

— Je crois qu'on en tient une : Cécile Quidé, 45 ans, domiciliée à proximité d'Avignon. C'est son père adoptif que j'ai eu au téléphone, il avait récupéré le portable de sa fille dans son appartement. La disparue est réunionnaise. Elle n'a plus donné de nouvelles depuis février 2014. Elle vivait seule, en période de chômage. Une instruction pour disparition inquiétante a été ouverte à Avignon en mars 2014. Je vais entrer en contact avec eux. Le père m'avait l'air assez âgé, il était dans tous ses états.

Il regagna sa place. Chacun fixait ce nom noté au marqueur sous celui de Laëtitia Charlent, sur ce tableau où allaient s'aligner des identités anonymes. Des innocents qui devaient leur triste sort à la rareté de leur sang, et parce qu'ils avaient accompli l'acte merveilleux d'en donner pour sauver des vies. Ils avaient alors signé sans le savoir leur arrêt de mort.

Bellanger n'eut pas le temps d'apporter sa contribution à la liste. Manien se présenta sur le seuil de la pièce, visage fermé, veste boutonnée, et demanda que son subordonné le rejoigne dans son bureau avant de tourner les talons. Un courant d'inquiétude glaça l'espace où chacun se regarda sans un mot : Manien avait vouvoyé Nicolas.

Le capitaine de police remit en place son téléphone fixe, rempila un paquet de feuilles et sortit sans un regard pour ses collègues, le buste droit. Dans le couloir, il se frotta d'un geste vif les narines, écrasé par une mauvaise intuition.

Et il ne s'était pas trompé. Deux types en costume sombre, façon *Men in Black*, l'attendaient dans le bureau du chef : l'IGS, l'inspection générale des services. L'un d'entre eux ferma la porte derrière Nicolas. Grégory Manien était assis à son bureau, les poings serrés sous son menton.

— Vous savez pourquoi vous êtes là ?

Nicolas peina à trouver ses mots, déstabilisé. Il essaya de se débattre comme un poisson pris dans un filet.

— Écoute, Grégory, on est en train de dresser une liste des disparus et...

— Ça ne sera pas long, trancha l'un des deux types. L'affaire de quelques minutes.

L'homme enfila une paire de gants en latex et sortit d'un emballage du matériel que Nicolas reconnut sur-le-champ : un kit de test salivaire multidrogue, capable de détecter tous types de stupéfiants et d'en définir la famille : opiacées, THC, amphétamines, cocaïne… Le flic fixa son chef avec mépris.

— Qu'est-ce que tu fous ?

— Ce que je fous ? Je m'assure de la compétence de mon personnel dans une enquête ultrasensible où vous avez pris, me semble-t-il, de nombreuses libertés sans m'en rendre compte. Le juge m'est tombé dessus plusieurs fois à cause de vos écarts injustifiés. Vous vous croyez au-dessus des lois ?

— Et alors ? Ça n'a pas fait progresser l'enquête ? Tu sais bien qu'on n'a pas toujours le temps d'attendre la paperasse, on fait toujours ça ! Et toi le premier, bordel !

— Ne le prenez pas comme ça. Vous faites le test, c'est négatif, vous retournez bosser. Où est le problème ?

Nicolas serra les poings contre ses cuisses. Une vague de feu montait en lui et gorgeait ses muscles de sang.

— T'es à même pas six mois de la retraite et tu me chies dans les bottes. C'est quoi, ton problème ?

Nicolas se retourna pour se retrouver confronté à la poitrine d'un des deux gus. Il fixa l'inspecteur de l'IGS dans les yeux.

— Qu'est-ce que vous allez faire ? Me coffrer ?

— Vous savez ce que signifie un refus. Aveu de culpabilité. Nous allons prendre le dossier en main, ça peut mal tourner pour vous si vous ne vous soumettez pas au test.

— Parce que vous avez l'impression que tout va bien, là ? Je ne ferai pas votre putain de test !

Devant l'entêtement de Nicolas, l'inspecteur finit par s'écarter. Bellanger savait ce qu'il encourait : psychologue, cure dans un centre pour policiers, sanction disciplinaire avec blâme, peut-être même mutation dans un service moins exposé où on le priverait de son arme. Et ça le rendait fou : hors de question qu'il abandonne l'affaire, il s'était fait un point d'honneur d'aller au bout.

Et on le chassait comme un malpropre ? Un moins-que-rien ?

Il claqua la porte derrière lui, perclus de honte et, surtout, de colère : un feu de brousse qui grondait en lui et grossissait à chaque pas. Il se dirigea vers son blouson et l'arracha à son siège. Le seul mot qu'il adressa fut pour Sharko, au moment où il se retourna sur le seuil de la grande pièce.

— C'était mon enquête. Je voulais aller au bout, pour Camille, et tu cherches à m'en empêcher.

— Qu'est-ce que tu racontes ?

— Espèce de balance.

Il dévala les marches quatre à quatre, entendit Sharko se précipiter, l'appeler depuis la rambarde du troisième, mais fonça dans la cour et s'engouffra dans sa voiture, avant de disparaître au quart de tour. Il laissa son portable sonner – ce salopard de Sharko essayait de le joindre.

— Va te faire foutre !

Il eut envie de balancer le dossier de procédure pénale qui traînait sur le tableau de bord, mais se retint. Une fois chez lui, il se débarrassa de la drogue au fond des toilettes et s'effondra dans son fauteuil, avec l'impression d'un vide de cathédrale autour de lui. Qu'allait-il devenir entre ces quatre murs qui lui filaient la gerbe ?

Il se précipita sur un verre qu'il remplit au tiers de whisky. But une gorgée qui l'écœura. De toutes ses forces, il balança le verre contre la cloison. Des éclats giclèrent jusqu'à la fenêtre de la cuisine.

Le policier se mit à pleurer, une photo de Camille entre les mains. Quand il eut mal au crâne, il essuya ses larmes de la manche de sa chemise et caressa le visage de papier glacé du bout des doigts. Pourquoi ce visage, ce sourire continuaient-ils à le hanter, nuit après nuit ? Pourquoi ne parvenait-il pas à s'extraire de ce tourbillon infernal qui l'entraînait vers le fond ?

L'empreinte de son pouce se dessina sur la vitre du cadre et disparut peu à peu des traits de Camille, comme un vieux souvenir. Nicolas resta figé face à ce phénomène et, soudain, se précipita sur ses clés de voiture.

Cela ne pouvait être qu'un signe du destin.

Camille venait peut-être de l'aider à identifier l'homme aux lunettes de soleil.

60

— En général, ça fonctionne bien avec le billet du dessus et celui du dessous. Et puis, ceux-là sont tout neufs, jamais pliés. Tirés directement du distributeur.

Mains gantées, Léopold Jordin, le spécialiste en dactyloscopie des labos du quai de l'Horloge, sortit avec délicatesse deux coupures de 50 euros de l'emballage journal que Nicolas venait de lui apporter. Le flic était repassé chez Arnaud Lestienne avec une idée bien précise en tête : faire analyser les billets de banque, en espérant que l'homme aux lunettes de soleil avait laissé ses empreintes digitales dessus.

— Il est plus de 19 heures, t'es seul, souligna le scientifique. C'est du off, ou je dois m'attendre à recevoir un papelard qui autorise l'analyse ?

— Ne t'attends pas à grand-chose.

Jordin serra ses lèvres en cul de poule. C'était un rouquin sec aux allures de brindille, aux mains et aux joues éclaboussées de taches de rousseur.

— D'accord, j'ai compris. Mais uniquement les empreintes, pas l'ADN. Parce que là, ça me force à utiliser la…

— Te fatigue pas, que les traces papillaires.

— Dans ce cas, on essaie le bain de ninhydrine, c'est parfait pour les supports poreux comme les billets et ça ne coûte pas cher.

— Les empreintes ont deux ans, ça ne pose pas de problème ?

— La ninhydrine réagit avec les acides aminés qui résistent pas mal au temps. Tant que les billets étaient au sec, aucun problème. Si ça fonctionne, ça va prendre deux ou trois heures en tenant compte du séchage. Je vais rester, j'ai du taf, de toute façon, tu peux rentrer et je t'appellerai pour te donner le résultat.

— Je serai dehors, pas loin. Merci, Léopold.

Une fois à l'extérieur, Nicolas appela Gilles Leguen, une bonne connaissance à Écully, là où se trouvait le serveur du FAED – le fichier automatisé des empreintes digitales –, pour savoir s'il pouvait le recontacter dans la soirée au sujet d'une recherche. Il lui demanda de rester au bureau, promit que cela se ferait avant 22 heures et insista sur l'urgence de la situation : les papiers officiels viendraient plus tard. Leguen, qui lui devait un service, ne rechigna pas.

Il alla manger un morceau dans une brasserie proche de Saint-Michel et longea le quai, dans l'ombre des péniches, des promeneurs, des ponts. De l'autre côté de la Seine, l'imposant bâtiment du 36, quai des Orfèvres, se détachait du ciel gris comme un géant de pierre repu et allongé sur le flanc. Nicolas s'assit sur des marches et observa la fenêtre de leur open space, au troisième étage, alors que la nuit tombait. Son chez-lui, d'où on l'avait chassé comme le pire des criminels… Derrière ces murs, Sharko et les autres étaient peut-être encore là, courbés sur leur téléphone, à essayer de compléter la liste des victimes. Il aurait dû être avec eux.

Nicolas n'en revenait toujours pas. Était-il possible que cet homme qu'il connaissait depuis toutes ces années ait pu le balancer ? Peut-être que tout le monde savait qu'il se shootait, y compris ses collègues et cet enfoiré de Manien. Peut-être qu'il n'était plus vivable et qu'il ne s'en rendait même pas compte.

Il lui restait une ultime dose de coke au fond de sa poche. Une bouée de sauvetage empoisonnée. Il sortit le sachet, taraudé par l'envie de s'envoyer un rail. Juste un, encore un. Le dernier.

Il balança cette saloperie à l'eau, elle lui manquerait moins que son job.

Dans un soupir, il arracha son Sig Sauer à son holster, le manipula, éjecta et réenclencha plusieurs fois son chargeur dans des claquements secs. Idées noires à la chaîne. *Suicide chez les flics. Sur les quais de Seine, un capitaine du 36, quai des Orfèvres, s'est donné la mort avec son arme de service.* Nicolas fixa le miroir d'eau grise devant lui. Une balle dans la tempe. Tout serait tellement plus simple. Pourquoi continuer à lutter contre le courant ?

Il égrena les balles d'un mouvement de pouce, en récupéra neuf dans le creux de sa main, ce qui lui fit penser qu'il aurait dû se rendre au stand de tir pour remplacer la munition utilisée dans la cave de Ramirez. Rien que ce détail allait lui causer de sérieux soucis quand on lui confisquerait son arme, bientôt, et qu'on ferait l'inventaire des balles. Un argument de plus pour l'enfoncer.

Il allait falloir passer au stand le lendemain matin très tôt, quand il n'y aurait pas grand monde, histoire de récupérer une cartouche et…

Il se produisit alors un curieux déclic dans sa tête, comme lorsqu'on enfonce une pièce de puzzle à la bonne place. Des mots résonnèrent dans ses oreilles, deux phrases anodines prononcées par Manien à l'adresse de Sharko : « *On m'a dit que t'avais fait une petite séance de tir tôt ce matin ? Toi, dans un stand de tir ?* »

Nicolas fronça les sourcils et essaya de se remémorer le contexte. Quand avait-il entendu ça ? Il fit un pénible effort et se rappela : le lendemain de l'arrestation de Dulac, l'auteur d'un double homicide. Quelques heures avant l'appel des policiers de Longjumeau et la découverte du corps de Ramirez.

Nicolas se releva et se mit à aller et venir, le poing sur la bouche. Manien avait raison : Sharko n'allait jamais s'entraîner au tir et, comme par hasard, il s'y rendait ce matin-là, tôt de surcroît.

Une balle à tête creuse dans le plafond, comme dans les armes de flics…

Peut-être quelqu'un de la maison…

Un tueur au courant des techniques policières, qui n'avait pas paniqué…

Un cœur sacrément bien accroché pour arranger le corps de la sorte…

Une deuxième image le percuta de plein fouet, une autre curiosité ancrée dans cette même journée : Jacques, leur procédurier, qui tombe subitement malade, ce qui permet à Sharko de le remplacer pour la récolte des indices.

Sharko n'avait rien à voir là-dedans, c'était du pur délire. Et puis, Pébacasi était une femme et…

Il se refusa à pousser l'analyse plus loin et accueillit la sonnerie de son portable comme un soulagement. C'était Jordin, le laborantin.

— Ça a fonctionné, Nicolas. Il y a des empreintes différentes, probablement dues à la circulation des billets avant leur installation dans le distributeur de billets, mais un motif unique revient sur plusieurs coupures, comme si on les avait comptées. Une magnifique empreinte de pouce qui ne devrait pas poser de problème pour une recherche dans le fichier.

Nicolas leva les yeux au ciel : une étoile l'encourageait à poursuivre sa quête. Il remonta sur le Pont-Neuf et fonça vers le quai de l'Horloge. Une demi-heure plus tard, il envoyait à son contact d'Écully, depuis l'ordinateur du technicien, un scanner de l'empreinte du pouce révélée par le bain de ninhydrine. Nouvelle attente qu'il combla à la terrasse d'un café, rue de la Huchette, emmitouflé dans son blouson, son téléphone posé juste devant lui.

Arrivée d'un appel. Gilles Leguen.

— Dis-moi que t'as quelque chose.

— T'es certain que c'est bien légal, ce que tu me demandes ? C'est toujours Manien, ton boss ? Il est au courant ? Tout est tracé et je ne voudrais pas avoir d'emmerdes. Ça ne rigole plus, maintenant, avec ce genre de requêtes, et…

— T'auras les papelards bientôt, je te l'ai dit. Raconte-moi plutôt ce que t'as trouvé.

Nicolas sentit une franche hésitation à l'autre bout de la ligne.

— Ton candidat, c'est du costaud… Le Charcutier du Nord bordelais, tu connais ?

Téléphone coincé entre l'oreille et l'épaule, Nicolas fouilla dans son blouson et en sortit son Moleskine et un crayon. Il tremblait d'excitation.

— Non.

— C'est comme ça qu'on l'appelait à l'époque. Les collègues ont bossé dessus il y a une paire d'années, un cas bien gratiné. Vincent Dupire, 52 berges aujourd'hui. Écoute bien, parce que ça vaut son pesant de cacahuètes. On est au début des années 1990, le mec est infirmier à domicile à la base, il sillonne les rues de Bordeaux, partie nord, pour se rendre chez ses patients. Rien d'anormal. Un bon gars, agréable, qui fait bien son job et que les patients apprécient. Il habite une vieille baraque à trente bornes de la ville. À ce moment-là, il passe des petites annonces sur le Minitel, rubrique rose, sous un pseudo, « Cuisine coquine », invitant des partenaires masculins à vivre des, je cite, « *expériences sexuelles originales* »…

Nicolas laissa de la monnaie sur la table et s'enfonça dans la rue, au calme.

— … Les intéressés débarquaient chez lui et, pour ceux qui étaient consentants, Dupire proposait un petit atelier cuisine : du boudin fait maison. Du local et du frais. Oignons, pommes cuites, marrons, boyaux de porc. Petite particularité, le sang était celui du partenaire. Dupire lui prélevait presque un demi-litre en une fois en lui incisant une veine du poignet, avant de le soigner avec son matos d'infirmier.

Nicolas s'était arrêté de noter. Il marchait au ralenti dans l'ombre des bâtiments.

— Ensuite, ils dégustaient la recette tous les deux, histoire que l'autre reprenne des forces en se nourrissant de son propre sang. C'est terriblement glauque. Puis ils baisaient, et le gars retournait chez lui, ni vu ni connu. Dupire a fait ça pendant des années et ça a fini par mal tourner : il a incisé les veines d'un hémophile qui était encore plus barré que lui et ne l'avait pas prévenu de son état. Je te laisse deviner le carnage. Le gus s'est vidé de son sang. Il est mort dans la maison de Dupire. Et je t'ai gardé le meilleur pour la fin. T'es toujours là ou tu t'es sauvé en courant ?

— Je t'écoute.

— Dupire a mangé une partie du cadavre sur plusieurs jours et a dissous le reste à l'acide au fond d'une gare de triage abandonnée. Les flics l'ont coincé grâce aux petites annonces trouvées chez l'hémophile. Quand ils ont débarqué chez le tueur, ils ont découvert plusieurs centaines d'échantillons de sang au sous-sol. De petits tubes en verre, alignés avec soin sur des étagères, remplis lors de prises de sang chez des patients, avec la date, l'heure de prélèvement et l'identité du porteur, et ça depuis plus de huit ans. En fait, Dupire prélevait le double des quantités nécessaires à chaque visite à domicile. L'une partait au labo, et il gardait l'autre pour sa petite collection personnelle. Une espèce de cave à vin, à la mode Dracula.

Nicolas avait l'impression de faire un pas supplémentaire dans les ténèbres.

— Folie ou responsabilité ?

— Responsabilité, à cent pour cent. Dupire était un vrai fétichiste sanguin, il n'arrivait plus à penser à autre chose, mais il n'était pas fou. Passionné par l'occulte et les vampires – il appartenait lui-même à un groupe de vampires mondialement connu, Sabretooth. Un être froid, calculateur, et d'une extrême intelligence pour embrigader ses proies et les convaincre de participer à ses petits jeux. Il a écopé de vingt ans de prison, dont sept à Fleury, il est sorti au bout de douze, en 2010.

Fleury… Là où Ramirez avait été enfermé, de 2008 à 2012. Nul doute que les deux hommes, férus de satanisme, avaient dû partager leurs petits secrets. Un meurtrier froid aux côtés d'un esprit perturbé, tous deux traversés par les mêmes troubles, attirés par la même couleur : celle du sang. Un duo parfait de prédateurs qui s'était reconstitué en dehors de la prison, comme deux pierres fondatrices d'un clan monstrueux.

— Une idée de l'endroit où il crèche ?

— Nicolas, je ne sais pas si je peux…

— S'il te plaît, ça me fera gagner du temps.

— J'espère que tu ne me fous pas dans la merde. Les données ont été mises à jour par un PV pour excès de vitesse qu'il s'est pris il y a trois ans. J'ai une adresse mais j'ignore si elle est encore valable : route du Chêne, hameau du Pimancont, Dixmont. Pas de numéro de bâtiment, ça doit être un bled paumé. C'est dans l'Yonne.

61

Nicolas traçait sa route, à l'assaut des forêts toujours plus profondes de l'Yonne. Ses phares creusaient l'asphalte, blanchissaient les troncs noirs et serrés dans les virages rugueux. Le flic éprouvait le besoin d'aller au bout du chemin, de finaliser son enquête, contre vents et marées. Prouver qu'il n'était pas qu'un drogué incompétent.

Évidemment, il n'était pas fou au point d'intervenir seul et de tout gâcher. Juste ce besoin irrépressible d'avancer, de dévorer du kilomètre, de rouler jusqu'à plus soif, de repérer les lieux et de s'assurer que le domicile était toujours habité par Vincent Dupire, en relevant son numéro de plaque et en le soumettant au fichier des immatriculations. Ensuite, il servirait le tueur sur un plateau à son connard de chef, qui n'aurait plus qu'à finir le travail et récolter les lauriers.

Sur l'écran de son téléphone, il observa une photo du criminel que venait de lui envoyer le collègue d'Écully. Des yeux pas plus grands que des pièces de 10 centimes, d'un bleu clair presque blanc qui expliquait le port quasi permanent des lunettes. Des joues en entonnoir. Et ces fameuses rides qui lui labouraient le front, peut-être des cicatrices ou des malformations, car Dupire n'avait que 32 ans à l'époque de la photo. Nicolas imagina le calvaire des victimes soumises à ce regard de Viking. Dupire avait sans doute participé aux enlèvements – ils avaient été forcément deux lors de la disparition de Laëtitia. Était-il aussi impliqué dans les meurtres ?

Quinze minutes qu'il roulait sur ces routes sinueuses sans croiser âme qui vive, avec cette boule au ventre, ses mains qui tremblaient, son front tapissé de sueur tant il avait envie d'un shoot. Il n'aurait pas dû jeter la drogue. Une ronde folle de visages tournait sous son crâne : Camille, Sharko, Lucie, Ramirez, Dupire, le tout mêlé dans un bain de sang et une explosion de poudre blanche. Il ouvrit les vitres avant, haletant, et respira à grandes goulées. Quand tout alla un peu mieux, il se focalisa sur son GPS : plus que deux kilomètres.

Il doubla un hameau. De timides éclairages dans les chaumières tranquilles, des habitants devant la télé… D'après son appareil, il arrivait sur la route du Chêne, sillon d'asphalte bordé de fossés et ceinturé de champs. Le trou du cul du monde. Il roula ainsi sur trois bornes, jusqu'à ce que le GPS lui ordonne de faire demi-tour. Avait-il loupé quelque chose ? Pourtant, Nicolas était certain de n'avoir vu aucune maison.

Il rebroussa chemin, le pied plus léger sur la pédale, et discerna un chemin en terre qui s'enfonçait dans la campagne, sur sa droite. Les yeux plissés tournés vers les champs, il lui sembla apercevoir la silhouette noire d'une ferme. Il poursuivit encore jusqu'à l'entrée du hameau et se gara derrière d'autres véhicules : il ne voulait prendre aucun risque et, surtout, ne pas se faire repérer.

Il saisit la lampe de poche dans sa boîte à gants et mit son téléphone sur silencieux. Manien, Jacques, Pascal, ils avaient tous appelé. Ils pensaient peut-être qu'il s'apprêtait à faire une bêtise, mais il s'en fichait. Il s'engagea le long de la route, à bon rythme, jusqu'à gagner le chemin de terre. Le vent soufflait sec, tiède, chargé de ses relents d'été. Plus loin, la ferme en U se dessina sous un morceau de lune, protégée par un portail fermé avec une chaîne et un cadenas.

Nicolas se colla contre la grille et observa : de sinistres bâtiments anciens et abîmés, collés les uns aux autres, avec une grande cour centrale, une grange essoufflée, des dépendances, des squelettes de tôles et de bois amoncelés. Mais pas de véhicule, ni de lumière. Il hésita, puis longea le mur extérieur, jusqu'à dénicher un endroit qu'il put escalader sans difficulté. Dix secondes plus tard, il courait de l'autre côté, arme au poing au cas où.

Une lumière dorée adoucissait les reliefs. La campagne respirait avec calme. Nicolas veilla à rester dans l'obscurité des palissades. C'était pour ces raisons-là qu'il aimait son métier. L'adrénaline, l'excitation, la peur, aussi. Dans ces instants, il oubliait tout le reste et se sentait vivant.

Un hennissement abrupt manqua de lui faire exploser le cœur. Il aperçut, au niveau d'un box, la silhouette en ombre chinoise d'une tête de cheval. L'animal agita le museau et claqua du sabot contre la porte en bois de son enclos, avant de retrouver son calme.

Le policier se précipita vers le corps de ferme aux volets rabattus mais pas entièrement fermés : un loquet métallique les retenait à peine. Un coup d'œil dans chaque fente : les pièces semblaient vides. Personne, pas un bruit. Toutes les issues verrouillées. Nicolas se refusait à fracturer l'habitation – il ne s'agissait pas de tout foutre en l'air pour vice de procédure. Au pire, il pouvait attendre dans sa voiture que le propriétaire finisse par rentrer et, ensuite, transmettre l'immatriculation. Toute la nuit s'il le fallait, ce n'était pas le temps libre qui lui manquait.

Il longea tout de même les différentes dépendances, le cœur au bord de l'explosion lorsque le cheval surgit de nouveau sans prévenir. L'animal semblait jaillir d'un cauchemar, avec un œil blanc et sec, la gueule grise traversée de cicatrices, comme expulsé d'un champ de barbelés. Un habitant de l'ombre à l'image de cet endroit sordide, envahi de lierre, de mousse, de vieux fantômes. Dupire avait dû acquérir l'ensemble pour une bouchée de pain, cheval y compris. Il n'osa imaginer un sadique tel que lui face à cet animal. *Le Charcutier du Nord bordelais*…

Plus en retrait, il remarqua un cabanon aux vitres crasseuses et couvertes de toiles d'araignées. Il en fit le tour, alluma sa lampe et balaya l'intérieur. Tous types d'outils pendaient aux murs, accrochés par des clous : tenailles, marteaux, scies. Sur un établi, une meuleuse, une perceuse, des forets et du matériel de quincaillerie. Si on omettait le fait qu'on se trouvait peut-être dans l'antre d'un assassin qui avait un jour dévoré partiellement un homme et kidnappé treize autres, il n'y avait là rien d'anormal. Juste des outils dans un endroit approprié.

Nicolas explora d'autres bâtiments et s'intéressa à la grange entrouverte. Un mikado de ballots de paille, des fourches, et surtout une voiture garée à l'intérieur. Il pénétra et visa le véhicule avec sa lampe. Faux espoir : il s'agissait d'une vieille Ford hors d'usage, à la tôle rouillée, sans capot ni plaque d'immatriculation, aux vitres cassées et laissée en plan. Même son moteur manquait.

Il quittait à peine la grange qu'il perçut un bruit étrange, derrière lui. Un son profond, lointain, presque étouffé. Une voix ? Il piocha son Sig dans son holster et jeta un œil par-dessus son épaule, interloqué. Il retourna à l'intérieur, éclaira les parois en bois, les poutres entrecroisées, l'étage accessible avec une échelle. Une fois là-haut, il évolua sur le plancher où traînait encore un peu de paille. Rien. Avait-il rêvé ? Ou alors, était-ce le vent ?

Il redescendait par l'échelle quand le couinement se renouvela. Le flic ne comprenait pas : le murmure semblait provenir du véhicule abandonné. Avec des mouvements précis de lampe, il lorgna dans l'habitacle, souleva le coffre à moitié déboîté. Rien. Il s'agenouilla au niveau du châssis, scruta même dessous, attentif à chaque centimètre de poussière. Un coup à devenir fou.

— Il y a quelqu'un ?

Pas de réponse. Il se redressa, fit le tour, sur ses gardes. Sa lampe accrocha alors la grosse planche de bois sur laquelle reposait la roue avant droite du véhicule. Pourquoi cette roue-là et pas les autres ? Une sinistre idée lui traversa l'esprit.

Mon Dieu, non…

Il espérait de tout cœur se tromper. Il se pencha à l'intérieur du véhicule, baissa le frein à main et poussa la voiture pour libérer la planche. Quand il décala cette dernière, une bouffée d'air glacé le frappa en pleine figure.

Une échelle métallique, incrustée dans un cylindre de roche, plongeait dans la nuit.

62

Il regarda l'entrée de la grange et hésita : fallait-il tout remettre en place et appeler les autres ? Descendre là-dessous auparavant ? Et si quelqu'un était retenu prisonnier au fond ? Une nouvelle victime à ajouter aux treize autres ? Mais vivante, celle-là ?

Il pouvait encore la sauver. Contre sa volonté, ses doigts agrippèrent les barreaux froids, et il descendit en silence, la lampe entre les dents, l'arme à la main.

Un sol bétonné et sec l'accueillit quatre ou cinq mètres plus bas. Face à lui, un passage voûté, en béton lui aussi. Il se laissa engloutir par cette bouche avide et pénétra dans une pièce hermétique envahie de nourriture : des montagnes de boîtes de conserve, des sacs de riz empilés, des paquets de pâtes par dizaines, d'innombrables bouteilles d'eau. Même un lit de camp et un lavabo. L'antichambre d'un abri antiatomique.

Son faisceau s'arrêta alors sur deux gros cartons barrés d'une croix rouge. L'un des deux, ouvert, laissait apparaître des poches de sang neuves et empilées, bien plus nombreuses ici que dans la cave de Ramirez. À proximité, une glacière vide et un réfrigérateur branché à une rallonge électrique, qu'il ouvrit. Dedans, quatre poches remplies de sang, placées les unes à côté des autres, et deux récipients pleins d'un liquide translucide et épais, arborant la mention : « *Hirudine* ».

Il se dirigea vers une porte métallique équipée d'un gros loquet. Il le tira sur la droite et déverrouilla, le pontet de l'arme dans l'alignement de son œil droit.

Ce qu'il découvrit alors le paralysa.

Deux silhouettes recroquevillées étaient enchaînées par la cheville aux angles opposés d'une salle carrelée en blanc, du sol au plafond, sauf à l'endroit pour les besoins – un trou vers les profondeurs. Nicolas songea à des revenants, avec leurs visages fins et transparents comme du papier-calque, leurs pommettes en carreau de flèche, la peau des bras, des jambes, marbrée d'aplats violacés ou jaunâtres, et criblée de traces d'aiguille le long des veines.

Sur une étagère inaccessible aux prisonnières, une aberration : des produits de beauté. Sur une autre, un tensiomètre, des seringues emballées, des antibiotiques, des compléments alimentaires et tout un tas d'ampoules : vitamine C, A, huile de foie de morue, fer…

Les deux femmes se mirent à crier et se réfugièrent dans leur coin, les yeux plissés comme si elles s'apprêtaient à être battues. Qui étaient-elles ? Depuis quand les retenait-on enfermées ? Des semaines ? Des mois ?

— Je suis de la police. Je vais vous aider.

On aurait dit qu'elles ne l'entendaient pas. Il s'approcha, se trouva surpris par l'odeur de leur peau, elles sentaient bon. Malgré les conditions de leur détention, on prenait soin d'elles. Il observa les cadenas maintenant l'arceau aux chevilles.

— La clé ? Où est la clé ?

Il se défit des mains qui l'agrippaient désormais et fouilla sur l'étagère, en vain. Impossible d'utiliser son arme sans risquer de les blesser avec le ricochet de la balle. Il fallait sortir d'ici, tout remettre en place et prévenir l'équipe. L'une des deux se jeta encore sur lui et lui attrapa la cheville. Elle l'implorait de toutes ses forces de ne pas l'abandonner. Nicolas s'accroupit pour se libérer de l'étreinte.

— Je vais revenir, je vous le promets. Mais il faut que j'appelle des renforts.

Les deux femmes hurlaient pour qu'il revienne. Il remonta l'échelle en quatrième vitesse, se hissa au bord du trou puis se trouva face à une paire de grosses chaussures, au bout renforcé d'une coque en métal. Une main puissante le saisit par le blouson et le tira sur le sol. La plaque métallique de la rangers vint lui frapper la pommette gauche.

Et tout devint noir.

63

Nicolas peina à ouvrir les yeux, surtout le gauche, dont les paupières semblaient vissées l'une à l'autre. Toute cette partie du visage oscillait entre lancinements insoutenables et fourmillements d'anesthésie. Une ronde de sensations qui n'avait que l'avantage de lui prouver qu'il était en vie, bras solidement attachés au-dessus de la tête, avec une corde hissée à un énorme bastaing qui soutenait une partie du hangar. D'autres cordages l'entravaient par le torse et les jambes à une poutre verticale.

À moitié dans les vapes, il sonda l'environnement. Loin en diagonale, une ampoule nue, suspendue à un long câble électrique, plongeait l'immense grange dans une lueur orangée de tunnel souterrain. En retrait, la carcasse de voiture avait été remise en place, tout comme la planche. Et un mètre devant lui, sur une table à tréteaux absente à son arrivée, une collection d'outils : pinces, tournevis, agrafeuse, cloueuse, son pistolet, ainsi que du matériel transfusionnel, poches de sang vides, aiguilles, cathéters. Sous la table, son téléphone portable, à proximité d'un bidon marqué de l'inscription : « *Acide sulfurique* ».

Il essaya de se débattre, en vain : les cordes trop serrées lui brûlaient les chairs. Il allait morfler. Dupire ne le laisserait pas mourir sans son compte de souffrance. Il se mit à implorer de l'aide à travers le chiffon roulé en boule dans sa bouche, qu'il ne pouvait recracher à cause de l'adhésif plaqué contre ses lèvres.

Combien de temps resta-t-il dans cette position, à tenter de se détacher, tandis que ses membres s'engourdissaient, que les veines bleutées gonflaient sur ses avant-bras à cause des liens ? Une soudaine odeur d'essence venue de l'arrière l'enveloppa. Une main gantée d'un film de latex lui caressa le cou.

— Alors, on joue avec le feu et on se balade en solo ?

La voix était grave, monocorde. Un souffle glacé dans l'air saturé d'odeurs de paille et de poussière.

— On m'a expliqué que t'avais pris ton pied, l'autre nuit au fond du parking, dans ta bagnole. Et qu'on avait décidé de ne pas te tuer pour que tu puisses…

Deux doigts se promenaient sur sa nuque, à l'endroit de la piqûre.

— … profiter de notre petit cadeau. Quel dommage qu'il faille t'éliminer, à présent. T'es allé beaucoup trop loin.

Vincent Dupire vint se positionner face à lui. Une vraie gueule burinée, taillée au ciseau à bois. Ses yeux bleu iceberg transperçaient ceux de Nicolas. Ses vêtements empestaient le carburant : à l'évidence, ce malade s'était imbibé d'essence. Il lui serra les mâchoires, son visage à dix centimètres du sien. Puis le força à regarder au-dessus des portes de la grange. Une caméra…

— Mon téléphone a bipé dès que t'as foutu les pieds ici. Tu croyais pouvoir te promener chez moi comme si t'étais dans un moulin, putain de poulet ? Tu nous mets dans une sale situation. Il va falloir que tu m'expliques clairement comment t'es arrivé jusqu'à moi, à nous, et ce que tu sais.

Il arracha les épaisseurs de Scotch d'un mouvement sec. Nicolas chassa le tissu d'un coup de langue et toussa.

— Va te… faire foutre.

Le flic lui cracha au visage. Sans sourciller, Dupire frotta ses lèvres du dos de la main et afficha un sourire dénué de toute humanité. Il ne portait pas de crocs, mais ses canines étaient biseautées, comme taillées à la lime. Il se dirigea vers la table et souleva une poche vide en plastique déjà reliée à un cathéter et une aiguille.

— Je vais te pomper cinq cents millilitres, dans un premier temps. Tu vas voir, ça rend beaucoup plus docile. C'est comme si des barrières se brisaient en toi, tu te sens ailleurs, flottant, ton cerveau commence à manquer d'oxygène. Ça crée une forme de déséquilibre, ça dérègle pas mal de trucs en toi. Ensuite, on pourra passer aux choses sérieuses.

Nicolas eut beau lutter, il ne put empêcher l'aiguille de pénétrer la belle veine gonflée de son avant-bras gauche. Dupire suspendit la poche à un crochet planté dans la poutre, puis le cathéter s'emplit de rouge, les premières gouttes se mirent à couler le long de la paroi plastifiée et se déposèrent au fond. Le bourreau observa le liquide avec une vraie folie dans le regard.

— Tu sais ce qui est fascinant, avec le sang ? C'est cette couleur flamboyante, à nulle autre pareille. Elle attire l'œil comme un aimant, tu ne trouves pas ? C'est l'oxydation du fer contenu dans les globules qui lui donne cette teinte si particulière. Le fer, on le sent bien au goût, même quand le sang est cuit.

Dupire décrocha un tablier vert en caoutchouc, enroula la sangle autour de sa taille et la noua derrière son dos.

— Julien aurait été ravi d'être là et de pouvoir en profiter. Il était très méticuleux, un obsédé du détail. Tu sais qu'il récurait sa cellule deux fois par semaine avec une brosse à dents, ce taré ? On l'appelait le Nettoyeur, à Fleury. Jamais un papier à côté de la corbeille, pas un poil sur la cuvette des chiottes. Et pourtant t'as dû voir sa cave, c'est tout le paradoxe du personnage. Je ne l'aimais pas beaucoup mais il était efficace. Et, contrairement à lui, je n'ai jamais été très doué pour me débarrasser des corps sans laisser de trace. Et puis, tuer, ça ne me dérange pas, mais ce n'est pas vraiment mon truc, à vrai dire. Je n'y prends pas de plaisir.

Il parlait avec un calme sidérant, campé désormais devant sa table et sa panoplie d'outils.

— Tu aurais vu comment il a massacré Willy Coulomb, comment il s'y est pris pour le faire parler ! On était là. Il avait quelque chose de… de profondément maléfique en lui. Quelque chose que je n'avais jamais vu chez personne.

— Parce que ces femmes que vous maintenez enfermées là-dessous, vous croyez que… que c'est bien ?

— Il n'est pas question de bien ou de mal, ce n'est qu'un dommage collatéral. Une nécessité pour notre projet.

— Quel projet ?

Dupire revint vers Nicolas et lui assena une grosse claque sur sa joue blessée.

— C'est moi qui pose les questions.

Le flic vacilla avant de recouvrer ses esprits. Il sentait des bulles légères sous son crâne. Déjà les effets de la prise de sang. Dupire lui écrasa la tête contre la poutre du plat de la main.

— Qui s'en est pris à Ramirez ?

— On pensait que c'était l'un d'entre vous.

L'homme au tablier le sonda, histoire de s'assurer que le flic lui disait la vérité. Il retourna vers la table, d'une démarche lourde. Nicolas força de nouveau sur ses liens à s'en arracher la peau. Jamais il ne se dégagerait de là. Il allait crever dans l'antre du mal, seul, comme Camille. Il pouvait à présent ressentir la peur qui avait dû envelopper sa compagne, cette nuit-là. Son immense sentiment d'abandon.

Lorsque son bourreau pivota vers lui, il tenait l'agrafeuse. Il s'approcha, le visage aussi froid qu'une pierre tombale.

— Non, non…, supplia Nicolas en secouant la tête.

Dupire écrasa l'engin sur la cuisse droite de Nicolas et appuya deux fois de suite. Un courant électrisa le cerveau du flic, qui poussa un hurlement.

— Comment tu t'es retrouvé ici, chez moi ? Qui est au courant ? Qu'est-ce que vous savez sur nous ?

Bellanger contractait chaque muscle de son visage.

— Continue… Continue jusqu'au bout, espèce de taré. Tu… vas me tuer, de toute façon. Tu ne m'arracheras pas un mot. Va te faire foutre.

Dupire poussa un soupir exagéré.

— Un coriace… Passons à la vitesse supérieure.

Allers et retours à l'établi. Dupire vissa d'autres crochets dans la poutre avec une lenteur perverse, puis revint avec trois poches, aiguilles, cathéters. Piqua dans le bras droit et les veines au niveau de chaque cheville, et déposa les poches dans un bac. Les tubes transparents s'empourprèrent en une poignée de secondes. La vie allait doucement quitter Nicolas, ces gouttes chaudes qui, chaque fois qu'elles s'écraseraient sur le plastique stérile, embarqueraient une partie de ses souvenirs, de son existence. Son propre sang allait le tuer.

— Dans cinq minutes, ton cœur se mettra à battre de plus en plus vite pour compenser, ça te fera mal à t'exploser les côtes. Les parois de tes artères vont commencer à se rapprocher les unes des autres par manque de sang. Dans un quart d'heure, t'auras perdu un litre. Tu seras presque mort, mais je t'en réinjecterai assez pour faire durer, encore et encore, jusqu'à ce que t'en crèves. J'en boirai aussi une partie avant chaque réinjection. C'est un peu de ta vie que j'aspirerai chaque fois. Ça va être bien.

Nicolas ne trouva plus la force de lutter. Il abandonna son corps à son destin, puisque tout devait se terminer ainsi. Il baissa les paupières, les yeux embués de larmes, et fit le vide dans sa tête. Il essaya de se concentrer sur une image agréable – Camille et lui, sur une terrasse, un soir, alors qu'elle lui parlait des étoiles. Il ignora les coups que lui donnait son bourreau pour qu'il revienne à lui, il se sentit voler au-dessus de la mer, avec le vent sur son visage.

Un énorme claquement de porte, une tornade de cris puissants et de voix masculines brisèrent ses rêves.

Il rouvrit les yeux pour découvrir de multiples faisceaux, qui balayaient la grange comme des dizaines d'yeux luminescents.

Là-bas, à l'entrée, un essaim de lampes torches.

— Police ! Ne bougez pas !

La BRI en première ligne, fusils d'assaut braqués sur Dupire à peine surpris. Sans mouvement brusque, il s'éloigna à reculons de Nicolas et de la table. Il avait son téléphone portable à la main. Il appuya au ralenti sur l'écran malgré les sommations. Il fit ensuite jaillir une boîte d'allumettes qu'il dissimulait dans la poche de son tablier.

— Juste des allumettes, lâcha-t-il d'une voix monocorde.

Il ouvrit la boîte, alors que les sommations se poursuivaient, que les hommes s'approchaient et le menaçaient vraiment d'ouvrir le feu. Il craqua avec lenteur l'extrémité en soufre contre le grattoir.

— Vous croyez que vous nous faites peur ? Que vous pourrez y faire quelque chose ? Allez tous vous faire mettre !

Il sourit et lâcha l'allumette sur son tablier imbibé qui flamba instantanément. Deux secondes plus tard, une torche humaine fonça droit sur Nicolas et dévia de sa trajectoire sous l'impact d'une dizaine de balles.

La dernière image que le policier vit de son bourreau fut les cheveux noirs et légèrement bouclés, qui se rétractaient comme de minuscules ressorts sur le crâne en feu.

64

Les gyrophares bleus jouaient avec la nuit, leurs lumières gourmandes se propageaient loin dans les champs et flashaient la sinistre grange par intermittence. Ses grandes portes ouvertes crachèrent un groupe d'hommes en uniforme, qui soutenaient de frêles silhouettes emmitouflées dans des couvertures de survie en Mylar. Les femmes, courbées, peinaient à tenir sur leurs membres. Leurs visages en larmes. Jacques Levallois fermait la marche. Il les accompagnerait à l'hôpital.

Nicolas était assis à l'arrière d'une ambulance, l'urgentiste terminait de poser les pansements sur ses cuisses après avoir ôté les deux agrafes. Dupire ne lui avait prélevé qu'environ cent cinquante millilitres de sang, ce qui ne nécessitait pas d'hospitalisation.

Double peine : il avait eu droit aux foudres de Manien, qui lui avait confisqué son arme et sa carte tricolore sur-le-champ. Le chef avait été prévenu par l'officier d'Écully qui, après avoir délivré les informations à Nicolas sur Vincent Dupire, avait douté et voulu s'assurer de l'existence d'une procédure judiciaire derrière ce coup de fil. Les équipes avaient alors foncé jusqu'à l'adresse indiquée.

Dans la police, on jugeait les faits et non les intentions. Nicolas avait agi seul, en dehors de toute instruction, et Manien disposait cette fois de tous les éléments pour le plomber. Mais peu importait : le flic était allé au bout de ses convictions.

Il serra les dents quand on lui colla un strap sur l'arcade sourcilière gauche. Puis il songea à la trace d'aiguille sur sa nuque, aux propos de Dupire : « *On avait décidé de ne pas te tuer pour que tu puisses profiter de notre petit cadeau.* »

— J'aimerais que vous me fassiez des analyses de sang poussées, y compris les dépistages de tous les types de maladies que vous connaissez. C'est possible ?

— C'est prévu, vu qu'on vous a planté des aiguilles dans le bras. On va éviter de vous reprendre du sang, on a ce qu'il faut en échantillons.

Il termina ses soins, donna des papiers à remplir et alla discuter avec un collègue. Une large silhouette se présenta aux portes du véhicule. Veste bleue, chemise claire, boutonnée jusqu'au col et chiffonnée au niveau de la boutonnière. Franck Sharko s'assit sur le bord de l'ambulance et hocha le menton d'un coup sec vers le pansement qui barrait l'arcade de son collègue.

— Comment tu te sens ?

— Je m'en remettrai.

Nicolas désigna l'autre ambulance qui démarrait.

— Plus facilement qu'elles, en tout cas.

Franck posa sa tête contre la tôle du véhicule dans un soupir.

— Pour ce qui s'est passé dans le bureau de Manien, je n'y suis pour rien, Nicolas. Je te jure sur la tête de mes gosses que ce n'est pas moi qui…

— Peu importe, le mal est fait.

Nicolas essaya de se redresser, mais grimaça en portant une main sur sa cuisse. Il parvint à se traîner jusqu'à l'extérieur.

— Ils ont un projet. Selon Dupire, ces enlèvements ne sont que des dommages collatéraux. Il faut chercher ailleurs.

Il respira une goulée d'air, profitant de la fraîcheur du soir, puis s'alluma une cigarette.

— Avant de s'immoler, il a envoyé un SMS sans doute écrit à l'avance sur son portable. Il y était juste écrit « Hémorragie ». Ils savent que leur organisation est en train de partir en vrille. Qu'on est tout près d'eux, maintenant. Et le mec n'a pas hésité à se cramer plutôt que de se faire prendre.

Lucie était au niveau de l'entrée de la ferme, elle discutait avec Pascal. Nicolas l'observa en silence, puis revint vers Sharko.

— La liste, qu'est-ce que ça a donné ?

— Tu devrais rentrer chez toi te reposer.

— Je vais avoir tout le temps, tu ne crois pas ? Ça y est, je ne suis plus dans le coup, alors on estime que je ne dois plus avoir accès aux informations ?

Sharko soupira.

— On en tient cinq sur les treize, sûr, en comptant Laëtitia Charlent. Pour ceux à qui on a laissé des messages, on réessaiera demain si on n'a pas de nouvelles. On progresse bien, et c'est grâce à toi. Ils en tiendront compte. T'as peut-être fait une connerie en venant ici, mais quel flic peut prétendre ne jamais avoir fait de conneries dans sa vie ?

Ils échangèrent un long regard, de ceux qui les avaient tant liés par le passé. Nicolas eut l'impression que cette dernière phrase de Sharko revêtait un sens bien particulier.

— Je n'ai pas besoin d'un psy.

— Tu n'as jamais besoin de rien.

Franck se leva à son tour et fourra les mains dans les poches de son pantalon.

— L'affaire est sensible, ils ne vont pas l'éclabousser avec un scandale autour d'un flic qui se came. T'hériteras peut-être juste de l'obligation de te coltiner une petite cure de désintox et d'un changement de service. Tu…

— Ce n'est pas l'un d'entre eux qui a tué Ramirez. Ce n'est pas un règlement de comptes ni une histoire de vengeance entre membres du clan. Pébacasi est extérieure à tout ça.

— Comment tu le sais ?

— Dupire me l'a fait comprendre. Faut chercher ailleurs. Peut-être moins loin qu'on ne le croie… D'ailleurs, il y a quelque chose que tu voudrais me dire, à ce sujet ?

Ils s'observèrent encore, en chiens de faïence. Sharko secoua la tête.

— Non.

Nicolas acquiesça.

— Très bien. C'est toi qui décides.

Il s'éloigna dans la nuit. Sharko rejoignit sa compagne, indécis. Nicolas lui avait ouvert une porte.

Mais que faire ? Tout lui raconter ? Vivre avec l'espoir qu'il ne trahisse jamais leur secret ?

Juste avant qu'ils entrent dans le corps de ferme, le portable de Lucie vibra. Elle fronça les sourcils, montra son écran à Franck et décrocha.

— Nicolas ?

Mais ça avait déjà raccroché. Sharko se retourna alors vers la nuit, les yeux rivés vers le portail de l'entrée. L'ombre de son collègue demeura immobile comme un épouvantail dans le paysage, avant de disparaître. Il posa une main dans le dos de Lucie.

— Ça s'est sans doute déclenché tout seul. Entrons…

Mais Sharko resta un peu en retrait, l'œil toujours fixé vers ce portail. Perturbé, il finit par retrouver Pascal et Lucie dans le salon. L'endroit était froid, nu, un vrai tombeau. Pas de télé, un meuble vieillot, un canapé aux couleurs passées. Mains gantées, Pascal hocha le menton vers la porte ouverte.

— Nicolas rentre chez lui ?

Ils en avaient bien sûr parlé entre eux. La présence de l'IGS avait marqué les esprits, et tout l'étage de la Criminelle était désormais au courant.

— J'en sais rien, répliqua Franck.

— Ce connard de Manien nous ampute d'un membre de l'équipe. On ne fait pas ça quand on est flic, on n'agit pas comme il a agi. Ce mec me dégoûte.

— Il fallait bien que ça craque un jour, va falloir faire avec. Alors ?

— On a fait un premier tour rapide. Il n'y a rien dans cette baraque. Pas de télé, pas d'ordinateur, un frigo avec quelques bricoles pas loin des dates de péremption. L'étage est dans un état pitoyable, jamais rénové : Placo à nu, carrelage cassé. Deux, trois courriers à son nom. Et puis ça…

Il tendit deux fausses cartes d'identité. L'une au nom de Samuel Burlaud, l'autre à celui de François Jaillard.

— Des faux papiers, comme pour Ramirez.

— Ouais…

— Qu'est-ce qu'ils fichent avec des fausses cartes, bon Dieu ?

— Le cheval est en malnutrition. Ou ce type menait une vie de spartiate, ou il ne vivait pas souvent ici. Ce n'est peut-être qu'un lieu de transition où il retenait les victimes.

Ils retournèrent dans la grange. Le corps carbonisé de Dupire avait été levé, mais il restait cette infecte odeur de chairs brûlées et d'essence. Ils agrippèrent l'échelle et descendirent dans l'abri souterrain. Sharko observa les montagnes de nourriture, le lit de camp. Le bourreau dormait-il ici, auprès de ses victimes ?

Il ouvrit le réfrigérateur, s'empara d'une poche de sang et l'observa avec attention. Tous ces kidnappings, ces tortures, ces morts, pour ça… Pourquoi ? Il avança dans la pièce voisine. Les gélules, les ampoules, les compléments alimentaires… Il prit une boîte de comprimés de Tardyferon. Apport en fer, pour lutter contre les anémies, les pertes de sang. Il la montra à Lucie.

— Tu te souviens ? T'avais avalé ça pendant la grossesse des jumeaux.

Lucie acquiesça.

— Pourquoi tous ces médicaments ? demanda-t-elle.

— Ces gens qu'ils enlèvent, ils en prennent soin et ne les tuent pas tout de suite. C'est pour ça qu'il y a des mois entre les kidnappings. Ils les maintiennent en vie ici et ils pompent leur sang. Je pense qu'ils en font des réservoirs vivants, des fournisseurs réguliers en poches de sang. C'est bien plus rentable que de les tuer sur le coup et les vider de leur substance en une fois. Et lorsque les organismes n'en peuvent plus, ils s'en débarrassent.

— Quand tu dis « ils », tu penses à Dupire et Ramirez ? demanda Pascal.

— Oui, mais c'est Ramirez qui s'occupait de la phase finale. Avant de les mettre à mort, il les gardait encore un peu chez lui, dans sa pièce dédiée au diable. Il les enchaînait au radiateur pour les torturer, récupérer leurs larmes, s'amuser un peu… Et quand le moment était venu, il les vidangeait, histoire de ne pas perdre une goutte de sang. C'est pour ça qu'on a retrouvé les corps asséchés. Puis il allait les enterrer ou les jeter dans l'eau.

Sharko revint dans l'autre pièce, s'agenouilla près de la glacière.

— Ramirez et Dupire formaient une équipe chargée de la logistique, en quelque sorte. Ils n'étaient que des fournisseurs de sang Bombay.

— Dans quel but ?

Franck se redressa et se frotta les mains l'une contre l'autre.

— Je compte bien sur les survivantes pour nous apporter la réponse.

65

Jacques était assis dans une salle de repos proche d'un distributeur de boissons, au troisième étage de l'hôpital de Sens, situé à une vingtaine de kilomètres de la ferme. À minuit passé, il carburait au Coca bien sucré, afin de s'injecter un peu d'énergie. Il adressa un lent mouvement de bras à Sharko et Lucie lorsqu'il les aperçut.

— Quand les nuits interminables se succèdent et se ressemblent… Parfois, je me demande ce que je fiche ici. Heureusement que je n'ai pas de mômes ni aucune femme qui m'attendent à la maison. Je ne sais pas comment vous faites, tous les deux.

— Nous non plus, pour tout te dire, répliqua Franck. Et il ne vaut mieux pas qu'on se pose la question.

Jacques désigna le grand couloir vide, ce tunnel de néons qui, à cette heure tardive, agressaient les yeux.

— On va être autorisés à voir l'une d'entre elles d'ici une heure ou deux. Elle s'appelle Victoire Payet et est moralement assez solide, d'après le médecin. L'autre a été admise en soins intensifs.

Franck glissa une pièce dans la fente du distributeur et récolta deux canettes de jus tropical. Il en tendit une à Lucie, puis se laissa choir sur une chaise, à côté de son collègue.

— Quelle merde. Je n'en peux plus.

Lucie les imita. Ils restèrent là, tous trois, en silence, les lèvres collées à leur canette, à regarder les infirmières aller et venir comme des fantômes, dans cette moiteur propre aux hôpitaux. Sharko se demandait comment il avait fait pour résister, après toutes ces années à marcher au bord du gouffre. Jacques avait raison : quelle était leur recette, à Lucie et lui, pour survivre à ces horaires de dingues et à toutes ces horreurs ?

Leurs yeux se fermaient, leurs têtes dodelinaient. Ils se surprirent plusieurs fois à dormir épaule contre épaule, à se réveiller, à sombrer de nouveau… Un médecin finit par arriver et les arracha à leur somnolence, aux alentours de 2 heures du matin. Beau tableau de la police française. Franck le salua, encore ensommeillé, et lui demanda des nouvelles des patientes.

— Hélène Huette est très affaiblie, dans un état psychologique qui empêche pour l'instant toute forme de communication. Tension basse, anémie, nombreuses carences. Victoire Payet va un peu mieux, c'est évidemment tout relatif. Elle était enfermée sous terre depuis trois semaines. Je me charge de prévenir les proches.

— Elles ont été abusées sexuellement ? demanda Lucie.

— Non.

Ils marchèrent dans le couloir. Le médecin posa la main sur la porte et l'entrouvrit.

— Je suis au courant de votre terrible enquête, de l'urgence de la situation. La psychologue est passée et estime que je peux vous laisser seuls quelques minutes avec Mme Payet. Mais trois, ça fait beaucoup et…

— Allez-y, fit Jacques en retournant s'asseoir. Il vaut peut-être mieux que ce soit Lucie qui lui pose les questions. Vous m'expliquerez.

Sharko acquiesça.

— Si vous voyez que c'est compliqué, nous sommes juste à côté, en cas de besoin, ajouta le médecin. Ne franchissez pas les limites, d'accord ?

Les flics le remercièrent et entrèrent. Victoire Payet était allongée sur les draps dans une blouse bleue. La quarantaine, les yeux en amande, les pommettes hautes, soulignant ses lointaines origines asiatiques. Une perfusion était posée dans l'avant-bras droit, au milieu d'une peau rendue violacée par d'autres seringues. Elle tourna la tête vers eux et se redressa dans une grimace. Lucie se précipita pour lui glisser son oreiller sous la tête.

— Ne bougez pas. Nous sommes de la police.

— Je sais, le docteur me l'a dit.

Sa voix était abîmée d'avoir trop crié à l'aide.

— Le policier qui nous a sauvées, où est-il ? Je voudrais le remercier.

— Il est allé se reposer. Mais nous lui transmettrons vos remerciements.

— Oui, faites-le. C'est important.

Il n'y avait qu'une chaise, que Franck poussa vers Lucie avant d'aller s'adosser au mur, les bras croisés. Il préférait rester en retrait. Sa compagne s'installa près de la patiente.

— L'homme qui vous a maintenue enfermée s'appelait Vincent Dupire, et il est mort…

Elle ferma les yeux de soulagement, tout son corps sembla se détendre.

— … Mais l'enquête que nous menons n'est pas terminée. Nous savons qu'il n'était pas seul derrière tout ça, et nous avons besoin d'en apprendre le plus possible pour avancer. Tout ce que vous pourrez nous dire nous sera utile. Sur les circonstances de votre enlèvement, pour commencer.

Elle poussa un douloureux soupir.

— J'habite seule dans une petite ville près de Toulouse, je… je suis commerciale dans une entreprise qui fabrique des fours. Ce soir-là, je rentrais de mon club de gym…

— Vous avez la date exacte ?

— Oui, oui, c'était le 9 septembre. Je ne sais pas si on m'a suivie ou si on m'attendait dans le jardin. Tout ce dont je me souviens, c'est d'avoir glissé la clé dans la serrure de la porte d'entrée de ma maison, puis… plus rien. Juste le réveil dans cet endroit sordide, sous terre. J'étais attachée à la cheville, je…

Lucie essayait de casser les silences dans lesquels elle sombrait.

— Hélène Huette était déjà là ?

— Depuis le 14 juillet, la nuit du feu d'artifice. La pauvre, ça… ça faisait presque deux mois qu'elle était attachée là-dedans quand je suis arrivée.

Ses lèvres tremblaient.

— Prenez votre temps, suggéra Sharko d'une voix posée.

— Hélène m'a dit que… que je venais de prendre la place de quelqu'un d'autre. Quelqu'un qui, trois jours plus tôt, était encore là, emprisonné avec elle. Elle s'appelait Laëtitia. Une fille qui avait à peine 20 ans, d'origine réunionnaise, comme nous. Enlevée en mai…

Lucie accusa le coup. Ainsi, Laëtitia avait bien été la dernière victime assassinée. La treizième. La flic ne pouvait s'empêcher de songer que son oncle avait été sur la bonne piste, à cette période. Que si l'OCDIP avait apporté un peu plus de crédit à ses propos, que si les équipes avaient creusé du côté de Ramirez comme elles l'auraient dû, la jeune femme serait peut-être encore en vie. Et rien de tout ce qui leur arrivait, à Franck et elle, n'aurait existé.

— … Quand Hélène est elle-même arrivée, Laëtitia lui a raconté qu'il y avait eu quelqu'un encore avant elle, un homme du nom de Salomé Herbert. Et ainsi de suite… On formait comme… comme une chaîne, et chaque survivant essayait de raconter au suivant tout ce qu'on lui avait dit avant. Hélène a été capable de me livrer six identités de personnes enfermées avant elle. Laëtitia, Salomé, Corinne, Dimitri, France et Alice. Pour les autres, ça s'est évaporé dans les mémoires, je suppose… Combien on a été, là-dedans, depuis le début ? Dites-moi combien de maillons compte la chaîne.

— Au moins quinze personnes en vous incluant toutes les deux, fit Lucie, sur environ deux ans.

— Mon Dieu…

Ses yeux se fixèrent sur le plafond, ses pupilles se dilatèrent. L'espace d'un instant, elle était retournée dans sa geôle.

— J'ai compris leur système : on était toujours à deux enfermés là-dedans. Et quand l'un était trop faible, quand ils lui avaient pris trop de sang, alors… un type venait le chercher, et on le remplaçait par un autre. On n'était que… que des objets jetables, interchangeables.

Sharko s'avança et lui montra la photo de Ramirez.

— Ce type ?

— Oui, c'était lui, le fossoyeur. Il venait nous voir, de temps en temps, et nous observait avec son air de pervers. Hélène en avait une peur bleue, peut-être plus que de l'autre. Il… avait quelque chose de diabolique dans le regard. Et puis, elle savait qu'il viendrait bientôt la chercher : il était déjà venu prendre Laëtitia quand elle était devenue incapable de se lever. Souvent, il attendait d'être seul avec nous pour nous dire qu'il nous ferait souffrir, qu'il s'amuserait bien avec nous. Il était comme une hyène qui attend son repas.

Elle eut la chair de poule et regroupa ses jambes, qu'elle encercla de ses bras.

— Et l'homme qui vous retenait, Vincent Dupire ?

— Il ne nous parlait jamais, il était comme un serpent qui vous observe avant l'attaque. Un jour, Hélène a eu le malheur de refuser de manger. Après ce qu'il lui a fait, elle… elle n'a plus jamais recommencé.

Elle détourna le regard. Lucie préféra ne pas la faire entrer dans les détails, elle respectait désormais les silences qu'elle imposait. Victoire revint à la conversation d'elle-même.

— Parfois il restait là des heures, à se brûler la paume avec un briquet en nous matant. Et il souriait…

Il souriait comme un psychopathe, là où n'importe qui aurait pleuré.

Sharko se rappelait : il avait été dans la grange, juste derrière la BRI, il entendait encore les dernières paroles de Dupire, voyait son regard de défi, cette manière dont il s'était embrasé, sans broncher. Sans peur. Comme le plongeur à la main blessée dans le bassin aux requins. Ou Carole Mourtier qui avait pris l'autoroute à contresens.

Tout était lié, Franck le savait, mais il lui manquait encore le fil conducteur, le point commun.

— Il vivait dans cette ferme ? demanda Lucie.

— Je ne sais pas. Il ne descendait pas tous les jours. Il nous laissait de la nourriture, de l'eau, parfois on ne le voyait pas du tout entre deux prélèvements de sang. Il était comme un infirmier qui débarque, il prenait notre tension, notre rythme cardiaque, il nous forçait à avaler toutes ces gélules…

— Des vitamines, des compléments alimentaires. Il voulait vous garder en bonne santé ?

Elle observa son avant-bras et l'aiguille de la perfusion qui s'y enfonçait.

— Il se fichait de nous, en fait. Ce qui l'intéressait, c'était notre sang. Nous n'étions que les enveloppes, les producteurs qu'il fallait juste entretenir. Le fait qu'on soit deux permettait de, comment dire, répartir les risques.

— Vous pouvez préciser ?

— Je suis donneuse de sang. Quand… quand vous donnez deux cent cinquante millilitres de votre sang dans un établissement spécialisé, vous ne pouvez le faire qu'une fois toutes les six semaines. C'est le temps qu'il faut pour que la moelle osseuse fabrique correctement l'hémoglobine et pour ne pas épuiser l'organisme ni créer des déséquilibres, comme le manque de fer. Dupire, il remplissait quatre poches tous les quinze jours, systématiquement. Un litre de sang quittait nos veines toutes les deux semaines, vous vous rendez compte ? C'était… cauchemardesque. Ce malade arrivait avec ses poches, ses aiguilles, les enfonçait dans nos bras. Hélène gémissait en permanence, elle était au bout du rouleau. Elle n'aurait pas résisté à une nouvelle prise.

Les larmes arrivèrent sans qu'elle puisse lutter. Elle tira un mouchoir en papier d'une boîte.

— Je suis désolée.

— Ne le soyez pas. Vous voulez quelque chose ? De l'eau ?

— Non, non, ça va… Une seule personne enfermée n'aurait pu subir tant de prélèvements. Quand il voyait que ça allait mieux pour l'une, il lui prélevait davantage, ça permettait à l'autre, plus mal en point, de récupérer. Mais… on ne peut supporter ça à l'infini. Après presque deux mois, l'organisme d'Hélène n'en pouvait plus. Si vous n'étiez pas arrivés, l'autre type aurait fini par l'emmener. Puis ils auraient amené quelqu'un d'autre en remplacement, avant que ce soit mon tour de…

Elle ne termina pas sa phrase.

— Pourquoi il faisait ça ? demanda Franck. Où partait ce sang ? Vous en avez une idée ?

Ses doigts se crispèrent sur les draps. Une frayeur noire se déversait dans ses iris comme une cartouche d'encre percée.

— C'était pour… nourrir cette « chose ».

De nouveau, Sharko se décolla du mur et vint se placer au bout du lit, les sourcils froncés.

— De quoi parlez-vous ?

— Je l'ai vu… Une seule fois… Hélène m'en avait parlé, comme on lui en avait parlé. Il était une sorte de mythe qu'on véhicule de bouche en bouche. Je ne voulais pas la croire mais… elle avait raison. Ce jour-là, quand il est venu, elle était trop faible, presque inconsciente, elle n'a rien vu… Mais… Mais c'était pas un cauchemar ni des hallucinations liées à… à tout ce sang qu'on nous avait pris. Je l'ai vraiment vu comme je vous vois vous.

Franck la sentait au bord de la rupture, il percevait les manifestations physiologiques de sa peau : les poils qui se hérissent, les gouttes de sueur qui perlent. Elle mit ses mains devant sa bouche, les doigts sur sa lèvre inférieure.

— Il n'y a pas de mots pour le décrire, c'était un monstre.

— Essayez quand même.

— Je… n'avais jamais vu un visage pareil, sauf une fois dans un vieux film de vampires en noir et blanc. Son crâne était allongé, comme une coquille d'œuf, ses oreilles très grandes… Ses yeux étaient… remplis de vaisseaux sanguins, cernés de noir comme s'ils étaient au fond d'un puits, sa peau d'une blancheur incroyable, presque transparente. Je me souviens qu'il… qu'il ne supportait pas la lumière, il avait fallu éteindre toutes les sources d'éclairage, et Dupire était descendu avec un bougeoir.

En d'autres circonstances, Franck et Lucie auraient cru à une mauvaise blague, mais pas cette fois.

— … Le plus terrible, c'était sa bouche tordue, trop grande pour son visage, et ses dents. Elles étaient biseautées, jaunes, monstrueuses. On les voyait jusqu'à la racine. Vous n'allez pas me croire, mais il était un vampire… Un vrai vampire, atroce, répugnant, venu chercher son sang. Il… Il ne nous regardait pas comme des êtres humains, mais comme… comme une vulgaire pitance. Je n'avais jamais vu des yeux aussi froids, ils n'avaient rien d'humain.

— Qu'est-ce qui s'est passé ensuite ?

— Ce jour-là, le vampire a embarqué les quatre poches de sang. Je ne l'ai plus jamais revu. Mais il existe. Je ne suis pas folle.

— On vous croit, à cent pour cent.

Elle adressa un maigre sourire à Lucie, avant de fixer de nouveau la fenêtre, sans bouger.

— Pourquoi le sang Bombay ? demanda Franck.

— Je n'en sais rien.

La réponse était franche, instantanée. Les deux policiers lui posèrent encore une série de questions qui ne leur apprirent pas grand-chose de plus. Elle ignorait tout de Pray Mev, du clan des vampyres. Elle n'avait été que de la matière première. Un morceau de viande au fond d'un congélateur.

Elle manifesta de vrais signes de fatigue, alors ils la remercièrent, quittèrent la chambre et récupérèrent Jacques avant de reprendre la route.

— Le fait que le monstre dont elle parle ne supporte pas la lumière, les miroirs brisés qu'on a retrouvés chez

Coulomb ou Mayeur… ce sont des trucs de vampires, les vrais, fit Lucie. Comme dans les films ou les livres.

— Je sais.

— Tu crois que c'est du pipeau ? Que l'espèce de taré derrière tout ça ne joue qu'un rôle ? Je veux dire, ça pourrait être un déguisement. Le mec se maquille, et on le prend pour Dracula en personne. Un truc de gourou ou je ne sais quoi, pour impressionner ses disciples.

— Ça n'avait pas l'air de maquillage, à l'entendre. Elle a parlé de grande bouche, de dents déchaussées. Rappelle-toi la morsure dans le cou de Mayeur, elle était bien réelle. Le légiste a dit que la chair avait été perforée jusqu'à l'os. C'est peut-être une malformation ? Une maladie qui l'aurait frappé ? Mais, dans tous les cas, vampire ou pas, ce type existe, et ce qu'il a fait aussi. Et il faut vite qu'on lui mette la main dessus avant que sa faim de sang se réveille de nouveau.

66

Le lendemain matin, Sharko fit un détour par Saint-Maur-des-Fossés avant de se rendre au bureau. Le spécialiste de l'ufologie, Marcus Malmaison, acceptait de le recevoir, mais avant 8 heures du matin, car il devait être à Orly juste avant le déjeuner.

La nuit avait été courte, agitée. Les propos de Victoire Payet avaient tourné en boucle dans sa tête. Dans la pénombre de sa chambre, le visage d'un monstre penché sur lui n'avait cessé de le hanter. Sharko avait imaginé de longues dents effilées creusant la chair, raclant les os, arrachant les tendons, ouvrant sur une gorge avide d'ingurgiter le sang. Des images effroyables dont il n'avait pas réussi à se débarrasser. Lucie, quant à elle, s'était levée à 6 heures du matin pour se coller à son ordinateur : un détail l'avait obnubilée toute la nuit.

Il se gara en vitesse et éprouva le besoin de respirer l'air frais du dehors.

L'ancien journaliste habitait dans une belle propriété en pierre blanche. Vu la Porsche Cayenne dans l'entrée, les petits-gris lui avaient sans nul doute bien rempli les poches et assuré une retraite confortable. La preuve que ça rapportait, de raconter des salades.

Malmaison n'était ni rabougri ni sénile. Aux alentours de 80 ans, il avait encore de la classe : cheveux blancs peignés vers l'arrière, costume de marque avec pochette rouge. Son visage ovale comme un ballon de rugby était constellé de taches brunes, jusque sur les paupières.

— Vous auriez pu venir plus tard, finalement, j'ai appris ce matin aux aurores que mon déplacement était annulé.

— Pas grave. Je suis un lève-tôt.

Malmaison reçut le flic dans un salon qui devait faire la surface de leur rez-de-chaussée à Sceaux. Il l'abandonna cinq minutes, le temps d'aller discuter avec deux ouvriers eux aussi fraîchement arrivés : la terrasse était en réfection. Sharko en profita pour explorer la pièce. Dans un coin, en guise de statue, un petit-gris recroquevillé vous fixait de ses yeux noirs globuleux. Diverses photos de « soucoupes volantes », qui semblaient véridiques, ornaient les murs. La bibliothèque ployait sous une multitude d'ouvrages divers. Roswell, origine extraterrestre des pyramides d'Égypte, phénomènes étranges… Les propres livres de Malmaison y figuraient, il en avait vendu des centaines de milliers.

— Vous trouverez dans mes livres plus de quarante années d'archives sur tout ce qui concerne la vie extraterrestre, fit Malmaison, de retour. De Roswell à l'incident de Varginha au Brésil, en 1996, date à laquelle l'émission s'est arrêtée.

— Une légende, cette émission, lâcha Sharko.

Malmaison montra qu'il appréciait la remarque d'un sourire à la blancheur de mannequin publicitaire et pria son invité de s'asseoir dans de confortables fauteuils.

— Il est vrai qu'elle a bercé toute une génération. Plus de vingt-cinq ans sur les ondes, quand même. C'était le bon vieux temps où Internet n'avait pas encore pourri tous les foyers et où on aimait passer la soirée l'oreille collée à la radio.

Une domestique leur apporta un café et des viennoiseries.

— Suite à votre message, j'ai réécouté l'émission du 14 mai 1980. Passionnante ! Puis-je savoir pourquoi elle vous intéresse, si longtemps après ? Les petits-gris mexicains auraient envahi le 36, quai des Orfèvres ?

Sharko était impressionné : la voix métallique de la radio n'était pas un trucage.

— Quand on en voit certains, on se le demande.

Malmaison but son café par lampées de chat, tenant l'anse de sa tasse du bout des doigts. Mais au lieu de dresser l'auriculaire à l'anglaise, c'était le majeur qu'il tendait bien droit.

— Blague à part, il semblerait que le phénomène qui s'est produit au Mexique à l'époque recommence aujourd'hui en France, expliqua Franck. Des individus que nous avons identifiés commettent des actes insensés qui les mènent la plupart du temps jusqu'à la mort.

Les yeux de Malmaison brillèrent. Malgré l'âge, la flamme était encore là. Il avait posé sa tasse et s'enfonçait dans son fauteuil, les deux mains à plat sur les accoudoirs. De grosses bagues ornaient ses doigts fins, dont une chevalière frappée de la tête d'un petit-gris.

— Même zone géographique ?

— Non. Ça a l'air aléatoire. On ignore combien de personnes sont concernées et ce qui les relie. Les profils, les âges, tout est différent. Vous vous doutez bien que, si on arrive dans le bureau du ministre de l'Intérieur ou de la Santé en lui parlant de petits-gris, ça risque de causer quelques problèmes.

— Et pourtant, y voyez-vous une autre explication ?

Sharko se demandait si Malmaison y avait toujours cru lui-même, durant ce demi-siècle de recherches, ou si son personnage n'avait été qu'une vaste fumisterie. Jouait-il encore son cinéma, aujourd'hui, en face de lui ? Entretenait-il sa légende ? Ce type avait été une référence mondiale en termes d'ovni et de vie extraterrestre, et le flic allait devoir mesurer ses paroles s'il ne voulait pas que la discussion tourne court.

— Expliquez-moi comment vous en êtes arrivé à enquêter là-bas, si vous avez trouvé de vrais points communs entre ces Mexicains, ce que vous ont raconté les proches…

Malmaison tapotait l'accoudoir, jouant avec les silences. Sharko était impressionné par la profondeur de son regard vert-de-gris – un vrai faisceau de rayons X. Après un temps, l'homme se livra.

— J'étais encore jeune… C'était l'époque où j'avais des yeux et des oreilles partout. Des contacts, que j'avais noués au fil des années dans tous les pays du monde. Des connaissances qui épluchaient les articles pour moi, qui écoutaient la radio, me délivraient des rapports. J'ai passé beaucoup de temps dans les États du sud des États-Unis – Nevada, Nouveau-Mexique, Texas. J'ai vécu un certain temps à proximité d'El Paso avec mon compagnon Harold. Il était journaliste d'investigation, lui aussi bougeait pas mal. On ne faisait que se croiser, mais...

Ses yeux s'évadèrent.

— Enfin bref, c'est lui qui m'a rapporté les cas étranges de Ciudad Juárez. Il enquêtait sur les travailleurs mexicains légaux traversant chaque jour la frontière et avait remarqué cinq morts curieuses, insensées, racontées par d'autres ou relatées dans la rubrique faits divers des journaux locaux. Pas grand-chose, certes, mais il savait que cela pouvait m'intéresser.

Sa voix portait vraiment telle une musique hypnotique et vous donnait envie de l'écouter *ad vitam aeternam*, à la façon d'un Pierre Bellemare contant ses histoires de meurtres. Sharko comprenait mieux pourquoi Malmaison avait emmené des centaines de milliers d'auditeurs dans ses élucubrations.

— ... J'avais prévu de rester deux, trois mois, on avait fini la saison avec les émissions et j'avais un peu de temps pour préparer les sujets de l'année suivante. Avec Harold, on a loué un appartement. Lui poursuivait son reportage de son côté, mais moi, j'ai mené l'enquête à partir des éléments qu'il m'a fournis. Je suis allé interroger les familles de l'autre côté de la frontière, à Ciudad Juárez. Les témoignages étaient unanimes : les comportements des victimes face au danger avaient changé quelques mois avant leur mort. Alors j'ai creusé, j'ai d'abord cherché dans les archives, interrogé les journalistes qui avaient signé les articles. Et j'ai découvert que ces faits divers existaient déjà depuis plus de deux ans aux quatre coins de la ville. En tout, ce sont plus d'une quarantaine de personnes qui ont été contrôlées par des entités extraterrestres et qui sont mortes dans de bien étranges conditions. Des circonstances pour le moins… irrationnelles.

Sharko devait jouer serré : ni le froisser ni entrer dans son délire interplanétaire, ou il ne s'en sortirait pas.

— Savez-vous si ces personnes avaient eu des accidents avant d'avoir ces comportements étranges ? Des blessures ? Si elles avaient suivi des traitements quelconques ?

— Non, non, je ne crois pas. Je l'aurais remarqué.

— Vous dites, dans l'émission, qu'il ne s'agit que d'hommes, entre 25 et 50 ans… Jamais de femme ?

— Non, et je l'ai signalé aussi dans « L'invasion commence », seule la gent masculine était l'objet d'études pour les petits-gris de cette base. Ces parasités étaient tous de braves travailleurs. Ce dont je n'ai pas parlé dans l'émission afin de ne pas complexifier, c'est qu'ils disposaient d'un visa de travail américain. Ils traversaient chaque jour la frontière pour travailler au Texas.

— Tous ?

— Sans exception.

C'était un vrai point commun, Sharko rebondit là-dessus. Il sentait que Malmaison détenait une partie de la vérité sans le savoir.

— Vous vous doutez qu'on a, de notre côté, une autre théorie que les petits-gris.

— Je serais curieux d'entendre laquelle.

— On pense qu'une espèce de maladie s'en prend aux personnes qui sont aujourd'hui touchées en France. Un parasite, peut-être, qui change leur comportement vis-à-vis du danger, sauf que ce parasite n'est pas un petit-gris. Je ne remets pas en cause vos recherches, mais à l'époque, ces hommes auraient-ils pu attraper une maladie côté américain ? Travaillaient-ils tous au même endroit ? Je ne sais pas, dans des champs bourrés de pesticides ? Une industrie chimique ? Vous dites que votre compagnon a enquêté là-dessus. On cherche une source possible de contamination. Un élément auquel ces individus auraient tous été confrontés, à un moment ou un autre.

Il reprit sa tasse et but une gorgée, fouillant dans les recoins de sa mémoire.

— Non… Ils vivaient dans des quartiers différents de Ciudad Juárez, travaillaient tous dans les environs d'El Paso mais avaient des métiers divers. Ils ne se connaissaient pas. Le seul élément commun que je vois, et encore j'ignore si c'est le cas pour tous, c'est le sang.

Le sang. Encore. Sharko sentit l'adrénaline monter.

— Expliquez-moi.

— Vous l'ignorez sans doute, mais la frontière mexicaine, c'était la région des buveurs de sang.

Malmaison balança ses rayons X dans les pupilles de Sharko. Ses lèvres se retroussèrent comme du plastique qu'on brûle.

— Un vrai repaire de vampires.

67

Nicolas émergea avec difficulté, le dos en charpie, sur la banquette arrière de sa voiture. Odeurs de bière, de cuir râpé et de sueur. Le bruit de deux canettes vides qui roulaient sur la banquette et se cognaient entre elles. Il se précipita sur sa portière et se laissa glisser à l'extérieur. Mains à plat et genoux au sol, il reprit son souffle, au bord de la nausée.

De son coffre de voiture, il chassa le carton du pack de bière et but la bouteille d'eau qui y traînait. Les gorgées fraîches lui donnèrent l'impression d'une purge. Dans l'alignement de son regard, dix mètres en retrait, l'habitation de Ramirez, incrustée dans sa vie comme une obsession, une cicatrice à recoudre. C'était dans le jardin de ce monstre, entre les trous creusés par la pelleteuse, qu'il avait achevé le reste de sa nuit, à boire plus que de raison.

Nicolas n'avait plus beaucoup de doutes : Franck et Lucie étaient impliqués dans la mort de Ramirez. La voix de femme entendue par Mélanie Mayeur cette nuit-là était celle d'Henebelle.

Bien sûr, il ne comprenait pas tout mais possédait un faisceau d'éléments qui, mis bout à bout, menaient sans ambiguïté au couple de flics. Cette histoire de carte de visite retrouvée dans la bouche de Mayeur avait allumé la mèche au fond de sa tête.

Lors de la garde à vue, Sharko avait donné à la jeune femme son numéro personnel et non professionnel parce qu'il avait quelque chose à cacher. Il avait eu peur qu'elle se souvienne de la sonnerie programmée sur le portable de Lucie. Nicolas en avait acquis la certitude la veille lorsque, depuis l'entrée de la ferme, il avait composé le numéro de sa collègue. L'appareil avait vibré au lieu de jouer *La Chevauchée des Walkyries*.

Les habitudes qui changent… Ces petits riens qui indiquent qu'un gravillon s'est glissé dans la mécanique parfaitement huilée de l'existence du couple. La photo des jumeaux qu'on apporte et qu'on pose sur le bureau. Un chien qu'on adopte au beau milieu d'une enquête. Une séance de tir matinale, à quelques heures de la découverte du corps. Leur emplacement du même côté en salle de réunion, eux qui se mettaient d'ordinaire toujours face à face…

Puis, au-delà des habitudes, il y avait les comportements. Les absences répétées de Lucie, prétextant des problèmes avec les jumeaux. Ces regards silencieux et étranges que le couple échangeait, et que Nicolas avait d'abord pris pour des problèmes conjugaux. Sans oublier l'enfer que Sharko avait traversé durant l'interrogatoire de Mayeur. Nicolas se souvenait à quel point son collègue avait été mal. Trempé de sueur, il avait dû faire une pause.

Lucie était la Pébacasi qu'il cherchait. Et Sharko, d'une façon ou d'une autre, l'avait aidée à maquiller le crime. La suite coulait de source : Franck avait tout fait pour récupérer l'enquête, afin de pouvoir contrôler de l'intérieur. Vu la nature du crime, le 36 avait été saisi. Ce matin-là, Jacques était tombé malade, aussi soudainement que bizarrement. Sharko s'était jeté sur la place de procédurier. Et le tour avait été joué.

Évidemment, il ne s'agissait que d'hypothèses. Aucune empreinte, recherche ADN impossible. De surcroît, la seule témoin, Mayeur, était morte, ce qui devait bien arranger les affaires de Sharko. Et, jusqu'à preuve du contraire, mettre son téléphone sur vibreur ou apporter la photo de ses gosses sur son bureau ne constituaient en rien un délit.

Et puis, il restait tout de même de grosses inconnues. Pourquoi Lucie était-elle entrée chez Ramirez, cette nuit-là ? Comment s'était-elle procuré la clé ? Que cherchait-elle dans cette maudite cave ? Elle et Sharko connaissaient Ramirez, assurément. Pour preuve, le flic était au courant de son autovampirisme, il avait forcément été informé du procès de 2008 bien avant le début de leur affaire. Nicolas écrasa son poing sur la tôle de sa voiture : quelque chose lui échappait.

Il était presque au bout de son enquête et n'allait pas lâcher maintenant.

68

Franck fit crisser le cuir de son fauteuil et se pencha vers son interlocuteur.

— Un repaire de vampires ? Qu'est-ce que vous voulez dire ?

Malmaison se leva et alla chercher un vieil album de photos dans une armoire.

— La misère, lieutenant. La misère est toujours à l'origine des pires déviances. Je n'en parlais jamais dans mes émissions. Les auditeurs devaient s'évader, oublier leur quotidien, être ailleurs, à des années-lumière de leur vie monotone, l'espace de quarante minutes. C'est pour ça que l'émission a marché.

Il caressa la couverture de l'album.

— Mais la misère, c'était le moteur de mon compagnon Harold. Il a longtemps creusé le sujet, et il y avait de quoi faire, à la frontière mexicaine. Le tiers-monde d'un côté, le rêve américain de l'autre, séparés par des barbelés. Ces gens qui donneraient leur vie pour passer sur l'autre rive du Río Grande. Harold m'a expliqué le problème autour du sang le long de la frontière, et j'ai pu voir par moi-même lors de mon long séjour à

El Paso. C'était l'époque où les pays riches saignaient les pays pauvres, au sens littéral du terme. Quelques années à peine avant le sida et le scandale du sang contaminé.

La domestique repassa avec le café pour remplir les tasses, mais Malmaison la chassa d'un geste. Il attendit qu'elle s'éloigne avant de poursuivre.

— Dans les années 1970-1980, l'industrie pharmaceutique américaine importait massivement du sang d'Amérique centrale à partir de centres de collecte discrets situés près de zones de grande misère, notamment des bidonvilles. Honduras, Nicaragua, et tant d'autres... Ils recrutaient même dans les prisons. Une clientèle de donneurs bon marché, manipulables, prisonniers de leur misère, qui ne rechignaient pas à se faire pomper le sang contre quelques billets, mais qui présentaient un risque de contamination très élevé. Imaginez les microbes que contenait le sang de ces individus sans hygiène, frappés par les épidémies, qui vivaient quasiment au milieu des ordures... De ce fait, pour sécuriser le circuit et aussi certainement pour humaniser un peu cette exploitation de la misère, les conditions d'importation ont été fortement réglementées.

Sharko imaginait la situation : les canines pointues du grand vampire capitaliste, plantées dans les veines de l'Amérique centrale pour en extraire l'or rouge. Ce que leur diable glouton imposait à ses proies, des pays l'avaient fait bien avant lui, en toute impunité et aux yeux de tous.

— ... Mais vous vous doutez bien que les États-Unis avaient trouvé une parade : officiellement, ils ne s'approvisionnaient plus en sang dans les pays d'Amérique latine, mais le faisaient via leurs centres de collecte basés au Texas. Ils n'allaient plus chercher le sang : le sang venait à eux. Observez ces photos prises à l'époque par mon compagnon. Elles sont le reflet d'une bien sordide réalité.

Il tendit l'album à Sharko, qui le feuilleta. La misère suintait du papier glacé. Des Mexicains, agglutinés sur un pont grillagé au-dessus d'un fleuve. Des corridors cernés de barbelés. Des rives boueuses, les phares de 4 × 4 qui patrouillent, une autoroute bondée de véhicules hors d'âge. Puis des visages. Les pauvres, les chasseurs de prime, les flics, les douaniers dans le même bouillon crasseux.

— Ils sont des milliers, chaque jour, à franchir en toute légalité le Río Grande, avec un visa d'une journée, d'une semaine, d'un mois s'ils ont de la chance. Ils doivent lâcher 25 cents pour le passage du pont. Payer pour venir travailler, cherchez l'erreur. Des esclaves que l'on dirige à la baguette vers des ateliers, des fast-foods, des usines, que l'on paie au rendement, sans aucune considération. Mais tous sont animés d'une volonté farouche de s'en sortir. Et entre la frontière et leur lieu de travail, des centres de collecte de sang font barrage, comme une seconde frontière. Vingt-cinq dollars les deux cent cinquante millilitres, une sacrée belle prime pour un Mexicain pauvre. Alors, pour gagner davantage et s'approcher un peu plus du rêve américain, ils vendent leur bien le plus précieux : leur sang.

Sharko tournait les pages désormais vides de l'album.

— Vous ne trouverez pas de photos de ça. Avec l'un de ses confrères, mon compagnon avait commencé à s'intéresser de près au sujet du sang. Il avait rassemblé pas mal de témoignages, de faits pointant les dérives de cette industrie, mais il est décédé dans un accident de la route en Argentine. Il fallait bien que ça lui arrive un jour. Il a toujours roulé trop vite. Ses notes, ses recherches ont atterri entre les mains de son confrère, Alexander Wallace, mais je n'ai plus jamais pris de nouvelles de lui depuis ce temps-là. J'ignore s'il est allé au bout de cette enquête.

Il écrasa son index sur sa tempe.

— Mais il y a encore quelques restes de ce que m'a raconté Harold, dans ma vieille boîte crânienne. Le business du sang, celui dont personne ne parle, mais qui génère des milliards de profit, existe depuis toujours. Prenez un baril de pétrole brut et les industries qui le raffinent. Le brut est transformé en essence, kérosène, fuel, plastique, produits chimiques, on n'en perd pas une goutte, tout est converti en billets de banque. Pour l'industrie du sang, c'est la même chose. Pour en tirer le maximum, le sang des centres de collecte est divisé en plaquettes, plasma, globules blancs et rouges. Chaque composé est exploité jusqu'à sa dernière cellule. Le plasma, par exemple, permet de fabriquer de l'albumine, des facteurs antihémophiliques VIII et IX, des gammaglobulines. Tout est revendu à prix d'or par des courtiers en sang, sur toutes les places mondiales…

C'était la première fois que Sharko entendait cette expression. Il imaginait des types en costume derrière des ordinateurs, négociant des milliers de litres d'or rouge comme on vend des actions.

— … Mais, à l'origine, il y a ces pauvres Mexicains qui se sont vidés pour une misère. Ces ouvriers ne disent jamais rien : le peu qu'on leur donne, c'est bien mieux que ce qu'ils gagnent en travaillant. Alors, certains vendent leur sang plusieurs fois par semaine pour pouvoir nourrir leur famille. Ils s'épuisent, se transforment en cadavres ambulants qui finissent par rester couchés dans la poussière. Ils deviennent autant dépendants au don du sang qu'à la drogue.

Des vampires inversés, songea Sharko, *forcés de se vider pour survivre*. Et s'ils avaient contracté ce *quelque chose* qui les menait à la mort dans un centre de collecte ? Il se rappelait les tableaux de Mev Duruel. La jungle de sa jeunesse dans les années 1950, 1960… Désormais, le Mexique du début des années 1980… Sharko imaginait le cheminement d'un microbe invisible, jailli des profondeurs de la brousse pour se retrouver sur le continent américain. De quelle façon ? Et comment était-il arrivé en France si longtemps après ?

— Est-il possible que les donneurs aient pu contracter des maladies dans ces centres ? demanda-t-il.

— Des maladies ? Oui, bien sûr, ces lieux où l'on pompait à la chaîne n'étaient que des réservoirs à infections. Qui y allait ? De pauvres Mexicains, des clochards, des prostitués, des drogués. Je n'invente rien, c'était la réalité, aucun Américain moyen ne mettait les pieds là-dedans. Malgré toutes les précautions, des microbes devaient quand même circuler. Et imaginez : ces poches partaient ensuite pour les établissements de soin, partout dans le monde. Rappelez-vous le scandale du sang contaminé. Les hémophiles qui meurent dans le milieu des années 1980 dans les hôpitaux de France sans jamais avoir quitté leur lit, atteints par le virus du sida. D'où venaient les stocks de sang, à votre avis ?

— Pensez-vous qu'il soit possible de retrouver le centre où ces gens auraient pu être contaminés ? Vous avez le nom des travailleurs, leurs adresses, vous avez parlé à leurs proches...

— Le centre ? Mais... Il y en a des centaines qui longent la frontière ! Rien qu'à El Paso, à un kilomètre des barbelés, vous en trouverez une dizaine. Une dizaine, lieutenant, sur quelques centaines de mètres seulement ! Et puis, c'était il y a trente-cinq ans. Certains de ces centres doivent encore exister, d'autres ont sûrement disparu.

— Je vous en prie... Vous avez interrogé les familles, vous avez peut-être encore votre documentation de tout ça ? Je sais que c'est loin, mais ces personnes atteintes sont forcément allées dans un centre particulier qui les a contaminées. J'ai besoin du nom de ce centre.

Malmaison marqua une longue hésitation. Sharko le sentait titillé par l'envie de savoir s'il ne s'agissait pas *juste* d'une histoire de petits-gris. L'ancien journaliste finit par acquiescer.

— Très bien. Toutes mes archives sont là-haut. Des articles de journaux d'époque sur les accidents, des témoignages écrits et signés de proches des victimes, les enregistrements audio de mes interviews. Je vais m'y replonger, passer quelques coups de fil et essayer de joindre Alexander Wallace. Laissez-moi la journée. Mais, après si longtemps, je ne vous garantis rien.

Sharko le remercia chaleureusement, le type était tout compte fait d'une sympathie appréciable et d'une aide précieuse. Il lui donna ses coordonnées et sortit.

Une fois dehors, la question posée par Willy Coulomb à Mev Duruel battait dans ses tempes : « *Quel est le secret du sang ?* » Il acquit alors une certitude : le sang reliait Carole Mourtier, l'accidenté à la main coupée et le plongeur du bassin aux requins. Un appel de Lucie le sortit alors de ses pensées.

— Je suis encore à la maison, viens vite, j'ai découvert quelque chose. Je crois que j'ai compris pourquoi on leur vole le sang.

69

Il avait retrouvé Lucie assise devant son ordinateur. Janus aboyait joyeusement et voulait jouer. Sharko lui lança une balle de tennis pour se débarrasser de lui, mais mauvaise idée : le chien revenait toujours, la balle dans la gueule. Il fit mine de la projeter vers le couloir et la cacha dans sa poche. L'animal finit par abandonner et retrouva son calme.

Quand Franck fut concentré, et avant d'entrer dans le vif du sujet, Lucie lui demanda des détails sur sa rencontre avec Malmaison. Il lui expliqua ses découvertes. Le grand pays vampyre, les déclassés qui vendaient leur sang pour survivre, la possibilité d'un microbe qu'ils auraient tous attrapé dans un centre de collecte en particulier. Lucie emmagasina ces informations, puis désigna l'écran où l'on voyait un homme au regard transperçant et au visage pâle, habillé avec élégance, smoking, cape noire.

— Après ton voyage au Mexique, c'est un voyage dans le temps que je te propose.

— C'est pour me montrer Dracula que tu m'as fait revenir ici ?

— Qu'est-ce que tu connais des vampires ? Ceux de fiction, je veux dire.

— La même chose que tout le monde. Mais on n'est pas dans la fiction et…

— Pour la plupart des passionnés de vampires, le mythe serait arrivé des Balkans en Europe occidentale il y a plus de trois cents ans, avec, à l'origine, Vlad Tepes, appelé l'Empaleur ou *Drăculea*, « le fils du diable » en roumain. Un sympathique prince de Roumanie sanguinaire qui ferait passer Ted Bundy pour un enfant de chœur. Je te donne un petit exemple de sa cruauté : un jour, pour punir des émissaires turcs de ne pas s'être découverts en sa présence, il a ordonné que leur turban soit cloué sur leur crâne.

Elle afficha une gravure allemande de 1499, qui montrait le prince Vlad Tepes en train de festoyer sur une table placée au milieu de trente mille cadavres empalés, à perte de vue.

— Ça, c'est ce qu'il faisait à ses ennemis après les avoir vaincus. Une vraie fascination pour la cruauté et le sang, dont il aimait se nourrir. Un moyen d'absorber ses victimes, en quelque sorte, et d'imposer la peur et le respect. On raconte que c'est lui qui aurait inspiré Bram Stoker pour créer son personnage de vampire romantique, le comte Dracula.

Elle revint sur la photo précédente.

— Dracula… Un bel homme issu de l'aristocratie, dégageant une vraie classe, et inspirant par la suite de nombreux cinéastes et romanciers. L'image du vampire élégant s'est glissée dans la culture populaire, mais derrière l'élégance, il ne faut pas oublier l'innommable. Le vampire est un non-mort, un monstre rejeté de Dieu qui ne trouvera jamais le repos, condamné à vivre seul, à ne jamais sortir le jour et à boire le sang de ses victimes. Un vrai paria, en réalité, animé par une grande haine envers la race humaine tout entière.

Elle cliqua sur un autre onglet et dévoila une nouvelle page où l'on voyait un miroir, un crucifix, une gousse d'ail… Franck poussa un soupir.

— Attends un peu avant de souffler. La mythologie raconte que le vampire ne peut voir son reflet dans le miroir. Tu te rappelles, les miroirs cassés ? Celui dans la cave de Ramirez ? Chez Mayeur ? Dans la maison de Willy Coulomb ?

— Lucie… C'est juste le délire d'un malade qui se prend pour un vampire, mais il n'en est pas un.

— C'est là que tu te trompes, enfin, en partie. Je pense que notre diable glouton, le monstre que décrit Victoire, brise tous les miroirs qu'il croise parce qu'il ne supporte pas de se regarder dans une glace. Il rejette son apparence physique. Lui-même, peut-être, se considère comme un monstre, se sent comme un rejeté de Dieu, alors, à son tour, il le rejette, d'où le symbole de son clan : la croix chrétienne inversée. Le repli vers Satan. Quant aux ampoules brisées, je pense que ce n'est pas du pipeau. Notre homme est peut-être ultrasensible à la lumière, à un niveau pathologique qui met sa santé en danger. Une maladie, Franck, une maladie, c'est ça, la raison.

Autre onglet. Cette fois, la page Internet exposait une galerie de vampires de fiction monstrueux, aux visages déformés, effroyables, tous livides. Les bouches s'ouvraient immenses, de certaines jaillissaient des dentures semblables à celles des requins. Lucie cliqua sur l'une d'elles et agrandit l'une des célèbres photos en noir et blanc de Nosferatu, le vampire du film muet allemand de 1922. Le monstre de Friedrich Wilhelm Murnau était penché au-dessus d'un corps endormi et s'apprêtait à le mordre.

— Nosferatu est celui qui ressemble le plus à la description faite par Victoire Payet, elle a d'ailleurs pensé à lui en décrivant notre monstre, sans le citer. Le crâne déformé, les grandes oreilles, les yeux cernés de noir, et cette abominable denture. On est plus proche d'un type qui ne serait jamais allé chez le dentiste de sa vie que de la mâchoire parfaite de Dracula… Alors, pourquoi cette catégorie de monstres existe-t-elle, en opposition à l'élégant Dracula ?

— Le mythe aurait une autre origine ?

— Exactement.

Lucie afficha une dernière page. La photo couleur poussa Franck à plisser la bouche. Face à lui, un Nosferatu moderne, habillé d'un jean neige et d'un pull en laine. Des mains velues, des phalanges décharnées, des lèvres retroussées et sèches, des dents immenses qui semblaient avoir poussé dans le mauvais sens. L'impression qu'un masque d'horreur recouvrait un vrai visage. Le type avait été photographié dans une chambre d'hôpital.

— Celui-là ne vient pas du cinéma et est bien réel. Il s'appelait Hubert Taillefer, décédé en 2005. Atteint d'une maladie appelée la porphyrie érythropoïétique congénitale, ou maladie de Günther. Il s'agit d'une pathologie grave d'origine génétique. À ce que j'ai compris, cette maladie crée des quantités trop importantes d'une molécule, la… porphyrine, qui est impliquée dans la constitution de l'hémoglobine.

— Le sang…

— Le sang, oui, on y est. Il y a plusieurs formes de la maladie, des degrés de gravité différents, elle est peu documentée car trop rare. D'après ce que j'ai relevé, elle se déclenche souvent durant l'enfance, mais ce n'est pas systématique ; j'ai l'exemple ici d'un homme qui l'a contractée à 55 ans. Dans tous les cas, elle peut entraîner une sensibilité extrême à la lumière, voire une allergie qui provoque des brûlures sur les parties exposées à des sources lumineuses. Ça contraint les personnes atteintes à sortir la nuit.

Lucie montra d'autres photos. Chairs brûlées, mutilées, creusées par les rayonnements solaires. Des corps en souffrance, tordus, vrillés par la maladie.

— Quant à l'ail… il contient un composé chimique, l'allicine, qui réagit avec les enzymes du foie et fait souffrir le martyre aux personnes atteintes de porphyrie. C'est pour ça que, dans la fiction, les vampires en ont peur.

Autres photos, autres monstres réels, issus des quatre coins du globe. Même des enfants étaient rongés par ce terrible mal.

— La porphyrie provoque aussi des altérations physiques : développement du système pileux, nez et doigts qui se décharnent, raidissement des lèvres, déchaussement des dents, urine rouge…

— Les caractéristiques des vampires monstrueux.

— Exact. Un biochimiste et historien canadien est persuadé que le mythe originel des vampires est surtout inspiré par cette maladie, et non par l'aristocrate Vlad Tepes. On parle pour la première fois de la porphyrie en Transylvanie, où elle semble s'être développée à cause des mariages consanguins. Selon le scientifique, certains auteurs de la fin du XVIIIe et du XIXe en avaient connaissance et s'en sont inspirés pour créer leurs vampires.

— Autrement dit, ces malades au physique monstrueux seraient à l'origine du mythe et ont bien existé. Et ils existent encore.

— C'est ça. Et écoute bien : d'après le site médical, dans les cas les plus graves de la maladie, au-delà des douleurs qu'elle provoque, il y a nécessité de retirer entre un et deux litres de sang tous les quinze jours à la personne atteinte, afin d'éviter cette surcharge en porphyrine dans l'organisme. Et qui dit retrait dit compensation. En d'autres termes, transfusion d'un sang propre de groupe compatible.

Sharko enfonça pouce et index dans ses globes oculaires et se massa. Ses yeux lui brûlaient.

— Attends. T'es en train de me dire que… que le chef de la secte Pray Mev est atteint de cette maladie, et qu'il a enlevé tous ces gens pour… pour pouvoir prélever leur sang et se l'injecter ?

— J'en ai l'impression. Et qu'il est probablement lui aussi de groupe Bombay, ou d'un groupe ultra rare compatible avec le Bombay.

— Mais… ça n'a pas de sens. La banque de sang rare est justement là pour répondre aux demandes des personnes qui en ont besoin. Pourquoi kidnapper et tuer ?

— Pas certain que cette banque puisse subvenir sur le long terme aux besoins d'un individu atteint d'une telle maladie, avec un sang aussi rare : vu le nombre restreint de donneurs, il aurait peut-être épuisé les réserves en sang Bombay à lui tout seul. Mais je crois que la raison profonde, c'est que notre diable n'a pas que l'apparence du monstre : il est un monstre. Un prédateur au sommet de l'échelle, un vampyre avec un « y », qui se croit tout permis, y compris le droit de vie et de mort, et qui entraîne une troupe d'individus barrés dans son délire. Sa monstruosité, c'est sa force, ce qui en fait le chef absolu. Il a besoin de sang, alors il se sert. C'est aussi simple que ça.

Franck n'arrivait pas à y croire. Il revit l'image de Mayeur pendue, il imaginait le scénario dans les champignonnières : une horde de sauvages autour de la jeune femme nue, des êtres tatoués, piercés, scarifiés… Le visage du monstre, qui apparaît comme dans un cauchemar. La horde qui s'écarte pour lui faire place et le laisser enfoncer ses longues dents déchaussées dans la chair tendre du cou, jusqu'à sectionner une artère. Le rouge du sang, qui coule sur son menton à la blancheur d'albâtre. Puis lui qui s'écarte, et ses chiens qui se jettent en grognant sur le bout de viande pour le mettre en pièces.

— Cette sale maladie se serait donc déclarée il y a environ trois ans ? demanda-t-il. Elle serait à l'origine de la création de Pray Mev ?

— Non, Pray Mev a un autre dessein, un objectif bien précis, indépendant de la maladie. Il y a Pray Mev et ses disciples d'un côté, et les enlèvements qui ont pour but de nourrir le gourou de l'autre. Je pense que son projet de secte ne date pas d'hier, qu'il a nécessité beaucoup de préparation mais que la porphyrie s'est soit développée, soit aggravée, entraînant ces transfusions nécessaires à sa survie. N'oublie pas, les premiers tatoués remontent à trois ans, et les premiers enlèvements à deux ans environ. D'abord, le vampyre demande à Ramirez et Dupire de l'aider à constituer la secte, puis quand la maladie se développe, il leur ordonne de le fournir en sang Bombay. C'est là que commencent les enlèvements.

Franck y voyait plus clair. Tout ce que Lucie racontait tenait la route. Il imaginait le vampyre monstrueux qui vivait reclus, caché, isolé de la population et à l'abri de la lumière du jour. Un être hideux condamné à l'obscurité, au quotidien rythmé de saignées pour se vider de son sang malade d'un côté avant de s'en injecter du neuf de l'autre. Un monstre sans foi ni loi qui n'hésitait pas à ôter des vies, assassiner, exploiter…

— Il ne peut pas enlever des gens indéfiniment, c'est impossible.

— N'empêche qu'il l'a déjà fait pendant deux ans, que si je n'étais pas entrée chez Ramirez, ce soir-là, ç'aurait continué quelque temps. Mais tu as raison : il avait conscience que tout ça allait finir par s'arrêter un jour, que Ramirez et Dupire ne pouvaient agir ainsi sans se faire prendre et que, de toute façon, sa maladie le condamne à une mort certaine. Depuis le début, sa survie est trop fragile. Il le sait. De ce fait, il n'a plus aucune limite dans l'horreur.

Elle inclina sa tasse de café. Puis versa les dernières gouttes du fond sur sa langue.

— Ce salopard finit d'accomplir quelque chose. Rappelle-toi la phrase peinte dans les champignonnières : « *Les rivières coulent et pourrissent le monde.* » Sois bien certain que ce « quelque chose » est déjà en train de se répandre et que, avant de partir rejoindre Lucifer dans l'autre monde, le vampyre va tout faire pour entraîner le plus de personnes possible dans sa chute.

70

Au milieu de l'après-midi, les treize identités étaient inscrites les unes en dessous des autres sur le tableau planté au centre de leur bureau. Grâce aux coups de fil, au listing et aux cinq prénoms fournis par Victoire Payet, les policiers avaient pu, depuis la matinée, identifier l'ensemble des victimes, et ainsi retracer la sinistre épopée de Ramirez et Dupire.

Tout avait débuté le 6 juillet 2013, environ deux ans plus tôt. Cyprien Caillard, 42 ans, habitant Aix-en-Provence et adopté à l'âge de 7 ans par une famille fermière de la Creuse, n'avait plus donné signe de vie. Il avait été le premier d'une longue série de disparitions espacées d'environ deux ou trois mois, le temps qu'il fallait pour épuiser un organisme à force de lui prélever son liquide le plus précieux : le sang.

Le mode de fonctionnement était bien rodé. Les deux diables disposaient d'une liste de choix, avec presque quatre cents noms, âges et adresses, dans lesquels puiser. Parmi ceux-ci, des personnes d'origine réunionnaise, mais pas toujours : il existait de rares donneurs de sang Bombay aux racines bien caucasiennes, qui portaient peut-être au fond de leurs gènes le mode d'emploi pour fabriquer ce sang si exceptionnel.

Le duo diabolique, aguerri par les années de prison, à tromper, mentir, enrayer le système, avait alors su frapper de façon intelligente pour ne jamais déclencher les alarmes dans les fichiers de police : régions variées, profils différents, disparitions espacées. Les victimes étaient ensuite emmenées dans la ferme perdue au fin fond de l'Yonne où, par un système de doublons, elles permettaient au vampyre gourou de la secte Pray Mev de se nourrir, littéralement, de leur sang.

Dupire entretenait ces captifs, les soignait pour assurer leur longévité et un sang le meilleur possible, tandis que Ramirez les achevait et s'en débarrassait une fois qu'elles devenaient incapables de fournir l'or rouge. Mais auparavant, il les vidait jusqu'à la dernière goutte. Un corps humain contenait aux alentours de cinq à six litres de sang et permettait donc de remplir une vingtaine de poches. De quoi garantir au diable glouton un stock de sécurité et de tenir plusieurs mois, au cas où les enlèvements cesseraient.

En parallèle, les deux hommes, fins connaisseurs des milieux sataniques et vampiriques, avaient contribué au développement du clan, créé un an avant la première disparition. Régulièrement ils avaient amené des individus masculins consentants chez Magic Tatoo, vers Clignancourt, afin de les marquer de divers symboles affichant leur appartenance progressive à un groupe de vampyres du nom de Pray Mev. Une horde d'une quinzaine de sauvages, arrachés aux milieux satanistes ou à la misère des banlieues, qui se laissaient graver *Blood*, *Death* ou *Evil* dans le dos, flirtaient avec les échanges sanguins grâce à des « cygnes noirs » et avaient mordu Mélanie Mayeur jusqu'à ce que mort s'ensuive. Un jeune scénariste réalisateur, Willy Coulomb, avait réussi à intégrer le groupe mais s'était fait repérer.

Quant au gourou…

— … Il doit prendre cette maladie comme un coup du destin, ajouta Sharko.

Le lieutenant terminait d'exposer ses dernières déductions à l'ensemble du groupe. Manien était assis à califourchon sur le bureau vide de Nicolas, manipulant une cigarette éteinte entre ses doigts jaunis.

— Imaginez un peu, poursuivit Franck, le vampyre sataniste, vénérant le diable et ayant entamé depuis un an un sinistre projet qui, soudain, voit une maladie le transformer en un véritable vampyre, pour qui s'injecter du sang devient une question de vie ou de mort. Imaginez ce qui se passe dans sa tête. Cette mutation physique n'est-elle pas la preuve de l'existence de Satan ? Ne faut-il pas y voir un encouragement à persévérer, à aller au bout de sa folie ?

— Je devine aussi l'état psychologique des disciples qui lui sont soumis, ajouta Jacques. Des individus imprégnés de croyances occultes, avides de rituels en tout genre. Eux aussi le voient se transformer devant leurs yeux. Les dents qui poussent, la peau qui blanchit… Comment ne pas gober tout ça ?

Sharko acquiesça.

— Ça explique aussi le comportement de Ramirez, lorsqu'il se couvrait de sang en ayant des rapports avec Mayeur, qu'il se scarifiait en invoquant Satan, qu'il versait le sang des chats dans sa maison ou qu'il s'injectait celui de ses victimes par une méthode de transfusion ancestrale. D'une certaine façon, lui aussi voulait peut-être marcher dans les traces de son gourou. Lui aussi voulait les « faveurs » de Satan. Ce malade y croyait vraiment. Ils y croient tous, c'est ça, le problème.

Depuis sa place, Pascal pointa sa sucette à la fraise vers le coin supérieur du tableau.

— Et Mev Duruel ? Ses toiles ? Et le plongeur d'Océanopolis ? Les accidentés ? Puis cette histoire de Mexique dont tu nous as parlé ? Qu'est-ce que ça vient faire dans l'équation ?

— Tout n'est malheureusement pas résolu, mais je pense que le sang est le lien entre la jungle, le Mexique et la France aujourd'hui. Marcus Malmaison est en train de se renseigner pour essayer d'identifier le centre de collecte qui aurait pu contaminer des travailleurs mexicains au début des années 1980.

Il leva son téléphone portable.

— J'ai aussi passé un coup de fil au chercheur sur la peur, pour savoir s'il avait pu avancer sur le point commun pouvant relier nos trois personnes accidentées. Quand je lui ai demandé de vérifier si les trois individus n'avaient pas été des donneurs de sang comme les Mexicains, il m'a interrompu : il a trouvé quelque chose mais ne veut pas en parler au téléphone. Je me rends là-bas après notre réunion.

Manien fixa Robillard.

— Parfait. On a quoi sur Vincent Dupire ?

Le musculeux serra les mâchoires, regardant son chef comme s'il allait le croquer. L'ambiance, dans l'équipe, s'était tendue depuis le départ de Nicolas. Les hommes détestaient leur supérieur hiérarchique, mais ce dernier s'en accommodait sans problème.

— Ça rend sourd de lécher des sucettes à la fraise à longueur de journée ?

D'un mouvement de tête, Sharko signifia à Pascal de lâcher du lest. Un vent de mutinerie soufflait dans la pièce. Lucie restait silencieuse. Robillard mit sa sucette dans sa bouche d'un geste sec et dit :

— Pas grand-chose pour le moment. Son courrier arrivait bien à la ferme, c'était donc son adresse officielle mais, comme pour Ramirez, pas d'ordinateur, rien dans le gps de sa voiture. Son portable était un modèle simple, qui sert juste à téléphoner ou envoyer des sms. Carte prépayée. On n'a trouvé qu'un sms, celui qu'il a balancé avant de mourir : « Hémorragie ». J'ai fait une requête auprès des opérateurs pour le numéro destinataire, mais je crains qu'on n'ait encore affaire à des cartes prépayées et que ça ne donne que dalle.

— D'après les fiches de paie que j'ai trouvées, il bossait comme factotum à l'hôpital de Sens, ajouta Jacques. Ménage, poubelles, ce genre de choses. Ils ne se sont pas méfiés, pas de contrôle du casier judiciaire. On peut supposer que c'est là-bas qu'il dérobait du matériel médical pour les prélèvements sanguins.

Le chef se décolla du bureau et s'approcha du tableau, aux côtés de Sharko. Il posa son doigt sur le mot « *gourou-vampyre* », d'où descendait un arbre hiérarchique, avec au niveau inférieur Dupire et Ramirez, et encore dessous les membres anonymes de Pray Mev, représentés par des croix.

— « *Hémorragie* », parce qu'on a cassé les plus grosses branches de l'arbre. Le monstre est affaibli et va forcément sortir de la forêt.

— C'est bien ce qui me fait peur, répliqua Franck. Il se sait atteint. Il faut s'attendre à une réaction forte de sa part. On a eu des exemples par le passé, ça ne finit jamais bien, les histoires de sectes qui se sentent acculées.

— Mais au moins, ça finit. (Il tapa dans ses mains.) Allez, au taf !

Sharko prit sa veste et fit signe à Lucie d'un mouvement de menton. Au moment où le chef rentrait dans son bureau, Franck bloqua la porte d'une poigne ferme et entra à son tour. Il signifia à sa compagne de l'attendre en bas.

Il referma derrière lui. Son patron s'installa dans son fauteuil et alluma sa clope. Il tira une longue bouffée silencieuse, qui rendit son visage plus gris et austère encore. Ses yeux se plissèrent derrière l'écran de fumée.

— Sharko, à la rescousse des camarades… On devrait écrire un livre sur toi, tu sais ? Je vois bien le titre : « Le commissaire qui un jour redevint lieutenant ». C'est joli, tu ne trouves pas ? Sharko, de retour sur le trottoir, rien que pour racler la crasse de nos rues. Le défenseur de la veuve et de l'orphelin. Je n'ai jamais compris pourquoi tu ne t'étais jamais syndiqué, d'ailleurs. Tu coches toutes les cases.

— La politique ne m'intéresse pas.

— Elle devrait. C'est la politique qui transforme les postes de nos supérieurs en un jeu de chaises musicales. Bellanger était un chien fou, il fallait l'arrêter avant qu'il fasse une bavure. Je n'ai pas envie de terminer ma carrière sur les conneries d'un jeune premier.

Sharko s'approcha et écrasa un index ferme sur le bureau.

— Il existe d'autres méthodes. On croule déjà sous le travail, et tu nous amputes d'un membre en plein sprint. Les tensions sont vives, dans l'équipe. On puise tous dans nos réserves.

— C'est ce qui fait de vous des flics meilleurs.

— C'est surtout ce qui fait de nous des flics au bord de l'explosion.

— On a le soutien des équipes Joubert et Carlier. Je vais veiller à combler le vide laissé par Bellanger, si c'est ce que tu souhaites. Les candidats au poste sont nombreux. Il y a le jeune Michaud, il bosse dans le commissariat du 1er.

Il poussa un dossier vers Sharko.

— Jette un œil. Des états de services irréprochables. De belles réussites.

Sharko ne daigna même pas regarder le papier.

— C'est qui ? Ton neveu ?

Manien afficha un sourire fatigué.

— Tu ne devrais pas le prendre comme ça. Pas toi. N'oublie pas que t'as une paire de vieilles casseroles qui traînent. Que tout n'est pas clair autour de toi et que certains dossiers ne demandent qu'à être rouverts. Alors, tu te tires de mon bureau et tu vas faire ton boulot.

Sharko brûlait de lui fourrer son poing en pleine figure, mais il se contrôla : Manien n'attendait que ça. Hors de question d'attirer les vautours de l'IGS sur son cas, surtout en ce moment. Il fit demi-tour et claqua la porte derrière lui avec une force telle qu'il manqua de l'arracher.

Les murs tremblèrent jusqu'au dernier bureau de l'étage.

71

Au bas du bâtiment A de l'université Curie, Jérémy Garitte allait et venait, l'œil rivé au sol, une canette de Coca à la main, tellement plongé dans ses réflexions qu'il ne vit les policiers qu'au dernier moment et faillit les percuter.

— Ah, vous voilà. Suivez-moi.

Sans ajouter un mot, il les emmena dans son bureau et referma derrière lui. Puis regagna sa place, priant les policiers de s'asseoir.

— Je préférais vous voir plutôt que d'en parler au téléphone. Je crois que j'ai trouvé le lien entre les trois victimes. Vous me parliez de sang, de dons, vous n'en étiez vraiment pas loin.

Il aligna devant lui trois photos de visages, sans doute récupérées sur Internet ou dans la presse.

— Je résume. Elle, Carole Mourtier, reçoit une tuile sur la tête le 8 mars 2013. Elle prend l'autoroute en sens inverse en juin 2014, soit un an et trois mois plus tard.

Il pointa le visage du milieu.

— Lui, Frédéric Rubbens, se tranche la main à son usine le 18 janvier 2014, à Yvetot. Il tombe d'une falaise dix mois plus tard, en novembre 2014. Et lui, Thomas Pinault, est victime d'un accident de bus en août 2013. Il s'ouvre volontairement la main dans un aquarium rempli de requins en mars 2015, soit plus d'un an et demi après. Des lieux, des dates, des circonstances différentes, mais un résultat identique : l'acte insensé qui conduit au drame. J'ai cherché dans tous les sens sans rien trouver, puis je me suis concentré sur l'accident originel à la suite duquel les trois individus ont fini à l'hôpital. Je suis entré en contact avec les médecins qui les ont pris en charge dans les différents établissements. Et j'ai enfin trouvé le point commun. Le sang, comme vous l'avez suggéré tout à l'heure au téléphone. Le sang est le point commun. Mais les trois individus ne sont pas des donneurs. Ils sont des receveurs.

L'estomac de Sharko se noua. Lucie se tortillait sur sa chaise.

— Dès qu'ils ont été pris en charge, ils ont subi des transfusions sanguines pour combler la perte d'hémoglobine liée à leur accident. On leur a injecté du sang étranger dans le corps.

— Vous êtes en train de nous dire que… que, suite à une transfusion, ils auraient contracté « quelque chose » capable de changer leur comportement face à la peur ?

— C'est la seule solution que j'entrevois. Une maladie, un microbe qui se serait inséré dans le sang lors de la transfusion pour s'attaquer à cette partie du cerveau. Il y a un autre élément qui vient étayer l'idée. J'ai longuement discuté avec le médecin qui s'est occupé de Frédéric Rubbens au CHR de Rouen. Je lui ai expliqué cette perte de notion du danger chez son ancien patient quelques mois après sa sortie d'hôpital, et sa fin tragique. Il s'est alors souvenu d'un cas comparable survenu un an plus tôt. Grégoire Corbusier, 34 ans, était suivi depuis des années parce qu'il était hémophile. Un jour, sa femme le retrouve mort en rentrant chez elle. Il s'était vidé de son sang en se blessant avec du verre. La blessure n'était visiblement pas volontaire – il avait laissé tomber une bouteille et tenté de nettoyer –, mais il n'avait pas appelé les secours. L'autre fait troublant, surtout, c'est qu'il avait arrêté de s'injecter ses facteurs coagulants depuis des semaines sans rien dire à personne. Perte de conscience du danger, là aussi.

Lucie et Franck mesuraient toute la portée des propos du chercheur : il existait d'autres cas. Combien ? Où ?

— Lui aussi avait subi des transfusions sanguines à cause de son hémophilie ? demanda Lucie.

— Non, mais les médicaments qu'il s'injectait régulièrement – les facteurs VIII et IX – sont des produits fabriqués à partir du sang.

Jérémy Garitte marqua un silence pour s'assurer que les policiers prenaient la mesure de ses révélations. Bien sûr que Sharko comprenait. Malmaison lui avait parlé des produits dérivés du sang, dont ces facteurs VIII et IX faisaient partie. Une maladie étrange, peut-être inconnue, se cachait parmi les composés du sang, se nichait dans le cerveau et, une fois réveillée, se mettait à grignoter les amygdales cérébrales. Il pensait au Mexique, aux ouvriers morts. Eux aussi avaient forcément été atteints, ils avaient reçu du sang malade.

Contaminés avec des aiguilles d'un centre de collecte ? Transfusés, eux aussi ?

— Vous n'en avez parlé à personne ? fit-il d'une voix grave.

— Non, bien sûr que non. Mais… vous imaginez, si une maladie d'un nouveau genre se propage par voie sanguine depuis des mois ou des années ? C'est comme… comme teinter de rouge la Seine à sa source, et voir ensuite tous ses affluents devenir rouges, jusqu'aux plus petits cours d'eau. C'est… la Manche qui se teinterait également de rouge. Puis les océans. C'est en partie comme ça que le sida s'est propagé sur toute la planète. Par le sang.

Franck se tassa sur son siège. La phrase inscrite sur les parois des champignonnières lui parut soudain beaucoup plus claire : « *Les rivières coulent et pourrissent le monde.* » Et, à la mine de Lucie, il sut qu'elle songeait à la même chose que lui.

— Ce sang qui a été injecté à Thomas Pinault, Frédéric Rubbens ou Carole Mourtier, on peut savoir d'où il vient ?

— Vous vous dites que les donneurs d'origine sont eux aussi atteints, contaminés, je ne sais pas quel terme employer. C'est une bonne piste. Je vous indique les noms des médecins qui ont pris en charge les trois patients, les hôpitaux, les dates et heures des transfusions. J'ai déjà noté tout cela. Avec ces infos et les papiers adéquats, allez dans n'importe quel Établissement français du sang. Ils seront en mesure d'identifier les poches, de retracer leur circuit et de faire sauter l'anonymat.

— On sait où aller, l'EFS Henri-Mondor. Mes collègues s'y sont déjà rendus.

— Parfait. Vous pourrez ainsi identifier les donneurs. Et ainsi de suite si eux-mêmes sont malades, et ont été préalablement transfusés. J'espère que le chemin pour remonter aux origines sera le plus court possible.

Il tendit le papier et les fixa avec un regard grave.

— Je ne sais pas encore ce qui se trame, mais je crois que vous devez mettre très vite les professionnels de la santé dans la boucle. Il faut comprendre ce qui se cache dans les veines de ces gens et leur ronge le cerveau.

72

Comme Nicolas s'y attendait, ce fut la nounou qui lui ouvrit la porte du pavillon de Sceaux. Il savait que Sharko et Henebelle rentraient rarement à leur domicile avant 19 heures.

— Bonjour, Jaya. Vous vous rappelez de moi ? Nicolas Bellanger. Ça fait longtemps qu'on ne s'est pas vus.

La jeune femme acquiesça.

— Oui, oui, je me rappelle, bien sûr.

Elle l'observa avec timidité, une main sur la porte, l'autre sur le bâti, le corps en rempart.

— Je peux entrer deux minutes ? J'aimerais vous poser quelques questions.

— Désolée, mais M. Sharko m'a prévenue que vous pourriez venir. Il m'a demandé de ne pas vous parler.

Nicolas sentit la lave monter en lui.

— Pourquoi vous ne devriez pas me parler ?

Elle haussa les épaules.

— M. Sharko ne m'a pas donné d'explications. Je suis désolée, mais…

— Vous préféreriez qu'on discute de manière officielle dans mon bureau ?

— N'insistez pas. Je sais que vous ne pouvez pas faire ça, vous avez été suspendu de vos fonctions. Et maintenant… j'ai à faire, excusez-moi.

Elle lui claqua la porte au nez. Le flic vit rouge et tambourina.

— Expliquez-moi ce qui s'est passé la nuit du 20 septembre ! Vous étiez là, vous gardiez les mômes ! Et eux, vos employeurs, ils étaient où ?

Pas de réponse. Il finit par retourner à sa voiture et démarra, fou de rage.

Comme il conduisait trop vite, il alluma la radio pour se calmer. On parlait de l'affaire sur toutes les ondes. L'identité de Julien Ramirez avait été révélée quelques jours auparavant, et les journalistes cherchaient à présent à creuser la personnalité du fossoyeur des treize corps dans les Yvelines. Et puis, ils s'interrogeaient sur sa mort : qui avait tué le monstre ? Pour quelle raison ? Les rumeurs allaient bon train, du règlement de comptes au tueur de tueur, une espèce de justicier vengeur.

Le flic, lui, avait la réponse à la première question, pas à la seconde, mais il comptait bien l'obtenir, malgré les obstacles dressés par Sharko. Dans toute affaire criminelle, il y a un mobile. Même si la mort de Ramirez était un accident, comme il le supposait, une raison expliquait forcément la présence de Lucie chez lui cette nuit-là. Quand il l'aurait découverte, il aurait résolu son enquête.

Une demi-heure plus tard, il se gara devant le commissariat d'Athis, un beau bâtiment aux larges vitres fumées, bordé de rues arborées et agréables. Il fallait y aller franco. Paquet de feuilles sous le bras, Nicolas entra d'une démarche assurée. Une fois à l'intérieur, il s'adressa au planton de l'accueil, un jeune d'une vingtaine d'années.

— Capitaine Bellanger, du 36. J'ai besoin de parler au lieutenant Simon Cordual.

Le jeune lâcha un « tout de suite, capitaine » poli et décrocha son téléphone. Nicolas comprit, au regard du planton, qu'à l'autre bout de la ligne on s'interrogeait ; pour autant, le flic fut orienté vers le bon bureau.

Simon Cordual ne devait pas être bien loin de la retraite. Dégarni, double menton et ventre de bon vivant, moustache grisonnante en balai-brosse, pour compléter le tableau. Il n'avait pas l'air débordé et avait réaménagé le bureau à son goût : cafetière, micro-ondes, objets hétéroclites… Des photos de toute sa famille, même du chien, étaient accrochées un peu partout. Les deux hommes se serrèrent la main, et Nicolas s'assit sur une chaise sans que Cordual le lui propose. Il posa le dossier devant lui et entra dans le vif du sujet :

— Je suis venu vous voir au sujet de l'affaire Ramirez.

Cordual observa la couverture bleue qui recouvrait le paquet de feuilles, puis fixa Nicolas d'un air méfiant.

— Celle dont tout le monde parle. Ces treize corps… Mais c'est bien vous, la Crim, qui enquêtez là-dessus, non ? Je ne vois pas bien en quoi je peux vous aider.

— J'aimerais revenir aux origines, au moment de la disparition de Laëtitia Charlent en mai dernier. Il y a encore quelques points à éclaircir à ce niveau.

Pour commencer, j'aimerais que vous me disiez quel était votre lien avec Anatole Caudron.

Le lieutenant se leva et se dirigea vers la cafetière.

— Café ?

— S'il vous plaît.

Il appuya sur un bouton pour réchauffer le breuvage déjà prêt. Et désigna du menton une photo où les deux hommes souriaient, bras dessus bras dessous.

— Anatole bossait dans une autre équipe mais on a travaillé plus de trente ans ensemble. C'était un collègue, et surtout un excellent ami. On déjeunait presque tous les jours ensemble, on allait chez l'un, chez l'autre. C'est lui qui s'est occupé de l'affaire au début, avant que le dossier soit repris par l'OCDIP. C'était il y a quatre mois, que voulez-vous que je vous dise d'autre ?

— Parlez-moi de l'enquête en off qu'il a continué à mener. Il y a ce qu'on sait tous : même à la retraite et alors que le dossier était entre les mains de l'OCDIP, Anatole Caudron a écumé les rues d'Athis, a recueilli des témoignages qui lui ont indiqué la présence d'une camionnette de chantier. Il vous a sollicité pour que vous interrogiez le fichier des immatriculations, puisque lui-même n'avait plus accès aux bécanes.

— J'ai juste rendu un petit service à un ancien collègue.

— C'est ainsi que l'identité de Julien Ramirez apparaît. Vous avez ensuite consulté le fichier des infractions pour vous rendre compte du passé chargé de cet homme : un ancien taulard, délinquant, incarcéré pour tentative de viol. Alors Caudron est allé voir les collègues de l'OCDIP pour leur mettre vos recherches sous le nez…

Cordual remplissait les tasses, lui tournant le dos aux trois quarts. Il écoutait sans réagir désormais, Nicolas poursuivit :

— ... Les collègues s'intéressent donc à Ramirez mais laissent très vite tomber la piste, parce que, au moment de la disparition, le type bosse à trente kilomètres de là. À moins de posséder le don d'ubiquité, il ne pouvait pas avoir enlevé Laëtitia. Nous sommes fin mai.

— Je vois que vous connaissez toute l'histoire, fit le lieutenant en lui tendant sa tasse.

Nicolas poussa le dossier vers son interlocuteur qui se rasseyait.

— Pas tout à fait. Regardez ça.

Cordual écarta le rabat de la pochette, feuilleta les premières pages, et son regard s'obscurcit sur-le-champ.

— Qu'est-ce que vous cherchez ?

— Je veux comprendre. Plus d'un mois plus tard, début juillet, vous contactez le TGI de Bobigny et faites une demande de consultation de ce dossier, qui contient les éléments notés par le greffier durant le procès de Ramirez. Donc, Caudron et vous étiez encore sur le coup. Vous n'aviez rien lâché, contrairement à ce que vous aviez laissé croire, et avez mené votre enquête de votre côté.

Son interlocuteur rabattit la pochette d'un geste lent.

— Non. J'ai juste consulté la copie de ce dossier à titre personnel, puis je l'ai détruite.

— Ne me dites pas une chose pareille, lieutenant. Ramirez était la pire des ordures, vous ne vous étiez pas trompé et, si l'OCDIP avait vraiment cru à ce qu'Anatole leur avait raconté, on aurait pu sauver des vies. Si, des semaines plus tard, vous êtes allé chercher ce dossier, c'est qu'il y avait une autre raison que celle de satisfaire une curiosité personnelle. Quelqu'un vous a poussé à le faire. Quelqu'un qui n'avait pas renoncé.

Cordual se ramassa dans son fauteuil, résigné.

— Anatole connaissait bien la petite. Si vous aviez vu dans quel état il était au moment où elle a disparu ! Un vrai chien fou. Sur la fin, il ne supportait plus la délinquance, il était temps qu'il parte à la retraite. Mais cette disparition, il en a fait une affaire personnelle. Vous ne savez pas ce que c'est, les convictions que peut avoir un vieux flic en fin de carrière. Ce sentiment de partir sur un échec… Anatole ne pouvait se résigner à se la couler douce alors que la gamine était peut-être enfermée, prise dans les filets d'un maniaque.

Il but une gorgée de café, Nicolas l'imita.

— Anatole était persuadé que Ramirez était impliqué, d'une manière ou d'une autre. Et comme l'OCDIP avait laissé tomber la piste, il s'est mis à le surveiller lui-même. On ne le voyait plus au club de billard et, pourtant, il disait à sa femme qu'il venait. Je pense qu'il était planqué là-bas, aux alentours de cette baraque, à surveiller les allées et venues de cette ordure.

— Vous croyez ? Il ne vous disait rien ?

— Non, il voulait m'impliquer au minimum et éviter de m'attirer des ennuis. Sauf qu'il a été obligé de me solliciter pour récupérer ce fameux dossier du procès, il savait que j'avais de bons contacts au tribunal. Il voulait creuser encore plus la personnalité de Ramirez. Alors, une dernière fois, je l'ai aidé. J'ai fait une requête au TGI en allongeant les papiers de l'enquête que nous avions ouverte en mai, j'ai récupéré la copie du dossier et l'ai donnée à Anatole. Il est parti avec. Quelques jours plus tard, le pauvre décédait d'une crise cardiaque.

Nicolas digéra ces informations en buvant une gorgée de café. Ce dossier se trouvait forcément quelque part. À son domicile ? Puis il demanda :

— Ce dossier, personne d'autre ne l'a eu en main ?

— Pas à ma connaissance.

— Est-ce que l'identité de Franck Sharko vous évoque quelque chose ?

Cordual secoua la tête.

— Ça devrait ?

— Deux personnes ont sorti le dossier des archives du TGI : vous et l'un de nos lieutenants, pas plus tard qu'hier. Or, Franck Sharko, qui travaille chez nous, était au courant d'éléments internes à ce dossier *avant* notre requête au TGI. Il a forcément consulté votre copie.

— Que voulez-vous que je vous dise ? Peut-être qu'il connaissait Anatole ?

Nicolas but une dernière gorgée et se leva.

— Et Lucie Henebelle, peut-être que ça vous parle davantage ?

Le vieux lieutenant acquiesça, cette fois.

— Lucie Henebelle ? Oui, oui, bien sûr. Anatole m'avait déjà parlé d'elle. Tu m'étonnes, une nièce au 36, il en était fier.

— Une… Une nièce, vous dites ?

Nicolas sentit son estomac se nouer. Il n'en croyait pas ses oreilles.

Anatole Caudron était donc l'oncle de Lucie Henebelle.

73

— Lieutenant Sharko ? Marcus Malmaison.

Assis derrière son bureau, Sharko colla son téléphone à son oreille.

— Marcus… Je vous écoute.

— Mes recherches de la journée ont été fructueuses, et les années passées n'avaient heureusement pas effacé toutes les mémoires. Je n'ai réussi à contacter que trois familles mexicaines liées aux personnes décédées à l'époque, mais c'est suffisant, car leurs souvenirs mènent tous au seul et même nom : Plasma Inc. Il s'agit d'un centre de collecte de sang situé à un kilomètre à peine de la frontière, dans Texas Avenue, à El Paso…

Sharko nota et entoura l'information sur une feuille. Il signifia à Lucie, avec qui il s'apprêtait à partir, de se rasseoir. Il était plus de 20 heures.

— … J'ai également pu joindre, après quelques péripéties que je vous épargne, Alexander Wallace, qui coule depuis cinq ans une retraite paisible au Texas. Il a poursuivi jusqu'au début des années 1980 le travail de Harold autour du sang mais n'a jamais réalisé de reportage. Je l'ai senti gêné lorsque je lui ai demandé pourquoi il avait abandonné. Je pense qu'il a subi de nombreuses pressions et que des portes se sont fermées lorsque le scandale du sang contaminé a éclaté… Mais, même de loin, même après tant d'années, il est toujours resté connecté au sujet.

— Il connaissait Plasma Inc. ?

— Il connaît, vous voulez dire, car Plasma Inc. existe toujours, et il s'était déjà rapproché d'eux à l'époque. Il a tout de suite réagi et m'a raconté tout ce qui va suivre. Écoutez bien. Ce centre appartient en fait au réseau Plasma Link, dont les établissements sont implantés dans les grandes villes situées le long de la frontière mexicaine. Le nombre de ces établissements a grandi au fil des ans. Les vampires ont toujours soif et exploitent aujourd'hui, en 2015, plus que jamais la misère humaine. Ce n'est pas qu'une légende finalement, ils sont bel et bien immortels…

Sharko entendit un bruit de couverts. Malmaison était sans doute à table.

— … D'après Wallace, Plasma Link appartient lui-même à White Heaven Capital, une importante société de capital investissement située à Wall Street. WHC détient de nombreuses sociétés très différentes dans des domaines variés comme l'automobile ou l'électroménager, mais elle est surtout en lien étroit avec l'industrie du sang. Outre Plasma Inc., elle possède un laboratoire de fractionnement, Blood Med, ainsi qu'un laboratoire de recherche sur l'élaboration de produits servant à sécuriser le circuit de sang, Cerberius. Ils fabriquent des poches, des filtres, ce genre de trucs.

Sharko écrivait et dessinait au fur et à mesure pour s'y retrouver dans cette nébuleuse.

— … Pour vous donner une idée de la formidable éthique de WHC, voici ce que Wallace a rapporté à leur sujet, et ces informations datent d'il y a à peine deux ans : à travers son réseau de collecte, Plasma Link récupère du sang en « offrant » aux donneurs pauvres des bons de nourriture ou des bons d'achat. La loi interdisant aujourd'hui le don payant, il fallait trouver une parade. Ces centres sont très bien organisés, ils disposent même de plusieurs bus de collecte garés sur les parkings à proximité du passage de la frontière. Des rabatteurs vont faire de la retape dans les files d'attente. Une fois ferrés, les donneurs sont amenés vers les centres, remplissent des déclarations sur l'honneur qu'ils sont en bonne santé, sans aucun contrôle médical, et se font pomper le sang en toute légalité…

Robillard fit un signe à Lucie et Franck : il rentrait chez lui. Le papier du juge d'instruction afin de briser l'anonymat des donneurs de sang n'arriverait que le lendemain matin. Sharko le salua d'un geste de la main et se concentra sur la voix de Malmaison.

— … Les poches de sang issues de chaque centre de collecte remontent vers Plasma Link, puis sont ensuite traitées par Blood Med, qui les fractionne et les transforme. Les produits obtenus sont revendus aux malades souffrant de pathologies graves comme l'hémophilie, des brûlures, la sclérose en plaques, ou encore des maladies immunitaires… Vous me suivez toujours ?

— Oui, je prends des notes.

— Très bien. Par l'intermédiaire de courtiers travaillant là encore pour le compte de WHC, les prix sont maintenus artificiellement élevés via une pénurie sciemment organisée. L'un des produits fabriqués par Blood Med, l'immunoglobuline intraveineuse, vaut deux fois le prix de l'or sur le marché. Deux fois, lieutenant ! Le coût de ces produits est si exorbitant que les assurances médicales aux États-unis refusent de plus en plus de les rembourser. Vous vous doutez bien que WHC se soucie peu des centaines de milliers de malades mis en danger par ses actions peu ragoûtantes. On est au cœur du lobbying, du profit, on est dans le poumon même de l'économie capitaliste. Pour la petite anecdote, WHC a annoncé, il y a quelques mois, près de 2 milliards de dollars de résultat rien que pour la branche Plasma Link. Les actionnaires crient de joie. WHC avait acheté l'entreprise il y a quatre ans pour 100 millions de dollars, le bénéfice a donc été multiplié par vingt grâce notamment à ces histoires de spéculation autour du sang. Vous vous rappelez, quand je vous parlais du baril de pétrole brut ? Remplacez le baril de pétrole par un baril de sang, ça fonctionne…

Sharko observa le schéma qu'il avait dressé.

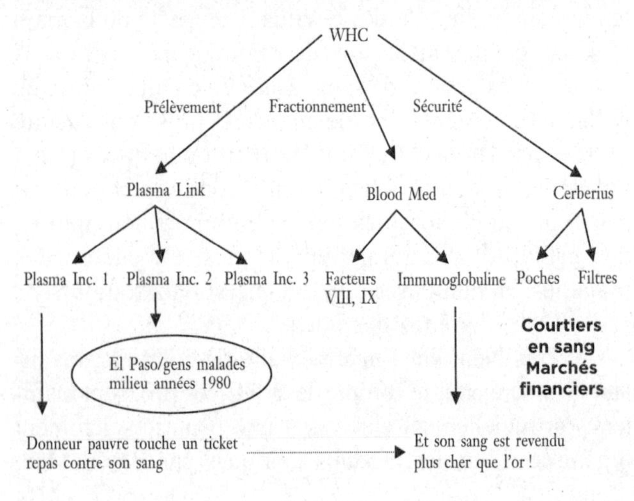

Franck saisissait mieux les enjeux autour du sang et, quand on parlait d'or rouge, ce n'était pas une image. Son schéma suintait le fric. Peu importait l'état physique des donneurs en début de chaîne ou des malades en bout de circuit, peu importait qu'ils crèvent d'anémie ou de leur maladie du sang. Un brouillard d'entreprises et de financiers exploitaient la misère et la transformaient en actions immatérielles qui grimpaient sur les marchés. Point barre.

Amer, il se focalisa sur son seul point d'entrée dans le système : là où des individus avaient été frappés par *quelque chose*, à la fin des années 1970, probablement suite à leur passage dans le centre de collecte d'El Paso.

— J'aurais besoin d'un dernier petit coup de pouce. Vous serait-il possible, par votre contact, de me fournir tout ce que vous pouvez sur le centre Plasma Inc. d'El Paso, à l'époque de la contamination ? Qui gérait l'établissement ? Qui y travaillait ? Qui s'occupait des donneurs ? Nous pourrons peut-être retrouver l'un des membres du personnel, je sais que ce n'est pas simple, que c'est loin, tout ça, mais c'est notre seul angle d'attaque. Des dizaines de Mexicains ont été contaminés, et vu ce qui se passe aujourd'hui, je me dis que ce n'était peut-être pas involontaire.

Malmaison répondit du tac au tac :

— J'aurais dû y penser moi-même, je vais recontacter Wallace. Pour tout vous dire, votre affaire m'excite. La voie que vous explorez est certes à l'opposé de celle de mes petits-gris, mais j'aimerais bien voir où elle va nous mener.

74

Nicolas avait l'impression de tenir une poignée de sable entre ses doigts. Plus il serrait le poing, plus les grains s'échappaient pour s'envoler dans le vent. Il se rapprochait assurément de la vérité, mais ne disposait toujours pas de l'ombre d'une preuve.

Que tenait-il de concret, en définitive ? Qu'Anatole Caudron était l'oncle de Lucie, qu'il s'était procuré le dossier de procédure pénale de Ramirez et qu'il l'avait surveillé. Que, d'après les propos enregistrés sur bande de Mélanie Mayeur lors de sa garde à vue, une femme était entrée au domicile de Ramirez la nuit du 20 septembre, *probablement* avec une clé, pour l'abattre d'une balle dans la gorge dans sa cave. Que la sinistre mise en scène avait *probablement* été orchestrée pour dissimuler le premier impact, celui du plafond. Que Sharko avait *probablement* rendu Jacques malade – avec un laxatif ou une substance dans le genre – pour gérer lui-même la scène de crime.

C'étaient tous ces *probablement* qui le dérangeaient. Mayeur pourrissait en enfer, Jacques n'était plus malade, pas une balle ne manquait dans le chargeur de Lucie, la douille notée sur le PV de constatation était de marque Luger et ne pouvait donc en aucun cas incriminer Sharko ou Henebelle. Sharko n'avait rien laissé au hasard, allant même jusqu'à interdire à la nounou de lui parler.

Et ça le rendait fou. Il voulait battre Sharko sur son terrain, il voulait une preuve : une clé avec une empreinte, un témoin fiable, des papiers, ou une solide révélation qui permettrait d'appuyer ses découvertes.

Et la révélation, il savait où l'obtenir. Régine Caudron, la femme d'Anatole. La tante de Lucie. Sans aucun doute le point faible de toute cette affaire. La mort de Ramirez avait eu lieu plus de deux mois après le décès du policier à la retraite. Donc, un fait avait forcément relancé l'investigation. La tante avait-elle découvert une nouvelle information, un indice dans les affaires de son mari ? Avait-elle mis la main sur la fameuse copie du dossier de procédure pénale ? Elle aurait alors contacté sa nièce pour qu'elle poursuive l'enquête commencée à la fin du printemps ? Le scénario était plus que plausible.

Nicolas se gara à cheval sur le trottoir et remonta l'allée fleurie qui menait au pavillon. En ce début de soirée, le quartier était calme, propre, le bon endroit pour couler des jours paisibles, à jardiner ou faire des barbecues sur la terrasse avec les enfants et les petits-enfants. Le flic savait qu'il n'aurait jamais droit à cette vie-là. Son existence à lui était bien trop branlante.

Il réajusta sa veste et sonna. Dix secondes plus tard, la porte s'ouvrit sur un visage plutôt rayonnant. Nicolas l'avait imaginée petite et grosse, elle se dressait, grande et élégante. La main serrée sur la paume de sa canne, elle resta dans l'embrasure.

— Je suis Nicolas Bellanger, capitaine de police au 36, quai des Orfèvres. J'aimerais vous poser quelques questions.

— Dans quel cadre ?

— La grosse enquête dont tout le monde parle. Julien Ramirez, Laëtitia Charlent, les treize corps découverts dans les Yvelines.

Elle rabattit un peu la porte, le visage fermé.

— Je peux voir votre carte de police ?

— Je l'ai laissée au bureau. Écoutez, ce ne sera pas long. On doit beaucoup à l'acharnement de votre mari dans cette enquête, c'est de ça que je veux vous parler.

— Mon mari est décédé, fichez-lui la paix. Revenez avec votre carte et un papier qui autorise ce genre de démarche. Sans ça, je ne répondrai à aucune de vos questions.

Elle poussa la porte, mais Nicolas réussit à glisser son pied dans l'entrebâillement.

— Bien sûr, j'aurais dû m'en douter. Ce sont eux qui vous ont demandé de dire ça et de m'empêcher d'entrer, n'est-ce pas ?

— Si vous n'ôtez pas immédiatement votre pied de là, j'appelle la police.

— Allez-y. Contactez votre nièce.

Les yeux bleus brillèrent une fraction de seconde, avant que Régine Caudron reprenne du poil de la bête. Elle se dirigea vers son téléphone et se mit à pianoter dessus.

— J'appelle la police.

Nicolas se recula, les deux mains en l'air.

— Ce n'est pas la peine, je pars. Mais je sais ce qui s'est passé.

Il s'attendait à une réaction, une faille dans laquelle il aurait pu s'engouffrer, mais elle revint en claudiquant et claqua la porte. Le flic entendit le bruit des verrous et vit le rideau d'une fenêtre bouger. Elle l'observait là, derrière, pour s'assurer qu'il dégage. La vieille chouette connaissait bien les lois. Sharko et Henebelle lui avaient dicté mot pour mot quoi faire : ne pas paniquer, ne répondre à aucune question et le mettre dehors. Mêmes instructions que pour la nounou.

Il alla dans sa voiture et attendit, vit l'ombre disparaître derrière le rideau. Elle les prévenait sans doute de sa présence. Alors il démarra dans un crissement de gomme, sans plus de piste ni de point d'entrée. Cette femme ne parlerait jamais.

Sur l'échiquier, Sharko avait été décidément le plus fort. Un redoutable joueur, mais ça, Nicolas l'avait toujours su. N'importe quel adversaire sensé aurait abandonné le combat, à deux coups du mat. Cependant Nicolas avait la folie d'un Bobby Fischer, il n'était plus sensé depuis longtemps. Et il savait que sa visite allait faire sortir Sharko de ses gonds, que le flic risquait de débarquer chez lui pour lui rappeler qu'il ne fallait pas toucher à sa famille.

Et, alors qu'il se remettait en route, lui vint une nouvelle idée, peut-être la plus lumineuse entre toutes.

75

Franck salua Jaya et referma la porte dans un soupir. Il accompagna la Philippine du regard par la fenêtre de son séjour, jusqu'à ce qu'elle monte dans sa voiture. Un danger sournois rôdait autour de lui, de sa famille, pouvait s'embusquer dans la rue ou au fond de son jardin. Et ce danger avait un visage : Bellanger. Il pouvait se cacher n'importe où, jaillir quand bon lui semblait. Le flic se retourna vers Lucie, qui revenait du couloir, téléphone à l'oreille. Elle aussi semblait plus que soucieuse.

— Nicolas est venu ici, fit-il lorsqu'elle eut raccroché. Mais pas pour nous voir, il savait qu'on ne serait pas là. Non, c'était Jaya qu'il cherchait. Il a tenté de lui poser des questions mais, heureusement, elle a fait ce que je lui avais dit et ne l'a pas laissé entrer.

Lucie le fixa avec gravité.

— Il n'y a pas que Jaya. C'était ma tante au téléphone, Nicolas est venu après 20 heures, il a voulu l'interroger sur l'enquête d'Anatole. Elle l'a empêché d'entrer, ne lui a pas parlé mais… il sait, Franck.

— Quoi ? Qu'est-ce qu'il sait ?

— Qu'Anatole était mon oncle.
— Comment il l'a appris, bordel ?
— Je n'en sais rien, je ne comprends pas. On n'en a jamais parlé, et ma tante est formelle : il le savait avant de venir la voir.

Leur secret explosait. Franck fixa les jumeaux, en pyjama et assis sur un tapis. Jusqu'où Nicolas comptait-il aller ? Lucie essaya de le rassurer comme elle put, mais ses paroles sortaient sans vigueur.

— On tient le coup, d'accord ? Tant que personne ne dit rien, Nicolas est coincé.
— Tu ne le connais pas. Il ne lâchera pas. Pas lui. Maintenant qu'il est au courant, il va chercher la faille et, s'il trouve, on ignore comment il réagira. En venant ici, il s'attaque à mes fils. Je ne peux pas le laisser continuer.

Lucie comprit, à voir le visage de son presque mari, ses mains tremblantes, cette grosse veine droite comme un « I » sur son front, qu'il atteignait son point de rupture. Il marchait sur le cratère d'un volcan et pouvait basculer du mauvais côté d'un instant à l'autre.

— Viens voir.

Elle l'entraîna vers leur chambre, et Sharko reçut un autre choc au ventre. Sa locomotive attendait sur ses rails. Elle brillait. Le visage de Franck s'illumina. Il s'accroupit comme un gosse et, de ses gros doigts maladroits, fit jaillir l'étincelle qui actionna le minuscule brûleur.

Poupette toussota, vibra et, comme au premier jour, s'élança à l'assaut de son circuit. Elle était tellement heureuse sur ses rails, à circuler entre les deux pauvres vaches, s'enfoncer dans le tunnel, en rejaillir plus triomphante, prête pour un nouveau tour. Le cœur de Sharko se gonfla d'un trop-plein d'émotions, il sentit ses bras tendus sur le sol fléchir, tandis que son âme de père, d'enfant, d'amant se brisait en mille éclats.

— C'est toi qui l'as fait réparer ? Quand est-ce…

Mais Lucie avait disparu, et la porte de la chambre était fermée. Sharko se demanda s'il n'avait pas, soudain, basculé dans une autre dimension, épurée, sereine, un juste retour aux sources et aux choses simples de la vie. Seul avec sa locomotive, il se sentait bien. Il se coucha alors sur le lit, mains derrière la tête, et, bercé par les sifflements hypnotiques de Poupette, s'endormit en moins de cinq minutes.

76

L'enquête reprenait. Tendue, violente, monstrueuse, sanguine. En cette matinée grise et électrique – on annonçait des orages dans la journée –, Franck et Pascal patientaient à l'accueil de l'EFS Henri-Mondor, le papier du juge d'instruction en main. Geoffroy Walkowiak avait été mis au courant par le magistrat de l'arrivée de deux policiers dans son établissement et devait leur apporter toute l'aide nécessaire à l'enquête.

En attendant le directeur, Sharko termina sa conversation avec Jacques. Malmaison avait réussi à récupérer un vieil organigramme datant de 1980 de la société Plasma Inc. d'El Paso. Une trentaine de noms, de fonctions, sur lesquels Levallois devait désormais se pencher pour essayer d'en tirer quelque chose. Franck lui avait demandé de se concentrer sur les responsables de l'époque : y avait-il moyen de les contacter ?

Autre coup de fil, brève discussion, regard stupéfait de Sharko lorsqu'il raccrocha.

— C'était Lucie. Chénaix a coupé en tranches le cerveau de Dupire. Tu ne vas pas me croire. Il a repéré exactement la même anomalie que dans celui de Ramirez : une petite zone qui a l'air poreuse, au même endroit.

— C'est du délire. C'est quoi, ce truc ?

— Je n'en sais rien, mais il est évident que tout est lié : le sang, la maladie, les cerveaux défectueux. Je suis en train de me demander si ces deux salopards n'étaient pas, eux aussi, atteints par ce… « machin ».

— Comme nos accidentés ?

— Pareil, répliqua Sharko. Avec tous ces échanges sanguins qu'ils font, ces morsures, des cygnes noirs qui baisent partout. Il y en a peut-être un qui a attrapé la maladie et qui la refile à tous les autres. Je… (Il se prit la tête entre les mains.) Je ne sais pas, c'est tellement compliqué et dément. En tout cas, Chénaix a joint l'anapath, qui lui a répondu que les analyses biologiques du cerveau de Ramirez sont terminées et que… ça craint.

— Ça craint ? Ça veut dire quoi, ça craint ?

Geoffroy Walkowiak arriva d'un pas rapide. Il les accueillit avec le visage fermé et leur tendit la main.

— C'est affreux, ce qui est arrivé pour Arnaud Lestienne et la liste de donneurs Bombay. Sachez que nous prendrons toutes les mesures nécessaires pour gérer cela au mieux. Lestienne sera pénalement inquiété ?

— Ce sera à la justice d'en décider.

Sharko lui montra l'autorisation du juge en bonne et due forme, ainsi que la feuille fournie par Jérémy Garitte.

— Nous avons encore besoin de votre collaboration. Nous disposons de trois dates, heures, noms de médecins et adresses d'hôpitaux qui ont réalisé des transfusions sanguines sur des patients accidentés. Nous voudrions savoir d'où viennent les poches qui ont été utilisées à ces occasions.

Walkowiak prit les papiers, et ils s'isolèrent dans un couloir.

— Le juge ne m'a pas donné beaucoup de détails. Puis-je savoir ce que vous cherchez, exactement ?

— On a de bonnes raisons de penser que ce sang était contaminé.

Contaminé… Le mot interdit dans un EFS. Walkowiak écarquilla les yeux et lorgna autour de lui pour être sûr que personne ne pouvait les entendre.

— Contaminé ? Comment ça ? Par quoi ?

— On ne sait pas encore. Mais vu la tournure que prend l'enquête, il est fort probable que vous soyez mis dans la boucle dès aujourd'hui. Nous vous expliquerons tout à ce moment-là.

Le responsable du centre accusa le coup.

— Du sang contaminé qui proviendrait de notre circuit… Non, c'est impensable. Et vous êtes certain que votre facteur contaminant vient du sang, et non des poches ?

— Les poches peuvent contaminer ?

— Tout est source de contamination. Les poches, les instruments chirurgicaux, les objets… Il suffit d'une faille, d'un défaut. Il y a de cela quelques années, un champignon s'était mis à tuer des patients immunodéprimés en hématologie, dans des hôpitaux différents. Il a fallu des mois pour qu'on comprenne d'où venait l'infection. On avait pensé à la nourriture, à la lessive utilisée pour le linge d'hôpital, même au plastique des gobelets, impossible de trouver. Eh bien, le champignon venait d'un lot de poches de sang infectées… Bref, tout cela pour vous dire qu'il ne faut pas tirer de conclusions hâtives.

— On ne sait pas encore précisément ce qui se passe, dit Franck, on attend des résultats d'analyse de tissus cérébraux, mais on pense quand même fortement au sang. Je vais vous poser une question bête, mais est-ce que, de nos jours, des maladies graves peuvent se glisser dans le circuit du sang ?

— Si vous parlez de bactéries ou de virus, c'est quasiment impossible. Aujourd'hui, le circuit du sang est extrêmement surveillé et sécurisé, à tous les niveaux.

— On a besoin de savoir comment tout ceci fonctionne. Avant de faire nos recherches dans vos fichiers, expliquez-nous en quelques mots le circuit d'une poche.

Walkowiak les emmena vers l'accueil. Des donneurs patientaient sur des chaises dans une grande salle avec des tickets numérotés en main. Face à eux, sur la gauche, une série de portes fermées.

— N'importe qui peut donner, pour peu qu'il ait 18 ans et moins de 70 ans. Les donneurs potentiels déclinent leur identité à l'accueil, carte d'identité à l'appui. Ils remplissent ensuite un questionnaire, qui est un document de préparation à l'entretien médical préalable au don. Ensuite, ils rencontrent l'un de nos médecins qui les interroge sur leur état de santé et leurs antécédents médicaux. Au moindre risque – maladie, infection ou soins dentaires récents, séjour à l'hôpital, voyage dans certains pays étrangers, transfusion –, on empêche le don… Suivez-moi.

Ils entrèrent dans la salle de don à proprement parler. Des personnes étaient allongées dans des fauteuils confortables, reliées à de grosses machines ultraperfectionnées. Des infirmiers allaient et venaient, décrochaient des poches, bipaient des codes-barres. Sharko pensait à l'histoire de Malmaison au sujet des centres de collecte à la frontière et il imaginait bien les conditions de prélèvements, quarante ans auparavant : une poche, une aiguille, et le tour était joué. Ici, on en était à des années-lumière, avec tous ces automates et cet environnement clinique d'une propreté irréprochable.

— Dans n'importe quel EFS, on prélève uniquement ; jamais de transfusion. Les patients peuvent donner du sang total, du plasma, des plaquettes ou des globules rouges. Même des globules blancs, mais c'est plus rare. Les machines leur réinjectent le nécessaire – s'ils ne donnent par exemple que le plasma, on réintroduit le reste dans l'organisme en temps réel, grâce aux machines. Nous prenons le plus grand soin de nos donneurs.

Sharko observait les rivières pourpres dans les tuyaux, ces poches rouges ou jaunâtres – la couleur du plasma – qu'on empilait dans des caisses bleues armées de scellés.

— Regardez, des tubes d'échantillons sont prélevés en même temps que la poche, ils partent par transporteur spécialisé dans l'un de nos dix-sept laboratoires de qualification biologique, où l'on va faire deux types d'analyse : caractérisation du sang permettant d'assurer la compatibilité donneur/receveur et de prévenir ainsi tout accident transfusionnel, et surtout, le dépistage de nombreuses maladies transmissibles : hépatite B, C, syphilis, VIH... Aucune analyse ne peut aboutir à un « peut-être ».

Au moindre doute, on détruit la poche correspondant aux échantillons.

Il les emmena près d'une des caisses et prit une poche pleine entre ses mains. Les policiers remarquèrent un ensemble de codes-barres, le groupe sanguin, la date, l'heure…

— Seulement après, la poche entre dans le circuit de préparation, où elle va elle-même subir tout un tas de traitements destinés à éliminer les risques. Ces poches sont à la base équipées de filtres qui piègent la quasi-totalité des globules blancs – les principaux porteurs de virus. Le contenu de la poche de sang total est ensuite séparé en trois catégories par centrifugation : les globules rouges, le plasma et les plaquettes. Là encore, pour chaque composé sanguin, il y a une batterie de procédures : traitements physico-chimiques, quarantaine, congélation, viro-atténuation. Les microbes ne peuvent résister à une telle série d'épreuves. Vous devez savoir qu'on ne transfuse jamais une poche de sang total, mais uniquement les globules rouges. Pas de gâchis, tout est optimisé.

Il pointa un ordinateur.

— Au niveau informatique, un système de verrou complexe interdit toute faille dans notre système. Une poche ne pourra jamais pas être transfusée tant qu'elle n'aura pas reçu l'aval de plusieurs personnes qualifiées, au fil du parcours. Quand tout est vérifié, la poche est libérée et peut ainsi être distribuée aux structures hospitalières.

Sharko y voyait un peu plus clair. Le trajet d'une poche était tracé à l'aide de ces codes-barres, du début à la fin, et fort complexe. Combien de kilomètres parcourait-elle ? Combien de laboratoires à traverser avant de se déverser dans les veines d'un receveur ?

— Le sang transfusé à un patient peut provenir de l'étranger ?

Sharko songeait bien sûr au sang mexicain malade, à Plasma Inc.

— Avant oui, mais on a cessé d'importer depuis des années. La France est aujourd'hui en autosuffisance, le circuit reste interne. En termes de transfusion, on va dire que les receveurs reçoivent du sang cent pour cent français.

Donc, pas de connexion avec le Mexique, semblait-il. Sharko enchaîna sur une autre piste, alors qu'ils s'engageaient dans le bureau de Walkowiak.

— L'informatique n'a pas de faille, mais l'humain ? Il y a les transporteurs, les infirmiers, les techniciens, les laborantins, je dois en oublier. Ces poches circulent entre de nombreuses mains. Qu'est-ce qui empêcherait quelqu'un, à un moment donné sur la chaîne, d'injecter une saleté dans les produits sanguins ?

Le flic pensait à d'autres personnes de Pray Mev impliquées dans le circuit. Une fois assis derrière son bureau, Walkowiak considéra avec attention les dates, heures, lieux du papier fourni et se mit à pianoter sur son clavier.

— Les poches sont soudées, hermétiquement closes après le prélèvement. Des scellés sont posés pour les différents transports. Les niveaux de surveillance sont élevés, les équipes sont indépendantes, tout est mis en œuvre pour une sécurité optimale. Mais, comme ce fut le cas pour Arnaud Lestienne, on ne pourra jamais empêcher un individu isolé qui a la volonté de nuire d'aller au bout de ses projets.

Il s'immobilisa face à son écran.

— Tout est tracé dans notre logiciel Inlog. Donneur, receveur, parcours exact de la poche, médecin intervenant… Bon, j'ai des données à l'écran pour l'hôpital de Foix, le 3 août 2013, à 16 h 05. Deux poches de B positif ont été utilisées sur un patient du nom de Thomas Pinault, lui-même de groupe B positif. L'identité vous parle ?

— C'est lui, oui, notre accidenté de bus. Le plongeur de l'Océanopolis.

— Les poches qu'il a reçues proviennent de deux donneurs différents, l'un d'Annemasse, l'autre de Marseille. Je vous livre les identités ?

Robillard sortit son carnet.

— Allez-y.

— Laissez tomber le carnet, je vous imprimerai tout. Véronique Jolibert…

Il fit tourner la molette de sa souris.

— … 19 ans, elle habite Bonneville. C'était la première fois qu'elle donnait son sang, d'après sa fiche. Et le deuxième donneur… Félix Magniez, 32 ans, domicilié à Marseille. Lui est un donneur régulier à l'EFS de Marseille depuis plus de deux ans. Sang total, plasma, plaquettes… à ce que je vois, un très bon client, surtout avec un sang assez précieux – environ une personne sur dix seulement possède le groupe B positif.

Il entra de nouvelles données dans le système, en rapport avec l'accident de l'ouvrier à la main tranchée.

— Hôpital de Rouen. Là aussi, le patient est de groupe B positif. Quatre poches ont été utilisées aux urgences suite à l'amputation de sa main. Et…

Un silence. Les flics virent à quel point il parut perturbé. Il se mit à pianoter et cliquer rapidement sur sa souris. Ses yeux bondissaient entre le papier et son écran.

— Deux secondes, deux secondes. Le troisième accident… Encore un accidenté de groupe B positif, et… Mince.

Il se recula sur son siège, une main faisant crisser les poils de sa moustache.

— Qu'est-ce qu'il y a ? demanda Sharko qui s'impatientait.

— Je ne sais pas, c'est curieux. Écoutez ça : Félix Magniez, domicilié à Marseille, a donné son sang à Thomas Pinault. Thierry Lopez, domicilié à Pau, a donné à Frédéric Rubbens. Et Cédric Lassoui, domicilié à Créteil, a donné à Carole Mourtier. Les trois donneurs sont de groupe B positif, ont la même assiduité (exceptionnelle) aux EFS, avec la même variété de dons – plasma, globules rouges, plaquettes –, ils ont les mêmes caractéristiques médicales, et surtout, ils sont tous les trois nés le 8 janvier 1989.

Il releva ses yeux ronds vers les deux flics et ajouta :

— On dirait qu'il s'agit de la même personne.

77

Matthieu Chélide – on l'appelait M. –, anatomopathologiste à la Pitié-Salpêtrière, travaillait régulièrement en collaboration avec les médecins légistes de l'IML de la Rapée. Un grand spécialiste de l'étude des lésions des organes et des tissus, bardé de diplômes, encyclopédie vivante de la médecine, qui s'adonnait à sa passion pour le rock dès qu'il sortait de l'hôpital. Bagues aux doigts, veste en cuir cloutée, tee-shirts à l'effigie de Kurt Cobain ou de Dolores O'Riordan.

Ce jour-là, dans la salle d'autopsie, il exerçait ses fonctions et portait le masque, les gants, la charlotte, tout comme Chénaix et Lucie. En retrait, sur la table métallique, Vincent Dupire, crâne ouvert, ressemblait à une carcasse abandonnée par un lion repu et cuite par le soleil d'Afrique.

— N'approchez pas sans protections, fit-il à l'intention de Manien en désignant une tenue à gauche de l'entrée.

Manien, qui venait d'arriver, alla se vêtir. Il échangea un regard avec Lucie et s'avança vers la paillasse où Chélide et Chénaix travaillaient. Le légiste affichait un visage grave, lui qui était d'ordinaire plutôt jovial, et avait insisté pour que le chef de groupe vienne en urgence, deux heures après l'arrivée de Lucie. De fines tranches de cerveau baignaient dans un liquide translucide, au fond de deux bacs d'acier. Sur l'un était étiqueté « *Vincent Dupire* » et sur l'autre « *Julien Ramirez* ».

— Je vous demanderais de ne surtout toucher à rien, attaqua Chélide, on ne sait pas encore comment la maladie peut se transmettre.

Manien écarquilla les yeux.

— La maladie ?

— Avez-vous déjà entendu parler des maladies à prions ?

Manien et Lucie secouèrent la tête, l'œil rivé sur ces morceaux blanchâtres qui avaient abrité la mémoire, les émotions, les déviances des deux sinistres assassins. Ça faisait toujours aussi bizarre de se dire que tout ce qu'ils étaient en tant qu'êtres humains – bons ou mauvais, gais ou tristes… – se résumait à ce brouillard de neurones se transmettant des signaux par impulsions électriques.

— Je vais essayer de faire au plus simple. Ce sont des maladies rares, caractérisées par une dégénérescence du système nerveux central et la formation d'agrégats d'une protéine spécifique, le prion, dans des zones bien précises du cerveau. On les appelle aussi des encéphalopathies subaiguës spongiformes transmissibles. Je sais, c'est un nom barbare, mais si je vous dis Creutzfeldt-Jakob, cela devrait davantage vous parler.

— La maladie de la vache folle, répliqua Lucie.

— Exactement, la MCJ est une maladie à prions. Ces maladies sont dues à l'accumulation dans le cerveau d'une protéine mal conformée, la fameuse protéine prion. Évolution rapide, souvent fatale, absence de traitement : il n'existe aucune parade pour freiner l'évolution du mal. En général, ces maladies se développent chez l'adulte et se caractérisent d'ordinaire par une démence progressive, à laquelle s'ajoutent des signes neurologiques : troubles de la coordination des mouvements, problèmes visuels, crises d'épilepsie…

Lucie se rappelait bien ces images relayées d'un bout à l'autre du monde : des vaches tremblantes, incapables de tenir sur leurs pattes. Elle se souvenait également de ces élevages entiers abattus en Angleterre dans les années 1980 ou 1990, de tous ces gens qui, suite à des cas humains, avaient stoppé net la consommation de viande rouge. Une vraie crise sanitaire.

— … Aujourd'hui, on connaît trois types principaux d'encéphalopathies humaines : la variante de la maladie de Creutzfeldt-Jakob, le syndrome de Gerstmann-Straüssler-Scheinker, qui crée des plaques amyloïdes dans le cervelet, et l'insomnie fatale familiale, qui prive les personnes atteintes de sommeil et qui finit par les tuer.

De la pointe d'un scalpel, le spécialiste désigna les infimes zones touchées, dans la complexité de l'encéphale de Ramirez.

— On le voit mieux au microscope car la surface impactée est très petite, mais l'aspect est spongieux, criblé de trous minuscules, caractéristique d'une encéphalopathie type variante de Creutzfeldt-Jakob. Les premiers résultats du labo montrent la présence d'une protéine prion pathologique. Vu la zone du cerveau concernée, et aussi hallucinant que cela puisse paraître, il semblerait qu'on ait affaire ici à une forme de maladie à prions encore inconnue.

Il rapprocha les deux bacs.

— Regardez les échantillons. Deux personnes différentes, atteintes au même endroit, au niveau de ce qu'on appelle les noyaux centraux situés dans le lobe temporal. Il…

— Où ça au niveau des noyaux centraux ? le coupa Lucie. La partie médiane ? Les amygdales ?

Chélide la fixa avec étonnement.

— Précisément à cet endroit, en effet. Comment le savez-vous ?

— J'ai discuté il y a quelques jours avec une femme qui doit se faire opérer d'ici deux à trois semaines afin qu'on analyse cette zone, justement. Elle ne présente plus aucun symptôme lié à la peur. Les IRM révèlent que ses noyaux centraux semblent atteints par… un mal encore indéfini. Et elle n'est visiblement pas la seule.

Lucie se rappelait le visage de Ramirez plaqué contre le sien. Celui de Dupire, avant qu'il se fasse flamber sans l'once d'une hésitation. « *Vous croyez que vous nous faites peur ?* » avait-il lancé avant de mourir. Cela signifiait-il que Ramirez et Dupire aussi ne ressentaient plus la peur, eux non plus ?

Matthieu Chélide sembla désarçonné par les propos de Lucie. Une maladie jamais rencontrée auparavant se développait en cachette sous des boîtes crâniennes anonymes. Sans l'enquête de la police, la rigueur des autopsies et l'insistance de Chénaix pour obtenir des examens, il serait passé à côté.

— Combien de cas ? demanda-t-il d'une voix blanche.

— Au moins trois aléatoirement répartis sur le territoire, sans compter ces deux-là, répliqua Lucie. Mais j'ai bien peur que ce ne soit là que la partie émergée de l'iceberg et qu'il y en ait beaucoup plus. Il y aurait eu de surcroît, d'après nos découvertes, une manifestation de la maladie fin des années 1970, début des années 1980, au Mexique.

— Il faut que je joigne d'urgence ces personnes touchées en France.

— À notre connaissance, une seule est vivante, elle est en fauteuil roulant.

Lucie sentait la tension dans la salle et l'extrême gravité de la situation. Des monstres et des victimes, frappés par le même mal. Comment avaient-ils attrapé cette maladie ? D'où venait-elle ? Elle désigna les tranches d'encéphales.

— C'est quoi, exactement ? Un virus ?

— C'est compliqué, aujourd'hui encore, on ne connaît pas tous les mécanismes exacts des maladies à prions. Disons qu'un prion n'est ni un virus, ni une bactérie, ni un parasite. Ce n'est pas un organisme vivant, mais il peut se transmettre. Il est un agent infectieux dénué d'acides nucléiques, mille fois plus petit qu'un virus classique, il n'est pas reconnu par le système immunitaire, c'est ce qui le rend aussi redoutable. À la base, il est présent dans tous les mammifères – c'est une protéine impliquée dans le fonctionnement des cellules –, mais un brusque changement dans sa structure le rend pathogène…

Il baissa son masque, se passa une main de plomb sur le visage. Lui non plus n'avait pas dû dormir beaucoup après ses découvertes.

— … Les prions mal formés s'agrègent entre eux et forment des dépôts qui se multiplient à l'intérieur et à l'extérieur des cellules du cerveau, perturbant leur fonctionnement et leurs mécanismes de survie. Dans sa forme anormale, la protéine prion est capable de transmettre son anomalie : à son contact, une protéine prion normale adopte à son tour une forme anormale.

— Un effet domino.

— Oui, qui favorise la propagation de l'anomalie de proche en proche, d'abord au sein d'un neurone, puis d'un neurone à l'autre. C'est une armée de tueurs de cellules cérébrales qui se dresse et ronge le cerveau.

— Et… ces prions qui nous concernent ici pourraient détruire seulement cette zone minuscule des amygdales, et pas les autres ?

— Il n'y a pas de règles en matière de maladies. Par exemple, les prions de l'insomnie fatale familiale s'attaquent uniquement aux noyaux dorsomédians et antérieur du thalamus, annihilant ainsi les fonctions du sommeil. Pour quelle raison ils se confinent en particulier dans cette zone, on l'ignore, mais c'est comme ça. Alors pourquoi pas les amygdales des noyaux centraux, dont la dégénérescence modifierait ainsi les comportements liés à la peur ?

Tout se mélangeait dans la tête de Lucie – la pathologie gravissime du vampyre gourou, les enlèvements, la secte Pray Mev –, mais elle essaya de rester concentrée sur les révélations cruciales de Chélide. Dans ces tranches de cerveaux malades se cachait l'une des clés de leur enquête.

— Deux individus complices souffraient de cette même maladie, avança-t-elle. Il y a forcément eu contact, transmission. Comment ça s'attrape ?

Elle avait sa petite idée, mais préféra laisser parler Chélide.

— Là encore, ça dépend. L'insomnie fatale familiale est d'origine purement génétique, la mutation d'un gène entraîne l'apparition de mauvais prions. Il en va de même pour le syndrome de Gerstmann-Straüssler-Scheinker. Autrement dit, ces maladies ne sont pas transmissibles. Mais ce n'est pas le cas ici, semble-t-il. Si on range notre nouvelle maladie dans celle du genre variante de la maladie de Creutzfeldt-Jakob, c'est différent, et s'il y a eu une telle panique à l'époque, c'était non seulement parce que la maladie se propageait de bovin à bovin, mais qu'il y avait eu une transmission de bovin à homme, puis d'homme à homme. Ce qui rend cette maladie d'autant plus redoutable, c'est la période d'incubation aléatoire, qui peut aller de quelques mois à plusieurs dizaines d'années. Donc il n'est pas impossible que des personnes contaminées à la fin des années 1990 déclarent la maladie de la vache folle aujourd'hui.

Il s'éloigna des bacs d'acier et incita ses interlocuteurs à faire de même. Une fois ses gants ôtés, il se lava les mains à grand renfort de savon.

— Les tissus les plus à risque, capables de transmettre le prion anormal de la variante de la mcj, sont principalement ceux issus du système nerveux central. Rappelez-vous les origines de la maladie de la vache folle : années 1980, une épidémie d'encéphalopathie spongiforme bovine frappe les élevages du Royaume-Uni depuis des mois. On ne comprend pas le mode de transmission immédiatement, et on finit par découvrir que la propagation de cette maladie à prions, qui touchait plusieurs dizaines de milliers de bêtes chaque année, était sans doute due à l'utilisation de farines animales, produites à partir de carcasses et insuffisamment décontaminées. Dans ces farines, il y avait des tissus cérébraux, porteurs des prions mal formés. Pour vous donner une image simple mais qui résume bien la situation, les vaches saines mangeaient en quelque sorte le cerveau de vaches malades et devenaient elles-mêmes malades.

Lucie eut soudain une image vive en tête : Mev Duruel, en train de dévorer des organes d'animaux lorsqu'elle avait été recueillie par le spécialiste des araignées… Ses tendances anthropophages… Et ses tableaux avec ses personnages indifférents à la mort. Des indigènes touchés, eux aussi, par cette maladie ? Des cannibales sains, qui auraient mangé le cerveau d'individus malades, propageant ainsi le mal ?

Elle n'eut pas le temps de prolonger sa réflexion, car Chélide l'interrompit :

— Mais le système nerveux central n'est pas le seul mode de propagation. La bile, les intestins, le système lymphatique sont des vecteurs, de même que la transmission par voie sanguine. C'est pour cette raison que toutes les personnes qui avaient séjourné en Angleterre durant la crise de la vache folle ont été interdites de dons du sang en France, par exemple. On voulait limiter les risques de transmission de la maladie par transfusion et…

À ce moment-là, la porte du sas s'ouvrit sur la silhouette massive de Sharko, dont la voix claqua dans la salle comme un coup de clairon.

— Tous les membres de Pray Mev sont probablement touchés par le problème au cerveau. Et je crois que, depuis trois ans, ils sont en train de répandre en connaissance de cause la maladie en arrosant les hôpitaux de leur sang contaminé.

78

Cet après-midi-là, ils étaient sept dans l'une des salles de réunion du 36. Franck, Lucie, Manien, Chélide, Geoffroy Walkowiak, le spécialiste du sang, Jérémy Garitte ainsi que Bruno Bois, le directeur de la Santé rattaché au ministère du même nom. Les quatre hommes extérieurs à l'équipe venaient d'être mis au courant, dans l'urgence et la précipitation, des principaux éléments de l'affaire. Pascal et Jacques manquaient à l'appel, ils menaient des recherches et passaient des coups de fil.

Debout, sur ordre de Manien, Sharko exposait leurs dernières découvertes. Il avait parlé de la maladie dont semblait être atteint le gourou – la porphyrie –, du sang Bombay, des deux femmes retrouvées vivantes au fond d'un abri souterrain, et avait posé trois cartes d'identité devant lui. Dessus, un même visage, celui de Ramirez.

— Nous avions découvert deux fausses cartes cachées chez Julien Ramirez et ignorions jusqu'à présent à quoi elles pouvaient servir. Désormais, nous le savons. Nous pensons que tous les membres de la secte Pray Mev possèdent de fausses identités qui leur permettent d'être inscrits dans plusieurs établissements et de donner ainsi leur sang davantage que la loi ne l'autorise. Monsieur Walkowiak, vous pouvez expliquer ?

Walkowiak mit un temps à répondre, confronté comme ses voisins de table à une affaire dont il ignorait tout quelques heures plus tôt. À son tour, il se leva.

— J'ai fait plusieurs requêtes dans notre logiciel. Ce Julien Ramirez était inscrit sous trois identités – sa vraie et deux fictives – aux EFS de Lille, Caen et Lyon. Il y faisait des dons réguliers, alternant à la perfection entre les différents établissements pour être dans les règles. Il donnait des plaquettes à Lille, du plasma à Caen, et du sang total à Lyon. On peut donner du plasma tous les quinze jours, du sang total toutes les huit semaines, et des plaquettes tous les mois. Il respectait ces délais chaque fois.

— Vous n'aviez aucun moyen de le détecter ? demanda Bois.

— La carte d'identité est le seul élément que nous vérifions, et nous faisons un petit test à réponse immédiate dans le bureau du médecin pour nous assurer que le donneur n'est pas anémié. Vous vous doutez bien que nous ne possédons pas de détecteurs de mensonges. Nos professionnels sont formés pour s'assurer de la bonne foi des donneurs, mais il est presque impossible de déceler ceux qui savent mentir.

— Vincent Dupire a procédé de la même façon, intervint Sharko. Il est également connu sous les identités de Roland Burlaud et François Jaillard, dans d'autres EFS d'autres régions. Lui aussi, gros donneur de sang au-delà des lois. Les lieutenants Pascal Robillard et

Jacques Levallois sont en train de mener des recherches sur un troisième individu, dont le sang a été transfusé au plongeur de l'Océanopolis, à l'ouvrier à la main tranchée et à celle qui a reçu la tuile sur la tête. C'est le trajet de ces poches-là que Willy Coulomb a suivi.

— Qui est Willy Coulomb ? demanda Bois.

Sharko mit de l'ordre dans ses notes.

— Oui, excusez-moi, on vous raconte tout dans le désordre… Willy Coulomb est un scénariste qui enquêtait sur la secte Pray Mev et qui a été assassiné le 31 août dernier. Voilà ce que l'enquête nous permet de dire aujourd'hui : le 30 ou le 31 juillet, il débarque à l'hôpital psychiatrique où est internée Mev Duruel, une patiente schizophrène concernée par notre affaire – elle peint des tableaux dont deux exemplaires trônent dans notre bureau ; je vous les montrerai tout à l'heure. Coulomb cherche « le secret du sang », car il sait que c'est autour de ce secret que s'est constituée la secte Pray Mev. Ensuite, son ex-petite amie arrive chez lui le 4 août. Coulomb est au bord de la rupture, il se cache, il a peur, peut-être que Ramirez et Dupire le traquent ou sont au courant qu'il n'est pas celui qu'il prétend être. Coulomb suit le parcours de poches de sang infectées, il remonte la piste du secret.

— Comment ? demanda Manien.

— Simplement, je dirais. Il récupère l'identité d'un des membres de Pray Mev qu'il a dû côtoyer de longs mois, se rend peut-être à un Établissement du sang et réussit à savoir où sont parties les poches de sang de cet individu, un truc dans le genre. Il retrace alors le chemin de certaines d'entre elles, commençant par l'Océanopolis. Et il trouve le secret : le sang contient

« quelque chose » qui s'attaque des mois plus tard au cerveau des personnes infectées et les pousse à accomplir des actes dangereux. Sans doute prend-il alors conscience de ce qu'est en train de faire la secte : elle propage intentionnellement une maladie qu'elle porte en elle.

L'assemblée était sans voix.

— Vous voulez dire que ces membres seraient eux-mêmes infectés et en auraient parfaitement conscience ? demanda Jérémy Garitte.

— Oui. Nous sommes face à une secte à but destructeur, une secte apocalyptique. Comme dans la plupart de ce type de secte, ses adeptes sont prêts à se sacrifier pour servir la cause d'un gourou dément. Rappelez-vous l'ordre du Temple solaire, ou la secte du Temple du peuple. Ils sont bien organisés, prêts à aller au bout de leurs convictions. Les « cygnes noirs », ces donneurs de sang volontaires et fétichistes, leur permettent de recharger leurs batteries : les membres distribuent leur sang infecté d'un côté, mais en récupèrent du sain de l'autre. Ça leur permet d'arroser plus que de raison les Établissements du sang, tous différents suivant les membres. Aucune chance de se faire repérer.

— Concernant cette mystérieuse maladie, on sait pour le moment qu'elle s'attaque au centre de la peur, compléta Lucie. Peut-être qu'à terme elle se propage dans d'autres zones du cerveau. Ramirez, Dupire étaient, semble-t-il, infectés depuis quelques années. La maladie ne les a pas empêchés d'agir et de développer leur funeste entreprise (elle jeta un œil vers Garitte). Peut-être les adeptes ont-ils appris à mener une vie sans peur. Peut-être que, en ayant conscience, ils se croient encore plus forts. Une race supérieure, comme le revendiquent les vampires. Sans peur, ils ont pu malgré tout maîtriser leur destin et se servir, justement, de l'absence de cette émotion pour aller au bout de l'horreur.

— Si c'est ainsi que ça s'est passé, quelqu'un possédait la maladie à l'origine, conclut Sharko, pour pouvoir l'injecter à Ramirez et Dupire. On pense qu'il s'agit du gourou… Un individu qui était peut-être au Mexique fin des années 1970, début des années 1980. Est-il lui aussi atteint ou conserve-t-il cette… maladie à prions dans des éprouvettes ?

Manien se focalisa à présent sur le directeur de l'Établissement du sang.

— On pense que les premiers membres ont commencé à faire des dons il y a trois ans. Que la secte s'est agrandie au fil des mois, pour fédérer une quinzaine d'individus aujourd'hui. Quels sont les dégâts, à votre avis ?

Walkowiak secoua la tête, les lèvres pincées.

— Excusez-moi, mais je ne comprends pas. Vous parlez d'une nouvelle maladie à prions qui serait peut-être… sortie de la jungle, si j'ai bien saisi, et qui aurait été transmise par le sang lors de dons, ici, en France. Les prions se fixent sur les globules blancs qui sont, de nos jours, retenus par des filtres performants, grâce à un procédé de déleucocytation. C'est d'ailleurs suite aux cas humains de la variante de Creutzfeldt-Jakob que ces procédés ont été mis en place en 1998. De nos jours, les composés sanguins issus des laboratoires de préparation contiennent à peine un globule blanc pour un million de globules rouges. Alors, comment ces prions auraient-ils pu déjouer les filtres ?

Matthieu Chélide se pencha par-dessus la table, les coudes en avant.

— Le sang de Vincent Dupire est en train d'être analysé en détail, tout comme la zone touchée de son cerveau. Plusieurs experts sont sur le coup. Mais, d'après les premières études cytologiques que j'ai obtenues il y a tout juste une heure, il semblerait qu'une proportion importante de ses globules blancs soient beaucoup plus petits que la moyenne. Nous sommes en train de nous demander si le prion pathologique n'aurait pas une incidence sur la taille des blancs qui le transportent, ce qui leur permettrait de passer à travers vos filtres.

Walkowiak accusa le coup.

— Mon Dieu...

Lucie se tordit sur sa chaise, le bout d'un stylo entre les lèvres. Elle observait Sharko, qui était concentré sur un schéma de son carnet. Elle avait vu les dégâts causés par ce mal, elle se rappelait le visage neutre de Carole Mourtier, clouée à vie dans son fauteuil roulant.

— En supposant que la maladie passe à travers vos filtres anti-globules blancs, quelles seraient les conséquences ? demanda le directeur de la Santé. Est-ce qu'une poche de sang contamine une seule personne ?

— Non, c'est beaucoup plus ramifié, voilà le problème, répliqua Walkowiak. Une poche de sang total va donner trois composés différents, les plaquettes, les globules rouges et le plasma. Donc trois sources de contamination possibles, car les globules blancs, s'ils ne sont pas filtrés, se retrouvent partout. De plus, le plasma d'un donneur est intégré à ce qu'on appelle un pool, c'est-à-dire qu'on le mélange avec le plasma de quatre-vingt-dix-neuf autres donneurs avant de fractionner cet ensemble en éléments qui serviront à fabriquer des médicaments pour soigner de nombreuses maladies : déficits immunitaires, maladies auto-immunes, prévention d'infections comme le tétanos, grands brûlés, blessés graves, hémophilie…

— Vous êtes en train de nous dire qu'un seul don du sang peut contaminer des centaines de personnes par le biais de transfusions et de médicaments fabriqués à partir du sang ?

— C'est ce que je suis en train de vous dire, oui. L'autre mauvaise nouvelle, c'est que, si la France est autosuffisante en globules rouges, le plasma et les médicaments qui en sont dérivés sont, eux, soumis au marché international. On les exporte dans de nombreux pays.

Ainsi, la maladie pouvait sortir de France. Les produits sanguins risquaient de contaminer d'autres innocents, n'importe où dans le monde. Innocents qui pouvaient aussi, peut-être, propager cette maladie dont on ne connaissait rien.

Un lourd silence les ensevelit, vite perturbé par les différents téléphones qui sonnaient ou vibraient. Sous l'impulsion de Manien qui lâcha un « On fait une pause », chacun se mit à répondre, à aller et venir. Ambiance de crise sanitaire grave. Franck et Lucie avaient déjà connu ça, deux ans plus tôt : les microbes, les maladies, nouvelles armes des assassins modernes. Indétectables. Destructrices. Meurtrières. Si l'affaire s'ébruitait, si les médias apprenaient qu'une saloperie se baladait dans le circuit du sang, on courait à la catastrophe.

Lucie s'approcha de Franck, toujours à la même place, le nez dans son carnet.

— Qu'est-ce qui se passe ?

— C'est ce schéma que j'ai réalisé durant les explications de Marcus Malmaison. La société Cerberius, appartenant au groupe WHC, fait des recherches sur la sécurisation du circuit du sang. Regarde… Il est question de filtres.

— Et ?

— Je ne sais pas. Il n'y a sans doute aucun rapport, mais… cette coïncidence m'a immédiatement traversé l'esprit. N'oublions pas que c'est le centre Plasma Inc. d'El Paso qui semble être à l'origine d'une vague de contaminations au Mexique. Plasma Inc. qui contamine d'un côté, Cerberius qui est à la pointe de la sécurité de l'autre, les deux sociétés appartenant à la même nébuleuse…

Sur ces questionnements, Franck alla voir Jacques pour se renseigner sur ses avancées au sujet de l'organigramme de Plasma Inc.

— J'ai passé des coups de fil, fit Levallois. J'attends des retours, je continue à débroussailler.

Derrière eux, Chélide venait de s'accroupir devant les tableaux de Mev Duruel, posés sous la fenêtre. Il tenait entre ses mains celui avec le crocodile.

— Les fameux tableaux… Expliquez-moi.

Tout le monde était revenu dans l'open space. Chélide se tourna vers Manien, qui lui-même se tourna vers Sharko.

— Je vous ai parlé de Mev Duruel tout à l'heure, fit Franck. C'est elle qui peint ce genre de scènes. La jungle, les têtes suspendues aux branches, et surtout des individus qui, eux non plus, ne semblent plus avoir peur du danger. Possible qu'eux aussi aient été atteints par ce mal. On pense que Duruel a vécu sa petite enfance au fond de la jungle vers la fin des années 1950. Peut-être la Papouasie-Nouvelle-Guinée. Une zone cannibale, pense-t-on, car son père adoptif sillonnait ces régions-là à l'époque et Mev Duruel se nourrissait d'organes d'animaux quand elle a été récupérée.

L'anatomopathologiste se redressa, se tenant le menton.

— Maladie à prions... Papouasie-Nouvelle-Guinée... Années 1950... Je suis certain d'avoir déjà lu ça quelque part. Dans un article, une vieille revue de science ou au fond d'archives. Ça remonte peut-être même à la fac. Je vais essayer de vous retrouver les sources.

Walkowiak lui tendit sa carte de visite.

— Si vous trouvez, appelez-moi, que je sois au courant.

Chélide acquiesça et empocha la carte. Pascal se leva de son bureau et vint rejoindre le groupe.

— Excusez-moi de vous interrompre. Ça y est, on a fait des recherches sur les identités des donneurs de sang de Pinault, Rubbens et Mourtier. D'après les fichiers de la Sécu, il n'existe pas de Félix Magniez ni de Thierry Lopez nés un 8 janvier 1989. Mais en revanche, Cédric Lassoui, dont le sang a été transfusé à Carole Mourtier, existe bel et bien, il habite un quartier chaud d'Aubervilliers. Casier assez chargé, petite délinquance classique : vols à l'arraché, agressions, drogue…

Les yeux de Manien brillèrent.

— Ça veut dire qu'on tient potentiellement l'un des membres de la secte qui refourgue son sang malade. J'appelle le juge. On va taper Lassoui demain, à la première heure. Je vais solliciter de nouveau la BRI, pas de risques. Si ce salopard est lui aussi touché au cerveau, il n'aura pas peur de se faire flamber ou de sauter par la fenêtre à la moindre alerte. On doit à tout prix le coincer vivant et lui faire cracher tout ce qu'il sait.

79

En ce début de soirée, ils étaient quatre autour de la table. Deux adultes, deux enfants. Une famille unie, de classe moyenne, avec ses hauts et ses bas – surtout ses bas. Sharko observait ses deux fils, confortablement installés sur leurs chaises évolutives, le nez plongé dans leur purée. Il avait toujours veillé à ce qu'ils ne manquent de rien, quitte à se serrer la ceinture. Il les voyait déjà entrer à l'école primaire – celle des grands, puis affronter le collège où ils connaîtraient leurs premiers émois amoureux, les premiers échecs, aussi. Plus tard, l'un s'orienterait peut-être vers la médecine, l'autre vers l'architecture ou l'aviation. Mais peu importait le métier : chacun à leur manière, ils aideraient le monde à tourner, ils accompliraient de beaux projets, auraient une vie dont lui, leur père, serait fier, avant qu'arrivent les petits-enfants, le plus nombreux possible pour égayer la maison. Avec Lucie, ils auraient tous les deux des cheveux blancs, des os fatigués, mais ils seraient heureux. Sharko ne demandait rien de plus. Juste un bonheur simple, accessible, auquel chacun sur cette Terre devrait avoir droit.

Il secoua la tête quand il entendit le téléphone de Lucie vibrer. Retour à la réalité, celle où des salopards polluaient le sang et contaminaient des innocents, la tête farcie de convictions débiles.

Lucie décrocha, tandis que Janus léchait les doigts chargés de purée que lui tendait Jules. Sharko comprit que Jaya était à l'autre bout de la ligne, que Nicolas, après avoir débarqué ici la veille, venait d'aller frapper à la porte du domicile de leur nounou. Elle ne l'avait pas laissé entrer, mais elle paniquait, désormais : comment avait-il obtenu son adresse ? L'avait-il suivie ? Il était plus de 20 heures ! Lucie la rassura du mieux qu'elle put : Nicolas était policier et ne lui ferait jamais de mal. Son doigt tremblait lorsqu'elle appuya pour raccrocher.

Franck se leva d'un coup, chassant si fort sa chaise sur le côté que les jumeaux sursautèrent. Il n'avait pas touché à son assiette.

— Je vais le tuer. Je te jure que je vais le tuer.

Il se précipita sur ses clés de voiture et se dirigea vers la sortie. Lucie fonça pour lui faire barrage, elle avait vu la veine s'épaissir sur son front et était terrifiée de voir ses yeux si noirs : les mêmes que ceux apparus dans la cave de Ramirez.

— Non, Franck !

— Tu crois que je vais le laisser continuer ? Pousse-toi !

— Je ne bougerai pas. Reste ici, je t'en prie. Il n'a rien, aucune preuve, il cherche seulement à nous pousser à bout.

— C'est fait !

Sharko força le passage. Il la poussa d'un geste sec et disparut dans la nuit. Lucie jaillit, tenta d'ouvrir la portière, mais Sharko avait déjà enclenché la marche arrière. Les gravillons giclèrent. Dix secondes plus tard, le moteur hurlait dans la rue. Lucie se précipita vers le tiroir fermé à clé où ils rangeaient leurs armes. Sa poitrine se serra.

Il ne restait qu'un pistolet : le sien.

80

Franck grilla un feu rouge, s'engagea sur le périphérique, slalomant entre les files. Il ne voulait pas que le temps de trajet atténue sa hargne, il voulait débarquer là-bas, brut de fonderie, et coller une raclée à ce fichu merdeux. Lucie n'arrêtait pas d'appeler, il coupa son téléphone.

Châtillon, Malakoff, Vanves, Boulogne. Avenue Pierre-Grenier. Sharko se gara aux forceps entre deux voitures, fourra le flingue dans sa ceinture et traversa en courant. Devant l'immeuble, il appuya sur tous les boutons de l'Interphone sauf celui de Bellanger. Quelqu'un lui ouvrit.

Quatre étages au pas de course, la main accrochée à la rampe. Relents de mauvais souvenirs. La dernière fois qu'il était venu ici remontait à la mort de Camille. Nicolas avait déjà commencé à plonger.

Numéro 43. Deux coups secs sur le bois. Attente. Pas un bruit. Le flic tourna la poignée, prêt à défoncer la porte, mais elle n'était pas verrouillée.

Il s'invita à l'intérieur, referma derrière lui, histoire de lui réserver un comité d'accueil. Lumière.

L'appartement avait vieilli, torpillé d'odeurs de clope et de whisky. Il vit la grosse tache foncée, sur l'un des murs du salon, et des éclats de verre au sol. Des mégots en pyramide dans les cendriers. De la paperasse partout. Sharko comprenait le désespoir de Nicolas : rien de beau entre ces murs. Pourquoi toutes ces photos de Camille, sur les meubles, la table basse ? Comment pouvait-il vivre ainsi, cerné par le regard d'une morte ?

Direction la chambre. Encore pire. Les mêmes photos, le même visage, dupliqué à l'infini, dans des cadres. Le lit au milieu de ce palais de portraits. Un kaléidoscope de folie.

Franck revint dans le salon et fourra le nez dans les papiers. Il tomba sur la copie du rapport de procédure pénale. Le feuilleta. Les passages concernant les expertises psychiatriques de Ramirez étaient soulignés en fluo. Sur le côté, un carnet Moleskine avec des notes. Sharko y jeta un œil.

Bon Dieu…

Tout y était. Les éléments de l'enquête Pray Mev, mais aussi ceux de l'*autre* enquête. Ses déductions, des schémas de la cave, avec les trajectoires de balles, des indices, alignés les uns sous les autres : « *Sharko a sûrement récupéré une balle au stand de tir… La munition dans le plafond est celle d'un flic… Comment Jacques est tombé malade ? Sharko a peut-être truqué le PV de constate, à cause d'un cafouillage avec les douilles…* »

Franck tourna les pages, abasourdi. Nicolas avait consigné les faits de bout en bout, et il savait presque tout. Que Lucie était entrée avec une clé, cette nuit-là, qu'elle s'était battue avec Ramirez, qu'elle l'avait tué par accident. Il avait compris qu'ils avaient faussé la scène de crime et s'étaient arrangés pour récupérer l'enquête. Aux détails près, il avait dressé le tableau de la vérité.

Les pages tremblaient entre les mains de Franck. Il lut encore… Nicolas faisait mention de Simon Cordual, un collègue d'Anatole. Bien sûr… C'était par ce biais que Bellanger avait découvert le lien de parenté entre Lucie et Anatole, il était allé au commissariat d'Athis poser ses questions. Il avait emprunté une voie royale à laquelle Sharko n'avait même pas pensé une seule seconde.

Le flic se sentit empêtré dans une toile d'araignée que Bellanger avait tissée avec soin. Heure après heure, même dépourvu de ses fonctions de flic, il continuait à rassembler les éléments du dossier « Sharko & Henebelle ».

Franck tourna la dernière page. Nicolas y avait inscrit une liste de tâches. Celles d'aujourd'hui, vendredi 2 octobre : « *Passer au stand de tir. Fouiller encore chez Ramirez... Aller chez la nounou…* »

Celles de demain, samedi 3 octobre : « *Recommencer avec la tante... La nounou... Les surveiller... Aller chez Mélanie Mayeur pour rechercher sonnerie téléphone.* »

Sharko tiqua sur la dernière ligne. Chercher une sonnerie chez Mayeur ? Qu'est-ce que ça voulait dire ?

Il alla éteindre la lumière, se cala plus profondément dans le fauteuil et attendit, son flingue posé sur la table basse. Il fixa ses mains ouvertes devant lui : elles tremblaient beaucoup moins. Malgré lui, l'adrénaline se diluait, sa rage s'évaporait petit à petit. Et Bellanger, qui ne revenait pas. Qu'est-ce qu'il fichait ?

Il posa les yeux sur le carnet Moleskine. « *Aller chez Mélanie Mayeur pour rechercher sonnerie téléphone.* » Le flic se rappela les propos de la jeune femme, lors de son interrogatoire : elle avait expliqué ne plus se souvenir de la musique de la sonnerie, peut-être entendue dans un film. Franck se souvint alors de sa collection de DVD rangés dans un coin, lorsqu'ils avaient débarqué chez elle et constaté sa disparition. Et si *Apocalyspe Now* s'y trouvait ? Pas une réelle preuve, certes, mais encore un élément à charge que Bellanger pourrait ajouter à son dossier.

Une heure s'écoula. Franck n'en pouvait plus d'attendre, tourmenté par cette histoire de DVD. Il fallait damer le pion à Bellanger, au moins sur ce coup-là. Et puis, Vanves était sur la route du retour. Il remit le carnet à sa place, récupéra son arme et sortit. Il ne savait pas quand il reviendrait – ils intervenaient au domicile d'un membre de Pray Mev le lendemain à 6 heures –, mais il réglerait ses comptes dès qu'il en aurait l'occasion.

Une fois sur le périphérique, il envoya un SMS à Lucie pour la rassurer : « Il n'est pas chez lui, tout va bien. Je rentre bientôt. »

Vanves. La barre d'immeubles. Il s'élança dans le hall, l'escalier. Tout lui brûlait à l'intérieur : les muscles, les os. Sa tête partait en vrille, son corps commençait à lâcher. Il fallait que tout ça se termine, et vite : il ne tiendrait pas une semaine de plus.

Comme il s'y attendait, personne n'avait pensé à appeler le serrurier pour réparer la serrure défoncée. Après la découverte du cadavre de Mayeur dans les champignonnières, aucun d'entre eux n'avait eu l'idée de revenir ici, ne serait-ce pour coller des bandes « POLICE NATIONALE ». Les ressources n'étaient pas extensibles, et tout était allé beaucoup trop vite. Cette enquête avait laissé des trous béants dans les procédures.

Par précaution, il avait embarqué ses gants en cuir. Il entra sans bruit, referma, préféra utiliser sa lampe torche, histoire de ne pas attirer l'attention des voisins. Tout était resté en l'état, notamment les objets renversés. Les vampyres étaient venus enlever Mayeur chez elle, sans crainte d'être pris.

Il balaya l'espace avec sa lampe. Le meuble avec les DVD l'attendait au fond de la pièce, à proximité de la télé. Sharko se précipita et s'agenouilla devant les jaquettes alignées. Des films d'horreur et sanglants, par dizaines, sur le haut du meuble. Il s'aida de l'index pour être sûr de n'en manquer aucun. Zombies, vampires, loups-garous. Plus bas, la guerre. *Voyage au bout de l'enfer*, *Platoon*, *Pearl Harbor*. Pas d'*Apocalypse Now*. Il refit un second passage, afin de s'assurer qu'il n'avait rien raté.

Soudain, un ronflement d'hélicoptère jaillit dans la pièce. Sharko sursauta. La télé venait de s'allumer sur le gros plan d'un visage casqué. À l'écran, Franck reconnut le lieutenant-colonel Kilgore, joué par Robert Duvall. L'acteur appuya sur le bouton d'un lecteur de bande intégré au cockpit de l'hélicoptère qu'il pilotait. Dessous, la jungle. Vibrations sonores. Timbales, trombones, cors montaient en puissance par les haut-parleurs collés à l'extérieur de l'engin. Vagues instrumentales, Martin Sheen qui, à l'arrière, fixe ses collègues, incrédule.

Apocalypse Now… Le raid des hélicoptères, appuyé par *La Chevauchée des Walkyries*, résonnait désormais plein pot dans l'enfer vietnamien.

Franck aperçut l'ombre qui se dessina depuis le couloir, en retrait de l'écran. Nicolas.

— La guerre psychologique, Franck… Dans *Apocalypse Now*, les Viets entendaient *La Chevauchée des Walkyries* venue du ciel avant même de percevoir le bruit des hélicoptères. Ils savaient qu'ils allaient mourir sans voir la moindre arme de guerre.

Nicolas tenait une télécommande dans la main. Ses yeux brillaient dans le clair-obscur de l'appartement.

— Comme dans le film, on dirait bien qu'on est au bout de la rivière, tous les deux. Aux portes de l'enfer.

Il se dirigea vers une bouteille de rhum posée sur le dessus d'un baril décoratif, prit deux verres qu'il posa sur la table basse et s'installa dans le fauteuil.

— Tu viens boire un coup ? On ne devrait pas faire ça ici, chez une morte, mais au point où on en est… Personne ne nous en voudra vraiment.

Sur la télé, les hélicoptères attaquaient. Les missiles giclaient, les femmes couraient dans tous les sens, leurs enfants dans les bras. La cour d'une école vola en éclats. Barbarie et cruauté.

Tandis que Nicolas éteignait la télé, Franck se redressa et vint prendre son alcool. C'était le geste qui lui paraissait le plus naturel à ce moment-là, tant il était déstabilisé. Il s'assit sur le bord d'un fauteuil face à celui de Nicolas, le verre serré entre ses mains.

— Tu m'as pris sur le fait comme un gamin qui aurait fait une connerie, on dirait bien.

— Lucie m'a appelé il y a une heure, mais je n'ai pas répondu. Elle m'a laissé un message pour m'avertir que tu risquais de débarquer chez moi, et pas forcément avec les meilleures intentions du monde… Mais je le savais, Franck, que tu viendrais me voir, parce que tu ne pouvais plus me laisser continuer. Alors je t'ai attendu ici. Et maintenant, nous voilà, tous les deux, comme dans la scène finale de *Heat*. Tu as vu ce film, tu te rappelles, le face-à-face Pacino/De Niro ? Deux hommes qui se respectent au plus haut point, mais qui savent comment tout cela va se terminer.

Franck but une gorgée.

— On est sur le point de les avoir, tu sais ? Pray Mev… On sait pourquoi ils agissent…

— Éclaire-moi.

— Ils contaminent le circuit du sang par des dons dans des EFS. Une fichue protéine mal formée qu'ils portent déjà en eux se cache dans les produits sanguins qu'on redistribue à des patients. Une fois dans un nouvel hôte, la maladie se développe et vient détruire les neurones liés au circuit de la peur…

Nicolas pâlit et porta une main à sa nuque. Alors, c'était cette saloperie que le gourou lui avait injectée ? Une maladie qui allait le détruire de l'intérieur ?

— … Demain matin, on va taper chez l'un des membres. On espère une réaction en chaîne qui va nous mener au gourou. On va mettre ces gens hors d'état de nuire. Sans ça, ils continueront indirectement à tuer des centaines, des milliers de personnes. C'est difficile à estimer, mais les dégâts sont considérables.

Bellanger baissa le regard sur son verre, silencieux. Franck prit le sien et but une gorgée.

— Lucie croyait que Ramirez n'était pas chez lui, cette nuit-là... Il s'est jeté sur elle, elle n'a pas eu d'autre solution.

— Un accident, je sais. Pour la couvrir, t'as mutilé Ramirez, et je crois que cette ordure le méritait sincèrement. Mais t'as rendu Jacques malade, t'as falsifié des papiers officiels, tu nous as regardés nous creuser la cervelle alors que tu connaissais une partie de la vérité. Tous ces mensonges...

— Tu crois que j'avais le choix ?

— On a toujours le choix...

— Et c'est entre tes mains qu'il repose désormais.

Sharko s'extirpa de son fauteuil, lui qui s'était tellement battu, toute sa vie, à coups de nuits blanches, de sacrifices, de blessures morales, physiques, de désespoir et de fausses joies, lui qui, demain à 6 heures, serait bien là, devant la porte d'une ordure, parce que c'était son job et qu'il le ferait jusqu'au bout, quoi qu'il arrive. Sa large carrure, affaiblie, un peu voûtée, se dirigea vers la sortie.

— Une dernière chose avant que tu disparaisses, l'interpella Bellanger. Tu sais que j'ai une preuve ?

Sharko se retourna. Bellanger levait son téléphone portable.

— J'ai un bon contact qui pourrait me faire un bornage du téléphone de Lucie, si je le lui demandais. Tu l'as appelée, le soir de la mort de Ramirez. Mélanie Mayeur se souvient de l'heure exacte de la sonnerie des *Walkyries*, elle avait regardé sur le radio-réveil, tu te rappelles ? 22 h 57, c'est clairement dit sur l'enregistrement de la garde à vue. Et qu'est-ce qu'on trouve, à deux cents mètres de l'habitation de Ramirez ?

Sharko garda le silence, séché.

— … Une antenne-relais téléphonique. Il suffirait de vérifier qu'elle a déclenché le portable de Lucie exactement à 22 h 57, le soir du 20 septembre 2015. Ce coup de téléphone, c'est la preuve qu'elle était dans cette zone géographique très précise lorsque Ramirez a été tué. Tout le monde sait au 36 que la sonnerie de Lucie est *La Chevauchée des Walkyries*. Et qu'entend Mayeur, ce soir-là, à 22 h 57 ? *La Chevauchée des Walkyries*.

Franck fixa son ancien partenaire, qui venait de baisser la tête, se massant la nuque des deux mains. Il devinait les démons qui se battaient en lui, le jour, la nuit.

— J'ai mes réponses, maintenant, soupira Bellanger. C'était tout ce que je voulais, des réponses, rien de plus. Qu'est-ce que tu croyais ? Que le petit toxico allait baver chez Manien et foutre en l'air votre famille ? Et maintenant tire-toi, Franck. Laisse-moi seul.

81

Quand Franck rentra, il expliqua à Lucie son tête-à-tête avec Nicolas. Elle vint le serrer dans ses bras. Était-il possible que le cauchemar prenne fin ? Qu'ils puissent envisager un avenir plus serein ?

— Tu es bien certain qu'il ne dira rien ?

— Il l'a laissé entendre, en tout cas.

Ils s'installèrent sur le canapé, soulagés. Après quelques minutes, Lucie bascula de nouveau sur leur affaire.

— Je n'irai pas interpeller Lassoui avec vous demain. Je pars tôt pour la Belgique, du côté de Spa.

— Spa ? Qu'est-ce que tu vas aller faire là-bas ?

— Matthieu Chélide a fait des recherches, il a retrouvé des infos dans un vieil article de fac de médecine, au sujet des maladies à prions, et nous a mis sur la piste d'un certain Arnaud Van Boxsom.

Elle lui tendit une vieille photo en noir et blanc, imprimée depuis Internet. Sharko découvrit le visage clair, volontaire, d'un homme assis au milieu d'une tribu d'indigènes. Des hommes de petite taille, presque nus, tenant leurs lances avec fierté.

— Van Boxsom, un médecin qui est resté, dans les années 1950, plus de dix ans auprès des Sorowai, une tribu primitive et cannibale de Nouvelle-Guinée. Là-bas, il a étudié une maladie inconnue qui décimait les membres de la tribu. Il l'a appelée le koroba. Il s'agirait de l'une des toutes premières maladies à prions, spécifique à cette peuplade isolée. La maladie s'en prenait au système nerveux central et provoquait des tremblements irrépressibles, des pertes d'équilibre, une dégénérescence, puis la mort.

— Ça semble plus proche de la vache folle que de notre maladie.

— Oui, mais les lieux, l'époque, les prions, les peintures de Duruel, tout colle. Et d'après ce qu'a raconté Chélide, Arnaud Van Boxsom est revenu aux trois quarts fou de la jungle, ses recherches ont juste fait l'objet d'articles mais, visiblement, son travail n'a jamais été reconnu par le monde médical, faute de preuves. Aujourd'hui, il vit au beau milieu de la forêt d'Ardenne, en Belgique, coupé du monde. Ça vaut le coup d'aller le voir.

— Tu y vas seule ?

— Walkowiak sera de la partie pour le côté technique.

Sharko acquiesça, puis annonça qu'il allait se coucher. Après un détour dans la chambre des enfants, il s'effondra sur son lit, vidé de ses forces. Lorsqu'il ferma les yeux, les pales d'hélicoptères, les hurlements des Viets qui se faisaient bombarder sifflaient dans sa tête. Aux portes des rêves, il vit le visage du colonel Kurtz, maquillé de vert et de marron, armé de ses yeux froids de serpent et prêt à décimer toute forme de vie.

Franck ignorait comment le film allait se terminer, mais une chose était sûre : la fin approchait.

82

Aubervilliers, en Seine-Saint-Denis, 5 h 30. Quartiers Robespierre-Cochennec-Péri, comme enfoncés dans une gorge noire. Des barres grises s'allongeaient jusqu'au bout de la nuit, encastrées les unes dans les autres tels les murs d'un labyrinthe géant. On les présentait comme des « quartiers animés » de la ville, ils n'étaient que des incubateurs de misère et de violence. La France aussi avait sa frontière mexicaine : Paris et ses beaux quartiers d'un côté, la couronne et ses dents gâtées de l'autre.

À l'arrière du véhicule conduit par Pascal, Sharko collait sa tête à la vitre. Juste une paire d'heures de sommeil accrochées aux paupières. L'odeur de ses fils serrés contre lui… Le souvenir de son face-à-face avec Nicolas…

Retour au présent. Une pluie fine et grise donnait l'impression d'un rêve éveillé, avec les habitations qui ondulaient dans la bruine, ce ciel noir et orange pollué par la lumière diaphane de la capitale, les rails du RER qui luisaient comme une lame de couteau dans le brouillard. Enfin, ils abordèrent le quartier endormi, le seul moment de paix pour les habitants, entre 3 et 7 heures du matin, avant que la misère réapparaisse. Sharko imaginait ces jeunes qui, la journée, brûlaient la gomme de leurs scooters sur les parkings, ces sentinelles – les chouffes – qui disparaissaient dans les halls des immeubles à la vue de la moindre voiture étrangère, et l'espoir qui battait des ailes pour aller se fracasser dans les cellules des commissariats de banlieue où l'on ne savait plus quoi faire de la délinquance.

Alors qu'ils approchaient, le flic se rappelait aussi les explications de Peter Fourmentel, le journaliste au visage brûlé, au sujet des vampyres. Des jeunes en rupture avec la société, facilement influençables, côtoyant le démon et prêts à s'allier à une idéologie destructrice, pour peu qu'elle soit contre ceux qui font les règles. Un terreau parfait pour les sectes en tout genre. Des destructeurs de l'humanité, capable de faire rejaillir en l'homme ses pulsions les plus primitives et sanguinaires. Ces jeunes n'étaient que de la chair à canon, prêts à s'infliger des maladies, à se tuer eux-mêmes à petit feu avant que leur corps explose, et ils ne s'en rendaient même pas compte.

5 h 50. Les deux véhicules banalisés de la BRI et celui de l'équipe Manien se garèrent à une centaine de mètres de leur cible, dans une rue adjacente. Mise en colonne, pas de course en silence, ombres enfoncées le long des façades. Il fallait taper vite, avec précision, sans bavure, avant que les esprits s'éveillent, déjà chauffés à blanc.

La tour Péri était en vue. Ils pénétrèrent dans la bouche fétide du hall, la cage d'escalier tout en tags et odeurs de cannabis incrustées jusqu'au cœur de la pierre. Concert muet de semelles sur les marches, feulement des tenues, crissement des casques lourds sur les crânes. Une scène que Sharko avait déjà vécue tant et tant de fois, au cours de sa carrière. L'impression d'un film sans fin.

Sixième étage, porte au fond à gauche, un vrai trou à rats. Les hommes se positionnèrent. Le bélier portatif arracha en deux coups la porte du bâti. Les molosses se déversèrent dans le studio comme une nuée de guêpes jaillies d'une ruche.

Personne. Sharko, Manien et Robillard investirent les lieux. Les draps chiffonnés traînaient dans un coin du salon qui faisait office de chambre. Un tas de cendres gisait au milieu du carrelage : des papiers brûlés. Il était évident que Lassoui avait déserté.

Devant l'échec, les flics accusèrent le coup. Des portes voisines s'ouvraient déjà dans les couloirs. Pascal alla poser des questions aux habitants du palier, tandis que Sharko restait à l'intérieur. Lassoui avait-il été prévenu de leur arrivée ?

La fouille dura à peine dix minutes, plus rien à récolter ici. Il s'accroupit près du tas de papiers brûlés. S'amoncelaient un bout de carnet carbonisé, des cartes prépayées de téléphone. Une feuille avait à moitié brûlé, mais il restait un morceau d'inscription notée à la va-vite au stylo :

...toirs
Nozay

Nozay... Une ville de la banlieue sud, pas loin de Longjumeau. Sharko embarqua le papier et sortit.

Les tout premiers interrogatoires du voisinage ne donnèrent rien. Les gens ne savaient pas, personne ne savait jamais rien dans ces tours, de toute façon. Peur des représailles. Les esprits s'échauffaient déjà, les voix portaient dans les couloirs, provoquant d'autres ouvertures de portes, des cris d'enfants, des groupes qui commençaient à se former. Pour le moment, mieux valait ne pas traîner.

Les flics quittèrent les lieux comme ils étaient arrivés : en coup de vent, et les mains vides.

83

Les abattoirs de Nozay étaient une structure abandonnée depuis les années 1950, à la périphérie de la ville. Assis à son bureau, Sharko avait vite compris, après une recherche sur Internet, à quoi correspondaient les inscriptions en partie brûlées sur le papier.

Il en fit part à Manien, déjà assommé par les appels, les comptes rendus à établir, les réunions à programmer. Le chef était à bout, lui aussi. L'affaire se propageait dans les institutions et les ministères. Au plus haut rang de l'État, les responsables de la Santé paniquaient devant l'ampleur du scandale à venir.

Manien ne pouvait pas solliciter de nouveau la BRI mais obtint néanmoins l'appui de deux membres de l'équipe Joubert. En descendant avec Robillard et ses deux collègues, Franck croisa Nicolas qui montait. Il se retourna dans le dos de Bellanger qui, lui, poursuivit vers le troisième étage sans réagir.

Deux véhicules se mirent en route. Robillard au volant de l'un avec Sharko à côté, muet, tourmenté. Nicolas était peut-être venu rendre son arme ou répondre à une convocation ?

Périphérique, direction l'Essonne, bouchons, coups de deux-tons pour se forcer le passage. Les deux collègues de l'équipe Joubert suivaient. Sharko prit des nouvelles de Lucie par SMS : Walkowiak et elle arrivaient du côté de la ville de Spa, en Belgique, ils atteignaient leur destination. Il ne lui parla pas de la présence de Bellanger au 36.

La pluie se fracassait sur le pare-brise avec une force capable de le réduire en miettes. Pas un mot dans l'habitacle, mâchoires crispées sur visages fermés. Il y régnait une tension électrique, la sinistre impression d'un malheur proche. Les flics étaient trop à cran pour avoir envie de discuter, de toute façon.

Ils atteignirent le sud de Paris, après trois quarts d'heure de galère, s'engagèrent sur la nationale 20 – encore elle. Les braves travailleurs, cul à cul, se dirigeaient vers la capitale. Ils dépassèrent en silence la route qui menait chez Ramirez, là où le cauchemar avait commencé. À travers les murailles d'eau, Sharko ne put s'empêcher de fixer l'antenne-relais qui pourrait le trahir.

Ils doublèrent La Ville-du-Bois et prirent la D35. Trois bornes à travers champs. Puis Nozay, qu'ils traversèrent comme des flèches. Ils sortirent de la ville par l'est, jusqu'aux dernières maisons, et tournèrent plus loin sur une route craquelée, barrée au bout de cent mètres par deux énormes plots de béton. Autour, des friches, des herbes hautes, des monts de terre envahis de végétation interdisaient tout passage motorisé. En arrière-plan, une série de sinistres bâtiments succombaient aux mâchoires du temps : un château d'eau, des entrepôts, des garages, des enclos et les fameux abattoirs. Sharko revit, l'espace d'un flash, les porcs accrochés les uns derrière les autres, enserrés dans leur structure en caoutchouc qui les empêchait de gigoter.

Les flics se rassemblèrent, emmitouflés dans leurs parkas, blousons, K-way. Le vent fouettait les visages, les gouttes s'écrasaient en cratères déments sur le sol. L'impression qu'une seconde nuit tombait, comme si la horde des vampyres empêchait le soleil de se lever. Franck brandit son arme, s'empara de sa torche qu'il garda pour le moment éteinte et prit la tête du groupe.

— On y va. À la moindre alerte, on se rabat.

Ils avancèrent en file indienne, courbés par la force des éléments. Aucune trace de vie, pas de véhicules, l'immobilité des choses mortes. En face se découpait le château d'eau, gros T à l'assaut du ciel, jumeau de celui de Looze. Une vieille baraque taguée jusqu'à l'os, un alignement de citernes rouillées posées sur d'énormes structures en béton, en frontal du long bâtiment où l'on avait égorgé tant de bêtes par le passé. Sharko vit, dans ces lieux, l'infernal résumé de leur enquête au goût de sang, une sorte d'épilogue macabre.

Les flics redoublèrent d'attention lorsqu'ils entrèrent dans l'abattoir, squelette d'acier, de brique rouge, à l'haleine chargée d'humidité, d'odeurs d'écorces, de relents de tripes. La pluie suintait du plafond, les lampes torches balayaient les angles crasseux, les murs d'ombres, le sol éclaté comme si on avait éparpillé des pièces de puzzle. Un roulement de canette pétrifia Sharko, qui se retourna, les deux mains sur son pistolet.

— Ce n'est que moi, murmura un collègue trempé. Désolé.

C'était l'Oreille qui avait gaffé – il devait son surnom à un suspect qui lui avait arraché la moitié du lobe gauche avec les dents. Ils se divisèrent en deux groupes, l'un vers la droite, l'autre vers la gauche. Tout était figé, bouffé par les années. Ils évoluaient là, dans l'antre du sang, il y avait forcément quelque chose à trouver. La symbolique était trop forte. Sharko creusa les niches obscures avec sa torche, s'enfonça toujours plus loin, secondé par Pascal et Jacques, qui frottait son front ruisselant. Les deux hommes retenaient leur souffle.

Lorsque Sharko se retourna pour voir où en étaient les collègues de l'autre équipe, il ne discerna que des hommes figés, comme englués, leurs torches braquées vers le sol. Leurs pieds luisaient de rouge. Ils levaient leurs semelles d'où semblait couler un liquide visqueux.

Du sang, bien sûr.

84

La forêt d'Ardenne, à perte de vue, avalait les routes, engloutissait les villages dans un paysage tourmenté. Lucie avait toujours imaginé la Belgique tapissée de champs au relief plat et d'usines hors d'âge, elle affrontait un univers presque primitif, aux sources thermales jaillissantes, où l'arbre et la roche régnaient en maîtres dans un baiser minéral.

Avec Geoffroy Walkowiak, ils roulaient depuis plus de cinq heures et approchaient de leur destination. Matthieu Chélide s'était démené pour obtenir l'adresse de source sûre. Ou plutôt, en guise d'adresse, un point sur une carte. Depuis plus de vingt ans, le médecin Arnaud Van Boxsom vivait reclus dans les profondeurs de son pays de naissance, en un havre reculé de la forêt.

Elle dut garer son véhicule sur la dernière trace de route affichée par le GPS : un cul-de-sac en gravier. Il fallait continuer à pied, à travers la végétation, sur plus d'un kilomètre. Elle ouvrit le coffre et en sortit une peinture de Mev Duruel : elle avait trouvé judicieux de l'emporter. Walkowiak fit part de son inquiétude.

— Il n'y a rien ici. Vous êtes sûre de votre coup ?

— Nous serons fixés d'ici quelques minutes.

Sans un mot, ils s'enfoncèrent parmi les fougères, jusqu'à ce que la forêt les engloutisse. Tableau sous le bras, GPS dans l'autre main, Lucie eut l'impression de marcher des heures. Elle commençait à douter, quand elle entendit des claquements réguliers, droit devant, venus perturber la longue apnée de la forêt. L'éclat d'une hache se découpa alors entre les troncs. Au bord d'un trou de verdure, un jeune homme d'une vingtaine d'années fendait des bûches. Il stoppa tout mouvement lorsqu'il les vit éclore d'entre les feuillages. À le voir avec sa hache, Lucie imagina le remake d'un mauvais film gore.

— Nous sommes venus voir Arnaud Van Boxsom.

L'homme se frotta le front et se positionna entre eux et la cabane en retrait.

— Il ne veut pas recevoir de visite.

— Je suis de la police française, M. Walkowiak est directeur d'un Établissement du sang. On a fait plus de quatre cents kilomètres pour venir le voir. Qui êtes-vous, au fait ?

— L'homme à tout faire, dirons-nous.

Lucie lui tendit la toile.

— Dans ce cas, donnez-lui juste ça. Dites-lui que c'est important. Nous attendons ici.

L'individu disparut dans la cabane fondue dans le décor. Le lierre dévorait l'habitation et semblait vouloir l'engloutir vers le centre de la Terre. Seule verrue au tableau : une motocross. Le jeune bûcheron réapparut une minute plus tard. D'un signe, il leur indiqua d'entrer, avant de retourner vers son tas de bois.

L'ancien médecin était comprimé dans un fauteuil – ou plutôt, c'était le fauteuil qui semblait s'être moulé autour de lui. Lucie pensa à un parchemin d'archives. Il était vêtu simplement – tee-shirt gris, pantalon en toile beige, les pieds nus chaussés de sandales en cuir. Rapide tour d'horizon. La cabane était équipée du strict minimum : une cuisine en dé à coudre, une chambre au bout d'un petit couloir, un coin toilette et, surtout, des livres, tellement nombreux qu'ils semblaient constituer les murs mêmes de l'habitation.

La toile reposait sur les genoux du vieillard.

— Qui êtes-vous ? Où avez-vous eu ce tableau ?

Walkowiak prit les devants et entra dans le vif du sujet : il était probable qu'une maladie à prions nouvelle s'en prenait en ce moment même au cerveau d'individus contaminés par le sang et s'attaquait au centre de la peur. Et ils étaient ici parce que ce tableau faisait partie de l'énigme et avait été peint par une femme ayant probablement vécu durant son enfance au fond d'une jungle de Papouasie-Nouvelle-Guinée dans les années 1950. Là où lui-même avait travaillé sur le koroba.

— Cette peintre… Quel âge a-t-elle aujourd'hui ?

— Une soixantaine d'années.

— Bon Dieu, soupira le vieil homme. Celle que j'ai vue étant gamine est toujours vivante…

Quand elle vit la façon dont il parlait et caressait le tableau, Lucie sut que toutes leurs réponses étaient enfin là, endormies dans les replis de ce vieux cerveau. L'homme s'humecta les lèvres d'un bref mouvement de langue, puis considéra encore la peinture.

— Comment s'appelle-t-elle ?

— Mev Duruel.

— Duruel… C'est le nom d'un entomologiste français qui faisait des recherches sur les araignées et était parmi les colons à cette époque. Cette fille n'était pas la sienne, mais après tout ce qui s'est passé, je suppose qu'il l'a prise sous son aile et ramenée en France.

Il leur demanda d'aller chercher les deux chaises et un tabouret dans la cuisine. Ils s'installèrent face à lui.

— Tout le monde s'est toujours fichu du koroba. Un vrai fiasco. Cette maladie que j'avais découverte au plus profond de la jungle n'a fait l'objet que de quelques articles dans des revues, et c'était il y a plus de cinquante ans. Comment vous en avez entendu parler ?

— On travaille avec un excellent anatomopathologiste à la mémoire d'éléphant, répliqua Lucie. Ces articles dont vous parlez, il les avait lus il y a des années.

— Qu'est-ce que vous voulez savoir précisément ?

— Tout. Saisir le sens de ce tableau. Savoir d'où vient Mev Duruel et si des individus, dans la jungle, ne ressentaient plus la peur quand vous étiez là-bas. Comprendre comment cette maladie a pu traverser la forêt, toucher des personnes au Mexique et se retrouver en France.

Van Boxsom encaissa, il paraissait effrayé par les propos de Lucie.

— Toucher des personnes au Mexique ? Se retrouver en France ? Seigneur Dieu… Parlez-m'en d'abord. Expliquez-moi tout ce que vous savez.

Il exprima une vraie curiosité, posa des questions. La carcasse était fatiguée, mais les neurones flambaient sous le crâne plissé. Après quelques échanges, le vieux médecin gonfla ses poumons et lâcha son trop-plein de souvenirs.

— Je suis né ici, mais j'ai grandi en Australie, mes parents étaient géologues et travaillaient dans les minerais de fer. Je venais de terminer mes études de médecine à Adélaïde quand j'ai entendu parler d'une « étrange maladie », au milieu des années 1950. Des paroles circulaient comme une légende, rapportées des voyages des aventuriers, des géographes, des anthropologues qui s'aventuraient pour la première fois dans les zones les plus reculées de la Papouasie-Nouvelle-Guinée. C'était l'époque des grandes explorations, des découvertes. Plusieurs sources certifiaient qu'une maladie obscure frappait une petite tribu primitive des hauts plateaux de l'est. Que des indigènes tremblaient comme des feuilles, perdaient l'équilibre, déliraient. Ces mêmes aventuriers qui étaient revenus des profondeurs de la jungle racontaient aussi que, par-delà le fleuve de cette région sauvage, régnaient la violence et le mal à l'état pur.

Dehors, les coups de hache reprirent avec une régularité de métronome. Lucie distinguait les frondaisons des arbres s'agiter par les fenêtres. Elle pouvait facilement s'imaginer au cœur de jungles hostiles de Nouvelle-Guinée, avec leurs montagnes mordues par la végétation, leurs sommets plongés dans les nuages, peuplés de tribus étranges.

— J'avais terminé mes études. Je vous épargne les détails, j'ai fini par m'installer dans une enclave coloniale de Nouvelle-Guinée – l'île était australienne –, à deux jours de marche de la région où sévissait la maladie. Ces zones lointaines où l'homme civilisé mettait à peine les pieds étaient le territoire du cannibalisme et de la sorcellerie. Les colons me prenaient pour un fou : qu'est-ce que j'allais faire dans cette brousse dangereuse, auprès de primitifs qui mangeaient leurs morts ? D'autant plus que les rumeurs rapportaient que, deux ans auparavant, des hommes blancs – certains parlaient même d'un médecin, un Français – avaient disparu dans ces contrées hostiles. Mais je n'avais pas 25 ans, j'avais en moi cette soif d'aventure, et il faut avouer que j'étais un peu fêlé… Alors, j'ai d'abord fait plusieurs expéditions courtes chez les Sorowai. J'ai vu le mal frapper…

Il se leva avec difficulté, fouilla dans un tiroir et revint avec des clichés en noir et blanc, qu'il tendit à Lucie. Elle découvrit des enfants à l'état de squelette, les yeux révulsés. Des femmes qui regardaient leurs longues mains aux doigts rétractés, comme s'il s'agissait de membres ennemis. Des visages, des postures, des morceaux de jungle. Une ridicule lucarne ouverte sur un autre monde d'une autre époque. Elle les passa à Walkowiak.

— … Au bout d'un an, j'ai décidé de vivre dans le village, coupé du reste du monde. Je voulais étudier le koroba, le photographier, des tout premiers symptômes aux derniers. La maladie effrayait, les guerriers l'avaient liée à la magie d'un puissant sorcier d'un village ennemi, les Banaru, de l'autre côté du fleuve. On rapportait que les guerriers banaru ne connaissaient pas la peur, qu'ils attaquaient le crocodile et le léopard à mains nues, qu'ils écorchaient leurs ennemis et faisaient pendre leurs têtes aux branches des arbres, après les avoir dévorés. Ils avaient anéanti tous les villages à leur proximité. Aucun Sorowai ne franchissait le fleuve. Tous ceux qui l'avaient fait n'étaient jamais revenus…

Lucie et Walkowiak échangèrent un bref regard. Tout y était : la jungle de Mev, les têtes aux arbres, l'absence de peur.

— … Il était pour moi évident que le koroba n'avait rien à voir avec la sorcellerie. Pourquoi ne semblait-il toucher que les femmes et les enfants ? Qu'est-ce qui le déclenchait ? Était-il transmissible ? Et puis, parfois, dans cette logique destructrice de la maladie, il y avait une variante : de temps en temps, un Sorowai, quel qu'il fût, adulte, enfant, se mettait à avoir un comportement de Banaru. Toute forme de peur semblait disparaître chez lui. C'était à n'y rien comprendre. Était-ce lié à une mutation de la maladie, à la façon dont on la contractait ? Je me suis mis à tenir un registre des morts, des naissances, des différentes phases du koroba. Taux de mortalité, prévalence, incidence, sexe, âge… Les mois s'enchaînaient, tandis que le sorcier adverse faisait régner la terreur. La sorcellerie rendait tout le monde fou, créait des paranoïas, la maladie fauchait les vies. Même dans l'enclave coloniale, on a pris peur le jour où une jeune infirmière indienne a disparu. On rapportait la présence de guerriers banaru dans les environs, cette nuit-là, et de leur sorcier blanc. Au village, je sentais de plus en plus sa présence autour de moi. Dans les arbres, la nuit. J'ai pensé à ces hommes blancs qui avaient disparu deux ans auparavant. Le fameux médecin volatilisé était-il le sorcier blanc ?

Il fixa ses longues mains osseuses ouvertes devant lui. Des morceaux de charbon, barrés de cicatrices.

— Je continuais mes recherches. Je retournais une fois par trimestre récupérer de la documentation, qu'on rassemblait pour moi dans la colonie. Marcher dans la jungle devenait de plus en plus dangereux. Les Banaru s'étaient mis à traverser le fleuve en aval, il y avait des têtes accrochées partout. Pourtant, ces guerriers sanguinaires nous épargnaient. Pourquoi ne nous attaquaient-ils pas ? Était-ce dû à ma présence ? Le sorcier blanc leur interdisait-il de le faire ? S'il était lui-même médecin, s'intéressait-il à mes recherches ? Toujours est-il que je revenais au village avec toutes les productions du milieu médical, que j'épluchais durant de longues semaines. C'était à n'y rien comprendre : aucune maladie humaine référencée ne ressemblait au koroba ni à sa variante. J'avais épuisé toutes les ressources de la recherche… Alors, par dépit, j'ai commencé à m'intéresser aux sources vétérinaires, et là, ça a été le choc : une maladie animale, documentée depuis plus de cent ans, était en tout point identique au koroba. Il s'agissait de la tremblante du mouton, qui décimait des élevages d'Europe et frappait les cerveaux des animaux… Une encéphalite spongiforme transmissible. Mais jamais, dans l'histoire de la médecine, une encéphalite n'avait été observée chez l'homme avec un caractère contagieux. Avais-je devant moi les uniques cas d'une encéphalite spongiforme humaine ET transmissible ?

Son récit s'emballait. Soixante ans plus tard, il était de retour là-bas, dans l'enfer vert.

— J'ai donc étudié avec précision la tremblante du mouton. La transmission de la tremblante s'effectuait essentiellement de la brebis à son petit par la voie placentaire ou via le lait. Et si le koroba se transmettait de la même façon par la nourriture ? J'ai scruté mes statistiques : il y avait surtout des enfants et des femmes touchés par le koroba. Pourquoi si peu d'hommes ? Les membres mangeaient pourtant tous la même chose, à un détail près…

— Les morts, intervint Walkowiak.

— Exactement. Seuls femmes et enfants mangeaient leurs morts, jamais les guerriers mâles. C'était donc le cannibalisme qui était à l'origine de la maladie et qui la propageait. Il m'a fallu cinq ans pour comprendre : en mangeant les cerveaux dégénérés des malades, on devenait soi-même malade.

Cinq ans, cela paraissait une éternité à Lucie, mais elle imaginait les conditions de l'époque – les années 1950 dans un monde inconnu, à l'autre bout de la planète –, et toutes les difficultés, culturelles, géographiques et techniques, qu'avait dû surmonter le médecin.

— … Dès lors, il me fallait un cerveau de Sorowai, pour analyse et tests. J'ai attendu la mort d'une gamine de la tribu, atteinte par la maladie. Elle s'appelait Kigea. Ses parents m'ont laissé agir : ma première autopsie en terre cannibale. Ces gens-là mangeaient leurs défunts, l'acte ne les effrayait pas. J'ai ouvert, et j'ai alors vu l'état du cerveau, spongieux. Je suis parti pour Adélaïde avec des échantillons de sang et de cerveau infecté dans des conteneurs spéciaux. L'un de mes amis de faculté travaillait dans la recherche, je lui ai expliqué les enjeux. On a passé des jours à essayer de convaincre des responsables et des chercheurs de nous suivre : nous avions besoin de deux singes pour nos expériences, les êtres les plus proches génétiquement de l'homme. On s'est heurtés à des murs. Alors, on a fini par voler deux chimpanzés dans une réserve, que l'on a ramenés chez mon ami. Puis on a injecté ce sang malade de Sorowai dans l'un, et des cellules de cerveau infecté dans un autre… Il ne restait plus qu'à patienter. Ces singes allaient-ils développer les symptômes du koroba et mourir ? J'avais tout noté dans mes carnets, tout photographié, référencé. Pendant ce temps, j'étais enfermé chez mon ami, j'en ai profité pour rédiger des articles sur le koroba. J'ai éveillé la curiosité de quelques journalistes, « Le médecin blanc qui vit avec des sauvages », « Une maladie mystérieuse venue du fond de la jungle », ce genre de papiers finalement pas très sérieux. Et j'attendais, j'attendais. Si les singes tombaient malades, j'aurais la preuve que le koroba était la première encéphalite humaine transmissible. Vous ne vous rendez peut-être pas compte de la portée de cette découverte, mais c'était de nature à vous conduire à un prix Nobel de médecine.

Son regard se perdit dans le vague, empli de regrets. Puis, d'un geste, il balaya tout cela.

— Les premiers symptômes sont apparus au bout de trois mois. L'un des deux singes s'est mis à trembler, à perdre l'équilibre, tandis que le comportement de l'autre changeait, lui aussi, mais son état ne se dégradait pas. Au contraire. Il était le plus petit mais n'hésitait pas à s'en prendre à son congénère, à l'attaquer. Il nous défiait sans cesse, crachait…

— Sa peur avait disparu, devina Walkowiak. Ainsi, il y avait deux comportements de la maladie différents, selon la voie de contamination ?

— Oui. Une contamination par les cellules nerveuses du cerveau engendrait les tremblements, les déséquilibres, puis la mort. Une contamination par le sang développait cette indifférence au danger, mais ne dégradait pas l'organisme.

— Et c'était donc ainsi qu'avait évolué la tribu des Banaru…

— Tout à fait. Les Sorowai et les Banaru étaient deux tribus cannibales mais aux rites différents : contrairement aux Sorowai, les Banaru ne touchaient pas au cerveau de leurs morts. À l'origine, on peut imaginer que le koroba est apparu spontanément chez un Sorowai, ou que c'est un animal qui l'a apporté là-bas.

— Constituant ainsi le cas zéro.

— Oui. Puis la maladie a commencé à se propager de Sorowai en Sorowai suite à l'ingestion des cerveaux. On peut ensuite estimer qu'un premier Banaru a été contaminé par une blessure en s'attaquant à un ennemi sorowai. Et qu'il s'est mis à contaminer ses congénères avec des rites liés au sang propres à cette tribu. Et c'était parti, une variante du koroba galopait dans les veines des Banaru…

Lucie ne voulait pas l'interrompre avec des questions techniques, mais elle se dit, pour se résumer les choses, que dévorer une cervelle devait apporter un maximum de prions défectueux, donc faire des dégâts plus gros répartis dans tout le cerveau, entraînant une dégénérescence rapide – un effet domino accéléré… Le sang malade, lui, en portait peut-être une quantité infiniment plus petite : la maladie se confinait dans le centre de la peur.

Le médecin expliqua que les deux singes étaient morts, que celui dépourvu de peur n'avait plus supporté l'enfermement. Il avait fallu tout reprendre dans les règles : déchiffrer le koroba étape par étape, avec des protocoles scientifiques, cette fois. Avec ses vidéos de l'évolution des singes et ses nombreuses notes, Van Boxsom avait convaincu une équipe de chercheurs et médecins de l'accompagner dans la jungle. Il était retourné là où il avait déjà passé six longues années de sa vie. Mais en arrivant aux abords du village, il avait découvert l'enfer.

— En mon absence, le mal avait frappé.

85

Le sang… Ce liquide intérieur qui baignait les tissus, gorgeait les muscles, à la fois nourricier et éboueur, porteur de vie et de mort, de remèdes et de maladie, collait sur le sol de l'abattoir.

Quand ils furent regroupés, les flics remontèrent la rivière pourpre qui disparaissait jusqu'au fond des bâtiments. Pas d'autre choix que de marcher dans le liquide poisseux, dont l'odeur de métal en fusion se mêlait à celle de la poussière. On entendait les semelles couiner parmi le fracas de la pluie, tandis que les torches croquaient les coins d'ombre du lieu dévoré par l'abandon. Sharko eut une pensée absurde : les vampyres leur déroulaient un tapis rouge.

L'Oreille braqua soudain sa lampe et son arme vers l'intérieur d'un enclos, là même où, jadis, on emprisonnait les bêtes affolées avant de les saigner. Sous les photons, le corps nu se dessina en une sculpture d'ombre et de lumière. Le crâne rasé, l'homme était de dos et agenouillé dans l'espace confiné, les bras pendants, le cou piégé entre deux barres de fer espacées d'une dizaine de centimètres. Il baignait dans son propre sang.

Dans son dos, les scarifications *Blood*, *Death*, *Evil*. Et sur sa plante de pied gauche, le sigle Pray Mev.

Sharko s'approcha. Le visage se résumait à un magma de chair que seul un lourd objet – une pierre, une masse – avait pu réduire en miettes de la sorte. Un trou béant souriait dans la gorge, ouverte d'une oreille à l'autre. Un coup de couteau net, précis, et la victime avait dû se vider en moins de cinq secondes. Le sexe pendait comme une gousse de vanille, son gland percé de l'*ampallang* à tête de bouc.

Une voix résonna derrière. Il fallut un instant à Franck pour s'extraire de cette vision de cauchemar.

— Il y en a un autre.

Sharko marcha à reculons, au ralenti, sonné. L'enclos voisin présentait le même tableau. Le crâne rasé, le bain de sang, l'exécution, les signes d'appartenance au clan… Et celui d'après aussi, comme une même diapositive qu'on aurait dupliquée à l'infini et fait défiler avec un projecteur.

Les membres du clan étaient alignés, anonymes, saignés comme des bêtes. Impossible de les distinguer, de les reconnaître.

Pascal s'était reculé avec cette envie de s'effondrer au sol, mais il tenait le coup face à l'impensable. Les seuls mots qui franchirent ses lèvres furent :

— Pourquoi ?

Il avait la réponse, mais il éprouvait le besoin de l'entendre de la bouche de son partenaire.

— Le gourou a accompli sa mission, souffla Sharko. Il est allé aussi loin qu'il pouvait mais il savait que tout ceci aurait une fin. Depuis trois ans, du sang malade se répand dans les veines d'innocents. Il sait qu'on est à ses trousses, qu'on se rapproche de lui et que les membres représentent des points faibles parce qu'ils peuvent nous mener à lui. Alors, il se débarrasse de sa matière première. Cet enfoiré a encore l'espoir de s'en tirer. De passer à travers les mailles du filet.

Franck rangea son arme dans son holster d'un geste las, avec cette impression tenace d'être un insecte nécrophage : celui qui arrivait toujours après la fin.

— Il doit être déjà loin à l'heure qu'il est.

— Seize, fit l'un de leurs collègues, blanc comme un cachet d'aspirine. Ils sont seize.

Franck parcourut lui-même tous les enclos, il essayait d'imaginer le scénario : le chef, qui convoque les victimes une à une, qui les emprisonne, les saigne comme des animaux en quelques secondes. Les soumis dépourvus de peur avaient dû se laisser faire. Tout cela lui ficha la nausée.

— Surtout, ne touchez à rien, fit-il. Ce sang est contaminé et renferme la pire des saloperies.

Les hommes restèrent d'abord figés comme des statues de plomb, avant de s'éloigner et d'aller frotter leurs semelles contre les murs, comme s'ils allaient ainsi anéantir la maladie. Le portable de Sharko sonna, il frissonna, mais il ne s'agissait que de Jacques. Il sortit respirer à l'air libre, à l'abri sous un porche. La pluie martelait la terre, vrillait le paysage. Champs et ciel noir s'embrassaient en un baiser minéral.

— Sharko.

— Je crois que je tiens quelque chose de costaud. T'es dehors ? Il pleut pas mal ici, mais on dirait que c'est l'apocalypse autour de toi.

Il ne pouvait pas mieux dire. Pour l'instant, Franck lui épargna leur découverte et trouva un autre abri plus calme.

— Je t'écoute, mais avant, dis-moi : j'ai croisé Nicolas tout à l'heure dans l'escalier. Tu sais pourquoi il est venu ?

— Il était encore là il y a une minute, il est parti. Il a fait un peu de ménage sur son bureau, repris des photos, des objets à lui. Je crois qu'il laissait aussi traîner ses oreilles. Il a posé plein de questions, sur la maladie, les pistes qu'on avait. Je ne sais pas ce qu'il fait, mais visiblement, il n'a pas encore décroché de l'enquête. Bon, pour en revenir à nos moutons, j'ai enfin parcouru la liste des principaux employés du centre Plasma Inc. d'El Paso, en 1980. J'ai joint le centre, mais c'est compliqué sans aller sur place : c'est complètement hermétique, ils ne veulent pas fournir d'infos.

— Ça me paraît logique.

— Alors, j'ai utilisé les moyens du bord : Internet. J'ai tapé les noms des employés les uns après les autres, pour voir où ça menait. Quelques-uns sont encore en activité, j'ai même pu récupérer des CV, des adresses, des photos, tout ce que tu veux. Puis je suis tombé sur un certain Raphaël Merlin. Rien sur le Net concernant l'époque Plasma Inc. mais, d'après l'organigramme que tu m'as fourni, il était l'un des médecins du centre en 1980. La première trace de lui qui apparaît sur le Net date de 2001, dans un article de magazine scientifique en ligne. Ce type est français, 61 ans aujourd'hui. Dans le papier, il est présenté comme un médecin spécialiste des sangs rares et des maladies du sang. Il y parle de drépanocytose, de leucémie, de maladie de Ferjol, de syndrome de Renfield…

— Syndrome de Renfield ? C'est la maladie de Ramirez.

— En effet, c'est sans doute de cette façon qu'ils se sont rencontrés. Le mec, en plus d'être un brillant spécialiste qui exerce d'hôpital en hôpital, est aussi un chef d'entreprise impliqué dans l'industrie du sang. En 2007, il crée une société française, Helikon, qui se base sur le modèle américain Cerberius. Recherche, développement, dépôts de brevets autour de filtres haute technologie à intégrer directement dans les poches de sang.

Depuis dix minutes, Sharko passait, comme la météo, par tous les états possibles. Abattement, colère, et à présent espoir.

— Continue…

— Le marché de la sécurité autour du sang est compliqué, concurrentiel ; la société d'une trentaine d'employés patauge depuis quatre ans et est en difficulté financièrement. Les filtres de Helikon sont trop chers et jugés trop perfectionnés, la réduction du maillage étant estimée comme inutile, puisque les filtres actuels piègent la presque totalité des globules blancs et qu'il n'y a eu aucune alerte sanitaire liée au sang depuis la vache folle. Bref, personne ne les achetait. Mais tu vois où je veux en venir ?

Oui, il voyait. Le plan était limpide : répandre une nouvelle maladie et être le seul sur le marché à proposer des technologies capables de la freiner. Les produits Helikon se vendraient partout dans le monde, l'entreprise était promise à un avenir en or massif. Le flic songea aux diverses théories du complot autour du sida – création en laboratoire par les Américains pour réduire la population mondiale, médicaments qui détruiraient le système immunitaire plus que le virus lui-même afin d'exploiter les malades et de renflouer les industries pharmaceutiques –, on était sur un schéma analogue ici, sauf qu'il ne s'agissait pas de théorie. Une maladie nouvelle avait été progressivement répandue dans le but de s'enrichir, et Pray Mev n'était qu'un moyen d'y parvenir.

La voix de Jacques le tira de ses pensées :

— … J'ai contacté la boîte en me faisant passer pour un journaliste, j'ai demandé à parler à Merlin, on m'a transféré vers un certain Paul Trudeau, directeur adjoint. Depuis deux ans, il n'a plus de nouvelles de son chef que par téléphone. Il m'a raconté que l'état de santé de Merlin a commencé à se dégrader en 2013, sans en dire plus.

— La porphyrie…

— Sans doute. Le fondateur a préféré prendre ses distances, laissant les manettes de l'entreprise à Trudeau.

Sharko entrevoyait la suite de la solution : la porphyrie s'était déclenchée sur le tard. En tant que spécialiste, Merlin avait dû vite comprendre de quoi il souffrait. Il avait déjà commencé à constituer sa secte depuis un an, grâce aux services de Ramirez, et à contaminer le circuit du sang en toute tranquillité. Mais la maladie qui, pas à pas, avait pris possession de son corps, avait fait exploser ses rêves. Il était devenu un être au visage déformé, mi-homme, mi-vampire, atteint d'un mal caché, mortel, dans ses gènes, qu'on ne pouvait plus soigner qu'à coups d'enlèvements d'innocents et d'injections de sang. Son destin avait changé. Plus question d'enrichissement ou de célébrité. Il était un monstre en sursis. Un brusque revers de situation qui ne l'avait pas empêché de continuer à agir, mais dans un seul but de destruction. Faire le plus de dégâts possible, comme une vengeance envers l'injustice qui le frappait.

La voix de Jacques :

— Niveau fichiers, je n'ai rien sur Merlin, hormis deux adresses récupérées au centre des impôts : un appartement dans le 16e et une maison à Dieppe.

Sharko retourna à l'intérieur du bâtiment.

— Envoie-moi les adresses par SMS, on va aller jeter un œil. Préviens Manien, qu'on soit carré avec le juge si on entre chez lui. Qu'il diffuse son identité pour éviter sa fuite. Il a peut-être de faux papiers, mais avec sa tronche, il ne devrait pas passer inaperçu. On se tient au jus en route. Et dis-lui aussi d'envoyer des hommes ici, à Nozay, auprès de l'Oreille et de son collègue. C'est une vraie boucherie.

86

Van Boxsom inspira fort, comme pour emmagasiner la suite de son récit au fond de ses poumons et tout lâcher d'un coup. Lucie et Walkowiak étaient suspendus à ses lèvres.

— À un jour de marche du village que j'avais donc quitté quatre mois plus tôt, notre équipe scientifique s'était divisée en deux, parce que l'un des chercheurs était malade comme un chien et avait dû être raccompagné vers la colonie – c'est ce groupe-là qui, plus tard, réussira à donner l'alerte… Quand nous sommes arrivés au village, la tribu sorowai avait été anéantie, les cases brûlées. Partout, des têtes étaient suspendues à des cordes. Des femmes, des enfants que j'avais connus, c'était horrible. Je vois encore les cadavres, enchevêtrés dans la poussière ocre. De nombreux Banaru ennemis étaient morts pendant le combat, eux aussi, les Sorowai s'étaient défendus bec et ongles, jusqu'au dernier. Un vrai carnage.

Il baissa les yeux et soupira. Lucie était revenue s'asseoir.

— Et au milieu de ce chaos, il y avait deux enfants. Cette petite gamine brune d'à peine 5 ans, qui errait là comme un animal sauvage… Celle sans nom, que vous appelez Mev Duruel. Et un garçon du même âge. Ils se ressemblaient comme deux gouttes d'eau.

— Des jumeaux, lâcha Lucie d'une voix blanche.

— Oui, des jumeaux nés de l'union du sorcier blanc et de l'infirmière indienne. Des enfants de la jungle, élevés de l'autre côté du fleuve parmi les Banaru. Un garçon et une fille.

Lucie vit soudain clair : le gourou était le frère jumeau de Mev Duruel et possédait par conséquent le même groupe sanguin qu'elle, le fameux Bombay.

— Ça a été l'enfer. Les visages gris des Banaru ont jailli autour de nous, on était cernés. Les membres de mon équipe ont été décimés à coups de hache de pierre, jusqu'à ce que leurs visages disparaissent dans un magma de sang. On m'a épargné mais enfermé des jours dans une cage de bambou et donné de quoi à peine survivre. Combien de temps ? Je n'ai jamais su. J'ai attrapé des maladies, commencé à délirer. J'ai vu la tête de l'infirmière rouler à mes pieds. Le sorcier blanc avait tué la mère de ses propres enfants. Le mal l'habitait.

Il porta les mains à son crâne.

— À partir de là, je… n'ai gardé que des bribes de souvenirs. Les corps qu'on brûle… Les tortures, les cris, puis les coups de feu des colons venus nous secourir… Ils ont éliminé les Banaru jusqu'au dernier, pris eux aussi d'une folie sanguinaire… J'ignore pourquoi le sorcier blanc m'a laissé en vie. On était tous les deux venus dans cette région pour comprendre une maladie, et je pense qu'il l'a comprise bien plus vite que moi. Seulement, quelque chose de maléfique s'était emparé de lui au fond de cette jungle. Au lieu de chercher à diffuser ses recherches et guérir les tribus, il s'était construit une armée d'assassins dénués de peur. Il a régné dans le sang et la folie…

Le jeune bûcheron vint vérifier que tout allait bien. Van Boxsom lui adressa un sourire et le pria de sortir d'un geste. Il retrouva son air grave et poursuivit :

— … Les colons l'ont traqué pendant des jours, ils ont fini par retrouver la gamine au bord du fleuve, à des kilomètres de là, prostrée dans la boue. Le frère jumeau, quant à lui, avait disparu : était-il avec le père ? Les deux étaient-ils morts ? C'était ce que je pensais… Jusqu'à aujourd'hui.

Les pièces du puzzle s'assemblaient. Une gamine perdue, sauvage, née d'un viol dans une forêt primaire, récupérée par des étrangers. Roland Duruel, présent dans la colonie, s'était attaché à la gamine et l'avait embarquée dans son pays. Quant au jumeau… il n'était pas mort. Son père l'avait sans doute emmené, sorti de Nouvelle-Guinée, élevé Dieu seul savait comment. Et ce gamin était devenu ce monstrueux gourou qu'ils traquaient. Un digne héritier de la folie paternelle.

— … Quant à mes recherches… tout était perdu, anéanti. Juste ces photos, les quelques articles écrits avant de comprendre la maladie et des fragments de mémoire. Que du papier, mais pas de preuves, d'échantillons fiables. Quand je suis revenu dans le village sorowai après avoir été soigné dans l'enclave coloniale, les corps avaient pourri, il n'y avait plus rien à faire, plus d'échantillons à récupérer, ni des Sorowai ni des

Banaru. Le koroba et sa variante s'étaient définitivement éteints.

Il les fixa, tous les deux.

— Vous dites que la variante du koroba est ici, qu'elle se répand dans le sang d'innocents. C'est que le sorcier blanc a réussi à la sortir de la jungle, à la ramener en terre civilisée. Il n'aurait pas pu conserver la maladie en la transportant sous forme d'échantillons. Je ne vois qu'une solution…

— Il se l'était injectée, répliqua Lucie.

Van Boxsom acquiesça.

— Il a porté le mal en lui pour le sauver…

Ses pupilles se dilatèrent. Il se parlait désormais à lui-même, comme si ses interlocuteurs n'étaient plus là.

— Il a dû poursuivre ses recherches dans le monde civilisé, en Amérique, en Australie ou en France, sous les yeux de son fils qui a finalement pris le relais. Oui, c'est ça, ils ont découvert les symptômes exacts, compris toutes les caractéristiques de la maladie… Et puis ces Mexicains, touchés en 1980. L'enfant de la jungle n'avait pas encore 30 ans. Il travaillait peut-être dans l'industrie du sang, seul ou avec son père… Les expériences autour du koroba ont continué mais, au lieu de l'injecter à des singes comme nous l'avions fait, il s'en est pris à des ouvriers pauvres qui, après avoir donné leur sang, repartaient avec le mal dans leurs veines. Des cobayes humains… Ni vu ni connu. Il devait s'arranger pour qu'ils ne viennent que dans son établissement, afin d'éviter qu'ils ne propagent la maladie avec leurs dons. Il suivait sans doute chacun de ces malades, tenait des statistiques, les interrogeait sur leur état de santé et analysait leur sang…

Lucie comprenait tout. Le gourou avait alors dressé un portrait-robot précis du koroba, il avait apprivoisé la maladie. Une vraie bombe à retardement invisible, une arme redoutable qu'il avait dû par la suite rapporter en France dans de simples échantillons de sang. Lucie ignorait quelles avaient été ses activités entre le milieu des années 1980 et aujourd'hui, mais peu importait, au final : son père l'avait extrait de la jungle et entraîné dans sa folie. Plus tard, le gourou avait dû découvrir que sa sœur jumelle était toujours vivante, sûrement par l'intermédiaire des tableaux et des articles de presse. Il avait alors baptisé sa secte Pray Mev, hommage sordide à sa jumelle, et anagramme parfait du mot « Vampyre ». La machine meurtrière s'était alors mise en marche : trente-cinq ans après le Mexique, la variante du koroba allait cheminer dans de nouvelles veines. Et cette fois, plus question d'expérimentations : la destruction seule.

Après avoir posé ses deux mains sur les accoudoirs de son fauteuil, Van Boxsom serra les lèvres et laissa son regard partir vers une lucarne qui donnait sur les cimes. Il ne bougea plus, enfermé dans ses souvenirs macabres.

Lucie comprit que l'entretien était terminé.

87

Le gris pierre du ciel, le bleu vif de la mer, le blanc laiteux de la craie. Les falaises normandes s'arrachaient des flots en remparts increvables, découpées par les siècles, cisaillées à coups de sel et de ressacs furieux. Les orages de la nuit avaient mis cap à l'est, offrant l'espace à des éclaircies éblouissantes, dont la lumière perçait, çà et là, le plafond bas des derniers nuages.

Frank et Pascal avaient été mis au courant des découvertes de Lucie et détenaient désormais la plupart de leurs réponses. Restait à mettre la main sur le chef de la meute. Une équipe fouillait de fond en comble son appartement du 16e, trouvé sans occupant. Les alertes fusaient, on déployait les différents plans nationaux pour interpeller le monstre. Avec son visage, sa maladie, il ne passerait pas à travers les mailles du filet. On finirait par l'attraper.

Mais le mal était fait, et nul doute que, dans les jours à venir, une crise sanitaire de l'ampleur de celle du sang contaminé se déverserait dans les veines médiatiques.

Le véhicule parcourut une route goudronnée le long des falaises, puis le toit de l'habitation apparut en retrait d'une colline, entre précipice et campagne, jaillissant du relief et des arbres qui la protégeaient des regards indiscrets. L'endroit offrait une vue imprenable sur la Manche depuis les hauteurs de Dieppe. À une dizaine de mètres, au bout du jardin, la côte d'Albâtre ouvrait sa grande bouche de craie comme pour avaler la demeure de style anglo-normand. Les deux flics se garèrent devant le portail fermé afin d'empêcher toute fuite de véhicule motorisé, au cas où.

Tout comme l'appartement parisien, l'environnement ne montrait aucun signe de présence humaine : pas de voiture dans l'allée et volets rabattus sur les fenêtres. Sharko pensa à une résidence secondaire. L'herbe du jardin n'était pas haute, ce qui laissait supposer un entretien récent.

— On dirait bien que c'est mort, lâcha Pascal. Il doit être déjà loin.

— On va quand même jeter un coup d'œil.

En longeant le grillage par la droite, ils dénichèrent un mince passage, à un mètre à peine du vide. La falaise avançait sans concession et engloutissait tout sur son passage, y compris les clôtures. Bientôt viendrait le jour où l'habitation finirait au fond de l'eau. Robillard s'agrippa au bras de son collègue lorsque des cailloux roulèrent sous sa semelle et chutèrent cinquante mètres plus bas.

Ils remontèrent dans le jardin, armés de prudence. Franck donna de gros coups de poing sur la porte arrière et plaqua son oreille contre le bois. Pas un bruit. Alors, il décida d'employer la manière forte. Moins de dix secondes plus tard, les policiers étaient à l'intérieur, leurs pistolets braqués devant eux.

Il régnait dans l'habitation un silence de mort. La différence de température avec l'extérieur glaçait le sang, comme lorsqu'on ouvre la porte d'un frigo. Les fenêtres étaient condamnées, avec les volets rabattus sur des murs en brique. Pas un rayon de soleil ne passait, des joints obstruaient le moindre interstice propice au passage de la lumière naturelle. Pascal appuya sur un interrupteur et fit jaillir une lueur aussi faible qu'une flamme de bougie.

Ils scrutèrent chaque pièce avec précaution, passant devant des miroirs brisés.

— Amène-toi, murmura Pascal depuis la cuisine.

Sharko le rejoignit, sur ses gardes. Une glacière souple était posée par terre, remplie d'une dizaine de poches de sang et de glaçons encore intacts. À côté, dans un sac de sport entrouvert, des liasses de billets. Franck se retourna et fixa les clés de voiture, près de l'évier.

— Il est ici, dans cette baraque…

Les deux flics redoublèrent de prudence. Ils se plaquaient aux murs, scrutaient chaque bouche d'obscurité. Ils s'engagèrent dans la cage d'escalier, Sharko protégeant l'avant, Pascal leurs arrières. Le bois gémissait sous leurs semelles. Hall de l'étage. Moquette brune, tapisserie unie. À chaque porte qu'ils poussaient, ils déroulaient leurs gestes pour se protéger l'un l'autre, vifs, leurs sens aiguisés jusqu'au bout des ongles. Ils pénétrèrent dans des chambres aux draps défaits, encore habitées il y a peu. Sharko n'y voyait qu'une explication : des membres de la secte avaient séjourné ici, en communauté.

Plus loin, un vaste bureau aux tentures pourpres, tapis rouge au sol, large bibliothèque surchargée de vieux grimoires de médecine, de médecine légale, de biologie. Des notes, des schémas, des statistiques, des photos encombraient le bureau. Au centre, le fauteuil de velours ressemblait à une chaise électrique. Des cathéters longeaient les accoudoirs, des poches où restaient des fonds d'hémoglobine pendaient de bras articulés. C'était ici que Merlin s'injectait le sang Bombay de ses victimes.

Les flics firent demi-tour. Un coup de feu retentit lorsque Pascal s'engagea de nouveau dans le couloir.

Il lâcha son arme et s'immobilisa, le visage froissé d'incompréhension, les deux mains plaquées sur son ventre. Puis, l'espace d'une respiration, il s'effondra de tout son poids. Une tache pourpre fleurissait sur son sweat, tandis qu'une ombre glissait au bout du couloir.

Sharko ouvrit le feu en hurlant, mais la silhouette bifurquait dans l'escalier. Il se précipita et tira à vue. La porte arrière claqua. Sans réfléchir, il revint vers Pascal, l'allongea et souleva son pull. Le blessé cria de douleur. Le liquide suintait de la plaie, sur l'extrême gauche de la paroi abdominale.

Il se dévêtit et essaya d'éponger avec sa veste, tout en appelant les secours avec son portable.

— Une ambulance, vite !

Il donna l'adresse en catastrophe et raccrocha. Pascal lui agrippait le poignet en serrant les dents.

— Ça fait mal, putain…

— T'es costaud, tu vas tenir, d'accord ?

— Va, attrape-moi ce fils de pute. Je vais me débrouiller.

Sharko lui saisit les deux mains et les positionna au niveau du garrot de fortune.

— Appuie fort là-dessus.

Il s'élança dans l'escalier. À peine franchissait-il le seuil de l'entrée qu'une autre balle gicla et fit voler le bois du chambranle, au ras de ses oreilles. D'où venait le tir ? Il répliqua à l'aveugle et se mit à couvert. Les rayons du soleil réfractés dans les nuages gris l'éblouissaient. Il tenta un regard et aperçut la silhouette s'enfoncer dans le chemin de terre au bord du précipice, puis se faire avaler par des arbustes à hauteur d'homme.

Le flic y alla à la hargne. La pente glissante l'aspira plus vite qu'il ne l'aurait cru et, entraîné par sa vitesse, il se retrouva à deux doigts de basculer dans le vide. Le chemin ne longeait pas seulement le précipice : la falaise l'avait dévoré et, partout, des panneaux en interdisaient l'accès. Cela revenait à marcher sur le fil d'un rasoir, avec un vent latéral qui agissait comme une énorme soufflerie : Franck se sentit secoué tel un pantin.

Il n'y voyait pas à trois mètres : la végétation serrée lui fouettait le visage, lui griffait les mains. Il revit Pascal étalé par terre, et la douleur disparut : son corps traversa les buissons épineux, défonça les obstacles touffus façon bulldozer. Dessus, le soleil entama une nouvelle percée, faisant jaillir sur le paysage des couleurs improbables. Des blancs polaires, des verts de collines irlandaises, des jaunes savane. Les falaises ondulaient à perte de vue.

Il eut l'impression de ne recevoir qu'un léger choc sur l'épaule gauche au détour d'un virage, mais ce fut tout son corps qui se trouva soudain déséquilibré sous l'impulsion du vampire tapi dans les broussailles. Merlin avait surgi des arbustes avec l'agilité d'un renard.

Le basculement ne dura sans doute qu'une fraction de seconde, mais Franck eut le sentiment d'un interminable ralenti. Comme un spectateur de sa propre chute, il vit son pied gauche se décrocher du sol, ses mains se débattre dans l'air comme pour l'agripper, son bassin se tordre en direction de la mer, tandis qu'un cri mêlé de désespoir et de surprise s'évadait de sa gorge. Une bourrasque vint le fouetter et l'entraîna dans le vide. Sharko sentit l'haleine fraîche de la craie contre ses joues, l'appel du large, la poigne ferme de la gravité. La chute allait l'engloutir, et il aperçut le ciel bien avant la mer avec, entre les deux, son pistolet décrivant une parabole parfaite, juste un mètre au-dessus.

Dans un ultime réflexe de survie, sa main droite agrippa des racines qui sortaient de la craie, à une trentaine de centimètres sous l'arête de la falaise. Son flanc et ses genoux percutèrent avec force la paroi, tandis qu'il ramenait sa deuxième main sur un nuage de végétation défiant la verticalité. Son pied droit trouva un ridicule relief, tandis que l'autre pendait dans le vide. Infiniment plus bas, ce qui devait être son arme percutait déjà la surface de l'eau. Perché sur le géant de craie, Sharko n'était plus qu'un trait d'union entre la vie et la mort.

Le visage ovale apparut juste au-dessus de lui. Les rayons puissants et ultraviolets du soleil avaient tailladé le visage du vampire comme des coups de scalpel. Le blanc de l'un de ses yeux avait été envahi d'une mer d'encre, la peau de ses joues plus blanche encore que la craie craquelait, mais le plus impressionnant était ce sang, d'un rouge carmin, qui s'épanchait de ses lèvres déchirées. Malgré la douleur qui devait l'irradier, il sourit, et la vue de ses interminables rangées de dents allait être la dernière image que Sharko emporterait de l'autre côté de la rive.

Merlin pointa le canon dans sa direction. Ses doigts étaient noueux, ses longs ongles d'un jaune clair se rabattaient sur la crosse dans un crissement.

— On dirait bien que nos chemins se séparent ici. Tu vas rejoindre l'enfer tout de suite. Pour moi, il faudra attendre encore un peu.

Franck était incapable de faire le moindre geste, ses biceps se tétanisaient déjà. Il luttait contre le vent qui voulait l'arracher, le vide qui le croquait, mais la fin était proche, du fond de son âme, il le savait. Si Merlin ne tirait pas, il tomberait de lui-même.

Il n'y avait plus rien à faire, il ne hurla même pas qu'on l'épargne. Le sang qui s'écoulait du visage de Merlin venait s'écraser sur le sien – le monstre fondait littéralement sous le soleil. Résigné, fatigué, Franck ferma les yeux, le front plaqué contre la falaise. Il était plus que temps de raccrocher les gants. Il accorda ses ultimes secondes à sa famille. Il regrettait tellement de ne pas avoir dit au revoir à ses fils ce matin, de ne pas avoir embrassé Lucie avec davantage de passion.

Demain, le soleil se lèverait sans lui, mais la vie continuerait. Elle devait continuer, coûte que coûte.

Sharko déglutit une dernière fois, et le coup partit.

Une détonation résonna loin, le long des murs de craie.

Il aurait dû tomber, et pourtant son corps restait ventousé à la paroi. Lorsqu'il rouvrit les yeux, il vit le corps de Merlin basculer dans le vide et le frôler, avant de heurter à deux reprises la roche et de se faire avaler par l'écume. Franck leva alors la tête vers la main qui se tendait vers lui.

— Allez, attrape mon bras.

Nicolas avait surgi de nulle part. Dans un ultime effort, Franck serra le poignet de son collègue, s'agrippa à la paroi de l'autre main et se retrouva à même le sol. Il poussa une longue expiration, n'en revenant toujours pas.

— Comment tu as su ?

— Le hasard, juste le hasard. J'étais au bureau avec Jacques ce matin. J'ai jeté un œil à ses notes quand il a récupéré l'adresse de Merlin et qu'il est allé voir Manien. Et je me suis mis en route. J'étais venu ici pour… tuer Merlin de mes propres mains. Il fallait que je le tue.

— Pourquoi ?

Nicolas pinça les lèvres.

— On va dire que c'est… personnel. Je pensais arriver avant vous, mais vous avez été plus rapides. Je t'ai vu disparaître sur le chemin à sa poursuite… Et voilà.

Franck se redressa.

— Tu m'as sauvé la vie.

Nicolas esquissa un sourire timide. Sharko leva le menton. Au loin, les sirènes de l'ambulance retentirent.

— Faut que tu partes maintenant.

Nicolas regarda son arme entre ses mains, il n'avait pas l'air pressé de fuir.

— Je suis prêt à payer pour ça, Franck, tu sais ?

Sharko ne voulait pas retomber là-dedans. Il l'attrapa soudain par le col, mais sans véritable animosité.

— Ça serait trop facile. T'es un putain de bon flic, peut-être le meilleur d'entre nous. Alors, tu vas te tirer d'ici, ou c'est moi qui te balance dans le vide.

Sharko se retourna. Nicolas était à deux doigts de la falaise.

— Au moins, j'aurais une vraie bonne raison d'aller en taule.

Bellanger eut l'air d'avoir reçu un électrochoc et, l'espace d'un instant, Franck retrouva le regard de l'homme qu'il avait connu et apprécié par le passé. Il sut que Nicolas abdiquait, alors il s'écarta d'un pas et le relâcha. Son collègue resta une poignée de secondes immobile.

— Merci…

Il fit quelques pas en arrière, puis disparut sur le chemin, au moment où des gouttes de pluie vinrent frapper la terre jaune.

Dans un soupir de soulagement, Sharko se tourna vers la mer. En contrebas, il crut voir le corps de Merlin, charrié par les vagues. Il leva la tête, contempla le large quelques instants et, à son tour, disparut à petites foulées en direction de la maison.

Il avait un blessé par balle à rassurer.

ÉPILOGUE

La chance leur sourit en ce samedi du mois de novembre. L'automne distribuait ses couleurs les plus chaudes, entre le jaune-brun des feuilles, le vert clair des mousses et le bleu profond du ciel. La température était bonne, et les colonies de nuages sombres accrochés au nord ne gâchèrent ni les photos dans le parc de Sceaux ni la sortie des mariés à la mairie.

Sharko rayonnait dans son costume bleu marine, col en feutre noir et poches droites passepoilées à rabats. La cravate en soie gris perle et la pochette blanche lui apportaient juste le sérieux nécessaire que tout bon flic se doit de garder. Il ne se rappelait plus quand il avait été aussi heureux. Peut-être à la naissance de ses fils.

Il prit la main de Lucie, élégante et aérienne dans son ensemble veste et jupe longue gris pâle. D'amples boucles blondes ondulaient sur ses épaules, et son port de tête gagnait en élégance grâce aux hauts talons qu'elle avait daigné choisir. Il y avait comme une magie dans sa façon de se déplacer, une évidente féerie qui faisait fondre Sharko.

Bras dessus, bras dessous, les jeunes mariés descendirent les marches du perron sous les poignées de riz, les cris de joie et les félicitations de la cinquantaine d'invités. Côté famille, il n'y avait que la mère de Lucie, en larmes, les jumeaux serrés contre elle, une tante de Franck et une cousine avec laquelle il avait gardé contact. Le reste de l'assemblée était composé des collègues du 36, surtout ceux du troisième étage, venus seuls ou accompagnés de leur moitié. Manien avait été invité pour la forme, mais avait tout naturellement trouvé une excuse pour se défiler. Quant à Régine, elle comprenait fort bien qu'il valait mieux pour eux tous ne pas se montrer dans ce nid à policiers. Elle leur avait offert tous ses vœux de bonheur.

Sharko accorda un long regard à Nicolas, encore ému d'avoir été choisi comme témoin – avec Pascal Robillard, qui se dandinait un peu plus loin dans un costume trop étroit pour lui. Les deux hommes avaient eu une longue discussion devant une bière, quinze jours après la mort de Merlin. Sharko avait vu que tout n'était pas mort dans la tête de Nicolas. Une flamme d'espoir avait survécu au naufrage et ne demandait qu'à être ravivée. Certes, le chemin de la reconstruction serait long, mais Nicolas allait retrouver l'envie de vivre et de se battre, Sharko le savait. Manien partait à la retraite dans quelques mois, et Franck était en théorie amené à prendre sa place. Il le lui avait promis : une fois la réorganisation en route, il pèserait de tout son poids afin qu'il réintègre leur équipe. Pour l'heure, Nicolas attendait encore une nouvelle affectation.

Durant leur discussion, Nicolas lui avait expliqué pourquoi il avait voulu tuer Merlin. Il lui avait alors confié ce qui s'était passé, la fameuse nuit de leur dispute devant les champignonnières. Sa virée au B&D Bar, le piège refermé sur lui à l'arrière de sa voiture, la présence floue du vampire et l'injection de la maladie dans son cou.

Les maladies à prions ne pouvaient pas être soignées une fois les premiers symptômes apparus, à cause de l'effet domino dans le cerveau. Mais grâce à l'enquête et surtout à Robillard qui avait remarqué la trace de piqûre, Nicolas avait pu orienter immédiatement les médecins. Il suivait un traitement à la doxycycline, un antibiotique qui, dans la plupart des cas, ralentissait le développement des maladies à prions identifiées. Ralentissait, mais ne guérissait pas.

Qu'en serait-il pour la variante du koroba ? Détectée aussi tôt, la maladie pas encore installée disparaîtrait-elle en totalité de l'organisme de Nicolas ? En garderait-il des séquelles ? Risquait-il, un jour, de se retrouver dénué de peur ? Seul l'avenir le dirait.

Les flics aimaient les traditions, et Lucie et Franck entamèrent la première danse, dans une salle louée au cœur de la ville. Tout s'était fait à l'arrache : la préparation, les invitations, le choix de la date, mais la fête était belle.

Les amoureux tournèrent, tournèrent, emportés par l'élan de leur joie, la musique et les applaudissements.

— On l'a enfin, notre bonheur, murmura Franck à l'oreille de sa femme.

— On l'a. On le met en garde à vue, et on ne le lâche plus.

Elle lui accorda un baiser et ferma les yeux. Demain, ils partiraient trois jours pour Venise, rien que tous les deux. Un morceau de rêve, une parenthèse d'insouciance durant laquelle ils se perdraient dans les ruelles, se donneraient la main et riraient comme deux adolescents qui se découvrent pour la première fois. Puis la vie reprendrait son cours, avec ses joies, ses peines, ses étoiles noires dispersées sur la ligne de leurs destins. Il y aurait d'autres enquêtes, d'autres difficultés, et ils devraient porter encore longtemps le poids de leurs actes de cette fameuse nuit du 20 septembre 2015, mais ils surmonteraient tout cela, parce qu'ils étaient deux, et qu'à deux, ils étaient insubmersibles.

L'affaire Pray Mev n'était pas encore totalement terminée, des points restaient à éclaircir. Sur les membres assassinés de la secte, tout d'abord. Les analyses ADN et les recherches avaient permis d'en identifier douze sur seize. Ramirez et Dupire étaient allés chercher des jeunes en rupture qui déversaient leur haine du monde sur les réseaux sociaux et préféraient l'ombre à la lumière. On leur avait promis le renouveau, la vengeance. On leur avait aussi assuré qu'ils n'auraient plus jamais peur. Ils avaient tous enduré une mort bestiale, au fond d'un abattoir désaffecté. Sharko avait veillé à ce que le meurtre de Ramirez soit attribué à Raphaël Merlin. La raison était simple : le gourou avait voulu punir son disciple, suite au fiasco avec Willy Coulomb…

Les parcours de Raphaël Merlin et de son père conservaient une multitude de zones obscures, et ce serait sans doute la partie la plus difficile à reconstituer. Dans les actes notariés de son appartement du 16e et de sa maison de Dieppe, Raphaël Merlin était censé être né en 1953 à l'hôpital de Seattle, Washington, fils de Romuald Merlin, médecin et chercheur français installé aux États-Unis, et de Carolin Walters, infirmière texane. Le père, Romuald, était leur sorcier blanc – Van Boxsom l'avait confirmé d'après des photos. Problème : en 1953, Romuald propageait la folie au fond d'une jungle de Papouasie-Nouvelle-Guinée et Raphaël naissait du viol d'une Indienne. Quant à Carolin Walters, elle avait bien existé, avait selon toute vraisemblance eu une liaison avec Romuald, mais était morte en 1956 à Sydney.

En 1966 – leur vampire avait alors une dizaine d'années –, le nom du père réapparaissait à l'université médicale de Houston, au Texas, où il travaillait sur les maladies neurodégénératives. Peut-être portait-il la variante du koroba dans ses veines et l'étudiait-il, mais on ne le saurait jamais : il était mort dans cette même ville en 1977 d'un cancer du pancréas.

Quant à Raphaël Merlin, le fils… Pas grand-chose sur lui pour le moment. Juste un nom sur des documents, quelques photos : rien sur sa jeunesse, études dans une université de médecine à Houston en 1976, trace dans l'organigramme de Plasma Inc. en 1980, puis dans celui de Cerberius en 1988. Présence en France en 2001, achat de l'appartement dans le 16e en 2002, de la résidence secondaire de Dieppe en 2005. En 2007, il créait Helikon.

De longues recherches permettraient peut-être de combler tous les vides, de retracer les chemins maudits du père et du fils, de comprendre comment des hommes pouvaient en arriver à accomplir de telles horreurs. Le père avait-il volontairement semé la graine du mal dans l'âme de son fils, ou Raphaël Merlin avait-il plongé de lui-même dans les ténèbres après la mort de son géniteur, la bombe du koroba entre les mains ? Mev, la jumelle, finirait-elle par développer la maladie de son frère ? Peut-être faudrait-il, un jour, tenter de lui expliquer ses origines. Son psychiatre déciderait de ce qui serait le mieux pour elle.

Père et fils étaient morts, les membres de la secte Pray Mev aussi, mais pas la maladie. La catastrophe sanitaire déployait ses grandes ailes noires sur le monde. On cherchait les malades atteints par la variante du koroba, on rappelait des stocks de sang et les moindres lots de produits dérivés aux origines douteuses – on avait surtout retracé les poches des donneurs identifiés de Pray Mev. La France était pointée du doigt, et plus aucun produit dérivé du sang ne sortait du pays.

Ironiquement, la société de Merlin, Helikon, vit ses commandes croître de façon exponentielle – elle disposait de la seule parade actuelle sur le marché contre le koroba –, ce qui fit la joie de ses employés dont l'enquête n'avait révélé aucune implication. Mais les dons du sang avaient drastiquement chuté, et les malades refusaient qu'on les transfuse. La paranoïa était bel et bien présente en ce début novembre 2015, et cette forme d'attaque microbiologique, greffée au climat déjà bien pesant, rendait l'atmosphère irrespirable. La population avait peur. Dix mois après, *Charlie* était encore dans les esprits et l'air crépitait comme le gaz échappé d'une bouteille de butane. À la moindre étincelle, le pays s'embraserait.

La chanson se termina, le DJ enchaîna sur un air plus rythmé, et les invités envahirent la piste. Jacques se déhancha comme jamais, Pascal piochait dans les amuse-gueules, à la recherche de toasts au saumon dont il abandonnait en toute discrétion le pain sur un coin de table, Nicolas fumait dehors, seul.

Lucie se serra contre son homme.

— Lucie Sharko, je crois que ça va me faire tout drôle.

— Va falloir t'y habituer, pourtant.

— Je ne sais pas si j'y arriverai. Il n'y a qu'un seul Sharko.

NOTES AUX LECTEURS

La plupart des éléments de ce roman sont avérés et basés sur une solide documentation scientifique ou issus de rencontres faites au gré de mes recherches. Tout ce qui est décrit autour du sang – son histoire, ses maladies, le circuit du don, le bio-art et ses étranges peintures… – est vrai. En revanche, ne cherchez pas le koroba, les Banaru ou les Sorowai sur Internet ni ailleurs, vous ne les trouverez pas, ils sont pure fiction.

Pure fiction ? Pas tant que cela, toute réflexion faite. Mon cerveau de conteur d'aventures s'est juste appuyé sur les épopées peu communes de ces hommes aventureux qui, par leur courage, leur acharnement et leur goût de la découverte, font avancer l'humanité. La cruauté de mes personnages et de mon récit m'a fait tout naturellement m'éloigner d'eux.

Permettez-moi néanmoins de vous exposer, en deux pages, les faits exacts qui m'ont en partie inspiré.

En 1957, Michael Alpers, un étudiant en médecine australien, entendit parler d'une grave affection neurologique spécifique aux Fore, une tribu de la Papouasie-Nouvelle-Guinée. Les anthropologues qui avaient voyagé dans ces contrées encore inconnues racontaient que les individus atteints tremblaient, riaient et perdaient l'équilibre. Cette maladie, bien vite baptisée le kuru, « la morte riante », était associée par les Fore au pouvoir des sorciers ennemis.

Alpers passa une bonne partie de sa vie auprès des Fore, à essayer de comprendre le mal qui les frappait eux, et seulement eux. Après des années, un autre aventurier le rejoignit, le virologue américain Daniel Carleton Gajdusek, seul autre chercheur décidé à cerner ce terrible mal. Les deux hommes découvrirent alors, pour la première fois, une maladie neurodégénérative transmissible d'humain à humain, que les indigènes contractaient en ingérant le cerveau de leurs défunts lors de leurs rites anthropophages.

Leur immense découverte fut publiée en 1966. Ils affirmèrent que le tout premier cas était apparu de façon spontanée et firent ensuite le rapprochement avec une maladie très rare, dont tout le monde se désintéressait à l'époque parce qu'il n'y avait eu que quelques cas recensés depuis sa découverte quarante ans plus tôt : la maladie de Creutzfeldt-Jakob. Les deux hommes décidèrent alors de se pencher sur la MCJ : était-elle transmissible ? Comme ils l'avaient fait pour le kuru, ils injectèrent les cellules cérébrales d'une victime de Creutzfeldt-Jakob à des chimpanzés. Les singes contractèrent la maladie.

Ils prouvèrent ainsi le caractère transmissible de la MCJ. Daniel Carleton Gajdusek établit que le responsable n'était ni un virus connu ni une bactérie identifiée, et qu'il était mille fois plus petit qu'un agent pathogène classique. Il obtint le prix Nobel de médecine en 1976 pour la découverte d'un « virus non conventionnel ».

Plus tard, Stanley Ben Prusiner, un neurologue américain, mit un nom sur ce « virus non conventionnel » : le prion, qui n'avait rien d'un virus, en fait. Il décrivit ainsi le premier nouvel agent pathogène depuis un siècle et obtint le Nobel en 1997 pour ses travaux sur les prions.

Vingt-cinq ans après l'arrêt des pratiques cannibales imposé par le gouvernement australien, une trentaine de Fore déclaraient encore la maladie. De nos jours, un ou deux cas par an continuent à apparaître : des individus de 70, 80 ans qui, jeunes enfants, ont mangé des cerveaux malades. Cela prouve que les délais d'incubation du kuru peuvent être de plus de cinquante ans.

En 1985, une pratique cannibale moderne faisait trembler le monde entier : la maladie de la vache folle a été propagée par les fameuses farines animales, constituées, entre autres, de cerveaux broyés. Dix ans plus tard, on constatait que la maladie était passée à l'homme qui, en bon consommateur des vaches incubant la maladie, mangeait lui-même, en quelque sorte, les cellules cérébrales défectueuses. On l'appelait « la variante de la maladie de Creutzfeldt-Jakob ».

Depuis 1995, cent cinquante personnes l'ont contractée en Grande-Bretagne, après avoir avalé de la viande bovine infectée. Mais on soupçonne, à l'identique du kuru, des délais d'incubation pouvant atteindre cinquante, voire cent ans ! Combien de personnes sont réellement infectées et mourront sans que la maladie se déclare ? Qu'en est-il des dons – organes, sang, tissus – qu'ont pu faire ces personnes ?

REMERCIEMENTS

Je remercie :

Hervé Jourdain, Karim Maachi, Lionel Olivier pour leurs explications sur les procédures policières, les faits de police scientifique et toutes ces histoires parfois bien compliquées de balles ou de douilles.

Le professeur Gilles Tournel pour les parties concernant la médecine légale.

Les personnes de l'Établissement français du sang de Lille pour leur accueil, leur gentillesse, leurs explications, et plus particulièrement Régine Beghin, le Dr Pelletier, ainsi que le Dr Delemer. J'ai croisé là-bas des personnalités généreuses, dévouées, à des années-lumière des « méchants scientifiques » que je décris parfois dans mes livres.

Je remercie aussi les scientifiques, médecins, chercheurs, journalistes d'investigation qui écrivent des livres, des thèses et nous font partager leur passion, leur métier, leurs découvertes. Ils sont le ciment de mes histoires. Les erreurs, raccourcis ou imprécisions qui, malgré tout, subsisteraient dans ce roman m'incombent totalement.

Les équipes de Fleuve Éditions, de Pocket et plus globalement d'Univers Poche qui m'accompagnent et me font confiance depuis toutes ces années.

Ma famille, bien sûr, qui sait que l'écriture d'un tel livre n'est pas un long fleuve tranquille.

Et vous, mes chers lecteurs. Vous êtes le rayon de soleil qui traverse mon bureau lorsque je m'y installe chaque matin. Je vous dis à bientôt pour de nouvelles aventures.

Et pensez au don du sang. Un geste simple, mais surtout une expérience humaine qui sauve des vies.

Découvrez dès maintenant
un extrait de

Le Manuscrit inachevé

le nouveau roman de
Franck Thilliez

chez Fleuve Éditions

FRANCK THILLIEZ

LE MANUSCRIT INACHEVÉ

1

Quatre ans plus tard, décembre 2017

Peu de temps après son départ de la pompe à essence, Quentin s'empara du portable dernier cri posé sur le tableau de bord. Il tenta de le déverrouiller, mais l'engin était protégé par une identification par empreinte digitale. Il l'éteignit – hors de question d'être repéré grâce à la géolocalisation –, le balança sur le siège passager et tourna le bouton de la radio. Nekfeu, « Nique les clones », remplaça la musique classique du CD et répandit son acide dans les enceintes de la berline.

Je ne vois plus que des clones, ça a commencé à l'école. À qui tu donnes de l'épaule pour t'en sortir ? Ici, tout le monde joue des rôles en rêvant du million d'euros. Et j'ai poussé comme une rose parmi les orties.

Une rose parmi les orties. Ce qu'il avait cru être au milieu de la cité. Un petit gars différent, capable de s'en sortir à la hargne, qui visait le bac pro mécanique, histoire de réparer des voitures. Son rêve, il aurait pu le vivre sous le capot des Ferrari, des Porsche, des Audi R8, à défaut d'en tenir le volant comme les caïds. Mais la cité l'avait rattrapé, avalé, digéré telle une ortie, transformé en clone de racaille. Il n'avait même pas le permis de conduire. La misère s'étalait comme une pieuvre. Une fois dans ses tentacules, englué dans son encre, impossible d'y échapper.

Quentin épongea la sueur sur son front, descendit la fermeture Éclair de son bombers et regarda dans son rétro. Personne sur la route. Juste des virages, la nuit et le rempart obscur des montagnes. En dépit de ce qu'il venait d'accomplir, il se sentait bien, serein, libre. Il aimait cette atmosphère de fin du monde, loin du béton, du bruit, des cris des femmes tabassées par les voisins de palier. Il allait bientôt les quitter, ces géantes de granit, et regagner sa barre misérable à Échirolles, pioncer à longueur de journée, fumer des joints, jouer à la Play jusqu'à la prochaine fois. Le théâtre de sa misérable vie, résumée en trois actes.

Il lorgna les billets répandus sur le siège passager sous son Beretta et le portable. Pas grand-chose, certes, mais, un jour, il aurait assez de fric de côté. Il partirait lui aussi, comme son père, mais pas pour les mêmes raisons. Il caressa la croix qui pendait au bout d'une chaîne en or accrochée au rétroviseur et sourit. Dieu veillait sur lui.

Les lueurs bleutées de gyrophares le cueillirent au détour d'un virage serré. Dans l'éclat de ses phares, un homme en gilet orange agitait un bâton luminescent. Un poids lourd était garé le long du parking, inspecté par un berger malinois et son maître-chien.

La douane française.

Quentin jura. Après son coup, il était sorti de l'autoroute et avait gagné les lacets montagneux pour éviter ce genre de pépins. Il leva le pied. Qu'est-ce que ces enfoirés fichaient là, à une heure pareille et en plein parc de la Chartreuse ? Les douaniers étaient de vraies teignes, ils ne se contentaient pas d'un contrôle d'identité, ils fouillaient de fond en comble et vous balançaient leur saleté de truffe à quatre pattes dans l'habitacle ou le coffre. Une fraction de seconde, il pensa à faire demi-tour mais, vu l'étroitesse de la route, le parapet, le ravin, il lui faudrait des plombes pour s'enfuir. Et puis le douanier l'avait vu, bien sûr, et lui ordonnait de se ranger sur le bas-côté.

Respirer, ne pas se démonter, et réfléchir… Cinq gaillards, trois véhicules, dont deux 308 boostées. Le jeune avait l'avantage de la surprise et prit sa décision, il n'avait pas le choix, de toute façon. Alors, il fit mine de ralentir, de se garer et, lorsque le type arriva au niveau de la vitre ouverte côté conducteur, il enfonça la pédale de droite. Il entendit les hommes crier et en vit deux se précipiter vers leur véhicule.

Quentin roulait pour sa vie, pour sa liberté. Une dizaine de kilomètres de virages rageurs l'attendaient jusqu'à l'entrée de Grenoble. Aucune échappatoire, juste foncer et espérer survivre à l'enfer d'asphalte. Avec son casier déjà bien rempli, il prendrait cher en cas d'interpellation. Plus rien à perdre.

Une sirène hurla dans le désert minéral des montagnes. Quentin enchaîna les accélérations, les rétrogradages, comme dans un jeu vidéo. Mêmes sensations, le ticket pour l'enfer en plus. Une première fois, il évita un parapet de peu et frôla le précipice. Les pneus arrière crissèrent, le véhicule zigzagua mais tint bon. Quentin poussa un cri de rage, il venait de dinstancer ses poursuivants d'une cinquantaine de mètres. Aussi fort que son pilote virtuel sur le circuit du Nürburgring.

Sa dernière pensée fut pour sa mère quand la Faucheuse lui composta son billet, trois virages plus loin. Il n'avait pas mis sa ceinture de sécurité. Aussi, au moment du choc contre les blocs de béton d'un garde-fou, il traversa à moitié le pare-brise, la partie haute de son corps sur le capot, l'autre retenue par l'airbag. Le véhicule poursuivit son embardée sur dix mètres dans une gerbe d'étincelles avant d'être stoppé au bord du ravin. Le passage instantané de trente kilomètres par heure à zéro ne fut pas si violent, la fine chaîne avec la croix resta même accrochée au rétroviseur, mais Quentin, lui, fut finalement éjecté et chuta de plus de quarante mètres, comme une allumette qu'on balance dans le vide. Sa boîte crânienne s'écrasa la première contre les rochers, et la brusque décélération fit exploser ses organes internes. Le cœur se décrocha de l'aorte, un rein éclata.

Son existence, ses 18 ans, la somme de ses souvenirs, ses rires et ses pleurs furent pulvérisés en moins d'une seconde, sur une route anonyme de montagne, entre Chambéry et Grenoble. Le véhicule avait survécu, hormis les vitres en miettes et sa partie gauche défoncée.

Le chauffeur de la 308, Marc Norez, contrôleur des douanes depuis vingt-deux ans, appela la police ainsi que les pompiers. Une soirée qui aurait dû être tranquille mais finissait en cauchemar. Avant la course-poursuite, il avait eu le temps d'apercevoir le visage du fuyard, au niveau du barrage. De ces traits si jeunes ne subsistait plus qu'une silhouette minuscule sans tête, à peine visible malgré la portée de sa lampe. Quel gâchis. Pourquoi l'individu avait-il pris la fuite ? Qu'avait-il craint ? Que faisait-il sur cette route isolée à une heure si tardive ?

Norez discuta cinq minutes avec son coéquipier, puis longea le parapet et s'orienta vers ses autres collègues, juste arrivés. Le berger malinois et son maître sortirent, et l'animal montra soudain une agitation manifeste. Il fonça comme une flèche vers le coffre intact et se mit à aboyer. Il grattait la peinture avec ses pattes. L'un des officiers, arme en main, enfonça le bouton d'ouverture du coffre.

Il fit un bond en arrière lorsqu'il découvrit le cadavre d'une femme.

On lui avait arraché le visage.

Composition et mise en pages
Nord Compo à Villeneuve-d'Ascq

Achevé d'imprimer en Allemagne
par GGP Media GmbH
à Pößneck
en mars 2018

S28645/01